『十四五』时期国家重点图书出版专项规划

中国考古发掘报告提要

报告提要

汉代卷（上册）

刘庆柱 ◎ 总主编

丁晓山 ◎ 主编

中国文史出版社

序

记得是在 2013 年初夏的一天，首都师范大学丁晓山先生因公事到六里桥中华书局来找我。办完公事后我们就坐在中华书局一楼大厅里聊了会儿天，晓山先生告诉我，他想编《中国考古发掘报告提要》。我深表赞同，但又觉得兹事体大，任务繁重，恐怕会和许多听上去不错的想法一样，最终也只能停留在策划阶段，无疾自终。没有想到时隔不到两年，晓山先生竟抱着十几册书稿来找我写序了。按说考古方面的著述本不该由我来写序的，但我首先是被晓山先生的实干精神所感动，感到没有理由拒绝如此埋头苦干的后辈学者；其次从考古与文献的结合角度，也还确实有些话想说，便欣然答应了下来。

夜深人静，我翻阅着堆满了小半个书桌的书稿，当然最先翻看的是我比较感兴趣的隋唐五代卷。真的是如入宝库，目不暇接。记得曾有学者讲过，考古是坐在前排看戏。的确如此，考古是跟古人直接对话，你会看到古人穿着什么样的盛装出现在社交场合，你会触摸到古人曾经喝过酒的酒盏，你会站立在当年宫女们居住的寝室，你甚至会行走在一千年前古人曾经走过的街道上……借用时下流行的词语讲，真的是让人有"穿越"之感了。这是阅读古代文献很难获得的一种体验。

正是因为考古资料如此无可替代，20 世纪 20 年代王国维先生就提出了"二重证据法"，以考古资料与传世文献相印证，并将此提高到了方法论的高度。20 世纪 60 年代，沈从文先生甚至说过要想做好学问，最好"老老实实去故宫各库房学三五年文物"[①]的话。然而，结果又如何呢？约 30 年前，张光直先生就指出："考古学与历史学不能打成两截，那种考古归考古，历史归历史，搞考古的不懂历史，搞历史的不懂考古的现象，是一种不应有的奇怪现象，说明了认识观的落后。"[②]李学勤先

---

① 沈从文：《花花朵朵坛坛罐罐——沈从文文物与艺术研究文集》，外文出版社，1994 年版，第 76 页。
② 见《中国社会科学》杂志社编《未定稿》，1988 年第 4 期。

生在约 20 年前讲："我们学术界的习惯，是把历史学和考古学截然分开。""学历史的专搞文献，学考古的专做田野，井水不犯河水，大多不相往来。我看这对历史学、考古学双方都没有好处。"[①] 10 年前，石兴邦先生还引用张光直先生的话讲："中国古史研究与考古学的发现成果的间距，比海峡两岸的距离还远。"[②] 时至今日，这一状况应该说，有所改观，但恐怕还不好说已有了实质性的改观。

那么，怎么才能让历史学、考古学双方都有好处呢？这就需要沟通。而考古发掘报告，恰恰是双方有望沟通的一个很好的现实选择。从考古学来说，考古发掘报告是发现、发掘、整理、研究这一系列考古活动的最后结晶，是考古发掘过程中必不可少的关键一环。从历史学的角度看，考古发掘报告几乎是认识考古发掘的唯一文字凭证，历史学者不可能老是如同考古学者一样坐在前排看戏，他们在绝大多数情况下，只能通过发掘报告，来了解他们关心的考古事实（或许以后还可以通过网播、专题片等视频来了解）。应该说，考古界、史学界双方都很重视考古发掘报告。

然而，考古发掘报告似乎并不是准备给考古圈以外的人看的，专业词汇触目皆是，叙述过程长篇大论。不用说厚度令人生畏的考古详报，就是所谓考古发掘简报，也是动辄几十页，简报不"简"，难以卒读。李学勤先生曾谈到，早在 1955 年《考古》杂志开第一次编委会时，夏鼐先生就郑重其事地提出办刊的四项任务。头一条任务居然是"普及"[③]。我理解这个"普及"，不仅仅是向群众普及考古知识，提高文物意识，也理应包括向非考古专业的其他学科学者，介绍考古成果，传播相关信息。也早有学者呼吁，考古发掘报告专业性太强，必须加以改进，"使学科内、学科外的读者都可以直接阅读和使用可靠资料"[④]。也曾有学者强调"考古界应该更快地从迷恋于资料信息的占有，转入对资料信息的共享、共商、共研"[⑤]，而《中国考古发掘报告提要》所做的，不正是这样一种"普及"和改进工作吗？不正是这样一种"共享、共商、共研"吗？

说实话，如果说考古学和中国传统的金石学还勉强沾上点边的话，那么考古发掘报告，可就是完完全全、百分之百的舶来品了。中国传统文献里没有这种写法，也难怪国人读起来不太熟悉。而提要，则是我们十分熟悉的写法了，姚名达先生甚至说中国古代目录"优于西洋目录者，仅恃解题一宗"[⑥]。打个比方，如果说考古发

① 李学勤：《走出疑古时代》，辽宁大学出版社，1994 年版，第 62 页。
② 张得水：《"文明探源：考古与历史的整合"学术研讨会综述》，《中原文物》2006 年第 1 期。
③ 《〈考古〉50 年笔谈》，《考古》2005 年第 4 期。
④ 谢尧亭：《从〈天马——曲村〉谈考古资料的整理和报告的编写》，《考古》2005 年第 3 期。
⑤ 张忠培：《中国考古学：九十年代的思考》，文物出版社，2005 年版，第 5 页。
⑥ 《中国目录学史》，上海古籍出版社，2002 年版，第 346 页。

掘报告是道洋味扑鼻的"西餐",而"提要"则有如"西餐中做"。《中国考古发掘报告提要》煌煌十卷本,收录自1928年至2015年80多年间出版和专业刊物上的考古发掘报告13000多种,超过《四库全书总目》收书10000出头的规模了。而每种发掘报告,又力求用最简洁的语言,讲清楚发现、发掘的时间、地点,发现的过程,发掘出什么,属于什么时代或年代,墓主身份,遗址的性质,遗物的价值等。其实非专业学者,也许只需要了解这些基本信息就够了。其写法,又像是《四库全书简明目录》的路数。考古发掘报告这道"西餐",经过中国传统目录学的改造,终于比较适合国人的胃口,能够满足读者的初步诉求了。

翻阅一过,却又感到《中国考古发掘报告提要》所包含的信息十分丰富。如编者比较注重趣味,一般人感兴趣的信息会予以收录。编者比较注重考证,凡有通过与文献对读并由此得出结论的部分,大多予以保留。编者还比较注重信息,尽可能多地提供了一些相关学术信息。在细节上,有些地方也做得很好。如某篇发掘报告是否有照片(彩照还是黑白照片)、拓片,如出土有墓志等是否转录全文,都一一予以交代。这些都是做得不错的地方,是为本书加分的地方。

说完为本书加分的地方,也应说说为本书减分的地方。主要是工程浩大,书出众手,各人取舍标准有宽严之别,难免会出现漏收、误收现象;对内容的把握有高下之分,也会有该"提"的"要"而未"提"或错"提"的情况。至于录校方面的漏网之鱼、分卷方面的可议之处等等,还在其次。但扪心自问,不论是谁来编纂这样一部大书,上述问题几乎可以说是在所难免。

当然,学术型工具书也如同学术专著一样,最大的"加分"还在创新。如《中国丛书综录》(上海古籍出版社1959年版、1982年版),收录丛书2797种,遗漏错讹甚多,以至有阳海清先生的《中国丛书综录补正》(广陵书社1984年版)问世。日后又扩充成《中国丛书广录》(湖北人民出版社1999年版)上、下两册,声称收录《综录》未收或与《综录》有所不同的丛书3279种。施廷镛先生的《中国丛书知见录》(北京图书馆出版社2005年版)6册,共收丛书近2000种,据称其中700种是《综录》失收的。当然这几部书是"知见"性质,与《综录》是依托图书馆藏书的"目睹"性质有所不同。尽管《中国丛书综录》有着种种不足和缺憾,甚至被人讥笑为"大跃进"的产物。但效果如何呢?公道自在人心。可以说,《中国丛书综录》的问世,极大改变了丛书的利用状况。以往即便是学问大家,都很少利用丛书;而此后哪怕是一篇普普通通的毕业论文,都会用到丛书。因为要用什么丛书,一查便知,十分方便。晓山先生和我讲过一个观点,我很赞同。他说学术积累到一定程度,会促使相关工具书的出现;而一部优秀的学术工具书,反过来又会促进学术的发展。

丛书的利用是如此，考古发掘报告呢？我们期待也是如此。

《中国考古发掘报告提要》的创新之处，在我看来，主要就在为中国考古发掘报告算了次总账。台湾"中央研究院"院士周法高先生讲，他研究学问，用的是"结账式的研究方法"。周先生所编《金文诂林》《金文诂林补》和《金文诂林附录》计22册，500万字，就是将容庚《金文编》所收18000多个例字原来的出处一一查出，并登录原出处的句子、器名和器号。这是非常费时劳神的工作，等于是替金文研究贡献了一部"算总账"式的著述，且已成为研究金文不可或缺的工具书。据悉已有数位博士、硕士生以此为题来作学位论文。一部工具书居然有人来写学位论文，可见内涵十分丰富。事实上，各个学科、各个门类都应有这种"算总账"的著述才好。而《中国考古发掘报告提要》，不正是在这一领域的一部"算总账"式的工具书吗？

在开学术会议时，我私下曾请教过考古界的朋友：已发表的考古发掘报告到底有多少？结果说法不一，相差甚远，从几千到上万个都有。而《中国考古发掘报告提要》却首次给出了一个数字，这个答案当然还不能说是标准答案，但至少是向最终答案"逼近"和"靠拢"了一大步。在这一点上，编者是有首创之功的。季羡林先生曾讲过："专就学术界而言，编纂目录或者索引，就是积累功德。"①在我看来，这种花了大力气的"算总账"式的工具书，可真是积了大功德了。

对于这部功惠学界的书应如何利用呢？除了通常的查阅和翻阅外，我想至少还有以下几种读法。

其一，通读。即老老实实、认认真真地一本一本、一篇一篇地把《中国考古发掘报告提要》通读一过，这当然要费上一番功夫，花上一点时间。但这么读下来，对全国从史前到明清的主要考古发掘成果都会大致有个印象，这不也算是前辈学者提到的"遇到问题会冒出来"的底子吗？晓山先生有一比，他说《中国考古发掘报告提要》，就好比是地下的《四库全书总目》提要。我倒是很欣赏这个提法。其实，不要说《四库全书总目》提要，如果能够认认真真地把《四库全书简明目录》通读一过，脑子里不就有了3000多种书的信息吗？如果再把《中国考古发掘报告提要》通读一过，脑子里不就又有了13000多条考古信息了吗？二者相加，差不多是小20000条信息了，"存储量"不可谓不大。遇到什么问题，"数据库"里总会调出几条相关信息。这也应算是一种学术功底吧。

其二，对读。所谓的"对读"，当然是指传世文献与考古材料的对读。但以往似乎是以传世文献为本的成果多一些，王国维先生的大作、陈直先生的《汉书新证》，

---

① 季羡林：《西文中国学研究图书目录·序》，王树英编。《季羡林序跋集》，新世界出版社，2008年版，第757页。

都是如此。如果把考古材料比作"六经"，把传世文献比作"我"，以往大多是"六经注我"。我们在这里提倡的"对读"，是"我注六经"，即用文献来诠释、印证考古材料。或许还可以借用陈佩斯、朱时茂的小品《主角与配角》来打比方：以往我们一般是以传世文献来充当主角，以考古资料来当配角；而今应该倒过来，让考古资料来当主角，以传世文献来当配角，以传世文献来诠注考古资料。而欲这么做，考古资料总得有个文字凭证才行，而这个文字的凭证，只能是考古发掘报告。

其三，核读。"核"是核校的意思。我们可以拿考古发掘报告原文，甚至用出土遗物原件来核校，我们还可以用其他考古研究成果来核校。攻其过，补其阙。最终也形成如同余嘉锡先生的《四库提要辨证》，胡玉缙、王大隆先生的《四库全书总目提要补正》那样的成果，使《中国考古发掘报告提要》更趋完善。当然在这个过程中，自己的学术水平也终会得到提高。

其四，译读。现在不少青年学子都很重视英语。眼下考古发掘报告，往往都有英文书名或刊名，甚至还有英文的内容简介。这样我们不妨通过译读，一方面学习考古知识，一方面提高英语水平。即一边读一边将书名、篇名和内容译成英语，再与专家译的进行比较，在比较中看到自己的不足，达到学习考古、英文的双重目的。据说英国考古学家格林·丹尼尔（Glyn Daniel）讲过"未来的世界考古学要看中国"[①]一类的话，中国青年学子要向世界介绍中国考古学成果，当然免不了要谈到考古发掘报告。

其五，解读。《中国考古发掘报告提要》已尽量少用隐晦难懂的专业词汇，但仍然难免有一些词语非专业读者难辨其意。如青铜器名称、墓葬形制等，这就需要解读。可以上网搜一搜图片；还不清楚，有条件的话可以上博物馆看一看实物；如果有点绘画基础的话，可以试着自己画一画复原图、示意图。一个难点一个难点地去克服，一个词语一个词语地去弄懂。学问也会在这个过程中一点一滴地积累起来了。

其六，走读。这个"走读"，不是指改革开放之初"走读大学"那个"走读"，而是指依照《中国考古发掘报告提要》的方位指引，实地去踏察一番。考古仅仅坐在家里是不行的，一定要走出书斋。何况有些事情真的是只可意会无法言传，写得再好的报告，也无从传达。只有去实地看一看，才能更多地理解先民传递给我们的信息。

其七，群读。可以通过兴趣小组、QQ、微信群等方式组织起来，一起来攻读某一类、

---

① 转引自对俞伟超先生的访谈，见《考古与文化续编》，曹兵武编著，中华书局，2012年版，第348页。

某一地甚至某一篇考古发掘报告。这也可以说是一种集体研读。好处是可以互相学习，相互激励。

行文至此，我想到了一个词：落地。考古与文献相结合说得很不少了，历史与文物相对应也喊了很多年了，大方向当然是没有问题的，但为什么一直效果不是那么明显呢？原因之一，恐怕就在于缺少一个"抓手"，而《中国考古发掘报告提要》，不正是这样一个"抓手"吗？它有助于将考古与文献相结合，扎扎实实地落到实处。当然，这还仅是第一步，甚盼日后有《中国考古发掘报告提要补正》《中国考古发掘报告提要·补编》《中国考古发掘报告提要·续编》等陆续推出，如同《四库提要》一样形成一个系列。这就需要众人拾遗补阙，共襄盛举。

最后想到的一个词，在文章开始时已提到过，那就是：感动。这部书的篇幅不小，隐藏在其后的工作量更大。听晓山先生介绍，每篇考古发掘报告，要经过初选、确认、撰写、审定、分卷和汇总共6道程序。一篇报告，要翻来覆去地看好几遍，阅读量之大，可以想见。更难能可贵的是，晓山先生没有申报任何一级课题，而是不等不靠，先干起来再说。近日偶然读到兰州大学历史系赵俪生先生的集子，赵先生说："我们这些干了一辈子的人的眼睛是比较清楚的，知道谁在搞腐败，谁在规规矩矩地干活计。"[1]的确，我们这些人是知道的。

拉杂写来，暂且就说这些，是以为序。

傅璇琮[2]

2015 年 1 月于北京

---

① 赵俪生：《赵俪生文集》第一卷，兰州大学出版社，2002 年版，第 119 页。
② 傅璇琮（1933－2016），浙江宁波人，历任中华书局总编辑、国务院古籍整理出版规划小组秘书长、副组长，清华大学古典文献研究中心主任等职，博士生导师。

本书说明

一、编纂《中国考古发掘报告提要》的目的，在于为读者提供了解中国考古成果的简便途径。从这一意义上讲，或可视其为"地下的《四库全书总目》提要"（见本书"序"）。

二、《中国考古发掘报告提要》，收录 20 世纪 20 年代至 2015 年 1 月在中国大陆正式出版的考古详报和考古专业核心期刊登载的考古简报，共计收书 1008 部、文 12242 篇，合计 13250 种。

三、考古发掘报告，包括以书籍形式出版的考古详报，以文章形式发表的考古简报。仅限中文报告，外文报告不收；仅限中国境内，涉及外国不收；仅限出土文物，征集、捐献等无明确出土地点的不收。

四、每一报告，给出作者、出处（出版社及出版年、刊物名称、期数），述其所在地点、发现经过、发掘时间、主要发现、重大价值等。

五、《中国考古发掘报告提要》共计 10 卷：

史前卷

夏商西周卷

春秋战国卷

汉代卷

魏晋南北朝卷

隋唐五代卷

宋·西夏卷

辽金元卷

明清卷

综合卷

六、涉及两个或两个以上时代内容的报告，收入"综合卷"。

七、另有《总目》一册，包括目录汇总、参考文献和后记等内容。

八、详情请参阅各卷前的"本卷说明"。

本卷说明

一、此卷为《中国考古发掘报告提要》中的汉代卷，共收录以书籍形式出版的考古详报 89 部，以文章形式发表的考古简报 1990 篇，二者合计 2079 种。

二、本卷分为上、下编，上编收录考古详报，下编收录考古简报。

三、上编下依 34 个省级行政区排列，省级行政区下依出版年为序。同一出版年的，依文物出版社、科学出版社、中国大百科全书出版社及其他出版社的顺序排列。涉及两个或两个以上省市自治区的考古详报，列于 34 个省级行政区之前。

四、下编下依 34 个省级行政区排列，每一省、自治区下再列地级市（州、盟）及省、自治区直管市。涉及两个或两个以上地级市（州、盟）的考古简报，列于该省、自治区之首。

五、其他相关事宜，请参阅"本书说明"。

目录

上编　考古详报

北京市

天津市

河北省

山西省

内蒙古自治区

辽宁省

吉林省

黑龙江省

上海市

江苏省

浙江省

安徽省

福建省

江西省

山东省

河南省

湖北省

湖南省

西藏自治区

陕西省

甘肃省

青海省

宁夏回族自治区

新疆维吾尔自治区

香港特别行政区、澳门特别行政区、台湾省

下编　考古简报

北京市

天津市

河北省

石家庄市

山西省

内蒙古自治区

上海市

安徽省

福建省

厦门市

莆田市

三明市

泉州市

漳州市

南平市

龙岩市

宁德市

江西省

南昌市

景德镇市

萍乡市

九江市

新余市

鹰潭市

赣州市

吉安市

宜春市

抚州市

上饶市

山东省

济南市

河南省

湖北省

武汉市

黄石市

襄樊市

中山市

潮州市

揭阳市

云浮市

广西壮族自治区

南宁市

柳州市

桂林市

梧州市

北海市

崇左市

海南省

三亚市

三沙市

重庆市

四川省

成都市

自贡市

攀枝花市

西藏自治区

陕西省

宁夏回族自治区

新疆维吾尔自治区

香港特别行政区、澳门特别行政区、台湾省

参考文献

后记

上编　考古详报

北京市

1.北京大葆台汉墓

作　者：大葆台汉墓发掘组、中国社会科学院考古研究所　编著
出　处：文物出版社 1989 年版

该书 16 开精装一册，系 1974～1975 年对北京市丰台区大葆台西汉晚期 2 座大型木椁墓的发掘报告。其中一号墓保存较好，坟丘高 8 米，南北长 90 米，东西宽 50.7 米。墓道在南。该墓为国内最早发现的"黄肠题凑"墓。墓道内有彩绘马车、马匹，出土有陶器、铁器、漆器等 400 余件，五铢钱 100 余枚。墓主当为卒于西汉元帝初元四年（前 45 年）的广阳顷王刘建。二号墓为其妻子。两墓早年均曾被盗，二号墓破坏得尤为严重。

1983 年，在一号墓原址上建成了大葆台西汉墓博物馆。

2.平谷杜辛庄遗址

作　者：北京市文物研究所　编著
出　处：科学出版社 2009 年版

该书为 16 开精装一册，正文共 177 页，约 35 万字，文后附有彩色图版 28 页、黑白图版 50 页。

本书为北京市平谷区杜辛庄遗址的考古发掘报告。该遗址于 2006 年底至 2007 年进行了考古发掘，发掘面积 1980 平方米，清理了西汉、东汉、明代等不同时期的墓葬、砖窑等遗迹单位共 41 处，出土陶器、铜器、铁器等各类遗物 160 余件。出土遗存较丰富，时代特征鲜明，区域特点突出。报告正文后还附有关于北京地区汉代墓葬、汉代窑炉的研究文章，有助于对遗址内涵的理解。

杜辛庄遗址汉代遗存的发现，为北京地区汉代考古学的研究提供了新的资料；汉代砖窑的发现，为进一步揭示中国古代窑业发展的内涵、研究汉代平谷乃至北京地区的社会经济史提供了新资料。明代墓葬的发现也在一定程度上丰富了北京地区明清考古学研究的内容。

本书简目如下：

3. 平谷汉墓

作　者：北京市文物研究所　编著

出　处：科学出版社 2011 年版

该书为大 16 开一册，正文 136 页，彩色图版 76 幅。

该书是关于北京市平谷区兴谷河道治理工程墓地和西杏园墓地的考古发掘报告。兴谷河道治理工程墓地是 2006 年 6～7 月配合兴谷开发区河道治理工程暨防洪水渠建设而进行发掘的，共清理汉代墓葬 16 座，出土铜器、铁器、石器、陶器等遗物 200 余件。西杏园墓地是 2006 年 3～4 月为配合北山路工程而发现的，共有汉代墓葬 6 座，出土铜器、陶器等遗物 150 余件。这些墓葬的时代从西汉时期延续到东汉时期，墓葬形制及随葬品具有典型的汉代特征，是研究平谷地区汉代葬俗、社会结构及社会经济发展情况的重要考古资料。

简目如下：

天津市

河北省

4.望都汉墓壁画

作　者：北京历史博物馆、河北省文物管理委员会　编著
出　处：中国古典艺术出版社 1955 年版

该书 9 开一册，文字仅 14 页，图版 36 页。介绍了 20 世纪 50 年代发掘的两座大型砖室墓中的壁画，其中 1 号墓的壁画保存更好。有属吏图、祥瑞图、云气图、仙禽图等。安作敏先生写有书评，载《考古通讯》1957 年第 2 期。

相关研究，可参阅黄佩贤先生《汉代墓室壁画研究》（文物出版社 2008 年版）一书。

5.望都二号汉墓

作　者：河北省文物局文物工作队　编著
出　处：文物出版社 1959 年版

河北省望都县（现与唐县合并，统称唐县）所药村东有两座大土冢，1952 年考古人员发掘了其中的一座，编为一号墓，内有精美的壁画和随葬品。资料收入《望都汉墓壁画》（中国古典艺术出版社 1955 年版）一书。1954 年，考古人员又发掘了第二座墓，编为二号墓。二号墓的规模比一号墓还大，但可惜墓顶已塌陷，壁画大多已毁坏。

本书分为"清理概况""墓室的结构和装饰""随葬遗物""墓葬的年代"等几个部分，收录了二号墓的全部资料，有插图及图片一百多幅。

据该书介绍，二号墓出土有买地券，知该墓的下葬年份为东汉灵帝光和五年（182 年），属于东汉晚期墓，一号墓的时间应与二号墓相去不远。

6.满城汉墓发掘报告

作　者：中国社会科学院考古研究所、河北省文物管理处　编

出　处：文物出版社 1980 年版

该书为 16 开精装，上、下两册。上册为文字，下册为图版。是 1968 年在河北满城县陵山发掘的两座西汉墓的考古详报。这两座墓规模宏大，随葬品十分丰富，是闻名中外的重要的考古发现之一。经分析研究，墓主是西汉中山靖王刘胜及王后窦绾。墓中出土大量的铜器、铁器、金银器、陶器、玉石器、漆器、纺织品等，许多器物的工艺水平很高。这些文物的发现为研究我国西汉时期的冶铁、铸造、漆器、纺织等手工业和工艺美术发展情况提供了珍贵的实物资料，对研究汉代考古与汉代历史具有重要的意义。

姚苑真先生写有书评，载《考古》1981 年第 6 期。另有中国社会科学院考古研究所、北京仪器厂工人理论组编写的《满城汉墓》（文物出版社 1978 年版），可参阅。

7.高庄汉墓

作　者：河北省文物研究所、鹿泉市文物保管所　编著

出　处：科学出版社 2006 年版

本书为 16 开精装一册，正文 135 页，文后有彩色图版 28 版。黑白图版 16 版。

高庄汉墓是河北省继满城汉墓之后发掘的又一座汉代大型墓葬。高庄汉墓为大型土坑石椁墓，平面呈"中"字形，由墓室、墓道、回廊三部分组成。墓内出土遗物达 7000 余件，出土器物精美，器物纹饰华丽，主要有家畜、家禽、粮仓、厨房用品，有日用生活陶器，有实用车马和彩绘的木质兵马俑、战船和木俑，还有明器车等。根据器物上的铭文并结合历史文献，高庄汉墓的墓主可能是西汉常山王刘舜。

高庄汉墓的发掘，为研究汉代的历史，尤其是汉代王室的历史提供了珍贵资料。

8.常山郡元氏故城南程墓地

作　者：南水北调中线干线工程建设管理局、河北省南水北调工程建设领导小组办公室、河北省文物局　编

出　处：科学出版社 2014 年版

该书为 16 开精装一册，系石家庄市元氏县城西北 8.5 公里处两汉墓葬区的考古发掘详报。共计发掘了 66 座墓葬，墓地距汉代常山郡元氏故城遗址仅 1.6 公里，应

为元氏故城居民的平民墓葬区。

该书简目如下：

第一章　绪言

第二章　墓地概况与发掘经过

第三章　墓葬分形详述

第四章　砖窑遗址

第五章　出土文物分析

第六章　结语

附有表格两种，文章一篇。

山西省

9.山西万泉县阎子疙瘩汉汾阴后土祠遗址之发掘

作　者：董光忠　著

出　处：山西公立图书馆、美国华盛顿福尔艺术陈列馆 1932 年 12 月出版

该书为 16 开一册。山西万泉县汉代遗址发掘工作于 1930 年进行。出土文物有砖、瓦、陶器、石器、铜器、铁器、蚌器、骨器、琉璃器品等。该发掘报告分四部分，除报告及各器物说明外，尚有统计表和《遗址附近之地形、地质》一文。书分中、英文两部分，中文 28 页、英文 44 页、图片 24 页，并附地质地形图两幅。

内蒙古自治区

10.和林格尔汉墓壁画

作　者：内蒙古文物考古研究所　编著
出　处：文物出版社 1978 年初版、2007 年再版

该书 16 开一册，主要收录了内蒙古和林格尔地区汉墓中发现的壁画版图及相关的考古报告。再版时仅订正了个别文字，其他未作修改。

11.内蒙古中南部汉代墓葬

作　者：魏　坚　编著
出　处：中国大百科全书出版社 1998 年版

该书为 16 开精装一册，公布了内蒙古中南部地区汉墓的调查、发掘、清理工作成果。简目如下：

一、巴彦淖尔汉墓

二、鄂尔多斯汉墓

三、包头汉墓

四、呼和浩特汉墓

五、乌兰察布汉墓

徐萍芳先生为本书作序。

辽宁省

12.姜屯汉墓

作　　者：辽宁省文物考古研究所　编著
出　　处：文物出版社 2013 年版

本书为 16 开精装上、下两册，正文 567 页，文后有彩色图版 264 版。

本书是辽宁省第一部汉代墓葬发掘详报。该遗址位于辽宁省普兰店市铁西办事处姜屯，2010 年发掘。在发掘的212 座汉墓中，有58 座墓葬遭到严重破坏且无随葬品出土。详报对其余154 座墓葬进行了介绍。这些墓葬分为土坑竖穴墓和砖室墓等，两种形制，出土遗物以陶器为主，另有少量的金器、银器、玉器、石器、琉璃器、琥珀器和骨器等共计1400 余件。根据墓葬形制、随葬品组合以及形制特征等，详报将这154座汉墓分为六期，时代为西汉早期到东汉晚期。大体反映了大连地区汉墓的概况。

姜屯汉墓的发掘对研究辽东地区汉代历史以及汉代墓葬的分期、断代等提供了新的资料，尤其对研究墓地南侧汉代城址的性质提供了重要的资料，该书简目如下：

第一章　前言
第二章　墓葬详述
第三章　初步研究

附有"姜屯墓地刑制及随墓品登记表"。

13.羊草庄汉墓

作　　者：辽宁省文物考古研究所　编著
出　　处：文物出版社 2015 年版

该书为 16 开精装上、下两册，是对辽宁省鞍山市羊草庄汉墓的考古发掘详报。这批汉墓共计 78 座，报告分为三章进行叙述。

第一章　前言
第二章　墓葬详述
第三章　初步研究

吉林省

14.丸都山城——2001～2003年集安丸都山城调查试掘报告

作　者：吉林省文物考古研究所、集安市博物馆　编著

出　处：文物出版社2004年版

该书16开精装一册，正文189页，彩色图版130幅。

丸都山城，位于集安市北2.5公里处。依山而建，整个山城以宫殿为核心，以7处城门为防御重点，是1处王都兼军事要塞性质的高句丽城市。

2001年～2003年，考古人员对丸都山城进行了全面的测绘、调查和试掘。详报重点介绍了宫殿、瞭望台、蓄水池、1号门、2号门、3号门的考古发掘情况。出土有瓦当、建筑构件、铁器、鎏金铜器等。山城内还发现有墓葬38座。

丸都山城建于公元3年，即西汉平帝元始三年。最初叫"尉那严城"。

黑龙江省

上海市

江苏省

15.徐州北洞山西汉楚王墓

作　者：徐州市博物馆、南京大学历史系考古专业　编著
出　处：文物出版社 2003 年版

该书为 16 开一册，共 224 页，图版 72 幅。

北洞山汉墓是徐州地区继 20 世纪 80 年代发掘的第六代楚襄王刘注及王后陵墓、东洞山楚王及王后陵墓之后，经考古发掘的又 1 座西汉楚王陵墓，是迄今为止徐州地区发掘的规模最大的西汉楚王陵墓，也是 1949 年以来发掘的规模巨大、结构最复杂的汉墓之一。北洞山汉墓中出土了一批重要遗物，其中包括彩绘俑群等。尤为重要的是墓葬形制和结构保存十分完整，为研究西汉从文帝灞陵开始的"凿山为藏"的葬制提供了十分重要的实物资料。墓葬的平面布局和墓室的形制，也为我们了解西汉地面建筑丰富多彩的式样提供了直观的参考资料。

16.邳州山头东汉墓

作　者：南京博物院、邳州博物馆　编著
出　处：科学山版社 2010 年版

本书为 16 开一册，共 228 页，彩色图版 162 页。

邳州山头墓地共清理 45 座东汉墓葬，包括土坑砖室墓、砖室券顶墓和砖石混

合结构墓，后两种墓葬均带斜坡墓道，且墓道的方向几乎全部朝北。在墓地外围发现了大型隍壕，其东南角有出口，在墓地的南部还发现红烧土祭祀遗迹。墓葬中出土绿釉陶器、瓷器、银器、铜器、铁器、石器等遗物240多件。墓葬年代从东汉早期一直延续到东汉晚期。从墓地结构和墓葬分布、出土遗物的数量和质量分析，山头东汉墓地应是一处中小地主阶层的家族墓地。该墓地的发掘，对于研究东汉时期徐州地区的社会发展情况、生产力水平、经济生活以及埋葬习俗具有重要意义。

本书简目如下：

17.狮子山楚王陵

作　者：徐州汉文化风景园林管理局、徐州楚王陵汉兵马俑博物馆　编著

出　处：南京出版社 2010 年版

该书为 16 开精装一册，系江苏省徐州市狮子山楚王陵的专题考古报告，介绍了狮子山西汉楚王陵遗址、展馆及汉文化景区的内容。该书附录颇有价值，有"大汉楚王国的建置与沿革""徐州地区的西汉楚王墓群""全国发现汉代诸侯王陵统计表""全国发现西汉诸侯王陵分布图""狮子山楚王陵考古大事记"等。

今有王恺、葛明宇先生著《徐州狮子山楚王陵：中国重大考古发掘记》（三联书店 2005 年版）一书，补充了不少细节。

浙江省

安徽省

18.萧县汉墓

作　者：安徽省文物考古研究所、安徽省萧县博物馆　编著
出　处：文物出版社 2008 年版

　　该书为 16 开一册，为安徽省文物考古研究所 1999 ～ 2001 年配合连霍高速公路安徽省萧县段工程建设中田野考古发掘的收获，其范围涉及工程建设中的五处考古发掘工地。

　　发掘工地位于萧县县城东南部老山口至县城西南部的瓦子口一线，包括东南部的张村、冯楼发掘区，西南部的车牛返、王山窝、破阁发掘区。累计发掘战国晚期、两汉时期、唐宋时期的墓葬 318 座。本详报选取了其中的两汉时期墓葬 151 座。根据墓葬形制、随葬陶器组合以及对铜镜、铜钱的研究，高温釉陶和低温釉陶的检测和分析，将这批墓葬的时代划分为五期，其中西汉时期墓葬分为早、中、晚三期，东汉时期墓葬分为东汉早期、晚期二期。同时，对具有鲜明地方特色的画像石墓也进行了论述。

　　这批墓葬的考古发掘和材料的公布，不仅再现了萧县两汉时期中小型墓葬的演变历程，而且也为研究汉代物质、文化发展增加了较重要的资料。

　　本书简目如下：

第一章　概述

　第一节　地理位置和历史沿革

　　一　自然地理环境

　　二　历史沿革

　第二节　墓葬概况及发掘经过

　　一　墓葬分布概况

　　二　发掘经过

第二章　墓葬资料

19.巢湖汉墓

作　　者：安徽省文物考古研究所、巢湖市文物管理所　编著
出　　处：文物出版社 2007 年版

本书为大 16 开精装一册，有正文 189 页，文后有彩色图版 76 版，黑白图版 24 版。
1996～1998 年，安徽省文物考古研究所和巢湖市文物管理所先后对位于巢湖市东郊的 3 座西汉时期的大型竖穴土坑木椁墓进行了发掘，墓内出土了各类文物 3400 多件，有铜器、铁器、漆木器和玉器等，其中包括朱雀衔环玉卮、白玉环、白玉粉盒、凤鸟兰花玉佩，金、银、玉、水晶等镶嵌的漆罐、盒，银盒和特大铜镜以及器形独特的提梁铜壶等珍贵文物。这 3 座汉墓的发掘，为研究西汉时期该地区的经济开发与文化发展等提供了实物资料。同时，如此大规模、高规格、随葬遗物又极为丰富和精美的墓葬的发掘，为研究西汉时期的丧葬制度和经济、文化的发展等提供了不可多得的实物资料。

该书简目如下：
前言
壹　史地沿革及墓葬位置
贰　墓葬的发现与发掘经过
叁　放王岗一号墓
肆　北头山一
伍　北头山二
陆　结语
附有登记表、一览表 6 种，鉴定报告等文章 5 篇。

20.庐江汉墓

作　　者：安徽省文物考古研究所　编著
出　　处：科学出版社 2013 年版

该书为 16 开精装一册，系 2007～2008 年安徽省庐江县董院、松棵两个汉代墓地 135 座墓葬的考古发掘详报。简目如下：
第一章　概述；
第二章　墓葬；
第三章　分期与年代；
第四章　结语。
附有登记表 2 种。

福建省

21.武夷山城村汉城遗址发掘报告

作　者：福建省博物院、福建闽越王城博物馆　编著
出　处：福建人民出版社 2004 年版

本书为 16 开一册，共 422 页，约 80 万字，文后附图版 537 幅。

报告计分十四章：第一章为概述，第二章为城墙、城壕和城门的勘探与发掘情况，第三章为城内外遗址的勘探，第四章为城中部高胡南坪甲组建筑遗址，第五章为城西部下寺岗一号建筑遗址，第六章为东城门外北岗建筑遗址，第七章为城外其他遗址的发掘，第八章为出土建筑材料，第九章为出土陶器，第十章为出土铁器，第十一章为出土铜器及其他，第十二章为城址的年代及有关问题，第十三章为出土文字资料，第十四章为城市的建筑布局。文后还附有《考古》1960 年第 10 期发表的《福建崇安城村汉城遗址试掘简报》。

武夷山城村汉城遗址，坐落于武夷山市以南约 27 公里的兴田镇城村西南部，1958 年调查时发现，1959 年试掘并确认为是汉代城址。20 世纪 80 年代以来，福建省博物馆组成武夷山城村汉城考古队，对其进行了全面的勘探和有计划的重点发掘。确认该城址为不规则的长方形，东西宽 550 米，南北长 860 米，周长 2896 米，总面积约 48 万平方米。勘探中除发现城内道路、宫殿、城门、排水系统等重要遗迹外，还在城外方圆约 8 平方公里的门前园、黄瓜山、赵厝圩、福林岗、后门山等处发现了大量衙署以及制陶、冶铁和墓葬遗迹。它是目前我国南方地区最大、保存最好的汉代古城址。

本详报通过从 1980～1996 年对城村高胡南坪甲组宫殿建筑遗址、城西部下寺岗一号建筑遗址、东城门外北岗建筑遗址，以及城外门前园衙署遗址、元宝山冶铁遗址、福林岗一号墓等遗址发掘资料的整理和总结，全面系统地反映了西汉前期闽越国在城市建筑、金属冶铸、陶瓷生产、文字使用、埋葬制度、礼制建筑等方面的重要成就。这对研究汉代闽越国的社会形态、经济结构、军事实力、文化面貌，以及与汉代中央政权和周边文化的联系都提供了宝贵资料。

江西省

山东省

22.沂南古画像石墓发掘报告

作　者：南京博物馆、山东省文物管理处　合编
出　处：文化部文物管理局 1956 年印制

该书 16 开精装一册，文字 68 页，图版 105 页，系对山东省沂南县北寨村大型东汉末年画像石墓进行考古发掘的详报。该墓为多室墓，中轴线上分前、中、后 3 个主室，另有东侧 3 室、西侧 2 室，合计 8 室。南北长 8.7 米，东西宽 7.55 米。曾遭盗掘，随葬器物劫余甚少，所幸石刻画像保存了下来，共计画像石 42 块，73 幅画，分布在墓门、主室的横额、壁面、过梁柱、藻井、隔墙等处，总面积 422 平方米。内容有攻战图、祭祀图、出行图、神话图、宴享图、马厩图，等等。墓主人不详，猜测应为一高级官吏或将军。时代应在东汉末年。

简目如下：

第一章　地理环境及发掘经过
第二章　墓的结构
第三章　画像石的内容
第四章　画像石内容的考证
第五章　沂南画像石墓在艺术上的价值
第六章　沂南画像石墓年代的商榷
结束语
孙作云先生有书评，载《考古通讯》1957 年第 6 期。

23.安丘董家庄汉画像石墓

作　者：安丘县文化局、安丘县博物馆　编著
出　处：济南出版社 1992 年版

该书 16 开一册，为潍坊市安丘县董家庄汉画像石墓的考古详报。该墓 1959 年修水库时发现，1959～1960 年发掘。

详报称，该墓由甬道、墓门、前室、中室、两间后室、东耳室、北耳室等组成，占地面积达 70.15 平方米。224 块石材中，有 103 块刻有画像。画像面积达 146 平方米，是国内少见的汉代画像宝库。

24.鲁中南汉墓

作　者：山东省文物考古研究所　编著
出　处：文物出版社 2009 年版

该书为 16 开精装上、下两册，是 1998～2000 年山东修高速公路时在济宁市、枣庄市内发现的汉墓的发掘详报。据徐苹芳先生所作序介绍，"汉代中小型墓葬的发现，遍布全国，数量之多超过历史上任何一个朝代"，"山东的汉代中小型墓葬，历年积累起来也有 7000 余座，尚缺乏全面的整理和研究"。此书集中介绍了鲁中南地区的八个墓地区 1676 座中小型汉墓，在空间上，属汉代鲁国、东平国、泰山郡、东海郡和任城国，年代以西汉早期至东汉中期为主，少数可晚至东汉晚期。徐先生说：此书"实为山东半个多世纪以来经科学发掘和整理的第一本汉代中小型墓的正式考古报告，值得重视"。

简目如下：
滕州封山墓地
滕州东郑庄墓地
滕州东小宫墓地
滕州顾庙墓地
兖州徐家营墓地
曲阜花山墓地
曲阜柴峪墓地
嘉祥长直集墓地
杨哲峰先生写有书评。

25.东平后屯汉代壁画墓

作　　者：山东省文物考古研究所、东平县文物管理所　编著
出　　处：文物出版社 2010 年版

该书为 16 开精装一册，系山东省东平县城后屯汉代壁画墓的考古发掘详报。2007 年发现，计 18 座。其中壁画墓 3 座，都被盗过，但壁画保存尚好。其中 M12、M13 为西汉晚期墓，M1 为新莽时期墓。白云翔先生所作序称："迄今全国各地发现的汉代壁画墓计有 70 余座，其中不少属于西汉晚期和新莽时期，并且大都分布在汉代两京及其附近地区。"分布在当时的"外地"的汉代壁画墓并不多见。

该书简目如下：
第一章　绪言
第二章　概述
第三章　墓葬分述
第四章　结语
附有登记表及"东平汉墓壁画制作工艺初探"。

26.染山汉墓

作　　者：滕州市汉画像石馆　编
出　　处：齐鲁书社 2010 年版

该书为 32 开平装一册，系山东省滕州市大坞镇染山汉墓的考古发掘详报。该墓 2008 年发掘，墓由 5 个墓室、左右侧室及前室、长墓道组成，虽经多次盗扰，仍出土遗物 549 件。墓主应为西汉郁郎侯刘骄。

该书简目如下：
前言
第一章　地理环境及发掘经过
第二章　墓葬形制
第三章　随葬器物
第四章　汉画像石及壁画
第五章　墓葬年代及墓主人身份
附有相关文章 5 篇。

27.官桥汉代考古发现

作　　者：山东省文物考古研究所、滕州汉画像石馆　编著

出　　处：编著者 2014 ～ 2015 年自印本

该书 16 开平装一册，系对山东省滕州官桥镇中心小学 1 处汉代家族墓葬群考古发掘的介绍，有多幅彩色图版。据介绍，共发掘汉代墓葬 34 座，多数为竖穴石室墓。出土铜镜、灰陶罐、绿釉盘口壶、五铢钱等各类遗物 50 余件。合葬墓中墓室用石板隔成两室，石板上开窗开口，这一形式在全国汉墓发掘中，是极少见的。

河南省

28.洛阳烧沟汉墓

作　者：中国科学院考古研究所　编著

出　处：科学出版社 1959 年版

该书为 16 开一册，分精装、平装两种，是 1953 年洛阳市烧沟汉墓的考古发掘详报。共发掘汉墓 225 座。该书简目如下：

序言

第一编　发掘经过

第二编　墓葬分类

　第一章　第一型墓葬（平顶墓）

　第二章　第二型墓葬（弧顶墓）

　第三章　第三型墓葬（单穹窿顶墓）

　第四章　第四型墓葬（砖室双穹窿与土圹抛物线顶墓）

　第五章　第五型墓葬（前堂横列墓）

　第六章　铺地砖、封门砖结构及砖瓦

第三编　器物类型

　第一章　陶器

　第二章　铜器

　第三章　铁器

　第四章　铅器

　第五章　金银器

　第六章　漆器

　第七章　玉石器

　第八章　琉璃、琥珀器

　第九章　骨、蚌器

第四编　年代

结论

前有裴文中先生序。

报告着重研究了汉代墓室结构和陶器、铜器等方面的演变，特别是在墓室形制的发展上作了比较全面的系统的阐述。对出土的铜镜、货币的断代作了广泛的研究。报告根据墓室结构、随葬器物组合将这批墓葬的时代划分为六期，其中西汉三期约从武帝到王莽，东汉三期约从光武到献帝。本书不仅对汉代墓葬的分期、断代提出了新的依据，还为汉代文化史的研究增加了重要的资料，已成为汉代考古发掘详报中经常被引用的经典之作。

29.巩县铁生沟

作　者：河南省文化局文物工作队　编著
出　处：文物出版社 1962 年版

该书为 16 开一册，分精装、平装两种，是 1958 ～ 1959 年河南巩县铁生沟汉代冶铁遗址的考古发掘详报。发掘表明，此处当年已能炼出低炭铜，并已能将原煤、煤饼用于冶炼。该书简目如下：

一、前言

二、发掘概述

三、矿山、矿井和矿石

四、炼炉及其有关的遗迹、遗物

五、熔炉、锻炉及其有关的遗迹、遗物

六、居住遗迹和建筑材料

七、出土遗物

八、结语

此详报是研究我国冶炼技术史的重要参考资料，扼要地介绍了遗址中的矿坑、冶炼工场、居住址以及从开采矿石到制出成品的全部生产设备的遗迹和遗物。

30.密县打虎亭汉墓

作　者：河南省文物研究所　编著
出　处：文物出版社 1993 年版

该书为 16 开精装一册，系河南省密县打虎亭东汉墓的考古发掘详报。该墓保存有大量石刻画像和壁画资料，为研究东汉历史提供了难得的图像资料。

31.杏园东汉墓壁面

作　者：中国社会科学院考古研究所　编著
出　处：辽宁美术出版社 1996 年版

该书为 16 开本，由论述性文字 20 页、彩色图版 46 页、图版说明 9 页等构成。

该书为考古学专利乙种三十一号，是一部画册，主要用大量彩色照片和详细的文字说明，刊布了 1984 年春由中国社会科学院考古研究所偃师商城考古队在河南省偃师市首阳山发掘的 2917 号东汉壁画墓的壁画资料。同时，书中由徐殿魁先生等三人合写的《杏园东汉墓壁画》一文，对该墓的结构、出土文物及壁画等的情况及特点作了全面的介绍；壁画的临摹者曹国鉴先生所写的《杏园东汉墓壁画临摹札记》一文，对壁画的内容、绘画技法及特点作了探讨。该书不仅可供考古学、历史学、美术史学者阅读，而且对于广大美术工作者和爱好者也有较高的参考和欣赏价值。

32.永城西汉梁国王陵与寝园

作　者：河南省文物考古研究所　编著
出　处：中州古籍出版社 1996 年版

该书为 16 开精装一册，系 1992～1994 年对河南省永城县芒砀山西汉梁国王陵与寝园的考古发掘详报。简目如下：
第一章　西汉梁国王陵
第二章　保安山陵园
第三章　梁孝王寝园
第四章　保安山二号墓
第五章　保安山陵园小型汉墓
附有表格 4 个。

三次发掘共计发现了 8 处 14 处大型陵墓。这是我国发现的比较完整的汉代诸侯王墓遗址，为研究汉代陵寝制度，提供了宝贵的第一手资料。

33.汉魏洛阳故城南郊东汉刑徒墓地

作　者：中国社会科学院考古研究所　编著
出　处：文物出版社 2007 年版

本书为 16 开精装一册，有正文 179 页，文后有 440 版墓志砖铭文拓本，彩色图版 4 版,黑白图版 141 版。

1964 年春,中国科学院考古研究所对位于河南省洛阳市与偃师市接壤的汉魏洛阳故城南郊偏西南处的东汉刑徒墓地进行了发掘。墓地面积很大,墓坑集中稠密,排列整齐有序。本报告全面翔实地公布了这批资料、刑徒人骨的科学鉴定、砖志铭文的统计和考释,以及散存于社会及著录发表的东汉刑徒砖志的统计记录。

东汉刑徒墓地的发掘,使我们了解到这些刑徒是从全国许多郡县狱所被押送到京城,担负了替帝王贵族修建陵墓,盖造宫苑、府第,筑城修路、治水挖河等繁重的体力劳动的历史真相。而如此全面的资料的出版,对研究汉代考古和汉代历史具有重要的学术价值和社会意义。

34.南阳麒麟岗汉画像石墓

作　者: 陈长山　著　黄雅峰　主编
出　处: 三秦出版社 2008 年版

该书 16 开精装一册,计 382 页。该墓出土了 110 块画像石,上有 150 余幅画像。该报告不仅包含了通常考古发掘报告的内容,更深入探讨了该汉画像石墓出土的汉画像石所涵含的艺术价值和图像意义,对麒麟、东王公、西王母、方相士、门户与门神等画像内容进行了考释。认为汉画像石绘画以实用为主旨,但出发点和落脚点,往往是政治教化。简目如下:

前言
第一章　发掘报告
第二章　建筑装饰
第三章　艺术表现
第四章　图像意义
第五章　画像考释
最后附有统计表。

35.三门峡向阳汉墓

作　者: 三门峡市文物考古研究所　编著
出　处: 北京燕山出版社 2007 年版

该书为精装 16 开一册,彩版 104 版,正文 213 页,字数 260 万字。

河南省三门峡市文物考古研究所于 2001 年 7～8 月在三门峡市电业局舒馨园住

宅小区三期工程抢救性考古发掘了一批古代墓葬，其中有32座汉代墓葬保存较好。该书系统、全面地报道了这批资料，主要内容有墓葬形制、陶器的类型学考察，并在此基础上对三门峡汉代墓葬进行了分类、分期和比较研究。对研究三门峡的汉代历史、风俗、地域文化影响等具有重要意义。

36.永城黄土山与酂城汉墓

作　者：河南省文物考古研究所、永城市文物旅游管理局　编著
出　处：大象出版社 2010 年版

本书为 16 开精装一册，有正文 213 页，文后有彩色图版 80 版，黑白图版 66 版。

本书分别对黄土山二号汉墓和酂城汉墓进行了介绍。在黄土山二号汉墓的介绍中，首先对永城西汉梁国的王陵进行了综述，然后详尽介绍了黄土山二号汉墓的地理位置与发掘经过、墓葬形制与结构、塞石、刻字与朱书文字以及出土遗物等，分析了墓葬的年代，并对墓主人的身份进行了推论。在酂城汉墓部分中，首先从地理位置与自然环境、历史沿革、发掘及整理经过和墓葬的建筑方法等方面对酂城汉墓进行了概述，之后详尽分析了 4 座墓葬的墓室结构、出土遗物和画像石等，最后对画像石的图案进行分类，并对画像石墓进行了分析。

黄土山二号墓是已发掘的芒砀山西汉梁国王陵中唯一一座墓道向北的大型崖洞墓，也是梁国王陵墓葬群中规格较高的一座墓，墓主人应为西汉中期偏晚的梁国王后。西汉梁国是西汉时期重要的诸侯国之一，对梁国王陵的研究不仅对西汉帝陵的研究具有重要的意义，对汉代帝陵制度和文化的研究也有重要的意义。

酂城汉墓是一座 4 墓合茔的砖石结构的画像石墓，各墓结构相同又各自独立，时代为东汉晚期，墓主人是有一定身份地位的人。墓葬内出土有确切年号的豫东地区东汉晚期墓的标志。对于考古学、历史学研究，均有重要意义。

37.南阳牛王庙汉墓考古发掘报告

作　者：南阳市文物考古研究所　编著
出　处：文物出版社 2011 年版

该书为 16 开一册，系对河南省南阳市宛城区 1999～2000 年汉墓的考古发掘报告。共清理汉至明清中小型墓葬 131 座。此书主要介绍汉代墓葬。

简目如下：

第一章　前言

第二章　墓葬概况

第三章　墓葬的类型分析

第四章　出土主要遗物的型式分析

第五章　随葬陶器组合分析

第六章　墓葬分期与年代

第七章　结语

附有"南阳牛王庙墓地墓葬统计表"。

今有社会科学文献出版社 2018 年出版的《南阳地区汉墓的考古学研究》一书，可参阅。

38.芒砀山西汉梁王墓地

作　者：河南省商丘市文物管理委员会、河南省文物考古研究所、河南省永城
市文物管理委员会　编著

出　处：文物出版社 2001 年版

该书为 16 开精装一册，系河南省商丘市永城县东北芒砀山西汉梁王墓地发掘详报。该墓地相传早在东汉末年即遭盗掘，随葬品早已被盗掘一空。但墓道、墓室仍保存完整，其开凿规模之大，形制结构之复杂，在已发掘的西汉陵墓中是少见的。

该书简目如下：

第一章　芒砀山西汉梁王墓地综述

第二章　保安山一号墓

第三章　保安山二号墓及陪葬坑

第四章　保安山三号墓

第五章　柿园汉墓

第六章　窑山一号墓

第七章　窑山二号墓

第八章　信山二号墓

第九章　其他陵墓

第十章　结语

附有表格 9 种，文章 4 篇。

39.辉县汉墓

作　者：河南省文物局　编

出　处：科学出版社 2014 年版

该书为 16 开精装一册，系统介绍了位于南水北调中线工程辉县境内第五标段的庞村墓地、张雷墓地、赵雷墓地和金河小屯墓地。共发掘墓葬 86 座，其中以汉墓为主。通过对这些墓葬的形制和出土器物的介绍和分析，阐述这 4 处墓地的葬俗特点与规律，探讨其反映的文化现象。共分 5 章，附有表格 8 种。

40.洛阳朱仓东汉陵园遗址

作　者：洛阳市文物考古研究院　编

出　处：中州古籍出版社 2014 年版

该书为 16 开精装一册，系 2009～2010 年考古人员配合连霍高速公路工程时对朱仓段东汉陵园遗址进行钻探、调查的考古详报。共发现古墓 80 座、灰坑 87 个、建筑基址 23 处等。包括东汉陵园、曹魏贵族墓 1 座、小型西晋墓 14 座、中小型北魏墓 23 座，为研究东汉、曹魏至北魏时期历史，提供了丰富的实物资料。

简目如下：

前言

第一部分　概述

第二部分　朱仓陵园遗址

第三部分　墓葬

　第一章　曹魏墓

　第二章　西晋墓

　第三章　北魏墓

附有统计表等表格 13 种。

湖北省

41.罗州城与汉墓

作　者：黄冈市博物馆、湖北省文物考古研究所、湖北省京九铁路考古队　编著

出　处：科学出版社 2000 年版

本书为 16 开精装一册，是关于湖北省蕲春罗州城古汉城和宋城遗址以及周边墓地 115 座汉代墓葬的考古发掘详报。该书简目如下：

一、绪论

二、罗州城的勘探与试掘

三、城外汉墓的发掘

四、结语

附有"陈家大地古井的清理"一文。

42.秭归土地湾

作　者：国务院三峡工程建设委员会办公室、国家文物局　编著

出　处：科学出版社 2006 年版

该书 16 开精装一册，正文 356 页 68 万字。系 1996 年至 2001 年对湖北省秭归土地湾汉代遗址 4 次考古发掘的详报。这一遗址的村落遗存及瓮棺葬颇具特色。简目如下：

壹　绪论

贰　地层堆积

叁　遗迹及其遗物

　一　房址

　二　窑址

　三　灰陶

　四　灰沟

肆　瓮棺葬

伍　文化层出土遗物

陆　分期与年代

柒　结语

43.丹江口潘家岭墓地

作　者：湖北省文物局、湖北省移民局、南水北调中线水源有限责任公司　编著

出　处：科学出版社 2013 年版

本书为 16 开精装一册，为 2008 ～ 2009 年配合南水北调工程发掘的丹江口市潘家岭墓地的考古详报。共清理了汉墓 48 座，应为古均州城外 1 处平民墓地。

简目如下：

第一章　绪论

第二章　墓葬和出土器物类型

第三章　墓葬分述

第四章　墓葬分期与年代

第五章　结语

后附登记表。

44.勋县上宝盖

作　者：湖北省文物局、湖北省移民局、南水北调中线水源有限责任公司　编著

出　处：科学出版社 2013 年版

本书为 16 开精装一册，是 2006、2009、2010 年为配合南水北调工程对勋县上宝盖遗址 3 次发掘的考古详报，以汉代遗存为主。

简目如下：

勋县上宝盖遗址 2006 年度发掘报告

勋县上宝盖遗址 2009 年度发掘报告

勋县上宝盖遗址 2010 年度发掘报告

据该报告，也有少许新石器时代、周代及明清遗存。

湖南省

45.长沙马王堆一号汉墓

作　　者：湖南省博物馆、中国科学院考古研究所　编著

出　　处：文物出版社 1973 年版

该书为 8 开精装上、下两册，计 446 页。分绸面本、纸面本两种。上册为文字部分，下册为图版 292 幅，其中彩色图版 76 幅。是著名的湖南省长沙市马王堆一号汉墓的考古发掘详报。上册为文字。简目如下：

一、墓葬位置和发掘经过

二、墓葬形制

三、随葬器物

四、年代和死者

结语

下册全部为图版。

据介绍，该墓是湖南省博物馆于 1972 年在长沙市东郊五里牌外发掘的。详报对墓葬作了全面的报告。保存完好的尸体、大规模的木质葬具遗存以及珍贵的随葬遗物等，为考古发掘史上所罕见。马王堆一号汉墓的发掘有助于研究当时的丧葬礼俗，进而探讨这些礼俗所反映的社会关系，而且也为战国时期的考古研究提供了重要的实物资料。

文物出版社于 1972 年出版过一本《长沙马王堆一号汉墓发掘简报》，16 开，文字仅 17 页，图 32 页。

46.长沙马王堆二、三号汉墓（第一卷：田野考古发掘报告）

作　　者：湖南省博物馆、湖南省文物考古研究所　编著

出　　处：文物出版社 2004 年版

本书为 16 开精装一册，共 394 页，彩色图版 48 幅，黑白图版 96 幅。

马王堆位于长沙市东郊五里牌外，距市中心约 8 公里。继马王堆一号汉墓发掘之后，1973 ~ 1974 年发掘了马王堆二、三号汉墓。两座墓葬均为带斜坡墓道的竖穴

土坑木椁墓，墓上有封土。二号墓出土遗物中以陶器最多，其次为漆器，还有铜器、玉器等，而最为珍贵的当属可以用来确定墓主身份的 3 方印章，分别为"长沙丞相"铜印、"利苍"玉印、"轪侯之印"铜印。三号汉墓出土遗物包括简牍、帛书、漆器、木俑、乐器、竹笥、兵器、丝麻织物等，其中简牍和帛书的大量出土，对于研究我国古代的简册制度、汉字发展史和汉语音韵学等具有重要价值。二号墓墓主为利苍，三号墓墓主为利苍之子。正文之后还有 8 个附录：

1. 马王堆三号汉墓棺内气体分析

2. 三号墓气体、液体和漆片

3. 水文地质条件的考察

4. 随葬木漆器材种的鉴定

5. 骨骸的检查鉴定

6. 男尸骨血型鉴定

7. 出土药物鉴定

8. 马王堆汉墓文献要目

马王堆二、三号汉墓的发掘，为研究西汉初期的经济生活、阶级关系、科学技术和文化艺术，提供了极其丰富的资料。

47.里耶发掘报告

作　者：湖南省文物考古研究所　编著

出　处：岳麓书社 2007 年版

该书为 16 开一册，系 2002～2006 年湘西龙山县里耶镇水电站淹没区抢救性发掘的考古详报。内容涉及里耶古城遗址、麦茶战国墓地、清水坪西汉墓地、大板汉代墓地、魏家寨西汉古城遗址、大板东汉遗址等。附有表格 4 种及《秦代历法和颛顼历》一文。

里耶古城遗址一号井出土了 38000 余枚秦简，2005 年 12 月，北护城河壕十一号井中也出土了少量秦简。内容多为官府档案，字体为古隶，20 余万字。据学者研究，这批秦简涉及户口、土地、物产、赋税、劳役、仓储、兵甲、道路里程、邮驿制度、奴隶买卖、刑徒管理等，被称为是一部百科全书。近年来已陆续整理出版。有两个系列：一为重庆出版社的《湖南里耶秦简》，张春龙主编，已出 4 册；二为文物出版社的《里耶秦简》，湖南省文物考古研究所编著，已出两册。

今有科学出版社 2009 年出版的《里耶古城·秦简与秦文化研究：中国里耶古城·秦简与秦文化国际学术研讨会论文集》一书，可参阅。

广东省

48.广州汉墓

作　者：广州市文物管理委员会、广州市博物馆　编

出　处：文物出版社 1981 年版

该书为 16 开精装上、下两册，上册为文字和插图，下册为图版。

该书是关于岭南地区两汉墓葬的重要著作，为当地汉墓断代和分期树立了学术标尺。《文物》杂志 1983 年第 3 期载有该书书评。

49.西汉南越王墓

作　者：广州市文物管理委员会等　编著

出　处：文物出版社 1991 年版

该书为 16 开精装上、下两册，上册为文字，下册为图版。西汉南越王墓于 1983 年进行了发掘。本书为其考古发掘详报。

简目如下：

第一章　墓葬位置与墓葬形制

第二章　墓道与外藏椁

第二章　前室

第四章　东耳室

第五章　西耳室

第六章　主棺室

第七章　东侧室

第八章　西侧室

第九章　后藏室

第十章　出土文字资料汇考

第十一章　墓主和年代

第十二章　南越国的考古发现和研究

附有《南越王墓"丝缕玉衣"的清理复原》等计 18 篇。

据介绍，该墓是岭南地区发现的规模最大、出土文物最丰富、年代最早的 1 座彩画石室墓，是中国汉代考古中的重大发现之一。报告分别介绍了墓葬的位置、形制及墓道、外椁、内棺、各室等遗迹、遗物的清理经过，最后对墓主人的身份及年代作了论证，对当时的政治、经济等状况作了分析。文后附有大量的表格和对出土遗物的复原、鉴定报告。南越王墓的发掘，为研究汉初岭南社会提供了最直接、最形象的材料。

西汉南越王博物馆编有《南越王墓发现 30 年》（广东人民出版社 2013 年版）一书，可参阅。

50.澄海龟山汉代遗址

作　　者：广东省文物考古研究所、汕头市文物管理委员会、澄海市博物馆　编著
出　　处：广东人民出版社 1997 年版

该书为大 32 开一册，系 1988 ～ 1992 年广东澄海龟山汉代遗址的考古发掘详报。论及该遗址的发现、调查、勘探和发掘情况，附有相关论文等。

51.番禺汉墓

作　　者：广州市文物考古研究所、广州市番禺区文化局　编著
出　　处：科学出版社 2006 年版

本书为 16 开精装一册，共 400 页，彩色图版 24 幅，黑白图版 96 幅。

本书是 1990 ～ 2001 年在番禺区发掘的 34 座汉代墓葬的考古发掘详。这批墓葬出土有陶器、铜器、铁器、金银器等随葬品，为研究岭南及珠江三角洲地区汉代考古学提供了宝贵的材料。

本书计分 5 章：

第一章为绪言，简述了番禺的地理环境、历史沿革以及墓葬的分布情况和考古调查发掘情况。

第二章和第三章分别介绍了墓葬和出土遗物的情况。

第四章是墓葬分期与年代，根据墓室结构、随葬品组合等相关材料，对墓葬进行了分期、断代。

第五章为结语，对相关问题进行了探讨，为广州地区东汉墓葬的分期、断代提供了新的材料。

52.南越宫苑遗址：1995年、1997年考古发掘报告

作　　者：广州市文物考古研究所、南越王宫博物馆筹建处　编著

出　　处：文物出版社2008年版

该书为16开精装上、下两册。上册为文字，下册为图版。系位于今广州老城区中心（中山四路与中山五路之间）南越国宫苑遗址的考古发掘详报。

简目如下：

上编

第一章　绪言

第二章　蕃池遗迹

第三章　曲流石渠遗迹

第四章　南越国陶文、封泥和石刻文字

第五章　多学科分析研究

第六章　结语

附有对应表、统计表、登记表等表格18种及文章8篇。

据该书第295页介绍："南越国宫苑的建造时代应在汉文帝五年（前175年）之后，建成后一直沿用至汉武帝元鼎六年（前111年），汉兵攻败越人纵火烧城后才毁弃。"

刘庆柱先生写有书评，见《考古》2009年第12期。

广西壮族自治区

53.广西贵县罗泊湾汉墓

作　者：广西壮族自治区博物馆

出　处：文物出版社 1988 年版

该书为 16 开平装一册，系广西贵县贵城镇罗泊湾汉墓的考古发掘详报。1976 年发掘。

简目如下：

前言

壹　一号墓（M1）

贰　二号墓（M2）

附有殉葬人骨、青铜器、木材等的鉴定报告。

据介绍，M1 早年被盗。应属西汉初期南越国墓，由 7 人殉葬。墓主人应为中原人，主要生活时代为秦代，在赵佗割据岭南时，任南越国桂林郡最高官吏。M2 早年也曾被盗，随葬品几乎被洗劫一空。该墓的时代应与 M1 相仿，墓主人姓名、地位不详，但有可能是赵氏王国派驻当地相当王侯一级官吏的配偶。

54.合浦风门岭汉墓——2003～2005 年发掘报告

作　者：广西壮族自治区文物工作队、合浦县博物馆　编著

出　处：科学出版社 2006 年版

本书为 16 开精装一册，正文 188 页，文后有彩色图版 46 版。

风门岭汉墓区是合浦汉墓群中的 1 个墓葬分布密集区，这个墓区使用的时间跨度很大，从西汉中期一直延伸到东汉后期，墓葬形制、结构独特，墓葬内出土器物组合形制不尽相同。此书是该墓的考古发掘详报，对风门岭汉墓群的 8 座墓葬及其随葬品进行了分述。书中还将以前发表的合浦地区的汉墓资料辑在书的后面，为研究者较为完整地运用这批资料提供了方便，为岭南汉墓的研究提供了丰富的实物资料。

海南省

重庆市

55.云阳走马岭墓地

作　者：重庆市文物局、重庆市移民局　编著
出　处：科学出版社 2011 年版

本书为 16 开一册，正文 245 页，约 44 万字，文后附彩色图版 52 幅。

该书是云阳县走马岭墓地的发掘报告。全书以墓葬为单位，系统地介绍了走马岭墓地两汉墓葬的发掘成果，为研究重庆乃至长江三峡地区古代墓葬发展序列和丧葬制度提供了丰富的实物资料。

该书简目如下：

壹　前言

贰　2003 年度墓葬发掘报告

叁　2004 年度墓葬发掘报告

肆　墓葬资料的综合研究

伍　结语

附有表格、彩照等。

四川省

56.四川彭山汉代崖墓

作　者：南京博物院　编著
出　处：文物出版社 1991 年版

该书为 16 开一册，系对四川省眉山市彭山区岷江东岸汉代崖墓的考古发掘详报。早在 1941 年，考古学家即对此处进行了发掘，共清理崖墓 76 座、砖墓 2 座、土坑墓 7 座。出土有陶俑等随葬品数百件。有画像、雕塑。现存崖墓 4580 座，以东汉时期崖墓为主，上限为西汉晚期，下限不晚于三国。此处崖墓，对研究汉代社会、政治、经济、文化、民族等，均有价值。

现在原址已建成崖墓博物馆。

57.绵阳双包山汉墓

作　者：四川省文物考古研究院、绵阳博物馆　编著
出　处：文物出版社 2006 年版

本书为 16 开精装一册，共 213 页，彩色图版 218 幅。

本书是 1992 年对绵阳市永兴双包山一号墓和 1993 年、1995 年对双包山二号墓进行发掘的考古详报。两座墓葬均为土坑竖穴木椁墓，由墓道和墓室两部分组成。一号墓椁室内放置 5 具木棺，这种单椁多棺的合葬形式少见。二号墓规模巨大，椁室结构复杂。墓葬出土遗物中漆器所占比例较大，此外还有陶器、铜器、铁器等随葬品。双包山一、二号墓葬的年代为西汉时期，为家族墓地中的主要墓葬，二号墓主的身份显赫，当为列侯级别的地方高官。本书正文后还有 7 个附表和 8 个附录。该考古报告为研究汉墓以及汉代漆器等提供了重要的实物资料。

本书简目如下：

插图目录

图版目录

壹　地理沿革及墓葬分布

附录七　四川绵阳永兴双包山西汉墓出土木材和木炭的鉴定报告

附录八　四川绵阳永兴双包山二号汉墓出土植物果实表面附生细菌的检测
　　　　报告

后记

英文提要

图版

58.三台郪江崖墓

作　　者：四川省文物考古研究院　编著

出　　处：文物出版社 2007 年版

该书为 16 开精装一册，有图版。系对四川省绵阳市三台郪江汉代崖墓的考古发
掘详报。简目如下：

第一章　概述

第二章　墓葬材料

第三章　初步研究

附有墓葬登记表、出土画像石刻登记表、葬具登记表。附有"罕见的崖墓发现——
俞伟超先生谈郪江崖墓"等文。

59.中江塔梁子崖墓

作　　者：四川省文物考古研究所、德阳市文物考古研究所、中江县文物保护管
　　　　　理所　编著

出　　处：文物出版社 2008 年版

本书为 16 开精装一册，有正文 120 页，文后有彩色图版 154 幅。

塔梁子崖墓群位于四川省德阳市中江县民主乡桂花村七社，崖墓分布在玉江北
岸李家湾两侧塔梁子山梁上。2002 年，四川省文物考古研究所、德阳市文物考古研
究所、中江县文物保护管理所对其中的 9 座崖墓进行发掘，本书即是对这 9 座崖墓
的考古发掘详报。本书计分五章：

第一章是绪言，由地理环境、历史沿革、玉江流域崖墓的发现与分布、塔梁子
崖墓发掘经过四部分组成。

第二章是墓葬形制，主要内容有两个：对墓葬结构的综述、对 9 座墓葬的分述。

第三章对壁画及墨书榜题、彩绘、画像石刻和仿木结构建筑雕刻进行了详细的介绍。

第四章对墓内出土的陶器和陶俑等随葬遗物进行了介绍。

第五章是结语，对墓葬的分期与时代、M3壁画墨书榜题与墓主身份和家世、画像题材内容及其丰富的历史信息——中江流域崖墓类型特色等进行了分析。

文后有"仿木结构建筑一览""墓葬主要结构对比表"和"中江塔梁子崖墓群墓葬登记表"3个附表，《中江塔梁子崖墓壁画榜题考论》《四川中江县塔梁子M3部分壁画考释》《中江塔梁子东汉崖墓胡人壁画雕像考释》3个附录。最后有后记和英文提要。

塔梁子崖墓群的发掘，在崖墓中首次发现壁画和墨书榜题，并发现了一批珍贵的画像石刻新题材和大量仿木结构建筑雕刻，大大丰富了崖墓的考古资料。特别是M3壁画墓的发掘，填补了崖墓考古和南方地区汉代美术考古的空白，为汉代政治、经济、文化、军事、民族和美术等方面的研究及地方史研究提供了弥足珍贵的资料。

60.老龙头墓地与盐源青铜器

作　者：凉山彝族自治州博物馆、成都文物考古研究所　编著
出　处：文物出版社2009年版

该书为16开精装一册，是四川省凉山彝族自治州盐源县老龙头墓地的考古发掘详报。20世纪80年代以来，在盐源县发现了大量的古墓葬，出土了大量具有鲜明地方特色的文物，尤其是青铜器。当地古墓曾遭人为破坏，一部分文物散落民间，后又进行了征集，一并预予介绍。该书简目如下：

第一章　概述
第二章　盐源青铜器的发现与古墓葬的分布
第三章　老龙头墓地
第四章　盐源征集器物
第五章　对老龙头墓地和盐源青铜器的初步认识
附有测试报告等3篇。

该书第180页云，老龙头墓地的发掘表明，有大量具有北方草原文化因素存在，但与周边文化又有着密切关系。而书185页云，盐源征集的青铜器大部分的时间可定在汉代，至迟到新莽时期。据该书209页记载，墓主人应为"笮人"。

贵州省

云南省

61. 江川李家山——第二次发掘报告

作　者：云南省文物考古研究所、玉溪市文物管理所、江川县文化局　编著

出　处：文物出版社 2007 年版

该书为 16 开精装一册，是云南省江川县李家山古墓地第 2 次发掘的考古详报。简目如下：

第一章　绪言；

第二章　墓葬形制；

第三章　随葬器物；

第四章　结语。

附有各类表格 52 种。

李家山古墓于1972 年第1 次发掘，1991～1992 年第2 次发掘，曾被评为1992 年全国考古十大新发现之一。第2 次发掘清理墓葬60 座，发掘出铜器2395 件、金银器6000 余件、玉器4000 余件。墓葬的年代，大致相当于内地西汉中期至东汉前期。出土遗物有铜器、金银器、玉石器等，其中尤以铜鼓、贮贝器、扣饰等更具地方特色。本详报为研究两汉时期古代滇人的政治、经济、文化和社会生活等，均提供了丰富而翔实的资料。

62. 个旧市黑蚂井墓地第四次发掘报告

作　者：云南省文物考古研究所、红河哈尼族彝族自治州文物管理所、个旧市博物馆　编著

出　处：科学出版社 2013 年版

本书为 16 开精装一册，正文共 208 页，约 39 万字，文后附有彩色图版 64 页。

本书被列为云南省文物考古研究所田野考古报告第 13 号，全面、系统地报道了云南个旧市黑蚂井汉墓群在 2010 年开展第四次考古发掘所获的资料和相关研究成果。这是该墓地迄今为止规模最大的一次发掘，田野考古工作分前后 2 次进行。2010 年 3 ~ 5 月，清理墓葬 14 座，出土的各类器物达 400 余件（组）。2010 年 10 ~ 11 月，清理墓葬 16 座，出土各类器物 300 余件（组）。两次发掘共计清理汉代墓葬 30 座，出土各类文物 700 余件（组）。

黑蚂井墓地所出土的随葬品种类多样，特征明显，表明当地受到中国南部汉文化、南越文化、氐羌系统文化、中原地区汉文化、越南东山文化等多种文化因素的影响。本详报介绍了整个墓地的情况，将出土墓葬分为三期，为研究云南青铜文化提供了重要的参考资料。

附表　个旧市黑蚂井墓地第四次发掘墓葬登记表
附录一　个旧市黑蚂井墓地第四次发掘采集器物
附录二　个旧市黑蚂井古墓群发掘报告
后记

63.会泽水城古墓群发掘报告

作　　者：云南省文物考古研究所　编著
出　　处：科学出版社 2015 年版

该书为 16 开精装一册，是 2002、2004 年对云南省会泽水城古墓群的考古发掘详报。共发掘西汉末至东汉初竖穴土坑墓 24 座，葬具有棺有椁，随葬品有陶器、青铜器、铁器、玉石器等。对研究滇西北汉代文化具有一定的学术价值。该书简目如下：
第一章　绪论
第二章　地层堆积与遗迹
第三章　汉代墓葬
第四章　随葬器物
第五章　结语
附有《会泽水城明清时期遗存》《会泽水城汉墓铜铁器的初步分析》两文。

西藏自治区

陕西省

64.西京访古丛稿

作　　者：陈子怡　著
出　　处：西京筹备委员会 1935 年版

该书为 25 开一册，计 150 页，有图。实为古代长安城遗址、帝王陵墓、城坊建筑、名胜古迹的考证文集。收文 10 篇，有《由昆明池而溯及镐京与丰邑》《汉鸿门考》《汉栎阳考》《咸阳原上汉帝诸陵考自序》《宋次道长安志系明人重辑本考》等。

65.西汉京师仓

作　　者：陕西省考古研究院　编著
出　　处：文物出版社 1990 年版

该书 16 开平装一册，系对位于陕西省华阴市岳庙街道办事处双泉村西汉京师仓遗址的考古发掘详报。京师仓，是西汉时期的国家粮仓，约修建于汉武帝时期。呈长方形，东西长 1120 米，南北长 700 米。共发现粮仓 6 座。据测算应可储藏粮食上万立方米。出土有砖瓦、陶范、陶器、铁器、兵器、钱币等。未见粮食及量具。

66.西安交通大学西汉壁画墓

作　　者：陕西省考古研究所、西安交通大学　编著
出　　处：西安交通大学出版社 1991 年版

该书为 16 开精装一册，系西安交通大学校园内发现的西汉壁画墓的考古发掘详报。简目如下：

一、发掘报告

二、二十八宿星图介绍及初步研究

三、对于壁画的初步探索

四、彩绘颜料分析

五、出土金属器件的能普及金相显微组织分析

六、修补用黏合剂的研制与试用

七、附录

67.汉杜陵陵园遗址

作　者：中国社会科学院考古研究所　编著

出　处：科学出版社 1993 年版

该书为 16 开平装一册，系西汉宣帝（前 73～前 49 年在位）杜陵陵园的考古发掘详报。1982～1985 年发掘。首次揭示出汉代帝陵的布局结构，研讨了汉代帝陵的陵寝制度，从而进一步了解和掌握了位于陕西省咸阳塬西汉九陵的名位和排列顺序，纠正了历史文献中的多处错误记载。

据介绍，杜陵陵园遗址的考古工作主要包括汉宣帝和孝宣王皇后陵园门阙、寝殿、便殿遗址的发掘，陵庙、陵邑遗址与陪葬坑分布的勘察，以及两座陪葬坑的清理。杜陵的发掘首次揭示出汉代帝陵陵园的布局结构与陵寝制度，解决了汉朝礼制研究中的许多重大问题。这批资料对于研究汉代考古和汉代历史都具有重要的意义，对从事研究文物、历史、古建筑工作的人员也有一定的参考价值。

68.汉长安城未央宫：1980～1989 年考古发掘报告

作　者：中国社会科学院考古研究所　编著

出　处：中国大百科全书出版社 1996 年版

该书为 16 开精装上、下两册，是 1980～1989 年对西汉长安城未央宫遗址考古勘察、发掘的成果汇集。简目如下：

第一章　未央宫遗址的勘探

第二章　宫墙、北宫门和前殿遗址的试掘

第三章　未央宫椒房殿遗址

第四章　中央官署遗址

第五章　少府（或所辖官署）遗址

第六章　西南角楼遗址的发掘情况

该详报介绍了宫墙、北宫门、前殿、椒房殿、中央官署、少府（或所辖官署）、西南角楼等遗迹的试掘与发掘经过。未央宫遗址的考古资料内容丰富，材料完整而系统，首次揭示出未央宫的布局结构和与宫城相关的制度。该详报对研究汉代考古和汉代历史具有重大意义。

69.西安龙首原汉墓（甲编）

作　　者：西安市文物保护考古所　编著

出　　处：西北大学出版社 1999 年版

该书为 16 开精装一册，系 1989 ～ 1992 年考古人员对西安北郊龙首原汉墓进行抢救性发掘的详报，共发掘 42 座西汉早期墓葬。前有刘庆柱先生序。

70.神木大保当：汉代城址与墓葬考古报告

作　　者：陕西省考古研究所、榆林市文物管理委员会办公室　编著

出　　处：科学出版社 2001 年版

本书为 8 开精装一册，是第 1 部关于陕北画像石墓及其相关城址的考古详报。包括 1996 ～ 1998 年的全部资料，重点介绍了 14 座汉画像石墓。简目如下：

一、概况

二、城址

三、墓地

四、关于大保当汉代城址与墓葬的相关问题

五、大保当汉画像石的相关问题

六、结束语

七、附表

八、附录

71.汉长安城

作　　者：刘庆柱、李毓芳等

出　　处：文物出版社 2003 年版

该书为 32 开一册，较为详尽地论述了汉长安城遗址的考古发掘成果，内容涉及

平面布局、基础设施、主要宫殿、武库及礼制性建筑和手工业遗址等诸多方面，并对一个世纪以来的相关研究进行了回顾。书中配彩色图版 7 幅，插图 54 幅。

今有《汉长安城遗址研究》（科学出版社 2006 年版）一书，可参阅。

72.西汉礼制建筑遗址

作　者：中国社会科学院考古研究所　编著
出　处：文物出版社 2003 年版

本书为 16 开精装一册，正文共 246 页，有线图 172 幅，另有 9 个插页，文后附黑白图版 440 幅。

本书收录了中国社科院考古研究所于 20 世纪 50 年代在西安西北郊（汉长安城南郊）发掘的 15 座西汉礼制建筑遗址的全部资料及其研究成果。其中除大土门遗址和第三号遗址曾做过报道以外，其他遗址的相关资料及研究成果都是首次公开发表。全书分十章：第一章为绪言，陈述遗址位置及发掘始末；第二章至第九章，分别报道 15 座遗址的全部资料；第十章为结语，主要考订了这 15 座遗址的建筑年代及其原名。认定第一号至第十二号遗址应是王莽九庙；第十三号遗址可能是西汉初年在秦代旧址上修建的社稷社；第十四号遗址可能是王莽新增的社稷社；大土门遗址应是西汉元始四年（4 年）修建的辟雍。

这种形式的西汉礼制建筑为古代中国所特有，对中国东汉、魏晋以后各代的礼制建筑影响很大。这本考古详报对中国传统的礼制建筑制度的研究，具有重要意义；对广大的文物考古工作者及古代史研究者都有重要的参考价值。

73.白鹿原汉墓

作　者：陕西省考古研究所　编著
出　处：三秦出版社 2003 年版

该书为 16 开精装一册，系西安市东郊白鹿原汉墓群的考古发掘详报。1989、1990、1991、2001 年共进行了四次发掘，发掘汉代墓葬 94 座。详报介绍了这批汉墓的形制、葬具、葬式、随葬品、年代、墓主人身份等，还对汉代墓葬的演变、家族墓葬排列方式、随葬品上的文字等进行了探讨。

《白鹿原汉墓》共分五章。第一章是墓葬分布，该章对墓葬的发掘位置与地理环境、墓葬分布与历史背景、发掘经过以及资料的整理与编写情况进行了介绍。第二章是墓形分类，该章对墓地内出土的不同形制的墓葬进行了分类报道，并对墓葬的葬具、葬式与葬俗,以及墓内出土随葬品进行了详尽的报道。第三章对墓葬出土的各类随葬品进行了报道。第四章是年代与分期,该章对出土的墓葬进行了分期,对墓葬的年代进行了推断,对墓葬形制与主要随葬品组合、器形的演变进行了研究。第五章是结语,该章根据墓葬形制和墓内出土随葬品,对墓葬等级进行了分析,对墓主身份进行了推断,还对斜坡墓道洞室墓中"竖井墓道"及"天井"的演变与功用、合葬墓的性质与年代、家族墓葬及其排列方式、随葬品中的文字及其所反映的问题进行了研究。

白鹿原汉墓的时代涵盖了整个两汉时期,在某种程度上大致反映了白鹿原乃至西安地区贵族和百姓之间丧葬风习的演变轨迹。其中墓葬形制的多样化,给关中地区汉代墓葬形制的深入研究提供了不可多得的资料。墓葬分布、丧葬习俗、随葬品位置的复原,为研究两汉时期京畿地区人们的生活习性增添了新的资料。各种合葬墓及两组家族墓葬的发现,为研究中国古代合葬制度及家族墓葬的排列规律都起到了一定的促进作用,而斜坡墓道中竖井墓道、天井的发现则为中国古代"天井"的缘起研究提供了新的资料。各类随葬品、纹饰、文字的发现对了解两汉时期手工制造业水平、当时人们的生活理念以及传统礼制对当时人们生活的影响都具有相当重要的参考价值。

白鹿原汉墓的发掘,对了解汉长安城周围各处墓葬的分布规律,以及关中地区汉代墓葬时代序列的建立提供了重要的资料。

74.汉锺官铸钱遗址

作　者:西安文物保护修复中心　编著
出　处:科学出版社 2004 年版

此书为 16 开精装一册。位于今陕西西户县的汉代锺官铸钱遗址,是汉代重要的国家铸币工厂,面积超过 100 万平方米。1994 年起进行发掘。此书是该遗址的考古发掘详报,也是国内第 1 部大型铸钱遗址考古报告。

该书简目如下:

前言

第一章　概况

第二章　地层与遗迹分布

第三章　出土遗物

第四章　锺官铸钱工艺研究

第五章　汉代锺官铸钱——兼论上林三官铸钱遗址

第六章　王莽货币改制与锺官铸钱

第七章　陶范和钱币的测试分析及科学保护

有"发现于锺官铸钱遗址区内的墓志资料""史书记载的有关文献""研究论著要目"三种附录。

75.长安汉墓

作　者：西安市文物保护考古所、郑州大学考古专业　编著

出　处：陕西人民出版社 2004 年版

该书为 16 开精装上、下两册，系近年来西安市 15 处地点发掘清理的 800 多座西汉、新莽时期墓葬的考古详报。详报重点介绍了其中 139 座汉墓的资料。附有"长安汉墓出土低温釉陶的颜色演变规律初探""出土青铜器制造工艺分析""芙蓉南路一号墓出土樽的除锈与保护"等文。刘庆柱先生为本书作序。

76.汉长安城武库

作　者：中国社会科学院考古研究所　编著

出　处：文物出版社 2005 年版

该书为 16 开精装一册，是 1975 ～ 1980 年对位于今西安市西北郊汉长安故城武库遗址的考古发掘详报。这是唯一进行发掘的武库遗址，对于汉代军事史、兵器史研究尤具重大价值。

简目如下：

前言

第一章　遗址的勘探与试掘

第二章　第七号建筑遗址的发掘

第三章　第一至第六号建筑遗址的发掘

第四章　出土遗物

结语

附有"汉代长安城武库遗址出土部分铁器的鉴定""汉长安城武库遗址出土残鱼鳞铁甲复原"等 4 篇文章。

77.汉长安城遗址研究

作　者：中国社会科学院考古研究所汉长安城工作队、西安市汉长安城遗址保
　　　　管所　编著

出　处：科学出版社 2006 年版

本书为 16 开精装一册，较全面收集了有关汉长安城遗址的田野考古资料和具有代表性的研究论文，书后还附有汉长安城研究论著的中文文献目录。田野考古资料包括散见于报刊的考古简讯、简报和中篇报告 29 篇，是历年来调查、钻探和发掘汉长安城遗址获得的珍贵资料；研究论文精选了 37 篇，涵盖了从考古、历史、地理、建筑、测量等不同学科对汉长安城遗址进行的多角度、多视野的研究成果。

本书集中展示了 50 年来汉长安城遗址考古发现与研究的历程与阶段性成果，既具有资料性，又体现了现阶段的研究水准，具有较高的学术价值。

78.汉长安城桂宫

作　者：中国社会科学院考古研究所、日本奈良国立文化财研究所　编著
出　处：文物出版社 2007 年版

本书为 16 开精装一册，正文 289 页，文后有彩色图版 48 版，黑白图版 156 版。

1997 年，经中国国务院特别许可，国家文物局首次批准，中国社会科学院考古研究所和日本奈良国立文化财研究所两个国家级的研究所对中国第一批全国重点文物保护单位——汉长安城桂宫遗址进行了考古发掘，桂宫遗址的考古工作主要包括桂宫宫城遗址的勘探，宫墙、南宫门和 7 座建筑遗址的试掘，3 座大型建筑遗址的发掘，发掘出土了大量具有典型时代特征的瓦当、玉牒等重要遗物。本书全面、系统、完整地对发掘及出土遗物进行了报道，是有关汉长安城桂宫的考古发掘详报，也是国际合作的重要科研成果。

桂宫遗址的发掘，对全面揭示桂宫遗址的布局形制、宫殿及其他建筑的结构都有重要的价值。这些新的考古发掘资料，对汉代考古学、历史学、建筑史、美术史等领域的研究，均有参考价值。

该书简目如下：

前言

第一章　桂宫遗址的调查、勘探与试掘

第二章　二号建筑遗址的发掘

第三章　三号建筑遗址的发掘

第四章　四号建筑遗址的发掘

结语

附有鉴定报告、登记表等共 13 种。

79.汉景帝阳陵田野考古报告

作　　者：陕西省考古研究院　编著

出　　处：文物出版社 2008 年版

　　该书 16 开精装一册，系对西汉景帝阳陵的考古发掘详报。汉景帝刘启，是汉高祖刘邦之孙，西汉第四代皇帝，死后葬在位于陕西省咸阳市渭城区正阳镇张家湾村北的阳陵。阳陵面积达 10 余万平方米，平面大致呈葫芦形，由帝陵、后陵、从葬坑、陪葬墓、陵庙等组成。考古发掘已取得重大成果，发现有彩色动物俑群，数以万计的裸体彩色汉俑，汉俑的角色多样，有武士、侍者、商人、平民等。阳陵考古负责人王学理先生讲："如果说秦始皇兵马俑表现的是秦代军旅生活，阳陵出土的裸体彩俑，则像向人们展示了丰富多彩的汉代皇室生活。"景帝之时，正是中国历史上著名的盛世"文景之治"之际，国力强盛。阳陵的考古发掘，也从某种角度证实了这一点。

　　重庆出版社 2001 年出版有《汉阳陵》一书，16 开精装一册，系 1995 年以后西汉景帝阳陵的考古调查图录，可参阅。

　　非考古专业的读者，可以参阅王学理先生《考古队长说阳陵》（三秦出版社 2015 年版）一书。书中有"汉阳陵陵园今貌鸟瞰"与"汉阳陵陵园复原图"（均为大折页图），还附有"阳陵初步研究与动态报道的考古文献目录"。

80.西安北郊郑王村西汉墓

作　　者：陕西省考古研究院　编著

出　　处：三秦出版社 2008 年版

　　该书为 16 开精装一册，系西安北郊郑王村西汉墓地 2002、2003 年两次发掘的考古详报。重点介绍了 80 座中小型西汉墓葬，逐一叙述了这 80 座墓的墓葬形制、随葬器物，讨论了这批汉墓的年代、墓主人身份等。附有两篇有关 M54 出土牲器的研究文章。

81.西安东汉墓

作　者：西安市文物保护考古所　编著

出　处：文物出版社 2009 年版

该书为 16 开上、下两册，系西安地区 38 处汉代墓地的 98 座墓葬的考古发掘详报。前有刘庆柱先生序，称《西安龙首原汉墓》（西安早期墓葬）与《长安汉墓》（西汉中期至王莽时期）与此书构成了西安地区汉墓系列。简目如下：

上册

第一编　概述

　　第一章　西安的自然环境与历史沿革

　　第二章　墓葬的发掘概况

　　第三章　资料的整理与考古报告的编写

第二编　墓葬资料

　　第一章　西北有色金属研究院汉墓群

　　第二章　雅荷城市花园汉墓群

　　第三章　大洋乳胶厂二号汉墓

　　第四章　雅荷智能家园汉墓群

　　第五章　海宏轴承厂七号汉墓

　　第六章　西安市中药厂二十号汉墓

　　第七章　荣海花园一号汉墓

　　第八章　明珠花园十一号汉墓

　　第九章　西安市电信局第二长途通信大楼汉墓群

　　第十章　移动电话九十三号汉墓

　　第十一章　西安市图书馆四号汉墓

　　第十二章　佳馨花园六十号汉墓

　　第十三章　珠江新城三号汉墓

　　第十四章　西北农副产品批发市场汉墓群

　　第十五章　电容器厂三号汉墓

　　第十六章　旭景名园一号汉墓

　　第十七章　韩森路东延线三十四号汉墓

　　第十八章　西北国棉五厂汉墓群

　　第十九章　第二炮兵学院宿舍楼一号汉墓

　　第二十章　西安东郊常家湾一号汉墓

附有一览表、统计表及相关文章3篇。

82.米脂官庄画像石墓

作　　者：榆林市文物保护研究所、榆林市文物考古勘探工作队　编著
出　　处：文物出版社 2009 年版

该书为 16 开精装一册，系 2005 年陕西省米脂县官庄 3 座汉画像石墓的考古发掘详报。

83.西汉帝陵钻探调查报告

作　　者：咸阳市文物考古研究所　编著
出　　处：文物出版社 2010 年版

该书为 16 开精装一册，所涉及的西汉帝陵包括：高祖长陵、惠帝安陵、文帝霸陵、景帝阳陵、武帝茂陵、昭帝平陵、宣帝杜陵、元帝渭陵、成帝延陵、哀帝义陵、平帝康陵。简目如下：

上编　西汉帝陵的钻探调查
　第一章　绪论
　第二章　西汉帝陵的钻探调查
　第三章　其他相关汉代陵墓
　第四章　咸阳塬上秦陵的钻探调查
下编　西汉帝陵的综合研究
　第一章　西汉帝陵的记载和研究概况
　第二章　西汉帝陵的综合研究

今有王子云先生《汉代陵墓图考》（太白文艺出版社 2007 年版）、秦臻先生《汉代陵墓石兽研究》（文物出版社 2016 年版）等，可参阅。

84.汉阳陵

作　　者：汉阳陵博物馆　编著
出　　处：文物出版社 2016 年版

该书为 16 开精装一册，是全面介绍陕西西汉汉阳陵的最新考古成果的图录。

汉阳陵是西汉景帝与皇后王氏同茔异穴合葬陵园，位于陕西省咸阳市渭城区，始建于汉景帝前元四年（前 153 年），竣工于汉武帝元朔三年（前 126 年），修建时间长达 28 年，占地面积约 20 平方公里，今已建成国家 4A 级景区。

又有《汉景帝阳陵：黄土·色与火煅烧的艺术》（陕西人民教育出版社 2000 年版）

一书，主编张南生先生说：由于阳陵考古发掘当处初期，此书的"特点是结合阳陵已出土的文物，尽量揭示汉代社会文化背景，尽量将静止的文物放到汉代社会背景下去理解去认识，使其更生动、更具时代感，目的是方便陪同的讲解工作"（见序）。似可参考。

甘肃省

85.疏勒河流域汉长城考察报告

作　者：岳邦湖、钟圣祖　著
出　处：文物出版社 2001 年版

该书为 16 开平装一册。疏勒河是位于甘肃省西部的一条内陆河流，该流域内的汉代长城烽燧，结构独特，保存完好，经历 2000 年沧桑变迁而巍然耸立。作者系 2 位年过花甲的离退休考古工作者，不图名利，自 1992～1996 年，历时 4 年，行程 15000 公里，完成了这一部书稿。

简目如下：

前言

第一章　地理环境、长城走向及现状

第二章　调查工作的回顾

第三章　敦煌境内汉代烽燧综述

第四章　安西境内汉代长城烽燧

第五章　西汉王朝开拓河西的历史与丝绸之路

第六章　玉门关设置地点、阳关遗址、卑鞮侯井和都护井遗址

第七章　疏勒河汉代长城的修建

第八章　汉代敦煌郡所属县治古城略考

第九章　西汉敦煌郡境内其他无名城址

附有"汉唐西域与敦煌郡大事记简辑"。

86.河西汉墓调查与研究

作　者：甘肃省文物考古研究所　编著
出　处：文物出版社 2005 年版

该书为 16 开一册，系 1979～1990 年间考古人员对河西地区汉代长城遗址的调查资料汇集。记录了酒泉、玉门、张掖、武威等地的汉代"塞"和烽燧的分布、走向等。

本书是1部关于河西地区汉代长城遗址较为全面的调查报告。它对河西汉塞做了全面的梳理和研究，很多资料是经作者亲自田野调查所得的第一手资料，弥足珍贵。书中对河西汉塞的烽燧遗址逐一记录，并在全面分析诸烽燧遗址的基础上做出了合理的推论。本书对于进一步研究河西汉代长城具有很高的学术价值。

87.民乐八卦营：汉代墓群考古发掘报告

作　者：甘肃省文物考古研究所　编著

出　处：科学出版社2014年版

本书为16开精装一册，是2010年发掘民乐八卦营98座汉墓墓群的考古详报。简目如下：

一、地理位置与历史沿革

二、发掘经过与文化遗存

三、墓葬概况与出土器物

四、结语

附有登记表两种。

青海省

宁夏回族自治区

新疆维吾尔自治区

88.高昌故城及其周边地区的考古工作报告（1902～1903年冬季）

作　者：（德）阿尔伯特·格伦威德尔　著

出　处：文物出版社 2015 年版

该书是德国考古学家 20 世纪初对西汉高昌故城的考古工作报告，是认识百余年前高昌古城面貌不可或缺的调查成果。共分三个部分：一、引言；二、遗址；三、结论。有"译后记""编后记"及珍贵照片。

香港特别行政区、澳门特别行政区、台湾省

89.李郑屋汉墓

作　者：屈志仁　著

出　处：香港市政局1970年版

该书为16开一册，系香港特别行政区李郑屋汉墓的考古发掘详报及初步研究成果。另有罗香林先生著《香港李郑屋汉墓之发现与出土文物》（台北台湾大学1975年版）一书，可参阅。

下编 考古简报

北京市

1.北京市周口店区窦店土城调查

作　者：刘之光、周　桓
出　处：《文物》1959 年第 9 期

1959 年 1 月，考古人员在北京市周口店区进行文物普查时，于窦店镇之西发现了 1 座古城遗址。简报配以照片、手绘图予以介绍。

据介绍，该城位于窦店镇的西侧，东北距良乡城 12.5 公里，西北距房山城 12.5 公里，南距琉璃河镇 7.5 公里。城建筑在平原地带，四周村庄环抱，城址东部边缘有镇西村的一些住户散处其上，南为大白草洼村，西南为芦村，西北为板桥村，北为田家园子村，东北为瓦窑头村。自北而南的大石河从城址的西北角转西蜿蜒南下。城垣因年代久远，虽已有破坏，但轮廓尚清晰可见。城作长方形，城垣有内外两层：内为夯土打筑，是城墙的本身；外系堆积的土围，应即所谓的"郭"。城墙的南面、西面保存犹好，东面中间和窦店连接的一段已湮，北面破坏最烈，只东北转角还存一部分，西北角则因大石河改道而沦为河底。外廓南面和两转角处大体保存原状，其余俱已夷为平地。现存城垣根据初步草测，内城墙东西长约 1100 米，南北宽约 860 米。外郭东西长约 1200 米，南北宽约 960 米。城内靠西墙有一小城，城南、西南有大型封土墓两座，离城不过 300 米，尚有高 4 米的封土。

简报认为此城为汉良乡城遗址，但未知是袭用燕国中都旧址，还是汉代新筑；也未知大城、小城、外郭是否为同时所筑。

今有周正义先生《北京地区汉代城址调查与研究》（北京燕山出版社 2009 年版）一书，可参阅。

2.北京平谷县西柏店和唐庄子汉墓发掘简报

作　者：北京市文物工作队　向　群
出　处：《考古》1962 年第 5 期

1958 年秋，在平谷县西北 7.5 公里的西柏店村东，发现 1 座砖室墓葬。考古人员于 1959 年 6 月间，开始了发掘工作。发掘工作分两个阶段，第一期自 1959 年 6 月至 7 月底；第二期是同年 10 月中旬至 25 日结束。前后在西柏店、唐庄子两地工作两个多月，共清理 15 座砖室墓，其中大部分已被盗，只有四座墓尚好。简报分为：一、墓葬形制，二、随葬器物，三、墓的年代，共三个部分。有手绘图。

据介绍，这批墓葬从墓室结构与随葬品的形制来看，是一般东汉墓常见的。1 号与 103 号墓出土的货币，除汉半两钱 3 枚和大量汉五铢钱外，并有"货泉" 10 枚。五铢钱内亦有不少剪轮五铢。从上述 2 墓出土陶器来看，以绿釉和朱绘陶器模型为主要特征，如绘陶鼎、扁壶、圆奁、龙柄勺、灰陶瓮等，与河北省望都二号汉墓出土器物相似。因此，这两座墓的年代，简报推断上限不过东汉灵帝，下限可至西晋。唐庄子 101 号墓出土的伎乐俑、猪圈、猪、狗、盘等物，完全与 103 号墓所出器物一致，而根据灰陶盘口、平底长颈壶的样式，估计此墓的年代应略晚于 103 号墓。106 号墓的年代，根据盘口圆底壶与陶罐的形制及网带纹来看，其与晋瓷的风格极为近似，简报推断应属于北朝时代。平谷 1 号墓的盝顶式券顶的发现，对于北京地区东汉晚期墓墓顶的建筑结构，也有了进一步认识。根据 101 与 103 号墓中出土耳杯遗留着鸡、鸟、猪等骨骼的现象来看，耳杯用于盛羹的说法是可信的。简报认为现在的北城子遗址就是郦道元所说的博陆故城。

3.北京永定路发现东汉墓

作　者：北京市文物工作队　喻　震
出　处：《考古》1963 年第 3 期

1962 年冬，北京永定路因挖菜窖发现 1 座小型的土坑墓，随葬陶器已被取出，文物队得信即派考古人员去作了清理。简报配以手绘图予以介绍。

据介绍，墓为南北向，坑底离地面 1.8 米，坑的平面呈长方形，坑底之左侧有朽木痕迹，葬具应为木棺，骨架 1 具，保存较好，葬式为仰身直肢、头向北、面向上。随葬陶器 8 件，有仓、鼎、豆、壶、罐，皆为泥质灰陶，放在坑之后段。仓 3 件、鼎 1 件、豆 1 件、壶 2 件、罐 1 件，以上陶器均有博山炉式盖。此外还有小铜镜 1 件。从器形观察，简报推断这座墓的时代应在东汉早期。

4.北京西郊发现汉代石阙清理简报

作　者： 北京市文物工作队　苏天钧
出　处： 《文物》1964 年第 11 期

1964 年 6 月在北京西郊石景山上庄村东，因采石工程发现汉代石刻一批，其中有石表、石柱、石柱础、石阙顶等，上面分别雕刻鸟、兽、人物以及莲瓣纹、直棱纹、菱形纹、三角纹等。这批石刻都是汉阙上的各个部分的构件，是北京考古工作中的重要发现。经过半个月的清理，清理情况简报分为"石阙发现的位置和地层""石刻的分布""结语"三部分予以介绍，有照片。

据介绍，上庄村位于北京复兴门外 15 公里，村西有山，俗称老山，石刻出土的地点是在老山北坡脚下约 100 米处。1964 年 6 月 3 日，当地百姓在深约 1.5 米处，发现石柱 1 件，柱头南向（编为 1 号）。考古人员考证为汉代幽州书佐神道阙残存石刻，由石刻题记知年代为东汉元兴元年（105 年）。

5.大葆台西汉木椁墓发掘简报

作　者： 北京市古墓发掘办公室
出　处： 《文物》1977 年第 6 期

大葆台汉墓位于北京丰台区郭公庄西南隅，距城 15 公里，西临永定河，南靠京广铁路支线。1974 年 6 月初，基建单位在此勘测时发现大量木炭、木头、白膏泥，经北京市文物管理处进一步调查，证实是 1 座大型西汉木椁墓。8 月中旬，考古人员对该墓进行了发掘。1975 年 4 月，又对其西侧的二号墓进行了清理。发掘情况简报分为"一号墓""二号墓""墓主年代和墓主人"，共三个部分。有照片、手绘图。

据介绍，两墓皆为大型木椁墓，其结构为"梓宫、便房、黄肠题凑"形制。按汉代丧葬制度，使用"梓宫、便房、黄肠题凑"者，"天子之制也"。据文献记载，汉武帝已使用这种墓葬。由此可知，墓主人必然是一个高级权贵。一号墓采用 5 棺 2 椁制，按"天子棺椁七重"来说，墓主人爵级至少为诸侯王无疑。一号墓的人骨架性别年龄鉴定，为 45 至 55 岁，男性。这与一号陵墓主人为燕王刘旦相吻合。二号墓的人骨架性别年龄鉴定，为 20 至 25 岁，女性。似为燕王刘旦之妻华容夫人。两墓靠近，这又符合汉代帝后合葬同茔不同陵的制度。由于该墓早期被破坏又被火焚，所遗器物不多，二号墓有灰陶钫、釉陶壶、红陶大盆、铜虎、玉舞人、漆器；一号墓有十二生肖等 20 余种生禽鸟兽，以及朱轮华毂车 3 辆，乘马 11 匹和"玉衣"片。

简报推断，一号墓下葬时间当为昭帝元凤元年（前 80 年）；二号墓上限当不早于武帝元狩五年（前 118 年），下限不晚于宣帝地节元年（前 69 年）。一、二号墓主人应为燕王刘旦夫妇。

6.北京顺义临河村东汉墓发掘简报

作　者：北京市文物管理处　黄秀纯
出　处：《考古》1977 年第 6 期

1975 年 4 月，顺义县平各庄公社临河村大队平整土地时，发现 1 座东汉墓。考古人员前往清理。简报分为：一、墓葬位置及形制，二、随葬器物，三、结语，共三个部分。有照片等。

据介绍，临河村位于顺义县城东南约 6 公里，墓在村外东北隅，东距潮白河约 2.5 公里，距京承铁路约 3 公里。其东南有南河村，可能为汉安乐县址。墓室坐北朝南，系砖室券顶墓，由墓道、甬道、前室、后室和东西耳室组成，南北总长 11.7 米、东西宽 11.1 米，墓底距现地表 2.3 米。墓中出土器物共计 131 件，有陶器、铜器和漆器械等。陶器数量最多，有泥质灰陶，有加彩绘或施绿釉冥器。绝大部分是东汉晚期常见的随葬冥器。简报推断为东汉晚期墓葬。

今有刘尊志先生等《京津冀汉墓研究》（科学出版社 2001 年版）一书，可参阅。

天津市

7.天津北郊发现一座西汉墓

作　者：天津市文物管理处

出　处：《考古》1972年第6期

1972年5月，百姓在天津北郊疏浚永定河故道时，发现1座西汉墓。该墓位于北郊双口镇东北1.5公里。墓北已被河道打破，墓南压于河堤之下，保存尚好。简报分为：一、墓葬结构，二、随葬器物，三、结语。共三个部分。有手绘图、照片。

据介绍，此墓的随葬陶器，为京津地区西汉墓葬所常见。高领弦纹罐和长颈圈足彩绘壶，与北京昌平县和河北易县燕下都等地西汉早期墓内同类陶器较为接近。因此，简报推断这座墓葬的年代应属西汉。经鉴定，西部人骨架为男性成年，东部人骨架为女性成年。因此，这座墓是夫妻合葬。从南壁中部的连接痕迹和东西两壁筒瓦的不同特点测知，此墓分两次建造，墓主人系先后葬人，男性先葬，女性后葬时仅在原有墓室的基础上扩建加宽。值得注意的是，在以前发现的汉墓中，出过不少瓦棺，但像此墓全部用筒瓦筑造墓室，还未曾见过。这种墓室结构，或许是汉代墓葬建筑的一种特殊形式。

简报称，西汉墓葬在天津为首次发现。这座墓葬可能与西汉设置的泉州县有一定关系，从而为研究天津历史提供了新的实物材料。

8.武清县发现东汉鲜于璜墓碑

作　者：天津市文物管理处、武清县文化馆

出　处：《文物》1974年第8期

1973年5月，天津市武清县高村公社兰城大队农民在村东约0.5公里的苏家坟平整土地时，发现1通东汉桓帝延熹八年（165年）雁门太守鲜于璜墓碑。与碑同时出土的尚有碑座1件。此碑现已移至天津市历史博物馆。简报分为：一、墓碑概况，二、碑文的史实和文字书法，三、以碑文作反面教材狠批林彪和他宣扬的孔孟之道，共三个部分。有拓片。

据介绍，这次出土的鲜于璜碑在历史、金石书籍中未见著录，是我国自 1949 年以来发现的保存完整、存字较多的 1 通汉碑，为研究汉代历史中的民族问题和文字、书法、刻石艺术，提供了新资料。碑文为隶书，共计 827 字。据碑文，鲜于璜在延平元年（106 年）以前，先后任并州孝廉、郎中、度辽右部司马及徐州东海郡赣榆县令。延平元年任安边节度使，永初年间为雁门郡太守。延光四年（125 年）死于家，死时 81 岁。四十年后即延熹八年（165 年），孙辈为其立碑。

9.武清东汉鲜于璜墓

作　者：天津市文物管理处考古队　敖承隆等
出　处：《考古学报》1982 年第 3 期

1973 年 5 月间，天津市武清县高村公社兰城大队社员在村东平整土地时，发现东汉桓帝延熹八年（165 年）"汉故雁门太守鲜于君碑" 1 通。之后，根据这通汉碑的出土，天津市文管处考古队于 1976 年和 1977 年间，先后对这座有墓碑的汉墓进行了勘查和发掘。简报分为：一、墓地概况，二、墓葬结构，三、墓内现状，四、随葬器物，五、墓碑，六、几点认识，共六个部分。有照片、手绘图。

据介绍，鲜于璜汉墓位于武清县之西北，在高村公社兰城村东约 0.5 公里处。该村以东一望无际的耕地里，现分布有些微凸的"岗子"，或称"坨子"。经勘查，村东一带所谓"岗子""坨子"高地，一般多为汉代墓葬，鲜于璜汉墓则属于其中之一。鲜于璜墓地墓外夯筑封土犹存。其范围宽 20 余米，可见该墓原有高大封土。鲜于璜碑发现于该墓（正南）的前面，两者间距约 6 米。在墓碑出土时，尚有碑座、石盒之物，并还发现以花纹方砖铺砌的残迹。据此来看，除在鲜于璜墓地竖立墓碑外，可能有"享堂"之类的祭祀建筑物。该墓为砖墓，由墓道、甬道与前、中、后室组成，随葬品大多为陶制明器。曾被盗，墓内凌乱。墓碑录有墓主生平、家世等，简报录有全文，文长不引。

据碑文所载，墓主身份为郡守比 2000 石，卒于东汉安帝延光四年（125 年）；而墓碑于桓帝延熹八年（165 年）立，其间相隔 40 年整。依此推断，此墓构筑的年代绝不会晚于立碑之际。显然应在墓主死时之前，其年代约当东汉中叶。此碑为隶体，不失为汉代隶书中的典型代表，对研究古代书法亦有价值。

河北省

石家庄市

10.石家庄市北宋村清理了两座汉墓

作　　者：河北省文化局文物工作队

出　　处：《文物》1959 年第 1 期

1955 年夏季，河北省文物管理委员会为了配合石家庄市建设工程，在市东郊北宋村清理了汉墓 2 座。简报配以照片予以介绍。

据介绍，第一号墓墓室已被破坏，只西耳室未塌，因此没有进行发掘墓道的工作。墓室计有前室、中室、主室及二耳室，共五间，各室间均有过道相通。出土器物主要可分为铁器、铜器、陶器、骨器四大类。北宋村一号墓，从墓室结构与出土文物来看，都与望都一号墓相似。只是墓的规模较小，无论是从北宋村一号墓自身的各种特点来看，或与望都一号墓相比较，简报认为都足以说明它是东汉晚期的墓葬。

第二号墓墓室坐北朝南，这座墓是由两座对称的砖墓组合而成，中间隔有界寺互不相通。东边的墓（简称东墓）有前、中、主 3 个墓室。西边的墓（简称西墓）有 4 个墓室：在前室之前又多了 1 个墓室，简报称它为南室。东墓所出遗物有陶器、五铢钱、大铁块、小铅块、兽骨等。人骨架已朽，东墓共出土五铢钱 8 枚，其中剪边钱 2 枚。西墓有灰陶、鎏金佛及铜佛各 1 躯，另有五铢钱、铜器、铁器、石器、鸡骨、兽骨等；南室发现人骨架 1 具，漆片数块，可能为棺木遗迹，其他有陶器、车马饰、铅盖弓帽等。西墓共出土五铢钱 31 枚，其中剪边钱 4 枚。此外，在东西两墓前室间的残墙上及西墓甬道北端各出土带圆眼的小骨板 2 枚，圆眼也多数未钻透，其中一眼背后有灼痕，用途不明。

此墓从墓室结构和出土器物的作风来看，简报推断应是东汉晚期的墓葬。

11.石家庄市桥东单室砖墓

作　者：孟　浩
出　处：《文物》1959 年第 4 期

1956 年 3 月，石家庄市文化局发现了古墓 1 座。

据介绍，这座墓葬在京汉铁路石家庄车站东偏北约 3.5 公里的耕地内。该墓的结构可分墓道、甬道和墓室三部分。甬道和墓室都是用长方形灰砖砌成，砖质粗硬，背面是竖道的绳纹。墓室内部比较完好。葬式为伸肢葬，尸骨已不完整。在骨架下面发现白石灰一层，棺灰痕迹不明显。

随葬品有陶、瓷、铜、铁和货币五类。有罐、碗、盒、镜、弩机等 11 件及货币 12 枚。墓的时代，从墓室结构上看，简报推断应属于东汉晚期。

12.石家庄东郊发现古刀币

作　者：石家庄市图书馆　王海航
出　处：《文物》1964 年第 6 期

石家庄市东郊东古城村生产队于 1963 年秋天，在村东汉代常山城遗址中发现大批古刀币，共重约 15 公斤，有 1000 多枚（出土时大部分残断）。这批古刀币，经过部分整理研究，以战国时期燕明刀的数量最多，约占四分之三。另外还有一部分形体薄而直的小刀币，有正面铸字为"甘丹"（即"邯郸"二字古写）的，有正面铸字为"白人"的，背面无字。查"白人"即古之"柏人"，古写柏、伯、白不分。邯郸，即指赵之邯郸城。至于柏人是何处呢？经查证，就是距邯郸不远的邢台专区隆尧县地。可知这两种小刀币，应是春秋战国时期具有地方性的所谓邯郸和伯人地区通行的一种货币。这种货币既薄又小，铸字往往被土锈掩盖，不易辨识，非细致地将土锈刮去才能看出原铸字的情形。同时，容易将它混进燕刀币内而误认为也属于燕国货币范畴。

在遗址另外 1 处距地面 2 米以下，发现西汉时期小半两钱石范 8 块（实收到 6 块）。附近又发现 1 块块的铜渣，有铸坏了尚粘在一起的半两钱。又距此八九米处发现小窑 1 座，直径约 3 ~ 4 米。

从以上这些情况看，简报认为此处曾是当时铸钱的小工场，也可能是汉文帝时真定国的刘姓亲属公开铸钱的遗址。

13.石家庄市东岗头村发现汉墓

作　者：王海航
出　处：《考古》1965 年第 12 期

1965 年 4 月石家庄市东岗头村村北附近，发现了 1 座汉墓，并出土很多随葬器物。简报配以照片、手绘图予以介绍。

据介绍，墓分甬道、前室、后室三部分。后室后半部砌成棺台，稍高于墓底。台上并放 2 棺，靠南 1 棺内未发现人骨遗迹和任何遗物。另 1 棺内有人骨架 1 具，口内含五铢钱 1 枚。棺内发现戒指 1 枚和不少五铢钱。棺前发现有腐朽的漆器痕迹，在前室北端有已朽的车轮痕迹。墓内遗物还有：漆器（均朽毁）、陶器、铜灯、铜洗、铜牌、铁器和铜钱等。

14.河北石家庄市北郊西汉墓发掘简报

作　者：石家庄市图书馆文物考古小组
出　处：《考古》1980 年第 1 期

1978 年 7 月 26 日至 8 月 25 日，考古人员发掘清理了石家庄市北郊小沿村东南 1 座西汉墓。该墓地面封土堆原高达 15 米，发掘前尚高 8.3 米。在封土堆西面五十米处采集到秦汉砖瓦多种，有奔鹿树叶纹、卷云纹、X 纹等圆瓦当，外饰回云纹内为十字方格纹砖、绳纹瓦等。简报配以拓片、照片予以介绍。

据介绍，该墓为 1 座大型中字形土坑木椁墓，墓圹口南北长 14.5 米，东西宽 12.4 米，从墓圹口至椁底深 4.9 米，曾被盗掘并焚烧。从痕迹看葬具为 1 椁 2 棺，在内棺有人骨架 1 具。骨各已朽，牙齿尚存。头北足南，仰身直肢。经河北新医大学人体解剖教研室鉴定，系成年男性，年龄在 40 至 50 岁之间，身高 1.75 米左右。残存器物不多，大都出在棺椁之间和内棺里。有铜印、铜鼎、铜带钩、铜铃、玉璧、象牙六博棋、陶器等共 10 余件。简报怀疑此是被刘邦封为赵王的张耳的墓。

15.石家庄东汉墓及其出土的算筹

作　者：李胜伍、郭书春
出　处：《考古》1982 年第 3 期

1980 年 9 月，石家庄市西南郊振头村北某工地施工中，发现古墓葬 1 座，墓内出土 2 把骨算筹。考古人员对该墓作了进一步的清理和发掘。简报配以手绘图予以介绍。

据介绍，该墓为长方形砖室墓，由墓道及墓室两部分组成。墓底铺砖。墓顶已遭破坏，结构不明。墓中除骨算筹外，还有五铢钱、车马饰件、陶井及若干碎陶片。因此，简报推断这是 1 座东汉早期的墓葬。墓主人身份不详。据参加发掘的民工说，算筹位于墓底中部、骨架上面，说明入葬时佩戴在腰部。是否有算袋，已无法辨认。算筹共 2 把：1 把 13 根，1 把 17 根，现保存完好的仅 9 根。陕西千阳县曾出土的骨筹（《考古》1976 年第 2 期，完好 31 根，残 10 根），长 12.6 ~ 13.8 厘米，横截面呈圆形，径 0.2 ~ 0.4 厘米，与《汉书·律历志》的记载基本一致。值得注意的是，和千阳算筹一样，石家庄算筹也是长短不齐。简报认为这是当时算筹的真实情况。

16. 石家庄北郊东汉墓

作　者：石家庄市文物保管所　孙启祥、李胜伍
出　处：《考古》1984 年第 9 期

1980 年 4 月 1 日至 5 月 7 日，石家庄市文物保管所工作人员为配合部队基建工程，在市北郊发掘清理了 1 座东汉砖室券顶墓。该墓位于北郊柳辛庄村南，东距东垣古城址约 1 公里。简报分为：一、墓室结构，二、出土遗物，三、结语，共三个部分。有手绘图、拓片。

该墓为砖室券顶结构，方向正北，由墓道、甬道、东耳室、西耳室、前室、后室几部分组成。由于该墓早期被严重破坏，随葬品已不全，有铜器、陶器、玉石器、砚、研石各 1 件。除上述器物外，尚于后室出土五铢钱 18 枚，其形制多数与洛阳烧沟汉墓第三型相似。根据墓的形制、出土的器物，简报推断此墓的年代当在东汉初期。

17. 石家庄发现汉代石雕裸体人像

作　者：石家庄市文物保管所
出　处：《文物》1988 年第 5 期

1985 年 4 月，石家庄市文物保管所工作人员在河北省石家庄市西北郊小安舍村发现 2 尊石雕人像。石像原在村东农田里，后圈入农民家宅院内。简报配以照片予以介绍。

据介绍，2 尊石像造型相近。为裸体的 1 男 1 女，跪式，系用整块青石料粗雕成人体轮廓，用阴线雕眼、耳、口、鼻及腰带等。形体表现粗糙，往往不合比例，简略古朴，未脱原始气息。简报推断这两尊石雕人像可能是汉墓前遗物。

简报称，这次石家庄市小安舍村发现的石雕人像与以往所见汉代石雕人像雕刻

风格一致。但为裸体男女石像，除头上的冠帻和腰间的带饰外，未着其他衣饰，且清楚地刻出了两性生殖器官。这在过去发现的石雕人像中是罕见的。寓意何在，尚有待探讨。

18.河北赞皇发现汉石室墓

作　者：冯杭印
出　处：《考古》1994 年第 1 期

1985 年 10 月，赞皇县城东石家庄村西砖厂发现 1 座石室墓，后经石家庄市文物管理所进行发掘清理。简报配以拓片予以介绍。

据介绍，该墓位于赞皇县城东 1 公里处的高地上，依坡而设。墓室呈长方形，东西向，骨架已腐朽无存。随葬器物置于墓室东端，有陶器、铜镜、五铢货泉等。钱币有"五铢""货泉"两种。

此墓年代，简报推断应为东汉早中期。

19.河北获鹿高庄出土西汉常山国文物

作　者：石家庄市文物保管所、获鹿县文物保管所　孙启祥
出　处：《考古》1994 年第 4 期

1991 年 5 月 29 日，获鹿县新城乡高庄村西砖场在取土时发现一批青铜器，考古人员前往器物出土地进行抢救性清理。据当地群众反映，此处原有十分高大的封土堆，俗称灵台。从所暴露的各种迹象分析，器物可能出自 1 座规模巨大的墓葬。简报分为：一、出土器物；二、几点认识。共两个部分，有照片。

据介绍，器物有银器 3 件、铜器 38 件、铁器 14 件，漆器仅发现漆案、漆盘的残迹及其铜构件等。另外还有铜把柄 3 件，可能是漆杯上的把手。柿蒂形铜饰 1 件，应是漆器上的饰件。根据铜鼎、铜钟、铜匜上的刻铭可知，这座墓下葬于公元前 114 年，简报推断墓主很可能就是刘舜。随葬的 2 件银器上刻有"五官"2 字。"五官"为西汉中期郡国职官名称，和该墓下葬的年代相吻合。该墓入葬年代在汉武帝元朔至元狩年间，略早于高庄西汉墓。山西长江太堡出土的西汉代王府铜锤上刻铭有"代食官"等字，其时代在汉武帝太始二年（前 95 年）至昭帝年间，晚于高庄西汉墓。

简报称，出土的 1 套医药工具铜药臼和铜砚磨杵，器形厚重，是研究中医药史的实物资料。

20.河北汉常山郡故址出土建筑材料

作　者：正定县文物保管所　杨双秋、王巧莲、杜　平
出　处：《考古与文物》2001 年第 6 期

汉常山郡故城址，位于河北省元氏县西北 10 公里处的故城村南。系 1993 年河北省人民政府公布的重点文物保护单位。

这里作为两汉时期常山郡、常山国的附郭——元氏城，初筑于赵孝成王十一年（前 255 年）。汉高祖三年（前 204 年）置恒山郡，文帝元年（前 179 年）为避"恒"字之讳更名为常山郡，王莽时改为井关亭，后复改为常山郡、常山国，均治于此。西晋初，常山郡治迁真定后，此城治元氏县。隋末义军刘黑闼围攻破此城，城废。现东、西、南部城垣尚有残存。1976 年，石家庄地区文物普查组在故城村一带进行勘察，在确认常山郡古城址的同时，还征集到一批相关的文物，现收藏于正定县文物保管所。简报择要配以拓片予以介绍。

据介绍，相关文物有四虎纹方砖 1 件、水波纹排水管 1 件、常山长贵瓦当 1 件等。常山长贵瓦当显然是为常山郡城的建筑所特制，由于汉文帝元年为避"恒"字之讳将恒山郡改为常山郡，故简报认为此瓦当应为文帝或文帝以后之物。

21.河北省无极县东汉墓出土陶器

作　者：正定县文物保管所　王巧莲、樊瑞平、刘友恒
出　处：《文物》2002 年第 5 期

1973 年 5 月，河北省无极县南池阳村农民在村内发现 1 座古墓。简报配以照片。

据介绍，这是 1 座拱券砖室墓，早年即被严重破坏，四壁及顶部基本无存。由斜坡墓道、墓门、前堂、东西耳室、甬道、后室组成。棺椁置于后室，但未发现骨架。后室东壁有一盗洞，墓室内残存随葬品 13 件，除 1 件铜环首刀外，其余皆为陶器。其中 2 座绿釉陶楼，为仿木结构建筑，制作精细。

该墓的年代，简报推断为东汉中晚期。

唐山市

22.河北滦南县发现汉代窖藏铜钱

作　者：滦南县文物保管所　张竹林
出　处：《考古》1986 年第 1 期

1983 年 12 月，河北省滦南县宋道口乡西泽索村毕青解先生在盖房挖地基时，发现 1 个灰陶罐（已破碎），内装汉代"半两""五铢""大泉五十"等钱币，共重 15.8 公斤，5000 余枚。简报配以拓片予以介绍。

据介绍，计半两 10 枚、西汉五铢 1100 枚、东汉五铢 4180 枚、剪边五铢 2 枚、大泉五十 3 枚、布泉 1 枚、货泉 26 枚。简报称，值得注意的是，这批汉代铜钱百分之八十是东汉五铢，而且大部分文字清晰，没有磨损痕迹，可能是铸成后，没有流通很久，就被埋藏起来。

23.河北迁安于家村一号汉墓清理

作　者：迁安县文物保管所　李宗山、王兴明、尹晓燕等
出　处：《文物》1996 年第 10 期

于家村一号汉墓位于河北省迁安县城东南约 4 公里的 1 片高地上，东距于家村约 200 米。该墓于 1990 年文物普查时发现，原有高大封土堆。其西面并排着另 1 座大型汉墓（已暴露，未清理），南部与西南部尚有大小墓葬若干座。1991 年冬，在修筑经此改道的冷大公路时，因推土机取土而将位于东部的一号汉墓破坏，墓室上部已被揭去，墓内亦严重被扰，考古人员对此墓进行了抢救清理。简报分为：一、墓葬形制，二、随葬器物，三、结语，共三个部分。有照片、手绘图。

据介绍，该墓为砖砌多室墓，早年多次被盗。由墓道、甬道、墓门、墓室主通道、四面回廊、左右前耳室、前堂、棺室、左右后室、左前侧室及左后侧室等部分组成。出土有劫余的陶器、铜器、鎏金器、五铢钱等。陶器达百余件之多，其中两件陶楼十分精美。该墓年代，简报推断为东汉晚期偏早，墓主人生前当有较高地位。

简报指出，迁安处于关内与关外的交接地带，在汉代属于边境地区。而从于家村一号汉墓内涵来看，无论是墓制，还是随葬品种类、组合方式，都与中原地区的同类汉墓相差不大，不少器物如出一辙。这说明当时的汉文化统治地区已远不止长城沿线，

其影响所及已广为深远。这对了解燕山南北地区东汉时期的文化形态和文化交流等，无疑有着重要意义。

24.河北滦县出土东汉画像石棺

作　者：唐山市文物管理处、滦县文物管理所　李子春、赵立国
出　处：《文物》2002年第7期

1991年春，考古人员在滦县新农村发掘并清理1座汉墓。该墓为多室砖室墓，随葬品有陶器、五铢钱、剪轮五铢等，其年代属东汉晚期。简报配以照片予以介绍。

据介绍，此次发掘最大的收获是画像。墓室内发现1大1小2个石棺，均系粗砂岩凿制而成。画像位于大石棺上，计6幅。构图简练，线条生动、流畅。过去河北罕见汉代石刻画像，滦县画像石棺的出土，为研究汉代画像石增添了新的考古材料。

秦皇岛市

25.河北秦皇岛发现秦汉时期建筑遗址

作　者：瑜
出　处：《北方文物》1993年第1期

1993年3月，考古人员在北戴河联峰山的南山顶上清理了1座秦汉时期的建筑遗址。该建筑室内面积为17平方米，地面经夯实。屋中间有1个深47厘米的方形池子，池壁用素面砖和小菱格纹砖铺砌。池内有一个口径1.22米、深1.43米的陶井，井底铺以四层陶圈及素面砖。陶井中出土有规格较大、具有秦汉宫廷建筑构件风格的绳纹板瓦、绳纹筒瓦及铁器。遗址周围还发现许多卷云纹加贝圆瓦当、空心砖等。4月，考古人员又在遗址的东、南两侧山坡上发现了当时通往山顶的甬道和石踏步。据考察，这应是秦汉时期皇帝祭祀和登临观海之所。

26.河北抚宁县安庄村发现窖藏铜器

作　者：抚宁县文管所　吴克贤
出　处：《考古》2001年第10期

1991年6月，河北抚宁县榆关镇安庄村农民在博于干渠本村段内，发现渠内冲

出文物。抚宁县文管所工作人员闻讯后前往调查，这些器物出土时集中埋在 1 处，距地面 1.4 米，附近无其他相关遗迹。因此，我们推测是窖藏。这次共出土 7 件铜器，有洗、鼎、簋、壶、盆等，其中铜盆破碎不能修复，完整的有 6 件器物。简报配以手绘图，拓片予以介绍。

据介绍，这批铜器无明确纪年，但器物的造型特征、纹饰风格等都与东汉时期同类器物极为相似，简报推测这些铜器为东汉时期的遗物。

简报称，这批文物是第 1 次在抚宁境内成批出土的汉代铜器。它们为研究这一地区的汉代历史提供了新的实物资料，具有重要意义。

邯郸市

27.邯郸王郎村清理了五十二座汉墓

作　者：唐云明、江达煌
出　处：《文物》1959 年第 7 期

1958 年 6 月，考古人员在邯郸市西约二里远王郎村清理了汉墓 52 座。墓地在该村西边约半里远的王郎村窑厂附近。这里古墓分布相当稠密，墓与墓相距很近，这次清理的 52 座墓，占地面积仅 900 平方米。简报配以照片、手绘图予以介绍。

据介绍，52 座墓中有竖穴墓 43 座，皆为略呈长方形的竖穴墓。砖室墓共 9 座，皆为长方形单室砖墓。葬具除 15 座不能肯定外，其他均为木棺，皆为单身葬，以仰身直肢为主，屈肢葬仅 7 座。随葬品很少，仅百余件，以陶器为主。应为普通百姓墓地。简报推断年代最早不早于西汉末，最晚也应在东汉晚期。

28.邯郸出土的"蜀西工"造酒樽

作　者：郝良真
出　处：《文物》1995 年第 10 期

20 世纪 70 年代初，考古人员先后发掘了位于河北省邯郸市南郊张庄桥村北的 2 座砖拱多室墓（居南的 1 座编号为 M1，居北的 1 座编号为 M2）。墓葬虽遭多次盗扰，但仍出土了陶器、铜器、玉器、骨角器、铁器等文物 160 余件和 50000 多枚五铢钱。在出土铜器中，既有战国早期的铜鉴，又有东汉建武二十三年(47 年)造酒樽托盘和"永元三年""永元四年"造铜鉴，还有带支架铜熨斗等。故关于张庄桥墓的年代，或说东汉，或说魏晋，目前学术界尚存不同看法。舍此不论，器物中确有东汉"蜀西工"造铜器。在 M1 出土了 1 件鎏金银铜酒樽，在 M2 出土了 1 件带铭文的铜酒搏托盘和 1 件铜酒樽盖。很显然，张庄桥 M1 和 M2 各随葬有 1 套酒樽。因 M1 出土的铜酒樽本身无铭文，又缺少与之相配的托盘和盖，且与 M2 出土的酒搏托盘和盖又非一器组合。所以，还不能断定酒樽确为建武二十三年（47 年）的造器。但它与 M2 出土的酒樽托盘和盖器的装饰风格与特点又几无差别，据 M2 所出酒樽托盘铭文，尽管两墓非属同时墓葬，也不能完全排除同年造器的可能，至少也应是制造年代接近之器（为论述方便，暂称此酒樽为建武二十三年造器）。这 3 件珍贵文物，现藏邯郸市博物馆。简报配以照片、手绘图予以介绍。

简报称，带铭文两件酒器，酒樽盖为建武二十三年（47 年）造，托盘为建武二十一年（45 年）造。简报均录全文并予试释。可了解当时的制作工序等问题。

29.邯郸渚河桥汉墓发掘报告

作　者：邯郸市文物保护研究所
出　处：《文物春秋》2004 年第 6 期

1999 年春，邯郸市南环路渚河桥建筑工地在施工时发现古墓，考古人员前往调查并进行了抢救性发掘。简报配以手绘图予以介绍。

据介绍，渚河桥位于邯郸市南郊马庄村西南渚河之上。共发现墓葬 8 座，计竖穴土坑墓 3 座、竖穴砖圹墓 5 座。出土有陶器、铜器、铅器等。这批墓葬的时代，简报推断为西汉中期至西汉晚期。

邢台市

30.河北邢台南郊西汉墓

作　者：河北省文物管理处　何直刚
出　处：《考古》1980 年第 5 期

1978 年，考古人员在邢台市南郊北陈村收集到多件文物，经调查得知系出自一座墓葬。简报分为：一、墓葬概况，二、出土器物，三、一点看法，共三个部分。有照片、拓片。

据介绍，该墓位于北陈村南，紧靠七里河北岸。三座有封土大墓一字排开，此墓在最西边，为长方形竖穴墓。出土铜器、铁器、玉器、陶器、石器等30多件，以及一些玉衣的玉片。据了解，初发现时，死者浑身上下都有玉石片。玉璧、带钩、铜镜、印章和剑等在人骨附近，其他器物均靠近南壁排列。印章上刻有"刘迁"二字，据《汉书》记载，应为南曲炀侯刘迁，卒于甘露三年（前51年）。

简报称，南曲地当今鸡泽北，去邢台约六七十里，此墓东边数十米远还有规模略等的大墓两座，和南曲侯三传的家世也相符合。因之，墓主人应是刘迁了。这与《后汉书·礼仪志》所载的玉衣制度不相符合，雕花镶金的金缕玉衣与刘迁的等级不相称，简报认为可能是西汉的玉衣制度还不严格，也可能是一种"越制"。

31.河北隆尧县出土刻花贴金玉片

作　者：隆尧县文物保管所　李兰珂、曹连彬、史云征
出　处：《文物》1992年第4期

1987年9月，河北省隆尧县固城村农民挖水垅沟时，挖出一批玉片。考古人员前往清理，简报配以手绘图等予以介绍。

据介绍，共清理出龙纹玉片56片、素面玉片46片、云纹玉片31片、虎纹玉片8片等，同时还有人骨、汉代陶器、砖瓦。简报怀疑此处应为西汉封国国君的墓葬所在地，玉片或为金缕玉衣上的玉片。当然，这一点尚有待证实。

32.河北沙河兴固汉墓

作　者：河北省文物研究所、邢台地区文物管理所　孟凡峰、刘龙启、李静杰等
出　处：《文物》1992年第9期

河北省邢台地区沙河市，汉代为冀州刺史所辖。其境地形东西分属华北平原与太行山地，南北有沙河、洛河东流汇入滏阳河。

兴固汉墓位于兴固村北750米处，东北距沙河市区（褡裢镇）1.5公里，南距阳城遗址2公里。墓葬早期遭受严重破坏，1988年春窑场取土时被发现，河北省文物研究所、邢台地区文物管理所、沙河市文物保护所联合进行了发掘。简报分为：一、墓葬结构，二、随葬品，三、结语，共三个部分，配以照片予以介绍。

据介绍，此墓为砖石结构，上部封土已失。墓道被褡裢至武安铁路覆压，未能清理，墓圹仅存下部，作"中"字形，墓底距今地表5.9米。墓室由甬道、前室、中室、后室组成。前室西壁有一盗洞，盗洞壁上留有二齿工具残痕，墓内尸骨移位，墓室顶部多已坍塌。随葬品有铜器、铁器、漆器、杂器和钱币。此墓时

代，简报推断为东汉后期。下限可能在中平年间或中平以前，但至迟不晚于建安十年（205 年）。

简报称，此墓结构规整，墓室高大宽敞，仅砖石砌筑面积就达 70 平方米，系中型汉墓。随葬品丰富，墓主当为豪强地主或地方官吏。

33.河北柏乡东小京汉墓

作　　者：史云征、李振奇
出　　处：《考古与文物》1994 年第 4 期

1986 年夏，河北省柏乡县东小京村农民在村西砖厂附近取土时发现 1 座古墓，考古人员前往调查。赶赴现场时，墓室已遭全部破坏，随葬器物大部分被村民取回家中。墓周仅存墓砖和残碎陶器，故葬式、葬具及随葬品摆放位置不明。据现场调查，此墓为一单室砖墓，墓壁以青条砖垒砌。所出遗物均已全部收回所内，简报配以拓片予以介绍。

据介绍，墓中共出土文物 22 件。除铧为铁质，带钩、铺首、钱币、镜为铜质外，余皆为陶器。根据墓葬形制及出土器物，简报推断：此墓的年代应为西汉中晚期。

简报称，目前柏乡发现的汉墓不多，东小京西汉墓的发现为了解这一地区的历史文化提供了新资料。

保定市

34.保定东壁阳城调查

作　　者：唐云明
出　　处：《文物》1959 年第 9 期

保定市西南 30 里处东壁阳城村东有 1 处古城址，名曰"壁阳城"。简报配以照片予以介绍。

据介绍，此处现为菜地，多次发现铜钱、铜箭头、砖瓦等。1959 年 5 月，又发现大批铜、铁器。此城城墙尚残存东、北两面。

简报推断，此城为东汉晚期所建，一直到五代时仍未废弃。

35.定县北庄汉墓出土文物简报

作　　者：河北省文化局文物工作队

出　　处：《文物》1964 年第 12 期

1959 年 3 ~ 9 月间，河北省文化局文物工作队在定县县城以北 1.5 公里的北庄西北边，发掘了 1 座规模很大的石椁砖室墓。墓室分前室和主室两个部分，还有甬道和东耳室；在主室之外，三面围绕有回廊结构。这座墓在建造后不久就被盗掘。根据文献记载，定县是汉代中山国的所在地，结合对墓葬的形制和出土文物的研究，该墓可能是东汉刘秀（光武帝）建武三十年（54 年）封的中山简王刘焉的墓。刘焉死于和帝永元二年（90 年）。简报分为：一、石刻文字资料；二、砖刻文字资料；三、陶器；四、铜器；五、铁器；六、玉器；七、其他。共七个部分，有照片、手绘图。

据介绍，石头、砖上多为当时地名和工匠姓名等，出土遗物计陶器 208 件、铜器 129 件、铁器 8 件、玉器 47 件、骨器 7 件、金银器 2 件、五铢钱 153 枚。随葬品中保存的石刻、砖刻、墨书文字资料，以及铜器、玉器、陶器等文物，对研究汉代封建制度的发展和工艺水平都有价值。

36.河北定县北庄汉墓发掘报告

作　　者：河北省文化局文物工作队　敖承隆等

出　　处：《考古学报》1964 年第 2 期

这 1 座汉墓位于定县城北 1.5 公里的北庄西北边，其东南紧靠着京广铁路线。墓地有高出地面的封土，是这一带现存的 40 多个汉代土冢中最大的 1 处。1959 年 3 月间，考古人员前往发掘。由于该墓形制比较复杂，发掘工程较大，而且墓内经常积水，有时水深竟达 1.15 米。因此发掘工作从 3 月开始，中间曾间断过一些时日，一直延续到 9 月间才告结束。简报分为：一、墓葬形制，二、出土器物，三、年代推断，四、墓主人的初步考证，共四个部分，有照片。

据介绍，墓室用砖砌筑，四周加围石块作墙，顶盖石块。墓室由封土、墓道、东耳室、甬道、前室、回廊、主室和石墙等部分构成。整个墓室平面呈方形。简报推测此墓的修筑程序是，第一步为开凿土坑，其次砌筑墓室各部分，再于砖室外面砌石块作墙，然后在墓室和石墙之间填土夯平，用石块平铺封盖室顶，最后填上封土夯筑。该墓在东汉末年曾被盗，遗有盗墓工具 14 件。出土劫后器物 401 件。简报推断为东汉中山国中山墓主人简王刘焉。下葬年代约在明帝、章帝时，即公元 58 ~ 88 年之间。

37.西汉刘胜墓出土的医疗用具

作　者：钟依研

出　处：《考古》1972 年第 3 期

从祖国医学史的研究说来，刘胜墓出土的一些西汉时代的医疗器具，是前所未有的重要发现，值得特别加以注意。其中，金银医针的发现为我国 2000 年前在医学方面取得的高度成就，提供了可靠的物证。

简报分为：一、"医工"铜盆，二、金银制的"九针"，三、其他医疗器具，共三个部分。有手绘图、照片。

据介绍，铜盆侈口平缘，直壁折腹，平底假圈足，简报推断很可能是隔水蒸药用的；金银制"九针"，金针 4 根，保存完好，银针 5 根，已残损，不能全部复原和辨认其类别。其他医疗器具有铜药匙 1 件、铜滤药锅 1 套 2 件、银灌药器 1 套 2 种。另外有双耳铜镰数件，形制与药铫相近。

简报称，西汉刘胜墓出土的这些医疗器具，是我国古代医药学方面的光辉成就的最好见证。

38.满城汉墓出土的错金银鸟虫书铜壶

作　者：肖　蕴

出　处：《考古》1972 年第 5 期

满城汉墓出土的大批珍贵文物中，有两件制作精致的错金银鸟虫书铜壶。这两件铜壶发现于一号墓的后室，形制基本相同，周身都用纤细的金银丝错出鸟虫书铭文和花纹，是传世铜器中罕见的艺术珍品。简报分为：一、甲壶，二、乙壶，共两个部分。有照片。

据介绍，甲壶原编号 5015，壶盖有 3 个云形钮，钮间各有铭 4 字，共 12 字。颈部有铭 8 字，肩部有铭 8 字，腹部有铭 14 字。甲壶连盖共有铭 42 字，简报录有铭文释文。乙壶原编号 5018，除盖钮作环形外，形制与甲壶完全相同。盖铭 3 字，仅识 1 "盖"字。颈铭和肩铭各 8 字，与甲壶相同，仅个别笔画稍有出入。腹铭为"口味充囯益肤延寿谷病"10 字，乙壶连盖共有铭 29 字。

简报称，这两件铜壶的铭文，用"鸟虫书"（也叫鸟篆或鸟书）这种古代的美术字作成装饰图案。现存鸟虫书铭文的铜器，多为春秋战国时期吴、越、楚、蔡、宋等国的遗物。而西汉初期的鸟虫书铭文铜器，过去还没有见到过，有较高的艺术价值。至于铭文的文辞、内容却十分贫乏，充满着一种追求物质享受的贪欲。

39.河北定县 43 号汉墓发掘简报

作　者：定县博物馆

出　处：《文物》1973 年第 11 期

43 号汉墓位于定县城南北陵头村西约 200 米处，封土高 12 米，直径约 40 米。考古人员从 1969 年 11 月中旬到 12 月初，发掘和清理了这座汉墓。从墓中出土遗物来看，当是东汉中山穆王刘畅之墓。

简报分为：一、墓室结构，二、随葬器物，三、墓的年代及墓主人身份，共三个部分。有手绘图等。

据介绍，43 号汉墓为砖室结构，规模宏大，由墓道、东耳室、西耳室、前室、中室、东后室、西后室等部分组成。墓室南北全长（不计墓道）27 米多，该墓曾被盗。出土遗物有车马器、鎏金铜兵器、陶器、金器、银器、铜器、铁器、玉器、玉片、货币等。

40.定县 40 号汉墓出土的金缕玉衣

作　者：河北省博物馆、河北省文物管理处、中共定县县委宣传部、定县博物馆

出　处：《文物》1976 年第 7 期

定县 40 号汉墓位于县城西南 4 公里的八角郎村。1973 年进行发掘。出土文物除大量的陶器，以及金器、玉器、铜器、漆器、铁器和竹简外，还有 1 件完整的金缕玉衣。简报配以照片，重点介绍金缕玉衣。

据介绍，该墓系 1 座大型木椁墓，分墓道、前室、后室 3 三部分。后室建有"黄肠题凑"和使房。使房中后部放置棺木。墓室早年被盗，又遭焚烧，墓内未成灰烬的木料几乎全都炭化。棺内尸体仰身直肢，身穿金缕玉衣。除了成套的葬玉和佩玉外，尸体周围还放置大量的随葬物：铜镜、石砚、铜剑、石璧、金器、金饼、铁剑、铁削、五铢钱、奁盒、弩机，等等。

该墓的年代，简报推断为公元前 57 年到西汉末年之间。墓主人应为中山孝王刘兴，死于绥和元年（前 8 年）。

简报称，尸身所穿的金缕玉衣总长 1.82 米。可分头、上身、双臂、双手、双腿、双足等，另有三角形臂饰 2 件和在腹部上下垫盖的小玉帘 2 件，共 13 个部件，总计用玉片 1203 块、金丝约 2580 克。玉片形状多为梯形和长方形，少数为三角形和不规则四边形。所用玉片多由黄玉、青玉制成。

41.河北定县40号汉墓发掘简报

作　者：河北省文物研究所　刘来成

出　处：《文物》1981年第8期

定县位于冀中平原的西部，古称中山之地，汉代沿其故名，封子弟于此为中山国。据《定县县志》考其都城位置，即今之定县县城。县城周围丘域起伏，埋葬了许多古代王侯显贵。在县城西南4公里的八角廊村西南部的40号墓就是其中大墓之一，原封土高达16米之多。据说，这座大墓周围过去还有城垣。到1973年初封土和城垣都已挖平，1973年5月开始发掘，同年12月结束。在发掘中经过钻探调查得知，城垣平面为长方形，南北长145米、东西宽127米，墙基厚11米左右。简报配以照片予以介绍。

据介绍，该墓平面为凸字形，分墓道、前室、后室3部分，通长约61米。墓中有男尸1具，已朽。该墓曾经遭盗掘和火焚，但仍出土有随葬车马、金缕玉衣、竹简等大批遗物。在这些遗物中竹简是重要收获，经过初步整理，发现里面有《六安王朝五凤二年正月起居记》《论语》《太公书》《文子》等重要古籍。金缕玉衣可分为头罩、脸盖、上衣前片和后片、左右袖筒、左右手套、左右裤筒、左右脚套等部分。共用玉片1203块、金丝约2567克，系分片连缀而成。玉衣所用的玉片都很规整，金丝横断面为圆形，中段较粗，两端尖细。这件玉衣的裤筒截下了1段，张开后盖在下腹部，又把护裆的2块三角形玉廉盖在两腋，胳膊比袖筒短，2手放在袖筒中。这也进一步证明玉衣不是按身材制作，而是皇帝特赐的。和玉衣有关的遗物还有：玉眼盖2件、玉鼻塞2件、玉耳瑱2件、玉蝉形哈1件、玉屁塞1件、玉生殖器套1件；两腋各夹大金饼1件；上身前部有玛瑙和水晶串饰、玉佩4件、玉环4件、玉璜2件、玉觿5件、玉人4件；后背下有玉佩2件、玉环2件；双手各握玉磺1件。在随葬的玉器中，绝大部分质地纯细，光泽莹润，琢工精巧，纹饰生动，是难得的一批珍贵汉玉。简报推断墓主人为西汉中山怀王刘修。刘修死于西汉宣帝五凤三年（前55年）。

42.蠡县汉墓发掘记要

作　者：河北省文物研究所　文启明

出　处：《文物》1983年第6期

1980年6月，考古人员在蠡县城西1公里处清理了1座汉墓。简报分为：一、墓形与结构，二、随葬器物，三、年代及墓主，共三个部分。有照片。

据介绍，该墓由封土、墓道、前室、主室、后室及 3 个耳室组成。墓顶高出地面 3.5 米，墓底距地面 2.7 米，墓砖上未见纪年铭文。该墓曾经被盗并被火焚，仍出土有汉白玉押片即"玉衣"、骨尺等珍贵遗物，墓主人或与汉代蠡吾侯家族有关，年代简报则推断为东汉中期。

43.河北省徐水县防陵村二号汉墓

作　者：保定地区文物管理所　夏清海
出　处：《文物》1984 年第 4 期

1977 年，保定地区进行文物普查时，于徐水县大因公社发现 5 座汉墓（编号为 M1～M5），其中二号墓位于防陵村北 20 米处。1981 年 7 月，此墓被当地农民取土时掘开。简报分为"墓室结构""出土遗物"共两个部分。有照片、手绘图。

据介绍，此墓早年被盗，墓顶塌陷，墓内烧毁，上部结构不清，下部为砖砌单室。棺椁已朽，内应葬 3 人，性别不详。出土铜马 2 件、铜车曹 2 件、铜镜 8 件等。另有铜龟钮银印章 1 枚。方形，阴文篆刻"妾刘（？）俭（？）"3 字。还有 1 陶罐铜钱。简报推断此墓年代为东汉初年。

44.河北易县燕下都发现五铢钱范

作　者：李树田
出　处：《考古》1994 年第 3 期

1978 年冬，燕下都贯城村农民交来五铢钱范 1 件，据称是 1968 年挖土时发现的，在家保存了 10 年。简报配以照片予以介绍。

据介绍，钱范石质，范身略呈圭形。通长 21.3 厘米、宽 9.4 厘米、厚 1 厘米。正面竖列两排钱模，每排 6 枚，共 12 枚。五在左，铢在右。阴刻篆书反文"五铢"2 字。基本与方穿上下平齐。"五"字斜笔略曲，"铢"字上横方折，"金"字头似箭镞。阴文范母方穿中均留有一圆孔，用途应为阴阳合范后，固定钱范使之不易错动。石范背面保留石板块粗糙面，其余部分砥磨过。这种石板材料，在燕下都南 10 多公里远的山上大量出产，看来此范即当地取材。

根据范模钱模的直径、穿宽和文字风格分析，简报推断此范应为西汉早期遗物。

张家口市

45.河北阳原三汾沟汉墓群发掘报告

作　者：河北省文物研究所、张家口地区文化局　谢　飞、李恩佳、任亚珊、
　　　　贺　勇等

出　处：《文物》1990 年第 1 期

阳原县地处冀西北、张家口地区西南部，西与山西阳高县接壤，四面环山，是典型的山间盆地地形。三汾沟墓群位于阳原盆地的西部、阳原县东堡乡三汾沟村东北部，南距桑干河约 7 公里，西距县城 6 公里。化稍营—大同公路从墓群南面穿过。此墓群于 1958 年河北省文物工作队进行调查时被发现，1978 年张家口地区文化局在文物普查中进行了复查。这次调查发掘过程中对整个墓群进行了测量，共有汉墓 51 座，分别编号。1985 年，为配合大（同）秦（皇岛）铁路工程，考古人员于同年 5～10 月发掘了铁路穿越墓区内的 11 座墓葬，编号为 85YSM1～M11。简报分为：一、墓葬形制，二、随葬品，三、结语，共三个部分。并配以拓片、彩照予以介绍。

据介绍，11 座墓葬的形制多为洞室墓，但多数墓室已经坍塌。除 M10 被河水破坏外，其余墓葬保存完好，均有随葬品出土，以陶器为主，也有少量铜器、铁器、漆器和木器及丝织品等；丝织品、漆器和木器保存不好，大部分仅残存。这批墓葬的年代，简报推断应为西汉晚期。

简报称，这次发掘规模较大，对该地区的汉文化遗存有了进一步的了解。

46.河北阳原西城南关东汉墓

作　者：河北省文物研究所、张家口地区文化局　谢　飞、李恩佳、任亚珊、
　　　　贺　勇等

出　处：《文物》1990 年第 5 期

1985 年 10 月，河北省阳原县供销联社在南关修建工厂时发现古墓 1 座。考古人员进行了发掘。简报分为：一、墓葬位置及形制，二、随葬器物，三、小结，共三个部分。有照片、拓片、手绘图。

据介绍，墓葬（编号 M1）位于阳原县西城镇南关，北距西城镇约 2.5 公里，化

稍营—大同公路从墓葬北侧通过，桑干河流经墓葬之南。墓地表面原有 4 个大土冢，当地人称为"四疙瘩"。其中之一即 M1 所在位置，西面还存在 2 个土冢，北面 1 个土冢已被压在厂房之下。M1 的封土已因基建施工而被铲平，部分墓顶也被破坏。此墓早年被盗，甬道内灌满淤土，随葬器物多被打碎。M1 为砖砌多室墓，包括墓道、甬道、前室、中室和后室，在前室和中室的北侧各有 1 侧室。各室之间有券门过道相通。因早年曾被盗，除铜钱 2000 余枚外，仅有遗物 37 件，有陶器、釉器、铅器、骨器及石灯等。

简报推断该墓年代为东汉晚期。

简报推测该墓葬营建方法是，按前室、中室、后室及侧室，挖出方形或长方形土圹，在距土圹壁 10 厘米内用砖砌筑各墓室墙壁，墙壁与土圹间用土填实。各室地面铺砖，顶部起券。墓室与墓室间、墓道与前室间从下掏空，成半圆形通道，再用砖垒砌。

47.河北阳原县北关汉墓发掘简报

作　　者：河北省文物研究所　谢　飞、李恩佳、任亚珊、贺　勇
出　　处：《考古》1990 年第 4 期

阳原县城南临桑干河，北靠熊耳山，化稍营—大同公路从县城穿过。1978 年，张家口地区文物普查队在县城北发现两座汉墓，编号 M1、M2。两座墓葬位于阳原县西城镇北关大队的正北 150 米处，四周是农田，M1 在西，M2 在东，两墓相距 50 米。1985 年 9 月，为了配合国家重点建设项目"大秦铁路"的施工，河北省文物研究所、张家口地区文化局联合组成考古队，对铁路沿线进行了考古调查，并对这两座墓葬进行了发掘。

简报分为：一、1 号墓，二、2 号墓，三、小结，共三个部分。有手绘图、照片。

据介绍，M1 填土中出土的半两钱、五铢钱、铜钟、铜钫和满城汉墓（《满城汉墓发掘报告》，文物出版社 1980 年）出土的半两钱、Ⅰ 型和 Ⅱ 型五铢钱、铜钟、铜钫相同。铜镜和洛阳烧沟汉墓（《洛阳烧沟汉墓》，科学出版社 1959 年）中的 Ⅲ 型铜镜（年代定在武昭时期）相同。据此，简报推断 M1 的年代当在西汉武帝时期。

M2 出土的器物具有西汉中期的特点，简报推断 M2 的年代可能略晚于 M1，大约在昭、宣时期。

简报称，木构架墓室土圹墓的发现，为探讨汉代土圹木椁墓向砖室墓的演变，提供了很有价值的资料。

48.河北宣化东升路东汉墓发掘简报

作　者：张家口市宣化区文物保管所　冠振宏、王　鹏、冯渊渊、韵文婧
出　处：《文物》2014 年第 3 期

2004 年 10 月，考古人员在东升路为配合基建进行文物调查勘探时，发现东汉砖室墓 3 座，墓葬编号为 M1～M3。M1、M2 发掘情况简报分为：一、M1，二、M2，三、结语，共三个部分。有照片、拓片、手绘图。

据介绍，结合墓葬形制和出土器物，简报推断 M1 和 M2 的时代相近，年代为东汉中晚期。这 2 座墓葬与洛阳烧沟汉墓相比较，相当于烧沟汉墓的第六、七期（即汉殇帝至汉献帝）。这 2 座墓葬的墓主人身份，为地方官吏或豪强地主阶层。

简报称，根据这 2 座汉代砖室墓的规模和随葬品，可以窥视东汉中晚期上谷郡下落、涿鹿一带社会和经济的发展情况。

承德市

49.河北平泉县杨杖子村发现汉墓

作　者：张秀夫
出　处：《文物》1987 年第 9 期

1979 年 4 月，平泉县南五十家子乡杨杖子村农民在后山取土时，发现铜盉、铜筒形器各 1 件，送交县文管所。文管所即派人前去调查，发现 1 座汉墓。简报配以照片、拓片、手绘图。

据介绍，此墓为土坑竖穴木椁墓，南部有斜坡式墓道，墓底有两条南北纵向排水沟。墓室南部并置 2 具木棺，相距 300 厘米。东侧 1 棺边缘清楚，骨架保存基本完好，死者身上覆盖着五层织物，均粗平纹，疑为绢。西侧棺骨架腐蚀严重，在棺内相当于死者胸部位置发现篆书"司马德印"1 枚。出土有陶器、钱币、金箔、漆器等。简报推断年代不会晚于东汉早期。

50.兴隆县发现汉代铁型铧

作　者：河北省兴隆县文物保管所　李秀英
出　处：《农业考古》1987 年第 1 期

1985 年 4 月，黄酒馆乡青年农民王振中在村外挖石头时发现 1 件铁铧，当即送

交县文物保护管理所。简报配以照片。

据介绍，铁铧通长 33.8 厘米、尾宽 29.7 厘米、高 11.5 厘米、壁厚 1 厘米，重 4.75 公斤；全器略呈三角形，刃部弧形，后部为三角形銎，平底。

在隆县邻近的承德、滦平等地均曾出土过这种大型汉代铁铧。简报推断这件铁铧应属汉代遗物，它为研究本地区古代农业发展提供了实物资料。

沧州市

51.河北任丘东关汉墓清理简报

作　者：天津市文化局考古发掘队　敖承隆、魏克晶
出　处：《考古》1965 年第 2 期

1960 年 3 月间，任邱县城东关发现了古墓，考古人员清理了汉墓 4 座和明墓 1 座。简报配以拓片、手绘图，先行介绍了 4 座汉墓的资料。

据介绍，4 座汉墓根据墓形与结构的不同，可分为三种类型：其一为竖穴砖圹墓，有 M3、M4 两座，应为西汉中期墓葬；其二为双室砖墓，仅 M2 一座，应为东汉初期墓；其三为多室砖墓，仅 M1 一座，由墓道、前室、二中室、后室等组成，应为东汉晚期墓。该墓曾遭盗扰。

52.杜阳虎符与错金铜豹

作　者：沧州地区文化局文物组　王敏之
出　处：《文物》1981 年第 9 期

沧州地区近年征集到 2 件古代铜器，简报配以照片。

简报介绍，征集的 2 件古代铜器，其中虎符 1 件，无出土地点；铜豹 1 件，全身纹饰均用错金。铜豹是 1965 年在贯公墓的封土上发现的（此墓尚未发掘）。贯公为西汉景帝子河间献王刘德延请的博士，与毛公（苌）同为汉初名儒。该墓坐落在河北献县境内，距献王墓不足 10 里，封土尚高达 10 余米。

廊坊市

53.河北三河县出土的铁质农具

作　者：河北省三河县文物保管所　刘化成

出　处：《农业考古》1996 年第 1 期

1988 年 4 月，河北省廊坊市三河县错桥村农民将取土中发现的铁质农具、工具、车器等送交县文保所收藏。

据介绍，计有犁 2 件、镢 1 件、铲 3 件、锸 1 件、锄柄 1 件。从现场看，此处为 1 处汉代遗址。

衡水市

54.河北阜城桑庄东汉墓发掘报告

作　者：河北省文物研究所　李恩佳、陈应祺

出　处：《文物》1990 年第 1 期

桑庄东汉墓（编号为 HFSM1）位于河北省阜城县后安乡桑庄村西南约 400 米处，距阜城县城约 35 公里。此墓早年有封土，高 10 余米，当地俗称"桑家楼"。近几年，百姓取土平地，使整个墓顶暴露在外。墓内各室壁上及顶部原绘有大型壁画，后因水淹已全部脱落。1984 年 3 月，考古人员进行了抢救性清理。此墓为砖砌多室墓，早年被盗，甬道及各室内都充满了淤土，随葬器物已失去原来的位置，且大部分已破碎。葬具及尸骨均已无存，仅在后室中部淤土中发现头骨碎片。简报分为：一、墓葬形制，二、随葬器物，三、结语，共三个部分。并配以照片。

据介绍，此墓有前耳室、中耳室、后耳室、侧耳室和假耳室，盗墓严重，在发掘时从各室淤土中清理出一些器物和器物残片，除 7 枚钱币外，其他均为陶器。简报推断墓葬年代应属东汉晚期。

简报称，根据阜城桑庄汉墓的规模、墓内各室原曾布满壁画、随葬大量冥器等情况，可以推断墓主人身份应是统治阶级的上层人物。

山西省

太原市

55.太原金胜村9号汉墓

作　者：李奉山
出　处：《文物》1959年第10期

1959年在太原市南郊30里，金胜村西约1公里许施工当中，发现了许多古墓。考古人员进行了清理。其中9号汉墓清理情况，简报配以照片予以介绍。

据介绍，墓坐南向北，墓室是砖砌成平面的长方单室。墓道成斜坡形，在墓室北端，墓门用砖堵砌，墓底横铺单砖一层。室内南部有棺木遗痕，人骨架已朽。西部也有骨架遗痕，无棺木痕。随葬器物因被水冲过，多已不是原来位置。出土的器物有陶罐、陶井、陶灶等，铜器有响铃、车马饰、铜镜等。钱币有"大泉五十"及"大布黄千"7枚。此外，漆盒内有麻制品、麻纸。

根据墓葬的形式和出土器物情况，简报推断这座墓是东汉早期的。

56.太原东太堡出土的汉代铜器

作　者：山西省文物管理工作委员会、山西省考古研究所　解希恭
出　处：《文物》1962年4、5期合刊

东太堡在太原市东南郊10里许的东山脚下。1961年5月底，在这里发现了铜鼎、铜镜及玉璧等10余件文物。同年8月上旬，又发现了铜钟、铜鼎、铜鉴、铜盆、铜剑、博山炉和大量的半两钱等文物。考古人员于同月17日即前往访问了解。经过和发现文物的人员一同到现场观察，根据他们介绍的情况来分析：两次出土文物的地方是1个较大的坐北向南、土构多洞室墓葬（估计南北长在7米余）。现在东边崖上从地表向下约6米处，还残存着1个土洞耳室的后部。从这残存的部位还可以看出比较清晰的木椁腐朽的痕迹。在这残存的耳室内没有发现文物，只在耳室门口出土了铜

锤 4 件和铜钫 2 件，人骨架与棺木已腐朽，从朽灰的周围取出了 1 柄铜剑和 2 个青色玉璧，其余文物的出土情况不明。简报配以照片、拓片。

据介绍，这里两次出土文物共计 51 件（半两钱 42 斤未计在内），其中 1961 年 5 月第 1 次出土 15 件；同年 8 月第 2 次又出土了 36 件。这些文物，以质地分有铜器、铁器和石器，还有 1 块封泥。这批铜器的年代，简报推断上限不超过西汉武帝太始二年（前 95 年），而下限可能就在昭帝年间（前 86 ~ 前 74 年）了。

57.太原东太堡发现西汉孙氏家铜镰

作　者：戴尊德
出　处：《考古》1982 年第 5 期

太原市东南郊 5 公里东太堡砖厂，历年来在这一带地方曾发现了许多重要文物。1967 年冬，砖厂在生产中发现 1 件铜镰，出土情况不明，保存完好。简报配以照片、拓片。

据介绍，此器铭文称镰本身重量为 6 斤 5 两，以今秤校验为 2 斤 5 两（市斤），即铭文所记 1 斤，只合今秤 4 两弱，即等于 200 克。按汉代之度量衡制度，当时重量 1 斤相当于今秤 5 两或稍多，即等于 240 克 ~ 250 克之间。又由铭文知此器为汉景帝时封于琅邪县（今山东）的镰侯孙单家之物。山东的侯爵家用物怎么会出现在太原呢？简报称，孙氏是参加了汉景帝三年（前 154 年）的七国之乱的。叛乱被平定后，罪臣家产被抄没入官，可能又通过赏赐等方式流至太原。此器的埋藏时间，简报认为可能在汉武帝时期。

58.太原市尖草坪汉墓

作　者：山西省博物馆　祁慧芬、乔淑芝
出　处：《考古》1985 年第 6 期

1982 年 12 月，省建五公司三队在太钢尖草坪医院建造"制剂大楼"的工程中发现 2 座汉墓。考古人员前往发掘清理，发掘工作自同年 12 月 18 日开始，于 1983 年 1 月 4 日结束，历时 18 天。编号为 M1 和 M2 的两墓情况简报分为：一、墓葬形制，二、随葬器物，共两部分。有手绘图。

据介绍，M1 和 M2 均为长方形土圹木椁墓。方 90 度。墓室东部正中有斜坡墓道，墓道几乎全部压在附近居民房屋下，故未发掘。墓室内填五花土，未经夯实，未盗扰。MI 与 M2 两墓间隔 3.6 米，并行排列，形制相同，所出器物均为西汉时期，推测它

们是属于同一家族的墓葬。从墓葬形制和随葬品情况分析，简报推断这2座墓的时代应为西汉中期或稍晚。

简报称，太原为古晋阳之地。旧中国时期赵国曾在此建都。公元前249年被秦攻取，设置太原郡，郡治在晋阳。西汉因之。太原尖草坪汉墓位于太原市西北部，紧邻近郊区。这里地势高阔，四山环绕。据当地群众反映，早年这里搞基建时，挖出过不少古物，推测应为1处汉代墓地。太原地区发掘的汉墓不多，这2座墓的发掘为了解这一地区的历史和文化提供了一些新资料。

大同市

59.山西浑源毕村西汉木椁墓

作　　者：山西省文物工作委员会、雁北行政公署文化局、大同市博物馆　张畅耕等
出　　处：《文物》1980年第6期

1973年3月，浑源县毕村大队的农民在村东南汉墓群附近取土，发现一些文物，经勘查为1处墓群。考古人员对墓群北边的4座汉墓中原封土最大者进行了发掘（为M1），对已挖开墓室者进行了清理（编为M2）。发掘工作至5月结束。简报分为"墓葬形制""随葬器物""结语"，共三个部分。有照片、手绘图。

据介绍，M1为带斜坡墓道的长方形土圹竖穴木椁墓，封土已被平，为夫妇合葬墓。简报认为，M1为西汉中期崞县官吏夫妇合葬墓。M1中死者随葬有双弩，身着铁甲，应为同期武职官吏。两墓随葬物主要是日常用品，并出现了精美的明器和工艺品。那些来自外地甚至南方边远地区的工艺品，如精巧的弩机、镂空四神铜炉、嵌贝铜龟镇、墨丸和精美的漆棺画，都在一定程度上反映了当时的工艺水平。

60.山西广灵北关汉墓发掘简报

作　　者：大同市考古研究所　张志忠、刘俊喜、高　松等
出　　处：《文物》2001年第7期

北关汉墓位于广灵县北部，地处桃子梁南麓，南距壶流河约1.5公里，零散分布于朔（朔州）—蔚（蔚县）公路北侧。据当地村民介绍，这里早年有许多封土堆，由于平整土地和长期取土已被夷平，现在仍可零星看到。墓葬东6公里为洗马庄汉墓群，东、西各有1座秦汉时期的古城遗址。其中，西侧古城址就是史书记载的汉

代平舒县城。1992 年 5 ～ 7 月，为配合公路建设，考古人员对公路沿线进行了考古勘探和抢救性发掘，共清理墓葬 22 座，出土文物近 300 件。简报分为：一、墓葬形制，二、随葬器物，三、结语，共三个部分。有彩照、手绘图。

据介绍，墓葬分为土坑墓、土洞墓、砖室墓 3 大类。根据墓葬形制和随葬品的变化，可将北关汉墓分为三期：

第一期以竖穴土坑墓、木椁墓为主，均为仰身直肢单人葬，这种葬俗流行于西汉中晚期。

第二期以竖井式、斜坡式土洞墓为主，葬式有单人葬和夫妻同穴合葬两种，这种葬俗流行于西汉末至东汉初。随葬器物有陶罐、陶壶、日光镜、昭明镜，也为这个时期墓葬所共见。本期墓葬属于西汉末至东汉初年。

第三期的双室砖墓流行于东汉中期，多室砖墓则为东汉晚期所常见。各墓出土的耳杯、盘、案、仓、灶、井、陶楼和动物模型等，是我国东汉中晚期墓葬的常见器物，所出的磨廓五铢、剪轮五铢也是东汉中晚期铸造的。本期墓葬属于东汉中晚期。

简报指出，北关汉墓尽管多被盗扰，但出土遗物反映了该地区在西汉晚期至东汉中晚期的社会经济状况。其中，东汉中晚期的陶仓、陶楼、动物模型，以及陶器上戳印的"田收万石""大吉宜荫"等吉祥语，都反映了当时农业生产的发达。

61.山西大同天镇沙梁坡汉墓发掘简报

作　者：大同市考古研究所
出　处：《文物》2012 年第 9 期

沙梁坡汉墓位于山西省大同市天镇县城以南 5 公里处。1989 年 5 月，为了配合天（山西天镇）—走（河北走马驿）公路建设，考古人员对线路所经天镇段进行钻探，在沙梁坡共发现两汉时期的墓葬 31 座。次年 4 月对该墓群进行了考古发掘，共出土器物 140 余件。发掘情况简报分为：一、墓葬形制，二、随葬器物，三、结语，共三个部分。有照片、拓片、手绘图。

据介绍，根据墓葬形制和随葬器物的变化，可将沙梁坡汉墓分为两期：第一期时代为西汉中前期，第二期为西汉后期至东汉初期。与发掘同时进行的考古调查，是位于沙坡梁西北的于八里村的 1 处古城遗址，内外的地上散落有大量的汉至北魏时期的残陶、瓦片，历史上这里曾出土过"长乐富贵"瓦当，说明该城址在汉至北魏时期仍在使用。

简报认为，距此不远的沙梁坡汉墓可能与该古城有一定的联系。

朔州市

62.山西省右玉县出土的西汉铜器

作　　者：郭　勇
出　　处：《文物》1963 年第 11 期

1962 年 9 月，在山西省右玉县大川村发现一批有西汉成帝"河平三年"（前 26 年）铭文的精致铜器。在晋北古边墙附近发现这样的铜器，对考古研究，是具有重要意义的。考古人员曾前往现场进行勘察。简报配以照片、手绘图等予以介绍。

据介绍，右玉县距古长城仅 60 里，长城重要关隘杀虎关也在这里。出土地点在县南 120 里的大川，是被雨水冲出来的，附近无墓葬。计出土铜鼎、铜环、铜温酒樽等 9 件铜器，其中 5 件有铭文。

这批器物的年代，据铭文定为西汉河平三年（前 26 年）。又据铭文，知今日 1 市斤相当于汉秤 1.89 斤。

63.山西朔县西汉并穴木椁墓

作　　者：屈盛瑞
出　　处：《文物》1987 年第 6 期

近年来，平朔考古队在山西朔县城北露天煤矿附近发掘了一批秦汉墓葬，其中于 1983 年 4 月发掘的第三生活区一、二号墓为并穴大型木椁墓。简报分为：一、墓葬形制，二、随葬器物，三、结语，共三个部分。有照片、拓片、手绘图。

据介绍，一、二号墓同茔并穴，平面均作长方形，上面的封土已被铲平。一号墓圹室内建有木构椁室，已塌毁，棺内 1 男性骨架，随葬品以铜器、漆器为主。据出土印章，墓主名"王光"。二号墓结构与一号墓基本相似，椁室保存较好，随葬品以陶器为主，骨架几全部腐毁。两墓年代，简报推断为西汉晚期。

简报称，墓葬靠近西汉雁门郡马邑县古城北，墓主疑为驻县中级以上官吏夫妇。在两墓周围还有墓向相同的同类大墓，说明这里应是王光家族的墓地。西汉中晚期，在地处边陲的马邑县出现此类墓葬，说明经过西汉政府反击匈奴后，在和平安定的局面下当地的经济已趋繁荣，中原一带已经发展起来的豪强大族在这里也已形成。

64.山西省朔县西汉木椁墓发掘简报

作　者：山西省平朔考古队

出　处：《考古》1988年第5期

1982年底至1983年4月初，考古人员在山西朔县城北的平朔露天煤矿生活区第五工程区发掘了1座汉代大型积石积炭木椁墓。编号83SS5M1（以下简称5M1）。墓葬位于生活区的东部，靠近东围墙。整个生活区占地面积90多万平方米，区内散布有大批汉代墓葬，中部与北部中小型墓葬密集，东部墓葬相对稀疏，但墓型较大，多为大、中型木椁墓。从它们的分布规律和排列方式上看，这批大、中型木椁墓属于整个墓群中地位较高的家族墓地，而5M1又是这些墓葬中规模最大的一座。简报分为：一、墓葬形制，二、随葬器物，三、结语，共三个部分。有手绘图、照片。

据介绍，5M1为大型竖穴土坑木椁墓，墓葬平面呈"刀形"。由斜坡墓道、木构甬道以及墓室3部分组成。随葬品按质地分为铜器、铁器、陶器、漆木器及玉石器、骨器几种。由于椁室坍塌，大部分陶器、铜器被砸成碎片，漆木器几乎全部腐朽不可识。墓葬中出土的两枚印章表明，墓主人姓王名柱，字子孺。与之合葬者应为墓主人妻室。关于王柱，史书及方志中未见记载，但从其墓葬的形制、规模分析，显然是当地显宦大族。该墓附近的大、中型墓葬，也多数为王姓。据《后汉书》记载，王姓在秦汉时期是当地的望族显贵。从西汉时期的王恢到东汉时的王龙、王霸，史书均有传记。由此可见，王柱与当时这里的王姓家族有着密切的关系，应为王姓家族的重要成员之一。简报推断，5M1的年代应为西汉中晚期。

65.山西省朔县赵十八庄一号汉墓

作　者：山西省平朔考古队　宁立新

出　处：《考古》1988年第5期

朔县赵十八庄汉墓群，位于赵十八庄村东南，东距县城约5公里。墓群东区分布较密，现存7个外表呈圆丘状的封土堆。1985年6～8月，为配合中国人民解放军某部养鸡场的施工建设，考古人员在鸡场西围墙内侧发掘清理了一号墓，编号85SZJM1。出土情况简报分为：一、墓葬形制，二、随葬器物，三、结语，共三个部分。有手绘图、照片。

据介绍，一号墓位于墓群东缘，四周为现代农耕土，地表未见其他古代文化遗存。整个墓葬分为封土、墓室和墓道三部分，未被盗扰。墓室设在封土下中心偏北，为长方形土圹竖穴木椁墓，人骨腐朽较甚，性别不明。该墓出土器物计94件，包括陶、铜、铅、漆等几种质料的制品。

结合墓葬结构、规模和随葬品组合等情况，简报推断墓主人身份当为秩奉2000石或稍低的官吏，埋葬时间约在西汉晚期的偏早阶段。

66.山西平鲁上面高村西汉木椁墓

作　者：支配勇

出　处：《文物》1989年第1期

1985年山西平鲁进行全县文物普查时，在下面高乡上面高村发现1座古墓，同年10月进行了清理发掘。上面高村位于平鲁县县城井坪正东30公里处。简报分为：一、墓葬形制，二、随葬器物，三、结语，共三个部分。有照片、拓片、手绘图。

据介绍，此墓为大型竖穴土坑积石木椁墓。平面作长方形，上面封土早已被铲除。圹室内建木构椁室，保存较好。椁室内南端置木棺2具，已朽毁。棺内人骨均腐朽严重。西棺残存盆骨，知死者为男性。东棺死者疑为女性。随葬品置于两棺的上部、东棺的前端及椁室西北端。以陶器为主，有少量铜器。

该墓年代，简报推断为西汉晚期。从出土印章及器物组合可知，墓主名赵齐，身份为中级官吏。

67.山西山阴发现两件汉代五铢钱铜范

作　者：山阴县文物管理所　贺仰文、刘迎春

出　处：《文物》1990年第12期

1986年，山西省山阴县西沟村农民为制砖坯挖土，在地表以下1米深处挖出2件汉代五铢钱铜范。现藏山阴县文物管理所，简报配以拓片予以介绍。

简报介绍，两范形制及钱腔设计一致，缺盖。范身略呈平行四边形，四角圆弧，前端突出浇口。一侧通长17厘米、另一侧通长15.5厘米、宽7厘米、厚1厘米。范内并列2行钱腔，每行钱型4枚。钱径2.5厘米，正方形穿边长0.8厘米。阴刻篆书反文"五铢"2字，字画清晰。钱腔每枚开一小浇口与范中央的直浇道相通，直浇道长14.5厘米，前端漏斗形浇口宽2厘米。范背附一环纽，长9厘米、宽1厘米、高1.5厘米。铜范表面现铜锈较少。1件重750克，另1件重800克。

68.山西右玉县中陵古城的调查与试掘

作　者：山西省考古研究所、暨南大学历史系考古专业
出　处：《考古》2011年第10期

中陵古城遗址属山西省重点文物保护单位，位于晋北朔州市右玉县威远镇中陵村附近。城址东北距威远镇3.5公里，距右玉县县城约15公里。中陵古城遗址调查项目开始于2008年7月，由山西省考古研究所和暨南大学历史系考古专业承担。2家单位先后对四周城墙内外和城内隔墙两侧、城外的护城河以及城址内进行了4次大面积钻探，了解了城墙宽度，马面、瓮城的位置和尺寸，护城河的位置和宽度、深度等。在西城内还探出一条南北向道路和部分夯土建筑基址，发现了十几座窑址和部分灰坑。东城内也发现少量夯土建筑基址、窑址和灰坑。同时，用全站仪和全球卫星定位系统对城址进行了全面测量，并在城内采集了大量的瓦当、砖、瓦等建筑材料和少量日用陶器残片。全部野外工作于2009年11月结束。简报分为：一、地层堆积，二、遗迹，三、遗物，四、结语，共四个部分。有照片、手绘图。

据介绍，苍头河纵贯右玉县。山西北部群山连绵，山西与内蒙古之间的苍头河——浑河谷地遂成为中原地区与大漠南北的重要交通干道。右玉自古为北方要塞，战国前一直为北方游牧民族所居。东汉以后中陵县撤销，从此不再设置。

据简报介绍，汉中陵县治方位的记载主要见于《水经注·河水条》。杨守敬考证中陵川水"今水曰兔毛河，出平鲁县西南"，即今天的苍头河。《水经注》对于中陵川水的记载与今苍头河的源头、流向、流经地、支流等特征基本一致，尤其是毗邻右玉北面的内蒙古凉城县有一咸水湖，《水经注》称之为"盐池"，现称岱海，至今尚存，地理坐标清楚无误。因此，简报认为今右玉县南八里村东北的这处古城址就是汉中陵县古城。城址大约在东汉以后废弃，此后一直少有大规模的人口聚集。在辽金地层以上和现代耕土之间有很厚的黄土层，土中很少有杂物，应该是明清时期风力搬运形成的，是研究晋北地区环境、气候变化的重要物证。

忻州市

阳泉市

晋中市

吕梁市

69.山西离石马茂庄汉画像石又有新发现

作　者：山西省吕梁地区文物工作室　杨绍舜
出　处：《文物》1984年第10期

1980年，离石县贺昌中学教职人员在整理图书馆库房时，发现2块已破碎的画像石。经复原，其中1块画面较完整，另1块只剩上半部分。后经当地几位老教师对画像石进行对比研究，得知这两块画像石是1919年马茂庄东汉画像石墓出土之物。简报配以拓片予以介绍。

据介绍，此墓有画像石计142块。两块有字的被不法商人运出国。其余12块有画无字的残石，有10块在1949年后交山西省博物馆保管，另2块未见。此次找到的正是所缺的那2块。上绘有人物、动物、花纹等。

70.山西离石马茂庄东汉画像石墓

作　者：山西省考古研究所、吕梁地区文物工作室、离石县文物管理所　商彤流、
　　　　刘永生
出　处：《文物》1992年第4期

离石县马茂庄村位于三川河与其支流交汇转弯处北侧二级台地边缘，东距县城南关约2公里。20世纪初，村西1.5公里的塌崖湾曾发现汉画像石"左表墓"及"和平元年"石刻柱。若干年以来，在村西山塬上也不断发现汉代画像石。1990年10～12月，考古人员在马茂庄村西山塬上又清理了3座汉代画像石墓，自西向东编号为M2、M3和M4。其中，M2与M3相距65米，M3与M4相距20米。出土一批汉画像石和少量的随葬器物。简报分为"2号墓""3号墓""4号墓""结语"，共四个部分。有照片、手绘图。

据介绍，3墓均为带斜坡墓道的砖石氓砌墓，由墓道、墓门、甬道、前室、后室、耳室等组成。均已受到破坏，随葬品不多。简报认为此处应为东汉晚期（桓、灵帝之际）

一处族茔。墓主人应为地方官吏或豪强。其中，2号墓的画像石但求神似，雄浑豪放，尤为突出。

71.山西离石再次发现东汉画像石墓

作　者：山西省考古研究所、吕梁地区文物管理处、离石县文物管理所　商彤流、
　　　　　刘永生

出　处：《文物》1996年第4期

1992年12月至1993年4月，考古人员在配合"改河（三川河）扩城"基建工程的考古发掘中，于城西南马茂庄村西山塬上发现3座东汉画像石墓（编号为14号、19号、44号墓），出土一批汉画像石和少量随葬器物。1990年这里曾发现过画像石墓，这次发现的3座墓中，19号墓东北距1990年发掘的2号墓约20米，14号墓位于19号墓以西18米处。墓皆南向，说明这里可能是1处家族茔地。44号墓位于此墓地以北90米之处，墓向北。简报分为14号墓、19号墓、44号墓、结语，共四个部分。有照片和拓片。

据介绍，在离石马茂庄发掘的3座汉画像石墓，在形制上与以前的有所不同，在斜坡墓道中附小耳室。而残存的少量随葬品则与中原地区东汉晚期墓所出遗物相似。14号墓门扉石上墨书题记"熹平四年"（175年），当是此墓入葬的确切年代。墓门框石上隶书刻铭"圜阳""平周"为地名，分别在今陕北神木东和晋中介休西，"牛产"与出土铜印的"牛剡"谐音相通，明确记载墓主人是曾在当地任郡令之职的官吏，当是难得的史料。此地两次发掘的汉画像石墓，虽皆被盗扰，但仍有收获。简报认为由于南匈奴的进逼，陕北的画像石中心在汉顺帝永和五年（140年）后或转移至晋西北。

72.山西离石石盘汉代画像石墓

作　者：离石市文物管理所　王金元

出　处：《文物》2005年第2期

石盘村位于离石市城西4公里远的307国道旁。1997年4月，该村农民在建窑时发现1座砖石墓，市文物管理所随即派人进行了清理。简报分为：一、墓葬形制，二、画像石，三、结语，共三个部分。有彩照、拓片、手绘图。

画像石共有19块，其中门楣1块、门框2块、门扉2块、前室四壁立石8块、前室横额4块、石柱2块。为砂岩质页岩，红褐色，质地较软。制作方法是先打磨好要刻绘的一面，然后用墨线勾勒线图，再将物象轮廓之外剔地平铲，形成平面浅浮雕。图像细部用墨线描绘，局部施红彩。部分画像石的下角题有隶书文字，标明

其在墓中的位置。石盘村出土的汉画像石大面积施彩，在当地尚属首次发现。这批画像石墨线流畅、清晰，画像内容丰富，雕刻精美，为研究东汉时期的社会生活与思想意识提供了新资料。简报推断，石盘村画像石墓的时代约在东汉桓帝、灵帝时期，墓主可能是当地的官吏或土著豪强。

73.山西离石马茂庄建宁四年汉画像石墓

作　者：吕梁市文物考古调查勘探队　王双斌
出　处：《文物》2011 年第 11 期

马茂庄村位于离石县城西 2 公里处，东南临三川河，西、北侧靠山。村西的山塬高出河川约 30 米，在山塬南部的二级台地上发现过许多汉墓。2001 年，这里被国务院公布为第五批全国重点文物保护单位。1995 年秋，马茂庄村一村民在院内修菜窖时发现 1 座古墓。离石县文管所得知后，立即派人对该墓进行了抢救性清理。简报分为：一、墓葬形制，二、画像石，三、结语 3 个部分。有拓片、手绘图等。

据介绍，该墓为砖砌双室附双耳室汉画像石墓，坐东朝西，由墓道、甬道、前后室、左右耳室组成，整体平面呈"十"字形。该墓曾两次被盗，又因民宅紧邻，左、右耳室和石室未清理，随葬器物几无，葬式不明，人骨未见。此次发掘的最大收获就是画像石。该墓下葬时间是东汉灵帝建宁四年（171 年）。

长治市

74.长治县发现"猛国都尉"银印等汉代文物

作　者：朱晓芳
出　处：《考古》1989 年第 3 期

1980 年 6 月，山西省长治县西池乡申川村农民在取土中，发现几件汉代文物，其中 1 枚"猛国都尉"银印较为重要。据调查，此地原有一座砖墓，早年已经坍塌。简报配以照片、拓片予以介绍。

据介绍，"猛国都尉"印银质，方座龟钮，龟身下有穿孔。印面凿刻阴文"猛国都尉"四字。同时还有铜镜、铜带钩、玉璧、陶井各 1 件。

简报称，长治县汉时为壶关县，属上党郡辖。据《汉书·职官表》和《历代职官表》所载，简报推断"猛国都尉"应该是地方郡掌管军权之官职。

75.山西屯留县西庄发现一座汉墓

作　者：山西大学科学技术哲学研究中心、山西省考古研究所　王晓毅、杨林中等
出　处：《考古》2009 年第 4 期

2007 年 2 月，山西潞安煤基合成油项目征地建厂时，在山西省长治市屯留县西庄发现 1 处古代墓地。墓地东西长 600 米、南北宽 500 米。墓葬主要集中在墓地东北部，从战国中期一直沿用到近代，其中战国至东汉时期为墓地的主要使用期。山西省考古研究所在征地范围内共清理墓葬 200 余座。其中位于墓地中北部的汉墓 M17 形制较为特殊，出土遗物较丰富。简报分为：一、墓葬形制，二、出土遗物，三、结语，共三个部分。有手绘图等。

据介绍，该墓为斜坡墓道土洞墓，由墓道、前室、后室、耳室等组成。墓道位于墓室北侧，未发掘，经钻探可知为斜坡墓道。墓内未发现人骨和葬具。随葬品有陶器、铜器和五铢钱。

简报认为，这种由斜坡墓道、竖穴前室、土洞后室以及耳室组成的墓葬形制较为少见。随葬品中，陶器全部为明器，数量多，组合为鼎、盒、壶、钫，但不见仓、井、灶等模型明器，且未见同一墓地同一时期墓葬中常见的陶罐。墓中又随葬有铜镳斗和铜杯，说明墓主人很可能不是一般平民。墓内随葬的 1 枚五铢钱，为墓葬年代的上限提供了依据。出土铜镳斗也是汉代新出现的一种炊器。结合墓葬形制，简报推断墓葬的年代下限在西汉晚期之前。

晋城市

临汾市

76.山西洪洞古城的调查

作　者：张德光
出　处：《考古》1963 年第 10 期

古城位于洪洞县东南 9 公里，霍山南面的范村、安乐村、张村和敬村之间。涧水经古城北西流注入汾水。自 1952 年以来，在古城北 10 余公里的坊堆村和永凝堡曾几次出土重要铜器（见《文物参考数据》1955 年第 4 期 46 页及 1957 年第 8 期 42 页）。

1962 年春，考古人员作过初步调查，并采集了一些标本。1960 年 6 月，又进行了 1 次勘查，获得了不少资料。简报分为：一、古城的建筑及有关遗址，二、采集的遗物，三、结语，共三个部分。有照片、手绘图。

据介绍，古城平面呈长方形，东西长 1300 米、南北宽 580 米。大部分城垣在地面上已无存。发现有汉代下水道遗迹，采集有铭文砖、花砖 23 块以及瓦当、陶器等。简报认为该古城遗址应为战国时所筑，汉代时此城为杨县，对城垣仍有修筑。

77.山西襄汾发现汉代铁器

作　　者： 襄汾县文化馆　陶富海
出　　处：《考古》1978 年第 2 期

1975 年 2 月 10 日，山西襄汾县赵康公社晋城大队二队农民赵志成等五同志，在省级保护单位"赵康古城"西南城角内侧距城基约 50 米处发现 1 片瓦砾，瓦砾下部是 1 层木炭屑，在炭屑层下发现了 1 个装满铁制工具的铁鼎，出土时 1 足放在下部 1 盘石磨上，石磨两侧各放 1 个大灰陶罐，磨南约 50 厘米处发现了 1 块铸铁链。简报配以手绘图予以介绍。

据介绍，这批出土文物有铁器 32 件。这批铁器的出土地点，在距襄汾县城 35 公里、古太平县城南 12 公里的传说中的"古晋城"之内。现在的古城地表，瓦砾俯拾皆是，但汉代遗物占多数。在铁器出土地点附近，还曾采集到 1 个云纹半瓦当。从出土铁器看，鼎与 1962 年山西右玉县出土的西汉成帝河平三年（前 26 年）铜鼎形制风格完全一致，铲和镢与河南巩县铁生沟汉代冶铁遗址以及鹤壁市汉代冶铁遗址出土的一致，石磨则是典型的汉代制品。据此，简报推断这批器物应是汉代临汾城内的遗物。

78.西汉安邑宫铜鼎

作　　者： 山西省考古研究所　朱　华
出　　处：《文物》1982 年第 9 期

山西省洪洞县城关公社李堡大队于 1975 年平整土地时发掘了 1 件铸有"安邑宫"铭文的铜鼎，同时出土的还有兽首衔环素面铜甗与铜勺共 3 件，这些铜器现存洪洞县文化馆。简报配以照片予以介绍。

铜鼎附耳，蹄足，鼓腹，腹上部有平而薄的凸棱一周。鼎盖作半球状，三环钮，钮顶突起圆形，鼎素面，外壁上横刻铭文 3 行，共 38 字，简报录有铭文全文，并就铭文内容谈了初步的认识。

简报指出，所谓"安邑宫"，应为汉代的一处离宫。山西省夏县西北 15 里处遗址，不是如一些人所说的夏禹时的遗址，而应是自战国经西汉直至北魏的安邑城址，"安邑宫"正处其中。据史书及考古证实，汉代在河东郡有汾阴宫、平阳宫、迎光宫、首山宫等离宫。此次发现表明，西汉初文帝时在安邑建有安邑宫。

79.晋南曲沃苏村汉墓

作　者：临汾地区文化局、曲沃县文化馆　张文君、卫新民等
出　处：《文物》1987 年第 6 期

1985 年 4 月中旬，曲沃县城关镇苏村居民盖房挖地基时发现 1 座砖室墓，之后考古人员进行了清理。此墓位于县城东北 2 公里的苏村村南。清理时，墓室上部已被破坏，下部及随葬器物保存较好。简报分为：一、墓葬结构，二、随葬器物，三、年代及其他，共三个部分。配有拓片和照片。

据介绍，此墓墓门向南，由墓道、甬道、前室、侧室、后室等部分组成。后室两侧各置 1 具骨架，骨架下铺一层 2.5 厘米厚的白灰，上有布纹及朱砂痕迹，周身遍撒铜钱。西侧的为中年男性。东侧的胸部置一铜镜，头部有骨笄，手腕和手指上戴银镯和银戒指，当为女性。推测这 2 具尸骨应为墓主夫妇。随葬的器物有陶器 64 件，半两、五铢、货泉等铜钱共 259 枚，泡钉 4 个。此墓年代，简报推断为东汉时期。

80.山西襄汾县吴兴庄汉墓出土铜器

作　者：李学文
出　处：《考古》1989 年第 11 期

距山西省襄汾县城西南 25 公里远的吴兴庄的圪塔岭上有 1 座大型古墓，俗称"将军墓"。1987 年 3 月被盗，襄汾县文化局、公安局及时侦破了此案，抓获了盗犯，查获了所盗的 40 余件珍贵文物。罪犯从东侧挖掘一盗洞，下到 5.4 米后改掘斜洞入墓室，掘出大量棺椁朽木及木炭等填土，盗出了铜器。现场调查未见砖石，故疑该墓为大型木椁墓。追回文物中的 40 余件铜器简报配以拓片、手绘图予以介绍。

本墓所出铜器与山西朔县照什庄 M1 风格一致。雁鱼灯、重圈铭文镜、铜鼎等器物形制相同。五铢钱特征明显。简报推断墓葬年代应为西汉晚期。雁鱼灯以雁作灯体，罩绘夔龙，应是墓主人生前所用，后陪葬，从鱼腹和雁喉中的烟怠可证。不难看出墓主人身份的显赫。这种灯除山西朔县外，陕西神木也发现过，三者基本相同，丰富了汉灯的种类，为研究西汉文化提供了宝贵的实物资料。

简报称，值得提出的是，此墓中的两件铜镜较为特别，近似窄沿昭明镜，但铭文中未见"昭明"2字，这种铭文为以往所少见，其内容及文字的识别尚待研究。

81.山西襄汾出土三件汉灯

作　者：李学文
出　处：《文物》1991年第5期

1987年2月，襄汾县博物馆在侦破盗墓案过程中，获得雁衔鱼铜釭灯、釉陶盘柱羊灯、三碗陶吊灯各1件。经调查，3件器物出自不同的汉墓。简报配以手绘图予以介绍。

简报介绍说，雁衔鱼铜釭灯是墓主生前使用又在死后用以随葬的，简报推断年代为西汉晚期；釉陶盘柱羊灯，由灯座和灯身两部分组成，施绿釉，简报推断时代在东汉中期或偏晚；三碗陶吊灯，由3个灯碗相连而成，中间立一环形把，简报推断时代应为东汉晚期。

运城市

82.山西万荣县发现古城遗址

作　者：杨富斗
出　处：《考古》1959年第4期

1958年3月，考古人员在万荣县庙前村北发现了1座古城遗址。简报配以照片予以介绍。

据介绍，庙前村在荣成镇（今荣河县）西南15里处，北为汾水，西面紧临黄河。古城范围大小已不能确知，目前还保留有3000～4000平方米。出土有陶片、砖瓦、铜箭头等。简报认为此为1处汉代古城遗址，可能是汉代汾阴城。

83.山西平陆枣园村壁画汉墓

作　者：山西省文物管理委员会　杨陌公、解希恭
出　处：《考古》1959年第9期

1959年4月，平陆县张店人民公社在枣园村发现有壁画的汉墓1座。考古人员

于5月9日至6月8日进行了清理，6月9日在枣园开了小型展览会，并向全县各地作了有线广播。这座壁画墓现已列为该县的文物保护单位。

简报分为：一、墓的结构和壁画内容，二、殉葬品，三、结语，共三个部分。有照片、手绘图。

据介绍，该墓为券顶砖室墓，墓室满绘彩色壁画，惜已大多无法辨认，仅藻井及四壁上部尚保存完好。壁画内容有四灵、山水、树木、人物、房屋等。有牛耕图、马车图、挑担图。殉葬品38件，有绿釉陶壶、铁刀、铜钱及羊骨架等。

简报推断此墓的年代为王莽时代或东汉初期。

简报指出，此墓虽然规模不大，其彩绘壁画较重要。壁画中真实地描绘了当时农业生产等情况，为研究我国汉代农业生产发展及当时的社会面貌提供了资料。

84.山西运城洞沟的东汉铜矿和题记

作　者：安志敏、陈存洗
出　处：《考古》1962年第10期

1958年，在山西运城（旧安邑）的洞沟发现了1处古代铜矿遗址。这里有古代的矿洞，还发现了铁锤、铁钎等挖矿工具和1块铜锭，证明这是1处采矿和冶铜的遗址。特别值得注意的是，在矿洞附近的摩崖上还发现了东汉时期的题记，为推测这处古铜矿遗址的年代提供了重要的证据。1960年，山西省博物馆和运城县文化馆曾先后派人到这里调查过，收集了已发现的铁器和铜链等，并拓了"光和二年"（179年）和"中平二年"（185年）的题记，但未发表过有关的报道。1961年10月29日，安志敏先生等作了一次调查。当时因适逢降雨，未能深入了解，不过在山西省博物馆拓过的两条题记之外，另找到四处题记，还收集到1件铁锤。后来由陈存洗先生作了2次复查，记录了古矿洞的结构，并发现一处炼矿炉址和一些汉瓦残片。简报配以手绘图等。

据介绍，洞沟俗称万人沟，位于中条山的一条沟谷中，面对着晋南著名的盐池。沟谷两旁山峰耸立，从入口沿小溪崎岖回转，行约1.5公里即可到达，但交通颇为不便。已发现的7处古矿洞位于一座耸立的山峰的腰部，山势较高而坡度陡峭，从谷底攀登到矿洞附近是比较困难的。由于矿脉的分布范围不广，所有的古矿洞都集中在一起。所出的矿石属黄铜矿，含矿量仅百分之五，也有微量的孔雀石（碳酸铜）。存储量不大，采矿时间也不会太长。

此处铜矿遗址的年代，简报推断为东汉末期。

85.山西芮城石门村发现的汉墓

作　者：李奉山

出　处：《考古》1963年第9期

山西省芮城石门村东0.5公里处，于1961年5月发现1座古墓。考古人员于同年8月作了清理。简报配以照片、手绘图予以介绍。

据介绍，墓为砖砌多室墓，墓室全长10.6米，分前、中、后3室。前室东壁开单券墓门，用单砖封闭。南北2壁各有1假券门，西壁有门通往中室。室内左右各有1朽棺，尸骨也已腐朽，尸下放有五铢钱，左棺尸骨头部放陶鸡、铁钉各1，右棺尸骨头部放铜镜1。中、后室结构大致与前室同，后室内置两座长方形棺木，葬式不明，出土有"长宜子孙"、四乳夔凤、夔龙铜镜各1面，并有剪轮五铢、铤环钱及串珠。根据墓室结构和随葬品情况，简报推断此墓属东汉末期或更晚一些。

86.山西平陆出土的汉代农作物

作　者：山西省平陆县博物馆　卫　斯

出　处：《农业考古》1984年第1期

自1977年以来，山西省平陆县博物馆在整理本县出土的汉代墓葬器物时，陆续取出一批汉代粮食和菜籽。

据介绍，计有1954、1955、1958、1960、1961、1971、1980年在茅律、盘南、寨头、七里坡汉墓中发现的糜子、高粱、谷子、黍子等。对探讨我国部分农作物（如高粱）起源很有帮助。

87.平陆县征集到一件西汉釉陶"池中望楼"

作　者：平陆县博物馆　卫　斯

出　处：《文物》1985年第1期

1982年10月，山西省平陆县博物馆从圣人涧大队征集到1件工艺精细的釉陶"池中望楼"。简报配以照片予以介绍。

简报称，据调查这件"池中望楼"出自1座古墓葬中，同时出土的还有釉仓4件、陶壶2件、小陶罐2件、陶甑2件和灰陶瓮1件，以及西汉五铢钱2枚（均藏运城地区博物馆）。从平陆历年发现汉墓中出土的陶楼来看，简报推断这件"池中望楼"

系西汉后期作品。它的出土，对研究西汉后期的地主庄园经济和西汉时代的建筑艺术都有价值。

88.山西新绛县发现汉代陶楼

作 者： 张国维

出 处： 《考古》1987 年第 10 期

1985 年 9 月，新绛县店头乡龙香村农民修水库时出土陶楼 1 件。简报配以照片予以介绍。

据介绍，陶楼有两层，通高 49 厘米。陶楼上下层分节制作，下层高 27 厘米、上层高 22 厘米。下层有圆形水池底盘，盘壁中部四周围有数个小圆孔。盘底有游鱼浮鸭之类。楼身呈方形立于盘中，边宽 11.5 厘米。下部开双扇门，右扇闭合，左扇开启。一层之上为平座。四周为横栏式栏杆。平座四角各有 1 个高 8.5 厘米的人物塑像，半跪状，头戴帻巾，面容肃穆端庄，双手拉满弓呈剑拔弩张之势。形象逼真，栩栩如生。平座上为两层方形楼身，陶楼表面施银灰色釉。

据有关学者研究，汉代釉陶的呈色剂主要是铜和铁的氧化物，以铅的氧化物作熔剂。器表呈银色，并非"银釉"，而是加入铅熔剂在烧制后的一种物理现象。

简报称，据调查与此陶楼同出的还有绿釉陶仓、水田等模型。釉陶模型明器是东汉时期墓葬中经常见到的典型器物，尤其是施釉封闭式陶楼、陶仓以及陶水田之类在东汉晚期墓葬中极为流行。

此陶楼的时代，简报认为应定于东汉晚期为宜。

89.山西芮城出土风扇车模型

作 者： 山西省芮城县博物馆 赵家有、李天影

出 处： 《农业考古》1988 年第 2 期

1987 年 11 月 3 日，考古人员在芮城城北 2 公里的城南村汉墓群中，发掘了 4 件带有风扇车的釉陶磨坊冥器。简报配以手绘图。

据介绍，模型中可见舂米、磨面、风扇车等粮食加工机械，可见早在东汉时黄河流域已有风扇车了，为研究汉代农业、机械史提供了宝贵实物。该模型已被鉴定为国家一级文物，现藏县博物馆。

90.山西夏县王村东汉壁画墓

作　者：山西省考古研究所、运城地区文化局、夏县文化局博物馆　高彤流、
　　　　刘永生等

出　处：《文物》1994 年第 8 期

1989 年 7 ～ 9 月间，山西省考古研究所会同运城地区文化局、夏县文化局博物馆对王村的 1 座被盗掘壁画墓进行了清理发掘。王村在县城以北约 15 公里处，村西"鸣条岗"上为 1 处古代墓地，方志中记载这里传为"夏后氏陵"。岗上分布大小不等的冢丘 25 个，另有 11 个在平整土地时被铲平。1989 年春，这里多墓被盗，考古人员在协同公安局调查时，发现该壁画墓，编号为 XWM5。简报分为：一、墓葬形制，二、壁画，三、随葬器物，四、结语，共四个部分，并配以拓片、照片予以介绍。

据介绍，此墓以横置前室组成的拱券顶多室为特点。壁画内容丰富，惜多已脱落。从墓葬形制而言，斜坡墓道，横置前室，前、后室之间由甬道相连，还有并列式券顶的甬道等。出土的器物有陶罐、陶钵、陶耳杯、瓮、骨片、石片等。该墓时代简报推断为东汉晚期，相当于桓帝、灵帝之际。

简报称，此墓当为 1 处家族墓地。此墓壁画先以木棍在墙壁上起稿，再用大笔敷色，最后以墨或赭色线条勾勒形体轮廓，以红、黄色点饰局部，技法娴熟、色彩协调。

91.山西夏县禹王城汉代铸铁遗址试掘简报

作　者：山西省考古研究所　童　心、黄永久、王在京

出　处：《考古》1994 年第 8 期

禹王城遗址位于晋南夏县县城西北约 7.5 公里处，因为传说夏禹曾在这里居住过，故俗称"禹王城"，城之东南约 30 里处为中条山，西北即鸣条岗，青龙河、无盐河、白沙河、姚暹渠流经其东南。20 世纪 60 年代初，考古人员对遗址作了较详细的调查，并据以做了年代和性质等方面的研究。据考证，"禹王城"即古安邑，亦即东周时期的魏国国都、秦汉及晋的河东郡治。

为了更详细地了解禹王城的文化内涵，特别是城内手工业作坊遗址的情况，考古人员于 1990 年秋季对禹王城遗址进行了试掘，共在小城内北部距今部队农场场部东北角 47 米处布 5 米 ×5 米的探方 3 个，总面积为 75 平方米。遗址代号 90XY。整个探方呈 L 形，T2 之南面为 T1，其东面为 T3。探方与小城北墙之方向

大致相同，磁方向为43°，而当地人习惯将北说成西北，为了方便叙述，本文采用当地习惯方向。简报分为：一、地层堆积，二、遗物，三、结语，共三个部分。有手绘图、拓片。

据介绍，此次试掘出土有较多的"东三"铭文，有划写者，有戳记。此次试掘，出土有大量的"东三"铭文，可证明"东三"设在汉代河东郡郡治即今禹王城遗址之内。另在1件碎范块上发现有"东二"铭文，其外之加固泥较厚，内面光滑且平，呈深灰色，是一容器之外范。此次发掘出土的碎范块极多，且多见有铸痕。按河南的研究成果，汉代的烘烤陶范和铸铁应在同一地点。考虑到这次试掘点之地层堆积较杂乱，简报认为应是烘烤坏的陶范以及浇铸后冷却凝固再取出铸件之后弄碎的陶范废弃在此处了。

根据地层关系分析其出土遗物，除H5之外，其余之时代皆较一致。简报推断其时代应为西汉中、晚期。分析H5出土遗物，素面占绝大多数，夹砂陶占一定比例，这明显与其他遗迹单位不同，简报推断其时代约为西汉早期。在时代上，H5与其他遗迹单位似乎有缺环。

92.山西夏县师冯汉代窑址发掘简报

作　者：山西省考古研究所、上海大学历史系、夏县博物馆　张童心、黄永久、
　　　　杨好凤等

出　处：《考古》2010年第4期

师冯窑址位于山西省夏县师冯村西0.5公里的坡岭之上。岭上有东汉时期的1处墓地，现存5个墓冢，称为师冯汉墓群，1985年被公布为县级文物保护单位。2001年初，当地村民修整土地时，在其中1座汉墓封土堆旁侧挖出1座窑址，发现了部分钱币叠铸陶范。夏县博物馆闻讯后派员赶赴现场，对暴露的窑址进行了调查，判明其为古代铸造货币的遗址。随后山西省考古研究所和夏县博物馆对其进行了抢救性发掘。简报分为：一、遗址概况，二、遗迹，三、遗物，四、结语，共四个部分。有手绘图。

据介绍，窑址为南北向排列，是2窑相连的地坑式窑，窑1、窑2共用1个工作坑。系从生土表面向下挖成，由工作坑、火膛口、火膛、窑室、烟道等部分组成。

简报指出，此次发掘的面积虽然不大，但发现的许多遗迹和遗物颇具特点，具有较高的研究价值。简报认为，师冯窑址应是一处西汉晚期以私铸或盗铸货币为主业的私营作坊遗址。

师冯窑址的性质应非官窑，而是私铸作坊遗址，证据如下：

其一，规模很小。整个窑址的面积仅约1000平方米，作为汉代官营手工业作坊显然太小。与禹王城遗址中发现的汉代"东三"作坊（即河东郡铁官所辖第三号冶铸作坊）相比，无论规模、范围、形制等，都差别极大。

其二，位置很偏，交通不便。窑址位于鸣条岗的山坡上，处在两条南北向自然沟壑相夹峙之中，官营作坊显然不会选择这种狭窄之地。

其三，使用时间较短。这从窑址的回填堆积可以明显看出，堆积不厚，砖、瓦制品较粗糙，所发现的叠铸范许多未经使用，浇铸过的范也有不少为废品，浇不足的情况较多。再考虑到其中1座窑未修建完成，可推测这是1处使用时间很短的铸造作坊，在使用期间因某种变故而突然废弃。

其四，铸造工艺不配套。从范、模本制作的情况来看，基本上和禹王城遗址汉代"东三"作坊所出同类型遗物一样，水平还不算低。特别是五铢钱叠铸范的工艺精细，字形规整，与禹王城所出者较为相似，应属同一种技术传统。但浇铸技术很不成熟。从技术角度而言，用铁浇铸钱币等较之用铜应该更容易，铁的熔点不高（约摄氏1150度），流动性好，填充能力强。然而，师冯窑址所出很多范存在浇铸不足等不成功之处。五铢钱叠铸范上钱币印模的位置多有变化，可能是因浇铸不足而废品较多，然后不断改动模具的结果。

内蒙古自治区

呼和浩特市

93.1959 年呼和浩特郊区美岱古城发掘简报

作　者：内蒙古自治区文物工作队　张　郁

出　处：《文物》1961 年第 9 期

美岱古城位于呼和浩特市东南二十家子西滩村东，1959 ~ 1961 年，考古人员在此进行了发掘。简报分为：一、地层情况，二、城墙及屋基建筑遗迹，三、结语，共三个部分。有照片、手绘图。

据介绍，共发现井窑 11 个，发掘了 4 个。另发现大型房基 1 处、城墙遗迹及灰坑等。得知古城内实际面积为 23.5 万平方米。出土有"安陶丞印""定襄丞印"等封泥，以及板瓦、陶器、铁器等遗物，证明古城的时代应属西汉，至迟不会晚于东汉时期。古城中发现有埋在很厚泥沙中的尸骨，表明古城曾遭洪水淹没。

94.内蒙古呼和浩特东郊塔布秃村汉城遗址调查

作　者：吴荣曾

出　处：《考古》1961 年第 4 期

在呼和浩特的郊区有汉城遗址好几处，塔布秃村附近的汉城遗址便是其中的 1 座。塔布秃村距市中心约 15 公里，在呼和浩特的东北。城址在村子正北 1 公里处，紧靠着大青山（即汉代的阴山）的山脚。简报配以手绘图予以介绍。

据介绍，城墙遗迹现在还很清晰，城为正南北方向。根据步测的结果，城南北长约 900 米，东西宽约 850 米，其平面接近正方形。城内还有一小城，也为正方形，保存情况比大城好。城内遗物主要集中在小城内及大城的南部地区。简报推测小城为当年的官署，大城南部似为民居及兵营。城外正南 3 里处，还有 5 个大土堆。蒙语称 5 个土堆为"塔布秃罗亥"，这个村子即由此而得名。这 5 个大土堆可以肯定是汉墓的封土。根据城内地面上采集的陶片、碎瓦和瓦当，由其器形和上面的文字来看，都应该是属于西汉时期的，没有比其早或晚的东西，基本上可以推断城建于西汉，到西汉以后就荒废了。简报推断此城可能是西汉定襄郡下面的一个县城。

95.和林格尔发现一座重要的东汉壁画墓

作　者：内蒙古文物工作队、内蒙古博物馆
出　处：《文物》1974 年第 1 期

1971 年秋，内蒙古和林格尔县新店子公社在修筑梯田时发现汉代壁画墓 1 座，考古人员前往调查了解，并于 1972 年秋对古墓进行了清理，对墓内壁画作了临摹。简报分六个部分予以介绍，有手绘图、照片。

据介绍，古墓位于和林格尔县东南 40 公里、新店子公社西 2.5 公里的红河北岸，编号为和林县新店子一号墓。本墓早年被盗，残存的陶器位置被扰乱，1 件器物的碎片往往于数处发现。这次清出的殉葬品，除 1 件残铜镜及少数铁器、残漆器外，大部分是陶器，经修复能认出器形的，共计 82 件。壁画中的榜题约有 226 项，从墨书文字的书法风格来看，为"八分书"。字的结体比较自由，构图严谨，层次分明。壁画中的宁城幕府图，证明在东汉建武二十五年（49 年）辽西乌桓大人郝旦率众归附汉王朝，光武帝刘秀于上谷宁城设置乌桓校尉营府的事实，简报认为是断定本墓年代的重要依据。简报推断此墓的时间在公元 145 ~ 200 年这 50 多年之间，是东汉的后期。

简报称，本墓是继长沙马王堆一号汉墓、满城汉墓之后的又 1 次重要发现。从壁画所绘人物、车马等以及当时劳动人民从事农、牧、渔、蚕桑业等生产劳动情况，我们对于汉代社会生活的面貌有了更形象具体的认识。

96.呼和浩特二十家子古城出土的西汉铁甲

作　者：内蒙古自治区文物工作队　陆思贤
出　处：《考古》1975 年第 4 期

二十家子古城位于内蒙古自治区呼和浩特市东 45 公里处，考古人员于 1959 ~ 1961 年间在此进行了发掘。古城分内、外两城，内城在外城的西南部，在内城中发现了官署、窑址、作坊址、冶铁工场等遗迹，并出土有"安陶丞印""定襄主印""平城丞印""武进丞印"等封泥，这里可能是西汉定襄郡所属县治所在。在发掘中曾发现不少铁甲片，并在 1960 年秋发现了 1 具完整的铁铠甲。简报分五个部分介绍了这具铁铠甲，有照片。

据介绍，这领完整的铁铠甲出土于城外西北角第七发掘区 T703 的 1 个圆形窖穴（H8:85）内。相伴出土的还有铁环首刀、铁锤、铁镞、半两钱等。简报推断为西汉武帝晚期的遗物。铁甲片有的似不适于人体，简报怀疑是马甲。铁甲经专家鉴定，材质为低碳钢。二十家子古城，是西汉时期为抗击匈奴而设的。此一制作精良的铁铠甲，当是当时戍边壮士的遗物。

97.内蒙古托克托县皮条沟发现三座鲜卑墓

作　者：金学山

出　处：《考古》1991 年第 5 期

1958 年 8 ~ 9 月，为配合内蒙古自治区中南部准备兴建的大型水利工程，考古人员在中南部伊克昭盟的准格尔旗和乌兰察布盟的托克托县与清水河县的黄河两岸，进行了为期约 20 天的调查，发现了不少新石器时代遗址等，并在托克托县的皮条沟清理了 3 座鲜卑墓。简报配以拓片、手绘图予以介绍。

据介绍，墓地位于托克托县河口镇皮条沟东南 1.5 公里的沙丘上，只清理了暴露于地表的 3 座，并在其附近还采集到这类墓葬的一些随葬陶器。这一墓地的西边为 1 处仰韶文化遗址，两者相距约 150 米。从当地农民那了解到，20 多年前该地被人盗掘的不少墓葬中，曾出土过许多铜器和金饰，以后又经几次盗掘，可能存下的墓葬多被盗扰。这 3 座鲜卑墓葬，皆为单人仰身直肢葬，从随葬的陶器和石珠等看，它们的年代是接近的，可归入同一时期。随葬的 1 件"长宜子孙"连弧纹铜镜，应是来自中原地区的制品。这些墓葬的年代，如以铜镜为准，相当于东汉晚期。

98.内蒙古呼和浩特市郊格尔图汉墓

作　者：内蒙古博物馆　张景明、傅　宁等

出　处：《文物》1997 年第 4 期

1993 年 8 月，呼和浩特市南郊八拜乡格尔图村民挖沙时发现 1 座古代墓葬，已塌陷，考古人员收回全部文物，对墓葬进行了现场调查和抢救性清理。简报配以照片、手绘图予以介绍。

据介绍，墓葬位于格尔图村西北的沙湾中，这里地势平坦，处在土默川平原上，离之不远是汉代古城址。据清理，墓葬为带有斜坡墓道的砖室墓，内有防潮的白膏泥和木炭，因遭破坏结构不详。墓内出土了青铜器和陶器，具体出土位置已经不清楚。其中铜器 22 件。有的保存完好。器种有鼎、钫、壶、镳壶、洗、盆、瓿、熏炉、灶勺及铜镜等。有几件当为精品。其中龙首铜灶是内蒙古地区目前发现的最大铜灶，造型精致，龙首栩栩如生，不失为汉代铜器中的珍品。镳盉、盘座龟负凤熏炉设计独具匠心。铜洗经过 2000 年几乎没有锈蚀，也十分难得。该墓的年代，简报推断为西汉中、晚期。

包头市

99.包头市窝尔吐壕汉墓清理简况

作　者：李逸友
出　处：《文物》1960 年第 2 期

该遗址位于包头市麻池乡新庄南面。1958 年修建水库时发现，共计 6 座古墓，其中两座已被盗掘一空，其余 4 座，1958 年 10 月进行了清理。出土有铜器、陶器、铜钱、料珠、铁器等。简报称这是包头市发现的、保存较好的东汉中期墓。

100.特克斯县出土的古代铜器

作　者：王炳华
出　处：《文物》1962 年第 7、8 期合刊

新疆伊犁哈萨克自治州特克斯县四公社，在 1961 年春修建铁里氏盖山灌渠工程中，发现了一批铜器。简报配手绘图、照片予以介绍。

据介绍，特克斯县居天山北麓、特克斯河下游，是天山北坡上的 1 个山间盆地，南隔天山与拜城相接，西邻昭苏，东接巩留、新源，北为尼勒克，一直是伊犁地区牧业中心之一。铜器出土于距沟口约 1.5 公里的渠道底部。铜器出土后，保存于公社内。当时并从水渠安全着眼，对出土地点周围作了探查，未见人骨架等墓葬遗迹。这次在特克斯作考古普查，征集了这批文物，并对出土地址作了复查。出土铜器有斧、牛头饰等，共 11 件。这批遗存的民族归属、时代尚难断定，但据周边环境判断，有可能是两汉前后塞种及乌孙族遗物。

乌海市

赤峰市

101.辽宁宁城县黑城古城王莽钱范作坊遗址的发现

作　　者：昭乌达盟文物工作站、宁城县文化馆　李恭笃

出　　处：《文物》1977 年第 12 期

1975 年春，辽宁省宁城县头道营子公社四道营子大队第五生产队十家村农民在黑城古城外平整土地时发现地下有成片的红烧土和"大泉五十""小泉直一"陶范母碎块。考古人员发现此处是西汉时期制作钱范陶范母的重要作坊遗址。1976 年 5～6月，对这 1 遗址进行了清理试掘。

简报称，遗址地处老哈河上游的北岸、老哈河两条支流——黑里河和五十家子河汇流处的三角地带，距宁城县所在地天义镇 60 余公里，与辽宁凌源、河北平泉县交界。从很早的古代起，这里就是我国北部草原牧区通往关内的交通要道。作坊遗址位于黑城外西南，这次对古城作了进一步调查，在黑城附近发现了外罗城。

简报分为：一、古城址介绍，二、钱范作坊遗址概况与地层堆积，三、窑址，四、遗物，五、小结，共五个部分。有照片、手绘图。

据介绍，黑城是 1 座保存比较完好的汉代古城，长方形，东西长 750 米、南北宽 500 米。现存墙高 8～9 米，墙基宽 15 米。四面各有城门，门宽 9 米。门外筑瓮城，瓮城东西长 50 米、南北宽 33 米。城址内汉代遗存丰富。采集到的文化遗物有：云纹瓦当，灰陶豆把，"回"字纹方砖碎块，里面方格纹、外面弦纹的大量陶片，西汉时期的 6 种货币等。另外，还发现少量战国时代的灰色绳纹陶片。城址内辽、金时代的陶瓷片甚少。"外罗城"是汉城遗址，钱范作坊遗址即位于其中。换言之，黑城当年是内城，"外罗城"是外城。商业、作坊住所大多在外城，宫署在内城。至于"花城"，是汉城西北部 1 座南北长 250 米、东西宽 200 米的战国小城遗址。

简报指出，黑城发现这样重要的制造钱范作坊，说明在西汉时期，这座建在长城以北的规模较大的汉代古城，政治、经济和物质文化都有了相当的发展，黑城址距平泉、凌源都不算远，是否与秦汉之际右北平郡有关，可以引起研究者的注意。

102.内蒙古昭乌达盟发现的一批古印资料

作　者：项春松

出　处：《文物》1983 年第 8 期

昭乌达盟各级文物主管部门发现并收藏了古印 100 余方，其年代自秦汉至明清，以汉、辽、金、元 4 代印居多，保存较好。除少数印文目前尚难确认外，绝大多数为历代各种不同形制和文字的官印，也有戳记和花押印记。多有明确的出土地点。简报择要予以介绍。

据介绍，计有汉代军印 7 方、宋代军印 1 方、辽代契丹大字官印 5 方、汉字法僧印 2 方、汉字军印 1 方、金代军印 9 方、元代官印 7 方、明代军印 3 方、清代官印 1 方和押印、戳记等。

简报称，昭乌达盟发现的这批古印多系历代军印。由于军队流动性较大，这些军印多没于行阵中。辽河上游的昭乌达盟为历代兵家必争之地，故古代军印屡有发现。这批古印出土范围较广，北至巴林及贡格尔草原，南至宁城县与河北省交界地区，东到老哈河与西拉木伦河汇合地带，西到古松漠地区的西辽河上游源头。其中许多官印是在古代重要京城遗址中出土的，比起传世的官印更有历史及考古价值。而巴林左旗、阿鲁科尔沁旗出土的司马印，是我国目前漠北地区首次发现的两方汉军印，弥足珍贵。

103.昭乌达盟汉代长城遗址调查报告

作　者：内蒙古自治区原昭乌达盟文物工作站　项春松等

出　处：《文物》1985 年第 4 期

从 1965 年开始，昭乌达盟考古人员便开始勘查古长城。简报分为：一、分布范围及走向，二、地形的选择及长城的筑造，三、烽燧设施及嶂塞，共三个部分。配有拓片、照片，先行介绍了汉长城。

据介绍，内蒙古东部的汉代长城遗址分布在昭乌达盟南部喀喇沁旗、宁城县境内，北距赤峰约 60 公里，在我国北纬 41 度偏北，跨越昭盟 12 个公社。这段长城遗迹东起喀喇沁旗甸子、乃林公社老浛河西岸，西止宁城县大营子山区，长约 225 公里，东接辽宁省朝阳地区，西延向河北省承德县境，走向大体由东北往西南。在近 250 公里的汉长城线上，发现有 80 余座烽火台，间距平均 3 公里，最远不过 5 公里。依此推算，万里长城线上至少有 2000 ～ 3000 座烽火台。而所谓"嶂塞"，是指山中小城。在昭盟汉长城沿线共发现 3 处：一为北山根嶂址，二为七家嶂址，三为塔琪营嶂址。

简报还介绍了老哈河上游甸子公社黑城大队的右北平郡址。城址周长约9公里，出土有砖瓦、钱范、封泥、铁制生产工具、汉代军印等遗物。

104.内蒙古巴林右旗发现一件汉代铜镜

作　者：巴林右旗博物馆　苗润华

出　处：《文物》1989年第3期

1988年1月，内蒙古巴林右旗羊场乡海申村五队一位农民将1件铜镜交献巴林右旗博物馆。这件铜镜是在该村挖水渠时被发现的。简报配以拓片予以介绍。

据介绍，铜镜呈圆形，镜面微凸，直径15.6厘米，缘厚0.4厘米。圆钮，十二连珠纹钮座。内区饰凸弦纹、内向连弧纹各一周。外区饰并蒂八连珠纹乳钉四组，间有"家常贵富"4字铭文，字体方正，篆隶结合。外边为一周凸弦纹，其外每字顶端有四出条状凸点，内向十六连弧纹缘。简报推断应为西汉中期的遗物。

简报称，铜镜铸造精细、工整，这种形式的铜镜在巴林右旗地区尚属首次发现。

105.翁牛特旗发现两汉铜牌饰

作　者：内蒙古赤峰市翁牛特旗文物管理站

出　处：《文物》1998年第7期

近年来，在内蒙古翁牛特旗草原地带不断发现透雕铜牌饰，并具有明确的出土地点。这些牌饰多以人物活动、动物争斗为题材。简报配以照片予以介绍。

据介绍，有武士驱车铜牌饰1对、双龙虬结铜牌饰1件、鹰虎奇羊铜带饰1对，均为两汉时期透雕精品，且有鲜明的草原气息。

通辽市

106.科左后旗毛力吐发现鲜卑金凤鸟冠饰

作　者：内蒙古哲里木盟博物馆　赵雅新

出　处：《文物》1999年第7期

1978年秋，在科左后旗哈拉乌苏毛力吐嘎查发现了1处鲜卑墓葬群，墓中出土文物随即散失或毁坏。1年后，考古人员前往调查征集文物时，只辗转征集到金凤鸟1件、陶壶2件。简报配以照片予以介绍。

据介绍，科左后旗地处科尔沁沙地的东南边缘，哈拉乌苏毛力吐嘎查则位于科左后旗所在地的西北21公里处。这里地表沙化严重，是典型的流动沙丘地带。因大风刮走地表流沙而先后暴露出的2处鲜卑墓葬，均分布在厚厚的黑沙土层中。金凤鸟步摇冠和两件陶壶便出土于其中的1座墓葬中。金凤鸟系用金片冲铆而成，一只翅膀微残。凤鸟昂首挺胸，展翅张尾，站立于圆弧形金片之上。陶壶一为灰黑色泥质陶，一为灰褐色泥质陶。简报推断年代为东汉早期至东汉中期。墓主人应为鲜卑族。

鄂尔多斯市

107.内蒙古自治区准格尔旗速机沟出土一批铜器

作　　者：盖山林

出　　处：《文物》1965年第2期

1962年10月，伊克昭盟准格尔旗文化馆征集到一批鄂尔多斯式铜器。据说是1949年初该旗速机沟村居民取土时在1个窖穴内发现的，共计20件。简报配以照片予以介绍。

据介绍，这批铜器共出于同1个窖穴之内。简报推测可能是墓葬随葬品，出土的各种样式的鹿应当属于明器；其余当为生前用品，如铜铃为车马器、鹤头形饰件、羊头形饰件、狼头形饰件、长喙鹤头形饰件、狻猊形饰件、屈足马形饰件等为车饰件，銎上皆有圆孔，可以用铆钉使之固着于柲上。其他如单系圆饰的用途不便遂加推断。这批铜器，简报推断可能是汉代时匈奴人的遗存。

108.内蒙古伊克昭盟发现西汉铜漏

作　　者：伊克昭盟文物工作站

出　　处：《考古》1978年第5期

1976年5月间，内蒙古自治区伊克昭盟杭锦旗阿门其日格公社军图大队七小队的农民在附近的沙丘上发现了1件铜漏壶。考古人员闻讯后，立即派人到现场了解。发现时，这件铜漏已部分露于沙丘地表。在沙丘附近仔细地进行了调查，没有再发现其他文物，也没有发现任何遗迹。简报配以照片。

据介绍，铜漏通高 47.9 厘米。壶身作圆筒形，壶内深 24.2 厘米、径 18.7 厘米，容量 6384 立方厘米，有铭文。壶的重量为西汉时的 32 斤，是指整个漏壶之重。按 8250 克折合，当时 1 斤为 257.8 克。

简报指出，这件铜漏保存完整，未经磨损，比满城和兴平汉墓中发现的铜漏的体积都大，而且有明确纪年，为研究西汉时期的泄水型沉箭式的漏壶再一次提供了重要资料。

109.内蒙古准格尔旗发现"长乐未英"字砖

作　者：准格尔旗文化馆　李　三、张俊瑛
出　处：《文物》1984 年第 3 期

1983 年 5 月，考古人员在内蒙古自治区伊克昭盟准格尔旗十二连城公社开始文物普查时征集到 1 块字砖。这块字砖是当地农民在隋唐胜州榆林故城的东城挖土时，于距地表 30 厘米处发现的。简报配以照片予以介绍。

简报介绍，字砖呈灰色，质硬。砖面上有阳线田字格，中心和四边有乳钉。格内有阳文"长乐未英"4 字，字体属于"缪篆"一类。

胜州榆林城故址曾出土过汉代遗物，这次发现的"长乐未英"字砖亦属汉代。这为我们了解隋唐胜州榆林的历史也提供了资料。

110.内蒙古准格尔旗发现一批汉代文物

作　者：准格尔旗文化馆　李　三、张俊瑛等
出　处：《文物》1990 年第 8 期

1983 年 1 月，伊克昭盟准格尔旗纳林乡农民在纳林古城南 0.5 公里处取土时发现一批铜器。简报配以拓片予以介绍。

据介绍，铜器出土于 1 个距地表深 1.5 米的土坑内，土坑为不规则圆形，直径 1 米左右。器物集中堆放，有镜、铃、牌饰和五铢钱等，均附有铜锈和丝织物痕迹。

简报称，出土的铜镜是汉代流行的四乳草叶纹镜，五铢钱具有西汉武帝和宣帝时期所铸行货币的特征。

这批铜器，简报推断应属西汉时期。

呼伦贝尔市

111.内蒙古扎赉诺尔古墓群调查记

作　者：郑　隆

出　处：《文物》1961 年第 9 期

1959 年，在治理木图那雅河工程中于呼伦贝尔盟扎赉诺尔发现了大批古墓葬。
据调查时初步统计，有 300 余座，经过清理的 2 座，共收集出土文物 126 件。简报
分为：一、墓的结构和埋葬制度，二、出土遗物，三、结语，共三个部分。有照片、
手绘图。

据介绍，扎赉诺尔南的木图那雅河（当地称圈河）是达来湖退水的河流之一。
西北为起伏不平的丘地，东北和南部是一望无际的草原。古墓群发现在河流东岸的
坡地上。清理的两座残墓，编为 1、2 号墓，其中 1 号为竖井土坑墓，有木棺，棺长 1.75
米，人骨头北脚南仰面，棺有盖无底，尸体放在白灰上。在头骨顶端倒放一桦树皮
制的圆盖子，已朽，直径约 15 厘米；头部右侧放 1 只敞口破陶罐。2 号墓无出土物，
其他与 1 号墓相同。从这次调查中收集的出土物来看，虽然种类多，而且是同一墓
群出土的，但从制作方法上可分为 2 种：1 种是当地制造的；另 1 种不是当地制造的，
应来自中原。尤其在陶器上表现得最为明显，其中手制的陶罐大部分模仿铜器中的
铜鍑，显然有它的特点。该遗址的年代，简报推断为汉代。

112.内蒙古扎赉诺尔古墓群发掘简报

作　者：内蒙古文物工作队　郑　隆

出　处：《考古》1961 年第 12 期

根据 1959 年对内蒙古自治区呼伦贝尔盟扎赉诺尔古墓群的调查（见《文物》
1961 年第 9 期第 16 ~ 18 页），内蒙古考古人员在 1960 年夏季进行了为期 40 余天
的发掘工作，共清理了 31 座古墓葬，出土遗物计有 300 余件。简报分为：一、墓葬
形制和葬式，二、随葬品，三、结语，共三个部分。有手绘图、照片。

据介绍，墓群是分布在木图那雅河东岸的坡地上，也就是曾调查地点的南端。
在发掘的 31 座墓葬中，有单人葬 26 座、双人葬 2 座、小孩葬 2 座、母子合葬 1 座。
全部墓葬为竖井土圹内放桦木棺，在 M25 和 M30 的土圹与木棺中间还立砌一周土坯。

这些墓中的尸骨皆仰身直肢。随葬品为陶器、铜器、铁器、骨器、木器和其他器物。简报附有"内蒙古扎赉诺尔古墓葬登记表"。根据对这些民族的活动范围和遗物的初步分析研究，简报推断它们应属于东汉末鲜卑族的一支。

113.扎赉诺尔圈河古墓清理简报

作　者：呼盟文物管理站　王　成
出　处：《北方文物》1987 年第 3 期

扎赉诺尔圈河古墓群位于满洲里市扎赉诺尔矿区以南 7.5 公里处。1959 年、1960 年考古人员曾先后两次来此进行调查和清理发掘，获得一批文物。此后，当地群众不断发现一些陶片等遗物。1982 年发现 1 件三鹿纹金牌饰和 2 件金耳坠，1984年圈河砖厂工人又发现了 5 座古墓，从墓中获得出土文物 30 余件，并发现随葬的马头、牛头、牛蹄骨等。这 5 座墓均发现在 1960 年清理过的墓葬附近，在今满洲里市煤干石砖瓦厂制砖车间（简称圈河砖井）南约 50 米的山坡上。因为砖厂取土，夜间作业，有 4 座墓已被推土机破坏（编号 M1 ～ M4），仅剩 1 座墓（编号 M5），考古人员对其及时进行了清理。简报分为：一、墓葬形制，二、出土器物，三、小结，共三个部分。有手绘图、照片。

经现场调查，5 座墓分前后两排，排列整齐，间距在 4 ～ 6 米之间，均为土圹墓。木棺有盖无底。单人仰身直肢，头向北，其中 1 副骨架没有头，另 1 副骨架缺 1 条腿。M5 的死者为成年女性，头向北稍偏东，身长 1.6 米，头骨右侧肩上有数片陶器残片和 1 个残破桦皮盖，盆骨下有一大块铁锈，因腐蚀严重不知何物。死者身上也发现有牛蹄骨和桦皮圆片。收集和清理的遗物有陶器等 30 余件，其中煤精饰品 2 件值得注意。简报认为此墓群当与东汉末鲜卑族有关。

114.内蒙古额右旗拉布达林发现鲜卑墓

作　者：赵　越
出　处：《考古》1990 年第 10 期

1987 年 7 月 18 日，考古人员在额尔古纳右旗进行文物普查时接到旗文教局报告，在拉布达林富兴砖窑发现古墓葬，当即赶赴现场进行调查。根据现场情况，认为这是与扎赉诺尔鲜卑墓相似的古墓葬。呼盟文物站在额右旗文教局、文化馆的配合下，先后两次对该墓群进行了调查、清理。简报分为：一、地理位置和现场情况，二、墓葬形制，三、随葬品，四、小结，共四个部分。有手绘图。

据介绍，拉布达林古墓群的埋葬制度与扎赉诺尔、南杨家营子、伊敏河古墓群有较大的一致性。墓中均以大量的牛、马等动物肢体随葬，出土的镞、矛、陶器和桦树皮制品，表明这一墓葬当为游牧为生、善于骑射的北方古代民族。根据社会科学院考古研究所实验室对 M3 葬具朽木进行碳十四测定的测定结果，距今为 1770±50 年（树轮校正年代为 1715±65 年），并结合出土器物，简报分析该墓实属东汉时鲜卑的遗存。

115.内蒙古海拉尔西山发现大型陶鬲

作　者：内蒙古呼盟文物管理站　王　成
出　处：《北方文物》1998 年第 2 期

1984 年 6 月，在对海拉尔西山进行文物普查时发现 1 件破碎的大型陶鬲，经整理修复后基本复原，仅缺 1 个腿和部分口沿。简报配以照片、手绘图予以介绍。

据介绍，这件陶鬲为红褐色，夹粗砂，表面光滑，有使用痕迹，高 28 厘米。是呼伦贝尔草原地区发现的第 2 件较为完整的陶鬲。简报认为应属汉书二期文化，年代大致相当于中原地区的汉代。

116.内蒙古呼伦贝尔草原发现青铜器

作　者：内蒙古呼伦贝尔民族博物馆、海拉尔市文物管理所　王　成、沙宝帅等
出　处：《考古》2004 年第 4 期

1997 年 7 月，文物部门在内蒙古海拉尔市谢尔塔拉农牧场征集到 26 件青铜器，包括牌饰及联珠饰等。同年 9 月末至 10 月初，中国社会科学院考古研究所内蒙古工作队、呼伦贝尔盟文物管理站、海拉尔市文物管理所等单位联合对发现青铜器的地点及牧场范围内海拉尔河岸边相关的 6 个地点进行了田野调查，并将上述发现遗物的地点编为谢尔塔拉四号遗址。该地点位于谢尔塔拉镇东南约 2 公里的海拉尔河北岸，在巴西克敖包的东南坡上。1990 年修筑扬水站水渠时，推土机推出了一批青铜器，其中大多已散失在民间。文物部门于 1997 年征集到 26 件，在后来的联合调查中又在周围堆土中采集到 39 件，还发现零星碎骨。这是在呼伦贝尔草原地区首次成批发现这类青铜器，推测可能属墓葬随葬品。目前共收集到该地点发现的青铜器 65 件，以各种饰件占多数，还包括动物纹牌饰、镜形饰、铃等。同类文化的青铜器，在呼伦贝尔地区的鄂温克族自治旗、新巴尔虎左旗境内也有发现，包括刀、针状饰、联珠饰等，均属采集品，简报也一并加以介绍。其中比较重要的有环首刀、兽首刀、动物纹牌饰、马狼相斗纹牌饰、扁圆串联珠饰等。均为两汉及两汉以前遗物。

简报指出，鄂尔多斯式青铜器属于我国古代北方的"胡"——匈奴文化。呼伦贝尔草原位于大兴安岭西侧，在蒙古高原东北边缘，这里西汉以前属于匈奴的控制范围。两汉时期，随着匈奴势力的衰弱，大兴安岭一带东胡人的一支鲜卑人，不断西进并逐步占据蒙古高原，而"匈奴余种者尚有十余万落，皆自号鲜卑"（《后汉书·乌桓鲜卑列传》）。因此，在呼伦贝尔草原地区发现鄂尔多斯式青铜器，甚至在相当于汉代的个别墓葬中发现这类铜器，都并非偶然。由于处在交界地带，这一地区的文化也显示出多样性的特点。呼伦贝尔草原地区两汉时期及其以前的文化遗存中，不仅有来自鄂尔多斯的文化因素，同时直接或间接地受到南方中原文化的影响，甚至与大兴安岭以东的嫩江流域也存在某种关联。

简报认为，呼伦贝尔草原发现的这批青铜器，表明鄂尔多斯式青铜器在我国的分布范围已抵达大兴安岭脚下。同时，也为研究和区分两汉及其以前一段时期呼伦贝尔草原的文化面貌提供了重要的实物资料。

巴彦淖尔市

117.内蒙古磴口县陶生井附近的古城古墓调查清理简报

作　者：内蒙古文物工作队　郑　隆

出　处：《考古》1965 年第 7 期

1963 年 5 月间，内蒙古西部地区巴彦淖尔盟包尔套勒盖农场工人在陶生井附近发现大批古墓葬。考古人员进行了调查并清理了 2 座残墓。清理时，地面无封土，墓坑内积满了淤土，人骨和绝大部分遗物位置已扰乱。出土遗物共计 140 余件，其中包括"五铢""大泉五十"等铜钱 68 枚。在调查期间还发现古城遗址 1 座。简报分为：一、调查清理经过，二、墓葬调查情况，三、墓葬清理情况，四、古城调查情况，五、结语，共五个部分。有照片、手绘图。

据介绍，陶生井位于内蒙古西部地区的巴彦淖尔盟之西北方，由磴口县向西北行 60 公里即可到达。从磴口县向西北行约 10 公里以外，至陶生井一带，为河水冲积的黄土平原。但因历年来的风沙和侵袭，地面上形成了沙丘。每逢春季，流沙飞扬，而沙丘的移动对这一带地区的古城和墓葬破坏极为严重。墓群分布在陶生井西南 3.5 公里的地方，墓群之西有 1 座清代的喇嘛庙，当地牧民称之为麻弥图庙。墓群分布面积约 6 平方公里，墓葬有 300 余座。在这大面积的墓群里，还可清楚地看出包括有许多小墓群，三五成群不等，小墓群之间的距离约 10～15 米。小墓群中，墓与墓之间相距 2 ～ 3 米。1 个小墓群，或为 1 个家族的墓地。墓顶上的封土，绝大部分已不存，露出墓顶和墓室内堆积的淤土。墓室全部用砖建造，结构形制有多室墓和单室墓，全为券顶。该墓地的年代，简报推断为东汉初。

至于在墓群以西的古城，城内外虽被流沙所盖，但是从现在调查情况来推测，古城建筑规模是较大的，城内散布的陶片等遗物非常之多，应为汉代的重要城镇。将从古城和墓群采集出土的遗物作比较，古城的时代似应早于墓群。简报推测此古城有可能是汉三封故城。

乌兰察布市

118.内蒙古乌拉山里的汉代城堡

作　者：张　郁
出　处：《考古》1959 年第 3 期

乌兰察布盟乌拉特前旗二区明暗乡 1 处山谷中，发现了 1 座古城。据介绍，古城并不大。从城垣遗迹看，城分南、北两部，以北城为主，分内、外两重垣墙。内城东西长 80 米，南北长 87 米。这里应是 1 处汉代扼守边防要隘的屯戍之所。

119.内蒙古察右后旗赵家房村发现匈奴墓群

作　者：盖山林
出　处：《考古》1977 年第 2 期

赵家房村位于察右后旗江格尔图公社西北约 20 余公里处，东北距土牧尔台约 15 公里。1969 年春天，在村南约 1 公里处发现 1 处匈奴墓群。简报配以拓片、照片、手绘图予以介绍。

据介绍，墓群在一处盆地中，四周群山环绕，墓地上原有一道东西向的大沙梁，近十几年沙土被风吹移，一些墓葬就暴露在地表。墓群面积东西约 500 米、南北约 200 米。距地表 1 ～ 3 米不等，均为土圹竖穴墓，内填黄色沙土。墓内有的有棺，有的无棺，大多为仰身直肢葬，头向西北，多数骨架面部朝上，也有的面朝侧边或朝下。有些墓中只有人骨，没有随葬品。据发现的人讲，墓中随葬的铁刀、剑等武器放在背部，金饰片含在口中，陶罐放在头部，有的在头下枕 1 块石头。还有铜镜、五铢钱、玉石装饰品等。简报认为是汉代遗存。

120.内蒙古卓资县三道营古城调查

作　　者：李兴盛

出　　处：《考古》1992 年第 5 期

1987 年 6 月，内蒙古乌盟文物工作站与卓资县文物管理所共同进行文物普查时对三道营古城做了全面调查。调查情况简报分为：一、古城地理位置及地貌，二、城墙及城内遗迹，三、遗物，四、几点认识，共四个部分。有手绘图、照片。

据介绍，古城位于内蒙古卓资县三道营乡东南约 4 公里的土城村北。古城建造在战国赵长城脚下，其间筑有 1 座烽火台。经局部解剖，其夯层土质、土色、厚度均与古城西城相同，两者应为同时修筑。从西城地表暴露遗物来看，基本与清水河县拐子上古城、呼和浩特市美岱二十家子古城、潮洛旗朝鲁库伦古城出土的遗物相同。拐子上古城出土战国青铜兵器，而后 2 个古城则为西汉古城。因此，简报推断西城的年代应为战国至西汉时期。

简报称，古城紧依长城而筑，并在东、西两面延伸出来，形成 1 个可供防守用的外围建筑，显示出当时古城所处位置的重要性。所以，三道营古城应是一座具有军事性质的城池。简报初步推断，三道营古城为西汉定襄郡之武要县故城。

兴安盟

锡林郭勒盟

阿拉善盟

121.内蒙古阿拉善汉边塞碑铭调查记

作　　者：孙　危

出　　处：《北方文物》2006 年第 3 期

据《中国文物报》1994 年 9 月 18 日报道，内蒙古阿拉善地区发现了长达数百字的汉武帝时期的石刻铭文，根据是碑文中有"汉武帝诏书"字样。众所周知，西汉碑铭保存至今者，寥寥无几，只有霍去病墓刻石、群臣上寿石等屈指可数的几件。

如果阿拉善发现的确为西汉碑铭，可谓意义重大。为此考古人员于1998年8月间专程赴阿拉善地区对该碑铭进行了调查。

据介绍，碑刻在通湖山群峦中一高岭顶上，碑文刻在1块12米长、1米宽的长方形石板上，石板为白色砂岩，石板中下部已脱落，只残留上部、下部两部分。字体为隶书，字数120个。年代应在公元110年以后。碑文记述了西汉政府联合南匈奴攻打北匈奴之事。

简报认为，从碑文可以看出，当时的南匈奴在入居塞内后，虽有一定的自治权利，但已经主要听命于东汉中央政府。这可以从双方共派军队作战看出。这也进一步证实了河西四郡在两汉时期对外贸易上所具有的重要价值。证明了阿拉善地区不仅是东汉军队攻击漠北地区北匈奴的重要通道，同时也是征伐盘踞在西域地区的敌对势力的必经之地。从而表明该地区既有拱卫河西四郡商业通道的意义，又有极其重要的军事价值。

简报未录碑文全文。

辽宁省

122.辽宁西部汉代长城调查报告

作　　者：李庆发、张克举

出　　处：《北方文物》1987 年第 2 期

关于汉代长城，过去学术界的传统观点多认为是利用了秦代的长城，即秦统一以后把原来秦、赵、燕 3 国的长城连接在一起，也就是后世所称的万里长城。但是到了汉代，特别是到了汉武帝以后，政治上一改以往对北方匈奴族所采取的"和亲政策"，多次对匈奴进行大规模的征战。由于战争频繁，防御措施逐步加强。除利用原秦代留下的长城外，在有些地方又增筑了复线，并新建了一些边城、亭障、烽台等一系列军事设施，使边防日臻完善，这是以前历代所不及的。其中最为著名的是汉武帝时修筑的所谓"外城"。最早见于《史记·匈奴列传》。对这一道长城历代学者分歧很大，众说纷纭。有的人认为是复线长城，也有人认为是行军的路线，而这一条道路，因深入匈奴腹地，不久就被破坏了。但不管怎样说汉代筑有长城无疑。1949 年后，在我国的甘肃、内蒙古等地都发现了汉代的长城遗迹。在辽宁辽西地区是否也有汉代长城遗迹的存在，它究竟是沿用了秦长城，还是新建筑了，始终是一个谜。1975 年后，考古人员在辽西地区为此进行了调查。简报分为：一、前言，二、长城走向，三、长城构筑，四、遗迹，五、遗物，六、结语，共六个部分。有手绘图。

据介绍，这次调查所发现的汉代长城为辽宁省首次发现，总长 250 余公里，沿途发现烽台址 120 多座，城址、瞭望城址多座。长城以烽台为主，烽台之间不一定有墙相连。沿线设置一定数量的驻扎军队，统辖所属的烽台。可以看出汉代长城比起战国、秦代的长城，在防卫的能力、士兵的调动上都要进步得多。汉代的边塞之所以这样完备，正是为了战争的需要。算上利用的燕、秦长城，一共有三道长城。

简报特别指出，古代文献中所说的辽东，与我们现在行政区所指的辽东相比，其范围要广得多。现今的辽东仅指辽宁的东部地区，而当时的辽东应包括现今的辽东、辽北、辽南以及吉林、黑龙江省的部分地区。简报称，长城在辽西地区为复线。到了今辽东地区，目前所发现的长城线索似乎只有一条，是单线。

沈阳市

123.辽宁沈阳沈州路东汉墓发掘简报

作　者：沈阳市文物考古研究所　李龙彬
出　处：《北方文物》2004 年第 3 期

墓葬群位于沈阳市沈河区沈州路。考古人员对基建中破坏的 5 座墓葬进行了抢救性清理，其中在清理 M1、M2 时获得了一批珍贵的文物。2 墓葬的形制、随葬品、时代与沈阳大、小南汉墓及附近地区的东汉墓葬相同。该墓地位于沈阳旧城南郊，为进一步研究这一时期的沈阳古城历史提供了实物资料。简报分为：一、地理位置，二、墓葬形制与出土遗物，三、结语，共三个部分。有手绘图。

据介绍，墓葬位于今沈阳市沈河区新开道沈州路东端北侧沈州花园小区南部，墓室尸骨直接位于墓底铺砖之上，大部分已腐朽，未见尸床及台面。葬式可辨为头北足南。墓圹四壁残剩一层或两层砌筑墓砖，墓顶已无。遗物有陶器、铜器指环、玛瑙器等。同时发现的还有 M3、M4、M5 三墓，破坏更甚。此 5 墓的时代，简报推断为东汉中晚期。简报认为，这一带应为 1 处墓地。

大连市

124.营城子贝墓

作　者：旅顺博物馆　于临祥
出　处：《考古学报》1958 年第 4 期

1954 年 7 月，旅大市图书馆孙克力先生在市郊营城子的新建铁路、公路路基的两侧发现古墓葬，即报告旅大市文化局。前后经过两次调查，发现了大批古墓葬。自 1954 年 8 月中旬至 10 月上旬止，共清理了贝墓 41 座、砖墓 9 座、石板墓 2 座、土穴的辽金墓 2 座，共计 54 座。简报分为：一、墓地情况与墓葬分布，二、墓葬形制，三、出土随葬品，四、年代推测，共四个部分，先行介绍贝墓，有照片、手绘图。

据介绍，共清理贝墓 41 座。所谓"贝墓"，系以海砺、蛤蜊、海螺等壳筑成墓室。41座墓计出土随葬品737件，以陶器为大宗。贝墓的年代，简报推断上限为汉初，下限约至西汉末期。

125.旅顺李家沟西汉贝墓

作　者：于临祥
出　处：《考古》1965年第3期

李家沟村位于旅顺口区北海公社，1954年在村东发现古墓，考古人员于1957年8月间进行了2次调查，共发现墓葬360座，其中有贝墓26座和砖墓4座。同年10月进行清理发掘。因这批贝墓大部分已残破，只发掘了其中保存较好的五六座，同时也对残破的墓葬作了一般的清理工作。这次发掘中以第20号贝墓保存较完整，它的结构和出土遗物也较为值得注意。简报配以手绘图予以介绍。

据介绍，这座贝墓平面呈"凸"字形，分成前后两室，后室大于前室。贝墓中只设木椁而无棺，木椁保存较好，此墓系夫妻合葬，葬式为仰面伸肢。右边的骨架腰部发现有铜印章、带钩及石剑璏，因此可能是男性。左边的骨架已朽，其上有鎏金铜蒂，推测也许是女性。后室除尸床上的铜印、石剑璏和许多鎏金铜蒂外，在东壁占三分之一的位置都放置着随葬器物。前室南侧靠墓门处放置着铜洗和陶质的明器。其余的地方放着1套车马具。该墓的年代，简报推断为西汉中叶。简报推测贝墓的修建可分三步：第一步，先挖成长方形的土圹，墓底铺10～20厘米的海砺壳，上面铺木板作为木椁的底部。第二步，四周立椁板，形成木箱式的椁室，它的特点是各板的结合处不用铁钉。第三步，将死者及其随葬品埋好之后，再安上木板为椁盖，此后将四周的椁板与土圹之间的空隙填入大小不同的海砺壳，加夯。椁盖上面也铺上一层海砺壳，其上用土堆成封土。

126.辽宁新金县后元台发现铜器

作　者：许明纲、于临祥
出　处：《考古》1980年第5期

新金县元台公社后元台大队第二生产队于1974年冬平整土地时，先后发现战国时期铜戈、铜矛、铜剑，汉代铜盉、"五铢"、"货泉"、带钩等。经调查得知这里是1个汉代墓群。简报配以照片予以介绍。

据介绍，这次除将残留的石椁墓进行发掘外，又将其他的残墓也做了清理。此墓系用较大卵石砌成的石椁墓室。由于取土，将墓室破坏一半。发掘这座墓葬时，出土灰陶罐3件（残），铁镢1件，还有珠饰等。铜戈、铜矛、铜剑是农民挖出来的，据说也出自这座墓。计铜戈 1 件，上有铭文，为战国时魏国兵器。铜矛 1 件、铜剑 1 件、陶罐 3 件、铁镬 1 件、料珠 55 件、翡翠珠 1 件、珍珠 2 颗。另外，在这里还发现 "五铢" "货泉" 货币、铁器、铜带钩等文物，都是西汉至王莽时期的。据当地人说在这里挖出不少汉墓，从石墓内出土的灰绳纹陶罐、铁器等也都是西汉时期的，故简报将这座石墓时代定为西汉初年。

127.大连市出土彩绘陶楼

作　者：于临祥、王珍仁
出　处：《文物》1982 年第 1 期

1972 年夏季，旅大市举办的文物考古训练班在旅大市甘井子区营子公社发掘了 1 座东汉晚期的石室墓。该墓早期被盗，出土器物甚少，其中有一座彩绘陶楼。简报配以照片予以介绍。

简报介绍，陶楼共分 3 层，通高 54 厘米。用朱红线条绘于陶楼的四边和门、窗的四周。楼的第 1 层正中有一门，在第 1 层和第 2 层的四角各有 1 斗拱，斗拱施朱红颜色，在 2、3 层的四面又各设 1 窗。在 2、3 层的底部各留有 1 个长孔，以示各层之间的连接。值得注意的是在第 2 层的底部阴刻 "高楼" 2 字。

128.辽宁新金县花儿山张店出土马蹄金

作　者：许明纲
出　处：《考古》1984 年第 2 期

1983 年 1 月 26 日，新金县花儿山公社驿城堡大队农民在张店汉城址东南约 1.5 公里远的南海甸子挖碱泥时，在距地表约 2 米深的地方，挖出马蹄金 2 件，出土时 2 件对合在一起。经调查，在出土马蹄金附近，没有发现其他文物。简报配以照片。

据介绍，2 件马蹄金编为 1、2 号，形状一样，底部近圆形。2 件底部中心凿有 "上" 字圆印。1 号马蹄金底侧刻划有符号，重为 259.45 克；2 号马蹄金底侧刻划有符号，重为 260.45 克。2 件含金量都是 98%。

简报称，关于麟趾褭蹏金的年代，《汉书·武帝纪》记载：汉武帝太始二年（前 95 年），借白麟和天马之瑞祥，铸造麟足马蹏形的黄金上币，主要用以宝藏、宫廷赏赐、馈赠和贡品等，在民间不作流通货币。关于麟趾和马蹄金，简报认为椭圆形为麟趾金，圆形为马蹄金。就此而言，麟趾金相对重于马蹄金，而不是马蹄金大于麟趾金。关于这个问题，还有待今后出土资料丰富了之后进一步论证。

129.辽宁大连前牧城驿东汉墓

作　者：旅顺博物馆
出　处：《考古》1986 年第 5 期

前牧城驿村位于大连至旅顺公路北侧，西距著名的营城子东汉壁画墓约 300 米，东南距明代木场驿北门约 100 米，属甘井子区营城子镇。前、后牧城驿周围过去经常发现汉魏墓葬。1980 年 5 月底，前牧城驿村村民在建房时发现古墓，考古人员当即前往清理。清理墓葬 2 座（编号 M801、M802），1974 年春清理过 1 座墓葬（编号为 M741）。简报分为：一、M801，二、M802，三、M741，四、结语，共四个部分。有手绘图。

据介绍，M741 早年被盗，M801 也有盗洞。各墓出土、铜镜、货币、石砚等。应是大连地区东汉前期墓地之一。

130.辽宁大连沙岗子发现二座东汉墓

作　者：大连市文物管理委员会　许明纲、吴青云
出　处：《考古》1991 年第 2 期

1988 年 3 月下旬，大连市甘井子区营城子镇沙岗子村村民于其村北海岸边取土时发现东汉砖墓。考古人员前往调查，并对其中破损严重的 2 座墓葬进行了清理发掘。两墓分别编为 88 沙 M1 和 M2。简报分为：一、墓葬形制及葬式，二、出土遗物，三、结语，共三个部分。有手绘图。

据介绍，墓葬位于沙岗子村北的沙土岗北端，距海岸约 100 米。两墓东西排列，相距 5.85 米，M1 居西，M2 居东，均为砖墓。两墓形制大致相同，均为长方形单室券顶墓。葬具已朽，人骨经扰乱。M1 有随葬品 16 件，M2 有 15 件。以比较简单的生活日用明器为主，主要有陶制的井、鼎、盒、盆、盘、耳杯、魁、勺、灶、灯和炉等。两墓的年代，简报推断为东汉初期。

131.辽宁大连大潘家村西汉墓

作　者：刘俊勇
出　处：《考古》1995 年第 7 期

大潘家村西汉墓葬位于辽宁省大连市旅顺口区江西镇大潘家村北耕地中。早在 20 世纪 30 年代，这一带就曾发现西汉贝墓和东汉砖室墓。1992 年 3 ～ 4 月，考古

人员在对基建工程水库淹没区内的大潘家村新石器时代遗址进行发掘的同时，清理了 3 座西汉墓葬，编号为 M2～M4。M2 现已被水库淹没。简报分为：一、墓葬结构，二、随葬器物同，三、采集遗物，四、结语，共四个部分。有手绘图。

据介绍，M4 是土圹墓，M2、M3 是木椁贝墓。3 座墓共出土器物 26 件，绝大多数是陶器，铜器仅有洗 1 件和带钩 2 件。另采集到铁盉、铁镬等。简报称，贝墓在大连沿海一带分布很广，时间上从西汉前期一直延续到东汉前期。此 3 墓应为西汉前期墓葬。简报称，联系到数十年来的考古发现，可知大连沿海一带西汉时已是人烟稠密。

132.大连市金州区董家沟东汉墓葬的清理

作　　者：金州博物馆　徐建华
出　　处：《考古》2002 年第 6 期

1993 年 4 月，大连市金州区董家沟镇董家沟村民建房时发现 1 座古墓葬。金州博物馆接到报告后，对古墓（该墓编号为 93JDM1，以下简称 M1）进行了抢救性发掘。清理情况简报分为：（一）墓葬形制与葬式，（二）随葬器物，（三）结语，共三个部分。有手绘图。

据介绍，墓葬为长方形砖室墓，该墓出土的随葬器物均为陶器，共计 26 件。M1 的年代，简报推断为东汉早期。简报称，该墓虽早年遭严重扰乱，但其形制和部分随葬器物颇具特色，如陶楼和陶仓器表面均涂朱，墓室中红砖铺地、红砖棺床和红砖塞堵墓门等现象值得注意。

133.辽宁普兰店姜屯汉墓（M45）发掘简报

作　　者：辽宁省文物考古研究所、普兰店市博物馆　白宝玉、褚金刚、付文才
出　　处：《文物》2012 年第 7 期

2009 年 12 月，在辽宁省普兰店市铁西办事处西北山村姜屯南约 500 米处发现了 1 处汉代墓地。20 世纪 70 年代，曾在此墓地南的二道岭大队张店生产队和驿城堡大队乔家屯生产队发掘了 10 座贝壳墓。2010 年 3 月，考古人员对此墓地进行了勘探与发掘，清理汉代墓葬 212 座，出土了大量的随葬器物。M45 的发掘情况简报分为：一、墓葬形制，二、葬具与人骨，三、随葬器物，四、结语，共四个部分。有照片。

据介绍，M45 为双室砖墓，随葬器物有 200 多件，简报推断，此墓的年代应为

西汉晚期。

简报称，此墓出土的玉覆面在东北地区是首次发现。简报由此推测，墓主人身份和地位较高。

鞍山市

抚顺市

134.辽宁抚顺县刘尔屯西汉墓

作　者：抚顺市博物馆　徐家国
出　处：《考古》1983 年第 11 期

1977 年春，抚顺县李石寨公社刘尔屯村东砂石场屡屡出土陶壶、陶罐等器物。考古人员对文物出土地点进行了调查，发现这里是 1 处汉代墓地，对暴露地表的 5 座小型土坑墓做了清理，征集了以前出土的文物。简报配以手绘图予以介绍。

据介绍，刘尔屯位于抚顺县西部，东距抚顺市中心 20 公里，西距沈阳上伯官屯汉魏墓葬 1.5 公里，北距浑河 1 公里。墓葬分布在村东高地上，俗称"孙家坟"。估计墓葬区东西为 100 米、南北为 50 米。由于长年取土，坟堆和墓坑上部被破坏。墓葬形制简单，多是不大的长方形竖穴土坑。葬具、人骨均已腐朽。清理的 5 座墓葬曾遭水淹与塌陷，随葬品都已挪位。5 座墓中，二号墓、三号墓较完整。其余的墓形制与此 2 墓相同，随葬陶器残破太甚，不予介绍。

简报称，从出土的陶器、铜镜、铜扁壶、铜提梁壶等遗物看，这批墓葬应为西汉时期墓葬。

135.辽宁省新宾县黑沟高句丽早期山城

作　者：抚顺市博物馆、新宾县文化局　佟　达、张正岩
出　处：《文物》1985 年第 2 期

1976 年，考古人员在新宾县红庙子乡发现了黑沟山城。1980 年和 1983 年又先后 2 次作了调查。黑沟山城俗称"山城岭"或"高丽城子"，其西侧是长达 2.5 公里的大山沟，名曰黑沟。新宾县地处辽东山区，多有山城，当地皆以"山城子"或

"高丽城子"称之，致使地名重复。为示区别，考古人员将这座山城定名为黑沟山城。简报分为"山城地理位置与自然环境""山城概貌""几点认识"等五个部分，有手绘图等。

据介绍，黑山城位于辽宁省东部边境的新宾县红庙子乡四道沟村，地处辽宁、吉林两省分界和抚顺市所辖新宾县与本溪市所辖桓仁县之交界处附近。黑沟山城海拔700米，是由高达数十米的8个兀立的狭长山脉环绕而成，各山脊之间的豁口则修筑人工石墙连接。除了石墙外，尚发现有水井、将台、角台、望台、房址等遗址，以及石器、陶器等遗物。简报推断年代为高句丽早期，约相当于汉代。

136.辽宁新宾县永陵镇汉城址调查

作　者：徐家国
出　处：《考古》1989年第11期

抚顺市博物馆自1975年以来对新宾满族自治县永陵镇汉城址进行过多次勘察。1979年9～10月又对城垣做了考古钻探，1983年4月再次对门址、城墙做了局部复钻，探明了城址范围和形制。历年来的勘察采集了较多标本，钻探获取了城垣数据。经过上述工作，使我们取得了对该城址的初步了解。简报配以拓片、照片予以介绍。

据介绍，永陵镇汉城址位于辽宁省新宾满族自治县县镇西23公里，永陵镇东南1公里，地处苏子河南岸。城址筑在高出地面1米余大土台上。城址内出土陶器多是泥质灰陶，轮制，圆腹平底占大宗。从城址出土遗物来看，简报推断永陵镇古城址应系汉城址。北墙虽出花瓣纹瓦当，淡红色绳纹筒板瓦说明城址至魏晋时期仍沿用。据《后汉书·东夷传》"东沃沮"条记载：今永陵镇古城址正位于高句丽西北。再者城址规模宏大，出土遗物丰富，种类数量多，特别有完整瓦当、筒瓦出土，足以说明该城址系大型城址，当是郡治的所在。简报推断，永陵古城址可能是汉玄菟郡迁徙后的郡治所在。

137.辽宁抚顺市刘尔屯村发现两座汉墓

作　者：肖景全、郭振安
出　处：《考古》1991年第2期

1982年5月23日，抚顺市郊区李石寨乡刘尔屯村农民在村东南田边取土时发现2座汉墓，随后考古人员前往调查。简报分为：一、墓葬形制，二、随葬品，三、结语，共三个部分。有照片、拓片。

据介绍，2座墓葬均为长方形竖穴砖砌单室墓（编号：82FIM1、82FIM2）。葬具均不存。从遗迹看，2墓似均为合葬墓。2座墓共出土随葬品52件，其中陶器29件、筒瓦2件，全部为泥质灰陶，除耳杯与筒瓦外，其他都轮制而成。另外，还有铜带钩1件、五铢钱18枚、小石器2件。两墓的年代，简报推断为西汉晚期。

138.辽宁新宾县高句丽太子城

作　者：抚顺市博物馆　佟　达
出　处：《考古》1992年第4期

自1980年文物普查迄今，抚顺市博物馆文物普查队先后对太子城进行了3次调查和测绘，工作结果简报分为：一、地理形势，二、山城概貌，三、遗物及建筑材料，四、山城建筑特点及防御系统，五、结语，共五个部分。有手绘图、照片。

据介绍，太子城位于新宾县西南隅的下夹河乡太子城村北。太子河的支流——北太子河自山城北面向西流，东、南两面又有小夹河沿山城绕行，而后在山城东北角汇入北太子河。

山城南墙下即今太子城村。山城建在南北走向的老母猪岗向东北方向伸展的山梁上。太子城不见单纯的峭壁墙，所有峭壁上都有人工墙。至于在峭壁上开凿城墙基槽、包砌山脊石作为墙芯骨架等做法，在已报道的高句丽山城中还不多见。北门瓮城平面呈马鞍形，形制和罗通山城的西城南门饰略同。半圆形即马鞍形的瓮城在时间上要晚于长方形瓮城，所以太子城当晚于黑沟等高句丽早期山城。在建筑材料方面，太子城外城皆用顶端长方形或近于长方形的石料构筑石壁；内城城墙一律用扁方锥体楔形石构筑，从而和外城采用的长方体或近于长方体的石料判然有别。太子城的历史为，公元15年以前属于活动于太子河上游区域的梁貊遗迹，公元15年以后沿用，作为高句丽早期防御圈上的要隘；3世纪中晚期以前续建外城，继续作为高句丽广有辽东之后确立的新防御圈上的纵深防御关隘。

139.辽宁抚顺李石开发区四号路墓群发掘简报

作　者：辽宁省文物考古研究所、抚顺市博物馆　高振海、徐韶钢、赵少军等
出　处：《北方文物》2013年第4期

2008年秋，辽宁省抚顺市李石经济开发区修建四号路，在开挖路基的过程中发现了1座古墓。考古人员随即对相关区域进行了全面的考古勘探，又相继发现了3

座墓葬，并对这 4 座墓进行了考古发掘，编号为 M1 ~ M4。李石经济开发区位于抚顺市最西部，紧靠着沈阳市边界，北距浑河 1 公里，南距沈抚高速 1 公里。4 座墓葬分布于东西向的四号路路基范围内，大致成两排。M1 墓室上部被破坏，不能判断墓顶类型，M2、M3、M4 为券拱砖室墓。M2 使用的造墓材料是小型条砖，M1、M3、M4 墓使用的均是子母砖，即带榫卯结构的小型条砖。分为：一、M1 及出土遗物，二、M2 及出土遗物，三、M3 及出土遗物，四、M4 及出土遗物，五、结语，共五个部分。配有彩照和手绘图。

据介绍，4 座墓葬共清理出 102 件陶器，包括罐、壶、盆、耳杯、灶、樽等。墓葬年代分别属于东汉中期、东汉末期至曹魏两个时期。

140.辽宁抚顺市刘尔屯汉魏墓群的发掘

作　者：辽宁省文物考古研究所、抚顺市博物馆　徐韶钢、高振海、赵少军
出　处：《考古》2014 年第 4 期

2008 年秋，抚顺市经济开发区在基建施工中发现 2 座古墓，考古人员随即对相关区域进行了全面的考古勘探，又相继发现 19 座墓葬，加上先前发现的 2 座墓，分别编号为 M1 ~ M21。同年，对这 21 座墓葬进行了考古发掘。简报分为：一、地理位置，二、典型墓葬与出土遗物，三、结语，共三个部分。有彩照、手绘图。

据介绍，本次发掘的 21 座墓葬之间无叠压和打破关系，依据随葬器物的对比研究，简报大致推断本次发掘的 21 座墓葬属于西汉中晚期至东汉早期和东汉末至曹魏时期两个时间段。这批墓葬应属于汉文化人群，并且与中原文化的联系相当紧密。

本溪市

141.辽宁桓仁县高丽墓子高句丽积石墓

作　者：辽宁省文物考古研究所、本溪市博物馆、桓仁县文物管理所　万　欣、
　　　　梁志龙
出　处：《考古》1998 年第 3 期

高丽墓子积石墓位于辽宁省桓仁县浑江水库东南部边缘，地属固有库区林场高丽墓子工区，西距桓仁县城 10 公里，西北隔江 6 公里许是著名的高句丽五女山山城。高丽墓子村及其附近是高句丽墓葬分布密集地带。1956 年，为配合浑江水库工程建

设，考古人员曾对淹没区进行了考古调查，在该地区发现高句丽墓葬 240 余座，并于 1958 年和 1959 年重点发掘了其中 30 多座。20 世纪 70 年代初，墓地曾遭盗扰。1994 年 6 月中旬至 7 月上旬，考古人员对墓地进行了正式发掘，发掘区位于原墓群在水库淹没区边缘上的余存部分。简报分为：一、墓葬形制，二、出土遗物，三、结语，共三个部分。有手绘图。

据介绍，高丽墓子积石墓以山石堆筑，沿山梁由高渐低纵向排列，且多互相衔接，形成"串墓"。全墓共由 4 座近方形和长方形的大石堆组成。这些积石墓中随葬物很少，仅见有陶器和铁器两类。简报推断，高丽墓子积石墓的年代应在高句丽建国初期，即约当公元 1 世纪或稍早。

丹东市

142.瑷河尖古城和汉安平瓦当

作　者：曹　汛

出　处：《考古》1981 年第 6 期

1961 年 8 月文物普查时，考古人员于鸭绿江北岸凌河流入鸭绿江处的三角洲上，发现 1 座古城遗址。其地今属九连城人民公社瑷河上尖大队，因此被称为瑷河尖古城。古城址西南距丹东市 15 公里，东隔鸭绿江与朝鲜民主主义人民共和国的新义州相望。简报配以照片、拓片、手绘图予以介绍。

据介绍，城址东西宽约 500 米、南北长约 600 米。城垣依稀可辨，系夯土筑成，今多已夷平，仅东北、西南两角尚较明显，现存最高处也已不足 1 米，石砌城脚埋入地下深约 1 米。城门情况已不清楚。城内大部分已成耕地，农民从事农耕时陆续清理出不少汉代灰绳纹陶片和瓦片、汉五铢钱，还有高句丽时代的红瓦片、莲花纹瓦当和辽金时代的陶片等。简报据《汉书·地理志》及 1976 年 10 月当地发现的 1 件有"安平乐未央"铭文的汉代瓦当，认定瑷河尖古城确为汉安平县城。

简报称，《汉书·地理志》《后汉书·郡国志》《后汉书·东夷传》《三国志·东夷传》《晋书·地理志》《隋书·高丽传》《辽史·地理志》等均作"西安平"。清人历史地理方面的考据著作如《汉书地理志详释》《汉志水道疏证》《汉书地理志补注》等对"西安平"一说也都无异议。新版二十四史各书校记，亦都不曾置疑。《魏书·高丽传》《北史·高丽传》有"辽西安平"，应是"辽东安平"之误，认定"辽"字衍误。看来西安平的说法，不仅早已定论，而且沿袭至今。简报指出，现在这件安平瓦当的发现，却无可辩驳地证实了汉代辽东郡所属最东部、位于鸭绿江入海口附近的叆河尖古城确是安平，而不是西安平，诸史"西安平"的"西"字疑属衍误。

锦州市

143.辽宁锦县右卫乡昌盛汉墓清理简报

作　者：锦州市博物馆　傅俊山
出　处：《北方文物》1987 年第 4 期

1978 年 12 月 20 日，辽宁锦县右卫乡的农民在农田基本建设时，于昌盛村北发现大型石室墓 1 座。考古人员前往清理，清理情况简报分为：一、墓葬地理位置与结构，二、葬式与葬具，三、出土文物，四、年代推论，共四个部分。有手绘图。

据介绍，该墓西北距大凌河镇 19 公里，北距京沈线石山站 13 公里，西距右卫乡 3 公里。该墓全部为花岗岩石材结构，平面呈"土"字形。墓底用石条南北向平铺一层，有甬道、壁龛、南北两墓室。南室为 1 老 1 少男性骨架，北室为 1 老 1 少女性骨架，甬道置殉葬的 4 个幼儿骨架。简报认为，该墓可能是地方统治者的夫妇合葬墓。少男少女及幼儿共 6 人为之殉葬。出土遗物有灰陶罐、红陶钵、银发钗、铁镜、银指环、铜弩机牙、货布等。简报推断该墓为东汉初期墓葬。

144.辽宁锦州汉代贝壳墓

作　者：刘　谦
出　处：《考古》1990 年第 8 期

贝壳墓系用海贝壳埋藏尸体的墓葬形式。分布在锦州市小凌河的左岸，密集点位于市区，发现于 20 世纪初，1949 年后城市建设工程中又有发现。1952～1980 年为配合工程建设，在市区施工地段的女儿街、丰乐街、凌安街和云飞路、沿小凌河至海口附近的门家窝铺等地，先后发现 59 座墓。考古人员清理发掘了 32 座墓。简报分为：一、墓葬形制，二、出土器物，三、结语，共三个部分予以介绍。有手绘图、拓片。

据介绍，以贝壳埋葬尸体可防腐，这是沿海居民的习俗。贝壳墓距海（渤海）较近，最近约 5 公里，如 32 号墓，所用贝壳全是海贝壳。贝壳墓中的人种，经过对出土的人头骨鉴定和测量，简报认为很可能与华北人相同。32 座墓的年代，简报推断大体为西汉至东汉时期。

营口市

145.辽宁盖县九垄地发现东汉纪年砖墓

作　者：辽宁省博物馆文物队

出　处：《文物》1977 年第 9 期

1972 年 11 月，辽宁省文物干部培训班清理了盖县九垄地公社的东汉墓群。其中有 1 座墓的砖上有纪年。简报配以照片予以介绍。

据介绍，九垄地位于盖县熊岳镇西南 4 公里，该墓位于九垄地大队西北 1 公里的农田中。墓早期被盗。墓室东侧有 2 个耳室，北侧和西侧各有 1 个小耳室，墓门朝南。从痕迹看，为 2 棺 1 椁，骨架已零乱，似为夫妻合葬墓。随葬品散乱，计有陶盒 2 个、陶耳杯 2 个、铜带钩 2 个、银环 7 个、琥珀穿坠 1 个、琥珀珠子 1 枚、松石珠子 1 枚、动物小雕象 1 件、货币 96 枚。除 1 枚货泉外，其余均为五铢。该墓用 8 种花纹砖和 2 种文字砖砌造。1 个侧面有 26 个字："永和五年造作，竭力无余，用庸数千，士夫莫不相助，生死之义备矣。"另 1 个侧面有 22 个字："叹曰：死者魂归棺椁，无妄飞扬，行无忧，万岁之后，乃复会。"永和为东汉顺帝年号，永和五年为公元 140 年。

简报称，东汉时辽宁分属辽东、辽西两郡，并在辽东半岛设置辽东属国。东汉墓在辽南的沈阳、辽阳、鞍山、盖县、旅大都有发现。

146.辽宁盖县东汉墓

作　者：许玉林

出　处：《文物》1993 年第 4 期

1972 年 11 月，辽宁省文物干部培训班和辽宁省博物馆文物工作队在盖县九垄地乡九垄地村、东达营子村和鲅鱼圈乡草房村 3 个地点清理了 7 座东汉墓，出土了一批遗物。简报分为：一、九垄地汉墓，二、东达营一号汉墓，三、草房一号汉墓，四、小结，共四个部分。有照片、手绘图。

据介绍，九垄地村位于盖县熊岳镇西南 4.5 公里处，共发现 5 座汉墓（M1 ~ M5），东达营子村、草房村各发现 1 座汉墓。出土有花纹砖、文字砖、钱文砖。7 座东汉墓均为砖室墓，因距地表较浅，顶部塌陷，墓室已被破坏。有单室、双室、多室墓。有的墓早期被盗，近年来又有农民挖取墓砖，现只存少部分残壁和墓室的填土。墓内的随葬品多为东汉晚期的遗物，如陶器有盒、罐、仓、灶、井、案、俎、勺、灯、炉、俑；铜器有带钩、五铢和剪轮五铢钱。尤其是文字砖上，印有"永和五年"（140年）铭。简报推断这批墓葬均为东汉晚期。

147.辽宁营口熊岳镇胜利村汉墓清理简报

作　　者：崔艳茹、崔德文
出　　处：《北方文物》2002 年第 1 期

1974 年，考古人员在辽宁营口熊岳镇胜利村发现并清理了 1 座汉墓。据该墓残留骨骼和出土遗物分析，可能为一处夫妻合葬墓，年代为东汉初期。简报分为：一、墓葬地理位置，二、墓葬形制，三、出土遗物，四、结语，共四个部分。有手绘图。

据介绍，1974 年 6 月 7 日，村民刘丰在盖房取土时发现 1 座古墓，考古人员于同年 6 月 10 日前往现场进行了清理发掘工作。该墓已被破坏，应为长方形单室券顶墓。葬具已腐朽，故形制不清，人骨大部腐烂。据清理时所见人骨分析，应为 2 人合葬墓，头北脚南，葬式已无法辨认清楚。随葬品均为陶质明器，共 31 件。该墓的时代，简报推断为东汉初期。

阜新市

辽阳市

148.辽阳三道壕西汉村落遗址

作　　者：东北博物馆　李文信等
出　　处：《考古学报》1957 年第 1 期

1955 年 5 ～ 9 月，于辽阳市北郊 1.5 公里处的三道壕村，发掘出西汉村落遗址。简报分为：一、农民居住址，二、铺石大路，三、砖窑址，四、结语，共四个部分。有照片、拓片。

据介绍，共发现农民居住址 6 处、水井 11 眼、砖窑址 7 座、铺石道路 2 段。出土遗物多达 19 万多件，主要为陶、瓦片。另外发现儿童瓮棺葬 368 座，此次不予介绍。简报称，这是 1 个公元前 200 年到公元 25 年间的西汉村落遗址，农民宅院分散孤立，规范简陋。生产工具也很简陋，但不少居所出土有车器、牛马骨，且绝大多数农户有牲畜栏，家家积肥，粮食加工不用杵臼而用旋转式陶磨。筑井技术发达。此村落似乎在一次较大动荡后而逐渐废弃。

149.辽阳市棒台子二号壁画墓

作　者：王增新

出　处：《考古》1960 年第 1 期

此墓是在 1956 年夏初发现，辽宁省博物馆于 1957 年 6 月发掘清理。墓在辽阳市东北郊 4 公里的棒台子屯东约 200 米的平地上，西北约 1 公里处为 1 号壁画墓，东南 500 余米处即车骑墓，3 墓恰好在一条直线上。简报分为：一、墓室结构，二、葬式和遗物，三、壁画，共三部分，有照片。壁画室已迁回博物馆保存。

据介绍，墓顶上距现地表 0.9 厘米，地面已无封土痕迹。椁室平面作"工"字形，系用大块南芬岩板石支筑，石灰勾缝，建筑规模较大。墓内可能是丛葬 6 人，骸骨均经人翻乱，墓中遗物有陶器、铁器、银器、铜器和漆器残片等，墓内主要壁面都有彩色壁画。据简报推断，墓葬的年代当在汉魏之际。此墓墓室结构与邻近已发现各壁画墓基本相同，但墓有前、侧两门实为过去所未见。

简报称，出土的五铢钱及陶器的形制和隶书的字体，均有东汉晚期及其以后的特点。就壁画内容看，也与时代较晚的 1 号墓有相似之处。这些情况说明这座墓葬的年代最晚不会晚于魏，更恰当一点说，当在汉魏之际。

150.辽宁辽阳县南雪梅村壁画墓及石墓

作　者：王增新

出　处：《考古》1960 年第 1 期

南雪梅村位于辽阳市东南 17 公里处，属辽阳县安平区小屯乡。1957 年 5 月初在这里清理、发掘的壁画墓和石墓，位置都在南雪梅村北约 400 米的稻田中。壁画墓（编为 1 号）位于东面，于 1956 年 4 月发现；石墓（编为 2 号）位于西面，是在清理壁画残墓的同时，在附近发现的。两墓都用大青石板构筑，石灰抹缝。壁画墓早经盗掘破坏，部分棺室被毁，骨殖翻乱，遗物大多残碎。石墓保存完好，墓内未经破坏。简报分为：一、第 1 号壁画墓；二、第 2 号石墓，共两个部分。有手绘图、照片。

简报介绍，这两座墓的椁室结构基本一致，也与棒台子等地的壁画墓形制相似。1墓2门，又和棒台子2号壁画墓相同。两墓同为家族合葬墓，殉葬遗物尤其是陶器形制都具有相同的风格。根据墓葬形制和出土遗物，简报推断两墓的时代应当是汉魏之际。

151.辽阳旧城东门里东汉壁画墓发掘报告

作　者：辽宁省博物馆、辽阳博物馆　冯永谦、韩宝兴、刘忠诚、邹宝库、
　　　　柳　川、肖世星
出　处：《文物》1985年第6期

1983年11月6日，辽宁省辽阳市旧城东门里文庙街居民在庭院内建永久性菜窖过程中，发现1座石板支筑的壁画墓。辽阳市文化局和辽宁省文化厅闻讯后，即至现场调查，并采取了一定的保护措施。随即，辽宁省文化厅通知辽宁省博物馆文物队与原辽阳市文物管理所对此墓进行清理，并对壁画作了临摹。壁画墓的清理工作，于11月16日结束。简报分为：一、墓葬情况，二、随葬器物，三、壁画，四、壁画的特点与艺术风格，五、关于墓葬年代和墓主人身份，六、结语，共六个部分。有手绘图、照片。

辽阳旧城东门里壁画墓，在辽阳地区历年来所发掘的壁画墓中是1座较为重要的墓葬。这座墓葬在发现前墓室未遭受任何扰动，保存完好，墓室内渗入的淤土很少，随葬品与人骨等基本保持原位。更重要的是遗物十分丰富，仅陶器一项即达62件之多，并且各类器物齐备，组合关系明确。墓室内的多幅壁画基本得到保存。从壁画内容、技法等方面看，不少是过去所不见的材料，颇值得珍视。简报推断辽阳旧城东门里壁画年代，大致为东汉中期偏后，应是一座家族合葬墓。简报称，东门里壁画墓在辽阳地区是一个较为重要的考古发现，具有标尺的意义。

152.辽宁辽阳南郊街东汉壁画墓

作　者：辽宁省文物考古研究所　梁振晶等
出　处：《文物》2008年第10期

2003年11月，辽阳市文圣区南郊街北侧的辽阳电力设备有限公司在建设厂房时，发现了1座石板壁画墓。2004年3月中旬至4月初，考古人员对该厂区进行勘探，又发现两座石板墓。2004年4～7月，考古人员对这3座墓（从东到西分别编号为M1、M2、M3）进行了考古发掘。简报分为"一号墓（M1）""二号墓（M2）""三

号墓（M3）"""结语"，共四个部分，有彩照、手绘图。

据介绍，这3座墓均用石板筑成，壁画采用天然矿物质颜料，直接绘于青石板上。其中 M1 的壁画最为精彩，内容有云气、青山、太阳、回廊、门吏、奏事、宴饮、车马出行图等。3 座墓均曾被盗，但仍出土了大量的陶器，以及少量的玉石、铜器、铁器、骨器等。简报认为，M1 的年代为东汉晚期偏早，M2、M3 的年代为东汉晚期。M1 的墓主人可能是郡守一级，其品秩在 2000 ~ 1500 石；为夫妻合葬墓，侧室所葬当为小妾。M3 的墓主人应为县令一级，其品秩在 600 ~ 300 石。M2 墓主人的身份应在 M3 之上，其品秩在 1000 ~ 600 石。

153.辽宁省辽阳市肖夹河墓地发掘简报

作　者：辽宁省文物考古研究所　白宝玉、徐　政

出　处：《北方文物》2010 年第 1 期

2009 年 4 月考古人员调查发现了肖夹河墓地，墓地位于辽阳市太子河区肖夹河村村南，共发掘墓葬 3 座。按照墓葬结构可分为砖室墓及石室墓两种，其中砖室墓 2 座、石室墓 1 座。出土有陶器、银器、石器和铜钱（五铢钱）。从墓葬形制和随葬品来看，墓葬年代分别为西汉晚期和东汉中、晚期。简报分为：一、砖室墓，二、石室墓，三、结语，共三个部分。有手绘图、照片。

据介绍，砖室墓 2 座（M1、M2），M1 为无墓道土圹砖室墓，曾被盗。出土有陶器等，年代简报推断为西汉晚期至王莽前后。M2 出土有陶瓶，上有"田"字铭文陶耳杯、陶灶等，还出土有东汉五铢钱。简报推断年代为东汉中期。M3 为土圹石室墓，由墓道、墓门、墓室 3 部分组成，平面呈"甲"字形，墓口距地表深约 1.5 米。墓内葬有人骨 2 具，保存较差，仅存肢骨及脊椎骨，不见头骨，性别和年龄不详。随葬品有陶器和石器，共 7 件（其中包括被盗扰到填土中的陶瓷），陶器有盆、瓷、釜，石器为石砚。简报推断时代为东汉晚期。

154.辽宁辽阳苗圃墓地西汉砖室墓发掘简报

作　者：辽宁省文物考古研究所　李龙彬、李海波、司伟伟、姚志勇、王晓磊、
　　　　穆启文、李　霞、王　宇

出　处：《文物》2014 年第 11 期

苗圃墓地位于辽宁省辽阳市太子河区曙光镇辽阳市农林科学院苗圃院内，地处太子河西岸台地。2008 年初，考古人员对辽阳市农林科学院苗圃院内建设用地进行

勘探，发现了多座汉魏时期墓葬。2008 年 5 ～ 11 月，对墓地进行了发掘，共发掘墓葬 21 座，其中石筑墓 19 座、砖室墓 2 座。2 座砖室墓（M20、M21）位于墓地南部，东、西并列，相距约 5 米。这 2 座砖室墓的发掘情况，简报分为：一、M20，二、M21，三、结语，共三个部分。有照片、手绘图。

据介绍，此次发掘的 M20、M21 均为砖室墓，墓室券顶已塌陷，损毁严重，其中 M21 曾遭盗掘。简报推断：M20 的时代为西汉中晚期，墓主身份及政治地位较高；M21 为同时期墓葬。两墓位置相邻，且并列分布，简报推测存在血缘关系。M20 的墓主人可能为西汉王朝派驻辽东郡郡治"襄平"的汉官。

盘锦市

铁岭市

155."匈奴西岔沟文化"古墓群的发现

作　者：孙守道
出　处：《文物》1960 年第 8、9 期合刊

西岔沟位于辽宁省西丰县乐善乡执中村西北 500 米处，那里有 1 座依山傍河的小山，就在这座小山峰上，发现了与汉族历史文化有密切关联的属于匈奴文化系统的古墓群，这是我国考古工作上一次重要的发现。出土的文化遗物，在种类上、数量上都十分丰富，除了匈奴文化系统遗物之外，还包含一部分汉族文化遗物。经过整理研究，认为这是 1 处属于古代游牧部族的墓地，时代相当于西汉的早期到中期。由于两种文化遗物出土于同 1 处墓葬群中，地点又恰在汉代辽东郡外北边，因此这群古墓的发掘对研究古代各族文化之间的交流有重要的意义。简报分两部分，有照片。

据介绍，这一墓群于 1956 年 5 月间发现，由前东北博物馆文物工作队清理发掘，自 5 月 29 日开始，至 9 月 7 日结束。共清理了 79 处清理区（每区为 150 平方米），挖出土方约 8500 立方米，清出文物 6264 件；发掘存留下来的墓葬 63 座，新出土文物 2247 件；小遗址 1 处，也出土了一些文物。前后共计 13850 余件。

简报称，不难想见在这一历史时期内，汉、匈奴两族在经济、政治、军事和文化上的密切联系和相互交往。

156.辽宁铁岭邱家台发现窖藏钱币

作　者：铁岭市博物馆　辛占山、曹桂林

出　处：《考古》1992 年第 4 期

1973 年，在铁岭市新台子镇邱家台村发现了一批战国、秦、汉时期的钱币。为了解清楚这批钱币的出土情况，考古人员先后几次进行了实地调查。1982 年进行了 1 次试掘，发现了大量战国陶片以及青铜剑、货币等，同时出土了汉代的板瓦、瓦当、铁镢、铜带钩等。从发掘的遗物和遗迹看，此处是 1 个战国到汉初的大面积的村落遗址。1973 年发现的钱币，简报配以手绘图、拓片予以介绍。

据介绍，1973 年 7 月中旬，接到新台子镇邱家台村发现古代钱币的报告，考古人员前去调查，了解到货币发现于新台子砖厂（位于邱家台）的制坯车间，距地表约 1 米深。据发现者讲述，钱币分别装在 2 个灰陶罐里，1 罐为刀币，1 罐为布币及"一化""半两"。

考古人员对这批出土时粘连在一起的货币进整理，共清理出完整货币 15582 枚，其中布币 2415 枚、刀币 331 枚、"半两"130 枚、"一化"12706 枚。从出土钱币上出现的城邑名称看，属于战国的城邑有 13 个、韩国的 7 个、赵国的 20 个、燕国的 5 个等。秦、汉钱币有"半两"。从出土钱币的数量看，在 15582 枚中，燕国钱币有 15123 枚，说明这一地区流通的主要是燕国钱币，也有少量赵、魏钱币，后者可能是通过贸易交换来的。此窖藏的时代，简报推断大约在西汉初年，说明西汉初年战国货币仍然大量使用。

朝阳市

157.辽宁建平县两座西汉古城址调查

作　者：李宇峰

出　处：《考古》1987 年第 2 期

1981 年 5、6 月间，考古人员在辽西山区建平县考古调查时，分别在三家乡西胡素台村和万寿乡扎寨营子村附近调查了 2 座西汉古城址。简报分为：一、西胡素台古城址，二、扎寨营子古城址，三、小结，共三个部分。有照片、手绘图。

据介绍，2 古城虽曰"城"，但都不大，如西胡素台古城址长、宽各 300 米左右，城垣、城门保存不好，出土遗物有陶片、筒瓦、板瓦、瓦当、货币、铜镞、铁器等。

简报推断为西汉古城。简报认为西胡素台古城址出土"安乐未央"圆瓦当一事亦较重要，该城址亦具备县城一级的规模，初步推测应当是汉代右北平郡下属的 1 座县城址。考古调查的结果也与史书失载的西汉右北平郡尚未确指的四县情况基本吻合。因此简报倾向认为：西胡素台古城址应是失载的廷陵、赘、平明聚、阳 4 县之一。至于到底是哪座县城，有人撰文论证该城地近右北平郡北部边塞，正处着黑城子东北的老哈河通道，认为是都尉治赘县之所在，简报认为这尚待进一步工作和新的考古材料的印证。

158.辽宁朝阳袁台子西汉墓 1979 发掘简报

作　者：辽宁省博物馆文物队　李宇峰等
出　处：《文物》1990 年第 2 期

袁台子古墓群位于朝阳市西南 10 余公里的大凌河南岸台地上，西北距西汉辽西郡柳城遗址约 1 公里，东北毗邻凤凰山，四周为绵亘起伏的丘陵。墓群被朝阳—建昌公路分为东、西区。1979 年 8 ～ 10 月，考古人员对此墓群进行了第 1 次发掘，发掘春秋战国至西汉墓葬共 200 余座。墓葬按区依发掘先后统一编号。简报分为三个部分，配以照片、拓片、手绘图，先行介绍了这次发掘的 49 座西汉墓葬的情况。

据介绍，西汉墓葬在东区有 40 座，西区有 9 座。墓葬形制分土坑墓、石室墓、砖室墓和石筑废窑址小孩墓。其中，单人葬墓 40 座，2 人合葬墓 8 座，3 人合葬墓 1 座。单人葬墓中，墓主为男性的 17 座，女性的 10 座，其余因尸骨已朽，性别不明。直肢葬 43 座，屈肢葬 2 座，另 4 座葬式不明。46 座墓有随葬品，最多的 50 余件，最少的 1 件。随葬品有陶器、铜器、铁器、银器、漆器、骨器和货币等，详见简报所附登记表。简报推断这批西汉墓下限应止于新莽之前。整个墓地似由东区起始，逐渐扩展至西区，至新莽时就已废弃了。

简报指出，中原地区砖室墓始于汉代，边远地区略晚。此次发现的西区 M1，是辽西地区第一次发现的西汉砖室墓，它将此地区用砖砌筑墓室的年代向前提到了西汉晚期。

简报认为，袁台子墓地的形成及废弃，应与同时发掘的西汉辽西郡柳城故址有密切关系。柳城存在的时间约在西汉中期之前，是当时辽西郡西部都尉治所，地理位置重要。袁台子西汉墓群的分期统计表明，约占 70% 的墓葬的年限与柳城存在的时间相符，说明可能自柳城迁徙以后，墓地也就逐渐废弃了。从墓地和城址出土的遗物看，共存的陶器有罐、盆、豆、钵、瓮等生活实用器。而彩绘陶鼎、盒、壶等仅见于墓葬，应为明器。袁台子西汉墓群墓地应是柳城的 1 个茔区。

159.朝阳十二台营子附近的汉墓

作　者：田立坤、万　欣、李国学

出　处：《北方文物》1990年第3期

十二台营子位于朝阳市（十六国时三燕之龙城，隋唐之营州柳城，辽金元之兴中城）南约12公里的大凌河谷地。1979年辽宁省文物普查时，发掘了十二台营子东的袁台子村北遗址，并在距遗址北约1公里处发现了烧制"柳城"款板瓦的窑址。由遗址向东越过公路循缓坡而上即为1处山岗，俗称王坟山，王坟山的西坡上分布有大批的春秋战国到魏晋时期的墓葬。据此并结合文献资料分析，简报确认西汉辽西郡属县柳城就在十二台营子附近的大凌河谷地。清理及征集了部分资料。简报分为：一、王坟山墓，二、徐台子墓，三、各墓时代推断及几点认识，共三个部分。有手绘图、拓片。

据介绍，营子砖厂85M1出土的四乳草叶纹镜在中原地区主要流行于西汉前期和中期，2件带钩也是比较早的形制，流行时代不晚于西汉中期。因此，简报推断此墓的时代大致相当于西汉中期。

86M1出土的昭明重圈镜在中原地区流行于西汉后期，出土的两面铜印形体较小，亦是西汉铜印的特征。因此，此墓的时代简报定为西汉后期。

徐台子85M1所出"小泉一直"，简报认为为断代提供了直接依据。此墓上限不超过公元9年，下限或可到东汉初年。

160.辽宁朝阳袁台子发现汉魏鲜卑牌饰陶范

作　者：于俊玉、孙玉铁

出　处：《北方文物》2009年第2期

2005年6月，考古人员在朝阳县袁台子村进行文物勘查时，发现40余件矩形牌饰陶范，纹饰有鹿纹、火焰纹等。年代应在汉魏时期。简报配以照片、手绘图子以介绍。

据介绍，出土地点位于朝阳市区南约14公里的大凌河南岸的袁台子村西部耕地上。东北约1.5公里即为西汉柳城遗址，南约200米为袁台子东晋壁画墓，东约1公里为战国至魏晋时期的王坟山墓地。陶范均为残块。简报认为，作为鲜卑文化代表性器物的鹿纹牌饰陶范出现于袁台子不是偶然的。这里不仅是西汉柳城故地、东北军事重镇，而且也是慕容鲜卑活动的重要区域。慕容鲜卑在辽西先后有两个中心活动区域，一是建国前和建国初以棘城为中心；二是自公元342年起，中心移到并建立三燕政权的龙城。在两个中心区内均发现这种矩形牌饰实物，而袁台子又发现了这些牌饰陶范，说明袁台子就是铸这些牌饰的主要铸造作坊区。

葫芦岛市

吉林省

长春市

161.吉林榆树县老河深鲜卑墓群部分墓葬发掘简报

作　者：吉林省文物工作队、长春市文管会、榆树县博物馆　张　英、王　侠、
　　　　　何　明

出　处：《文物》1985 年第 2 期

　　1980 年夏，吉林省榆林县老河深村农民在村外挖沙时，发现 1 处古代墓葬。考古队到现场进行了发掘。1981 年夏发掘结束。共发掘西团山文化时期房址 2 处，汉代鲜卑墓葬 128 座，隋唐时期靺鞨墓葬 37 座，出土文物 4000 余件，发掘面积 7000 平方米。简报分为"1、11 号墓""56、57、58 号墓""几点认识"，共三个部分，有手绘图、照片。

　　据介绍，老河深村北距榆树县城 30 公里，地处松嫩平原，濒临西流松花江。1、11 号墓为男女异穴合葬墓，56、57、58 号墓为 1 男 2 女异穴合葬墓。男右女左，随葬品多为生前使用的生产、生活用品。随葬品男性较多，女性较少。男女皆佩颈饰及耳饰，耳饰有金质、银质、铜质。男性多随葬大宗兵器及马具，诸如剑、矛、镞、箭囊及车辔、马衔等；女性则多随葬银质或铜质腕饰。随葬品放置有一定的规律：生产、生活用具多置头前，车马具则多陈放足下；装饰品放置于身体的相应部位。男性墓中，兵器顺放腰际，剑锋向下，矛头朝上；箭囊斜挎腰际，甲胄堆放脚下。简报推断此处为东汉初期或略晚时鲜卑族的墓地。

162.吉林农安县邢家店北山墓地发掘

作　者：吉林省文物考古研究所　庞志国

出　处：《考古》1989 年第 4 期

　　邢家店北山墓地，位于吉林省农安县城东北部 64 公里的青山口乡青山口村邢家

屯北250米的西流松花江南岸台地上。1985年7月，农安县文物管理所在编写文物志、进行文物普查时发现了这个墓地。1986年5～7月，吉林省文物考古研究所在农安县文管所的配合下，对该墓群进行了正式发掘，共清理了26座墓葬。简报分为：一、地层，二、墓葬，三、出土遗物，四、初步认识，共四个部分。

据介绍，邢家店北山墓地有单人葬、双人葬、三人葬和多人葬，有一次葬，有一二次混合葬，说明了以血缘家庭为主体的埋葬方式在这里相当普遍。在三人葬、多人葬中，往往男性在中间而女性在两侧，反映出男性占有中心地位，这种埋葬习俗对晚于此墓地的吉林省榆树县大坡乡后岗村老河深汉墓有着直接的影响。邢家店北山墓地中的墓葬，随葬品较少，一般只有1件，最多的只有3件，而且以陶器为主，反映出当时落后的经济状况。但值得注意的是M11，墓主人无随葬品，只在肱骨上放着1个小孩的头骨殉葬。这种随葬方式为首次发现，是研究这个时代这一地区的重要实物资料。

简报称，农安青山口邢家店北山墓地从葬俗和出土遗物看，有其自身的特点，这种文化类型目前在吉林省发现的比较少。从M15出土的木炭，经国家文物局文物保护科学技术研究所测定碳14距今2160±70年，树轮校正年代距今2150±85年，相当于西汉前期。

163.吉林农安县邢家店北山墓地的古代人骨

作　者：朱　泓、王培新
出　处：《考古》1989年第4期

本文的人骨材料采自吉林省农安县青山口乡邢家店屯北山古代墓地。该墓地位于西流松花江南岸，西南距农安县城64公里。1986年夏，考古人员对该墓地进行了正式发掘，共清理墓葬26座。

简报称，据碳十四年代测定，该墓地的年代大致相当于西汉前期。由于墓地中人骨保存情况甚差，故仅采集到3例颅骨标本，其中1例（M11：A）较为完好，另外两例（M11：B和M14）为残颅。尽管如此，邢家店北山基地的人骨仍不失为一份颇有意义的人类学资料，为我们探讨东北地区古代居民的体质类型和种属源流增添了科学的依据。简报配以照片予以介绍，另附有"邢象店M11：A男性颅骨测量表"。

据介绍，邢家店M11：A标本为1个中年男性个体，M11：B标本为1名5岁左右的儿童；M14标本为1个老年女性个体。邢家店M11：A颅骨的主要颅面形态特征，表明其属于亚洲蒙古人种范畴。通过与亚洲蒙古人种各类型进行比较，可以看出该颅骨与东北亚蒙古人种之间存在着更为接近的关系，同时又体现出某些和东亚蒙古人种较为近似的体质因素，而与北亚蒙古人种尤其是与南亚蒙古人种之间存在着较大的体质差别。与蒙古人种 7 个古代组比较，邢家店 M11 ：A 颅骨与完工组之间具有较多的一致性，同时也表现出与南山根组、骚达沟组和南杨家营子组在某些个别项目上存在着不同程度的接近关系，而与扎赉诺尔、郑家洼子和西团山三组之间的关系相对较为疏远。

吉林市

四平市

辽源市

通化市

164.集安县上、下活龙村高句丽古墓清理简报

作　　者：集安县文物保管所　孙仁杰
出　　处：《文物》1984 年第 1 期

　　为了配合老虎哨水电站工程建设，考古人员在麻线乡的上活龙村和下活龙村清理了一批高句丽古墓。发掘工作从 1982 年 5 月开始，至同年 10 月结束。简报分为：一、上活龙村古墓群，二、下活龙村古墓群，三、出土遗物，四、几点看法，共四个部分。有手绘图等。

　　据介绍，上活龙村高句丽古墓群位于集安县城西南 8 公里处，共有 14 座，均在村北的冲积平地上，东距鸭绿江 320 米，当地群众称后山。清理的 14 座高句丽古墓，可分为积石墓 3 座、阶坛积石墓 5 座和封土洞室墓 6 座 3 种形制。简报推断年代为南北朝时期。

　　相距不远为下活龙村高句丽古墓群，有些墓很小，简报认为是二次葬或儿童墓。简报推断年代约在东汉时期，下限不晚于汉魏之交。

165.吉林集安高句丽国内城马面址清理简报

作　　者：吉林省文物考古研究所、集安市文物保管所
出　　处：《北方文物》2003 年第 3 期

1990 年 5 月，集安市建筑公司在国内城北墙外施工时发现 1 处马面址。考古人员对该址进行了抢救性的清理发掘，发掘面积 150 平方米。简报分为：一、地理位置，二、马面形制，三、几点认识，共三个部分。有手绘图。

据介绍，国内城位于集安市城区内，呈正方形，周长 2686 米，每面城墙均设马面，墙之四角筑有角楼。这次清理发掘的马面址西距北城墙豁口 5.5 米。清理时地表不见任何遗迹。从以往调查材料看，国内城每隔一定的距离修有马面，每面城墙马面数量不一：东墙 2 个、西墙 2 个、南墙 2 个、北墙 8 个，共计 14 个。此次发掘的马面是北墙 8 个之外的一处，那么此墙现应有马面 9 个，总计应为 15 个。另外，还发现了怀疑是北城门的豁口。

简报称，公元 3 年高句丽迁都于集安国内城，一直到公元 427 年，国内城始终为高句丽政治、经济、文化的中心，甚至由此迁都之后，这里仍是 1 个人口稠密、经济繁盛的重要别都。

简报指出，根据过去调查材料来看，国内城原是汉代土城，高句丽人在汉代土城之上又修筑了石砌墙垣。此次发掘马面的地下部分比较完整。这次发掘对于弄清高句丽时期城墙与马面的构筑关系以及研究国内城的布局结构、防御措施等情况，具有一定的价值。

166.吉林省集安市实验小学发掘地点考古发掘简报

作　　者：吉林省文物考古研究所、集安市博物馆　　王志刚、郭建刚、李　丹
出　　处：《北方文物》2009 年第 4 期

2008 年 6 月，为了配合集安市城市建设，考古人员对集安市实验小学东侧小操场进行了考古发掘。发掘地点位于国内城南部，距国内城南城墙约 65 米。出土了少量高句丽时期的瓦件和陶器残片等遗物。简报分为：一、地层堆积，二、文化遗物，三、结语，共三个部分。有手绘图。

据介绍，出土有瓦当、板瓦、筒瓦等建材及部分陶片。石刀 1 把，采集所得。另外还出土了 1 枚"开元通宝"。简报称，从现场看，此处应有高句丽时期建筑，但因遗迹、遗物太少已无法复原。从出土瓦当看，此遗址应为新莽至东汉初时遗存。

167.集安市太王镇新红村高句丽积石墓群发掘简报

作　者：吉林省文物考古研究所、集安市博物馆
出　处：《北方文物》2012 年第 3 期

2011 年，考古人员对新红村积石墓群的 8 座墓葬进行了发掘。这批墓葬均为椭圆形或近圆形的小型积石墓，墓葬规模大小不一，外观呈丘状。大部分墓葬长径方向均为北偏西。墓葬表面均有碎山石覆盖的封石层，无坛、无圹、无随葬品。这批墓葬年代可能为高句丽建国前后，其性质很可能与战争祭祀有关。结合新红村高句丽墓葬的分布情况，推测新红村在高句丽时期很可能是高句丽北道上的重要交通枢纽。简报配以手绘图予以介绍。

据介绍，高句丽积石墓群位于集安市太王镇新红村三组，西南距集安市区约 17 公里，为配合水利建设于 2011 年 6～8 月进行了抢救性发掘。共发现墓葬 32 座，发掘 8 座。高句丽统治时间为公元前 37 年至公元 668 年。简报认为此处为西汉时期高句丽 1 处战争祭祀点，此后逐渐发展成为高句丽北道上一处交通枢纽。

白山市

松原市

168.吉林省松原市后土木墓葬清理简报

作　者：松原市博物馆　郑新城
出　处：《北方文物》1998 第 2 期

1993 年 3 月 24 日，松原市扶余区朝阳乡后土木村村民，在村东 2 公里的沙岗上挖沙子时发现 1 处墓葬群。墓群部分已被村民破坏，考古人员进行了抢救性发掘。简报分为：一、墓葬形制，二、出土器物，三、结语，共三个部分。有手绘图、照片。

据介绍，因墓葬多遭破坏，已无价值，考古人员仅清理了 1 座墓葬，此墓为长方形土坑竖穴双人墓，长 2 米，宽 1.5 米。尸骨已朽，未见葬具。随葬品有红褐色陶壶 1 件、铜泡 4 件等。另从村民手中收集到陶器、铜镞、铜耳环等。

简报认为，此墓应属汉书二期文化遗址，年代大致相当于中原地区的汉代。

白城市

169.通榆县兴隆山鲜卑墓清理简报

作　者：吉林省文物工作队
出　处：《黑龙江文物丛刊》1982 年第 3 期

1978 年 8 月，吉林省通榆县兴隆山公社长胜大队四队 1 名农民在挖草药时发现 1 座古墓，1979 年 3 月考古人员到现场调查，5 月进行了清理。简报分为：一、清理经过，二、出土遗物，三、小结，共三个部分。有照片。

据介绍，兴隆山公社位于通榆县西部，东距县城开通镇约 50 公里。古墓位于公社所在地西北约 6 公里的兴隆大队迎新西队（毡匠铺）西南约 1.5 公里处的一个沙岗上。为 1 座长方形竖穴土圹墓，未见葬具。据发现者介绍，墓内由东而西并排排列着 4 架人骨，都是成年人，头向西北，仰身直肢。此外，尚发现有马、羊、牛等动物碎骨。墓内文物有的被百姓取走，清理和征集有 378 件遗物，计有陶器、铜器、金器、五铢钱等。该墓的时代，简报推断为西汉晚期墓。墓主人应为鲜卑人。

延边州

170.吉林汪清县百草沟遗址发掘简报

作　者：王亚洲
出　处：《考古》1961 年第 8 期

百草沟距汪清县城西北 15 公里，位于长白山麓山谷中，当图们江支流嘎呀河的一个河谷平原中部。1952 年，吉林省延边朝鲜族自治州汪清县百草沟中学学生在该区新华间采集了很多石器。考古人员前往调查，发现了新华间后山墓葬址和新安间嘎呀河畔居住址。1953 年秋，发掘工作进行了 16 天，除发掘清理了上述墓葬址和居住址的一部分外，并在复兴间发掘了石室墓（见本刊本期第 423 页）。对于新华、新安二间调查发掘情况，简报分为"遗址概况及出土文物""初步推论"等几个部分予以介绍，有手绘图、照片。

据介绍，居住址与墓葬址是属同一时期、同一部落的遗址。2 处遗址的出土物，如陶器的胎质、形制、颜色，特别是两处发现的器底印有柞树叶痕迹的制陶技术以及石斧、石矛、石镞、环状石器和玉翠饰品等也完全相同，都可以说明两处是属于同一时期的生活和死葬的遗址。简报初步推测，这两处遗址可能属于东北古代北沃沮族的文化遗存。图们江北岸一部分为北沃沮故地，这一沿海窄长地区的许多新石器时代遗址（如延吉小营子墓葬址、汪清天桥岭墓葬址）所发现的陶器的形制、制法和石器、骨器的种类及制作技巧等方面，都与新华、新安两处遗址相同。

由出土器物简报初步推定，该遗址年代为铜石并用时代。年代下限约相当于东汉初期，即公元 1 世纪或稍晚。

171.吉林图们市曲水苗圃遗址的发掘

作　者：吉林省文物考古研究所　梁会丽、郑增万等
出　处：《考古》2013 年第 11 期

苗圃遗址位于吉林省图们市月晴镇曲水村北部的苗圃内。2011 年，为配合吉林市至珲春高速铁路的建设，吉林省文物考古研究所对苗圃遗址处在铁路施工范围内的区域进行了抢救性发掘。发现房址、陶器等遗迹 54 处，出土陶器、石器、骨器、铁器等各类遗物 200 余件。简报分为：一、地层堆积及遗存概况，二、早期遗存，三、晚期遗存，四、结语，共四个部分。有彩照、手绘图。

据介绍，早期遗存为典型的团结文化遗存。所谓"团结"文化遗存最早见于吉林省汪清县百草沟新安闾遗址，因黑龙江省东宁县团结遗址的发掘而得名。通过近些年的考古工作，学术界对团结文化已有了较为清晰的认识，可知其分布范围主要在吉林省东部的图们江流域、黑龙江省东南部的绥芬河和穆棱河一带，以及俄罗斯南滨海地区、朝鲜咸镜北道等地，时代大致在战国至两汉期间，为史籍所载沃沮人的文化遗存。早期遗存年代应为东汉时期。晚期遗存的遗迹只有一座儿童瓮棺葬，年代应为东汉偏晚期。

据简报介绍，苗圃遗址的房址内多见环绕屋壁的低矮烟道，这种由灶和低"火墙"组成的取暖设施被认为是我国北方流行的高火墙和火炕的雏形。有学者认为火炕是由公元 4 世纪前后的"火墙"演变而来，现在看来，有可能更早一些。

简报指出，苗圃遗址是近年来在图们江流域 1 次较大规模的考古发掘，为研究图们江流域的古代文明提供了新资料。团结文化的分布范围地跨中、朝、俄 3 国，对该文化的研究已成为具有较大影响力的国际性学术课题。但受已发表材料的限制，目前对该文化的深入研究尚无太大进展。

黑龙江省

哈尔滨市

172.哈尔滨市呼兰县团山遗址调查简报

作　者： 哈尔滨市文物管理委员会办公室　刘　颜、甄培秀
出　处：《北方文物》1992 年第 2 期

1986 年 6 月初，考古人员对呼兰县进行文物普查，在呼兰县西部呼兰河左岸孟家乡一带调查时，于团山村西北的岗丘上发现 1 处古文化遗址。简报分为：一、地理环境和地层堆积，二、遗迹，三、遗物，四、结语，共四个部分。有拓片、手绘图。

据介绍，团山村位于呼兰县孟家乡西北约 4 公里处，属孟家乡管辖。从遗址断面发现灰坑 2 个、房址 1 座和墓葬 1 座。灰坑形状均为筒形，内含有陶片、鱼骨、兽骨等遗物。房址大约是方形半地穴式。房内遗物有陶器、鱼骨等。由于时间紧迫，未能清理，故对其建筑情况尚不清楚。墓葬已被雨水冲刷掉大部分，形制为土坑竖穴式，残长 70 厘米，宽度不详。从发现的人牙情况初步判断，墓内葬有 3 人，墓旁有牛的骨骼，墓内未见任何遗物。该遗址遗物大多数是陶器，其次是石器，仅 2 件石斧，未见骨器。陶器质地可分为夹砂、细砂、泥质 3 类，陶色有灰褐、黄褐、红褐 3 种。陶器中完整的较少，多为陶片。陶器均为手制，有些器表经打磨，个别的还经磨光处理。简报推断年代为汉书二期，大致相当于中原地区的汉代时期。

173.黑龙江省阿城市出土青铜短剑

作　者： 全景阁
出　处：《北方文物》1992 年第 3 期

1991 年 9 月，阿城市大岭乡青年农民吴双权将 1 件残断的青铜短剑送交阿城市金上京历史博物馆。短剑是其内弟梁成刚于 1990 年 5 月在大岭乡新兴村上雷木屯西北约 2 公里处的一撮毛山上发现的。这件双禽回首柄的青铜短剑，剑身已折为 3 段。

剑身稍残，残长45.7厘米。据专家鉴定，该剑为西汉初年夫余之文物。它的出土，为研究夫余文化提供了新的实物资料。

174.黑龙江省依兰县桥南遗址发掘及相关问题

作　者：黑龙江省文物考古研究所、依兰县文物管理所　李砚铁、刘晓东、王建军
出　处：《北方文物》2000年第1期

1997年5～10月，为配合哈同公路建设，考古人员对依兰县桥南遗址进行了勘探和发掘，发掘面积近600平方米，清理出房址6座、窖穴（包括灰坑）19个、灰沟5条，出土各类文物标本500余件，取得重大成果。简报配以手绘图等予以介绍。

据介绍，桥南遗址位于依兰县城南部约1.5公里处的牡丹江东岸（右岸），属于二级阶地。遗址的西北即牡丹江新公路大桥。由新桥再向北约200米，即为旧江桥，由于遗址主要分布在桥东头的南侧一带，故称"桥南遗址"。遗址西北约3公里，是牡丹江与松花江汇合处。该遗址是1979年对松花江、牡丹江流域进行文物普查时发现的。该遗址可分为一、二两期，桥南一期的年代在公元前15世纪至公元前4世纪，大致相当于战国时期。桥南二期的年代在公元前2世纪至公元前1世纪，大致相当于西汉时期。简报称，在属于桥南一期的5号房址内，发现4套完整的磨谷器（磨盘、磨棒），在该房址的陶瓮中发现已碳化的粉状物质，疑为面粉。加之5号房址规模也较大，地面修有专门用来放置陶器的坑穴，简报认为5号房址是1处粮食加工作坊。这也是黑龙江地区诸考古文化遗址中保存最好的专门加工粮食的作坊，表明当时的农业生产已发展到较高水平，粮食是日常生活中的主要食品。遗址中发现有较多的兽骨和鱼骨，前者可识别种类的有鹿骨、马骨、牛骨、猪骨等，以鹿骨最多。结合遗址中出土的种类繁多的骨镞、石镞、鱼镖等，说明畜牧业、渔猎业也有相当程度的发展。

175.黑龙江方正于家屯汉代遗址发掘简报

作　者：黑龙江省文物考古研究所　田　禾、魏明江、常志强等
出　处：《文物》2009年第6期

于家屯遗址位于黑龙江省方正县松南乡东升村于家屯西南，北距松花江3公里，西距蚂蜒河（当地俗称"蚂蚁河"）约1公里。遗址坐落在1处低矮岗地上，范围约30000平方米。2005年，黑龙江省文物考古研究所在进行考古调查时发现了该遗址。2007年11月，对该遗址进行了首次发掘。2008年6～8月，又对该遗址进行了第2

次发掘。为了便于区分，将 2007 年发掘区定为 I 区，2008 年发掘区定为 II 区，两区东西相距 140 米。其中 I 区位于遗址东南部。两次发掘共清理房址 9 座、灰坑 3 座、墓葬 4 座，出土遗物近 500 件。简报分为：一、地层堆积，二、生活遗存，三、墓葬，四、结语，共四个部分。有照片、手绘图。

据介绍，于家屯遗址出土的生产工具中，占较大比例的是不同质料的镞、锥、网坠。同时，遗址内出土了大量的鹿、狗、牛、熊、野猪、狍子、兔、鼠、鱼、河狸、蚌、鸟等动物遗骸。该遗存房址的建造很有特色，而且都有 1 个高于中心地面的缓坡二层台，这在黑龙江省尚属首次发现。房址中出土有山核桃、山杏、橡子、菱角。这表明，当时人们以渔猎和采集为主。而铁镬和石磨棒、石斧的出现，说明原始农业已经出现。但由于出土工具数量较少，简报推测，农业在当时的经济领域应当处于辅助地位。

于家屯遗址的年代，简报认为约相当于中原地区的两汉时期。

齐齐哈尔市

鸡西市

鹤岗市

176.黑龙江省绥滨县四十连遗址发掘报告

作　者：黑龙江省文物考古研究所
出　处：《北方文物》2010 年第 2 期

1978 年，考古人员对二九○农场四十连遗址进行了发掘，清理房址 3 座，发现了一些手制的陶器和少量的石器、铁器。简报分为：一、地层堆积，二、遗迹，三、结语，共三个部分。有手绘图。

据介绍，共发现 3 座房址，均为半地穴式木构建筑，都靠近遗址东头，排成一排，彼此间距大体相同，在 2 米左右，结构都较简单，房内有少量陶器和生产工具。其中 F1 面积 23 平方米，F2 面积 24 平方米，F3 应为 F2 存放杂物的附属建筑。

简报称，如夏原，应都是 1 种窝棚式建筑。此遗址属于所谓的"同仁文化一期"遗存，年代相当于西汉至东汉时期。

双鸭山市

177.黑龙江省双鸭山市滚兔岭遗址发掘报告

作　者：黑龙江省文物考古研究所　谭英杰、李延铁、金太顺
出　处：《北方文物》1997 年第 2 期

双鸭山市位于黑龙江省东北部，1981 年发现滚兔岭遗址，1984 年首次发掘。简报分为：一、地层堆积，二、遗迹，三、遗物，四、结语，共四个部分。有照片、手绘图。

据介绍，遗址地处双鸭山市以北 6 公里与集贤县交界处的滚兔岭上，隶属双鸭山市尖山区。发现的遗迹主要为房址。房址主要分布在滚兔岭的南坡和西坡，发掘以前从地表观察，只是一些大小不等的锅底形圆坑，经发掘证实，这些圆坑均为正方形房址。由于后代农耕的缘故，房址的四角皆被填平而表面呈圆形。本次发掘共清理房址 14 座，可分为大、中、小 3 种规格。大型边长 9.5 ～ 10 米左右，中型边长 7.8 ～ 8.5 米左右，小型边长 5 米。小型的只发现 1 座，约 5 平方米 ×5 平方米。个别房子室内有隔墙，形成套间。该遗址共出土遗物 60 余件，主要以陶器为主，也有石器和铁器。经测定其时代为距今 2000 年左右，相当于两汉时期。

178.黑龙江省集贤县等地发现大批汉魏时期遗址

作　者：黄星坤、张兆国
出　处：《北方文物》1997 年第 4 期

1996 年 5 ～ 6 月份，考古人员对位于完达山北麓、松花江下游南岸、三江平原腹地的黑龙江省集贤县及双鸭山市的部分地区的汉魏时期遗址进行了为期 2 月余的文物普查测量工作。涉及集贤县所属的升昌镇的 7 个村屯、腰屯乡的 4 个村屯、黎明乡的 2 个村屯、沙岗乡的 8 个村屯（场）、丰乐镇的 4 个村屯、太平镇的 3 个村屯及笔架山农场的 4 个生产队，同时还普查了双鸭山市太保镇的 6 个村屯。发现汉魏时期遗址 95 处、革命遗址 3 处、日军侵华罪证遗址 16 处，复查了原有汉魏时期遗址 27 处，同时利用大平板仪测量了汉魏时期遗址 44 处。在所普查的汉魏时期遗址中，有大量的陶器残片，多为素面、手制、夹砂黄褐陶。残片为器物口沿、器底及敞口鼓腹罐上的角柱状把手。其中部分陶器口沿有纹饰，多为指

甲纹、刻划纹等。同时，还采集到陶猪等一批陶塑品。此次文物普查测量工作中，还采集到一批磨制穿孔石刀（残）、磨制小石斧、打制穿孔石器及石磨盘、石磨及1枚铁箭头。

大庆市

伊春市

佳木斯市

179.黑龙江省佳木斯市、桦南县汉魏时期遗址调查简报

作　者：佳木斯市文物管理站、桦南县文物管理所　高　波、张亚平
出　处：《北方文物》2007年第3期

2005年5月，考古人员对佳木斯市郊区南部及桦南县中部地区进行了文物遗址调查，新发现35处古文化遗址。从调查获得的资料研究分析，这些遗址的年代和文化内涵应同于汉魏时期滚兔岭文化类型的遗存。

简报分为：一、汉魏时期遗址及遗物，二、汉魏时期城址及遗物，共两个部分。有手绘图。

据介绍，佳木斯市郊区新发现汉魏时期遗址14处、城址2处；桦南县中部地区新发现汉魏时期遗址14处、城址13处、遗物点1处。在佳木斯市郊区新发现的遗址、城址，主要分布在长发镇、西格木乡、四丰乡及大来镇的低山丘陵地带；桦南县新发现遗址、城址、遗物点，主要分布在幸福乡、石头河镇及明义乡的低山丘陵地带。此次调查的遗址、城址均位于低山丘陵地带，海拔不高。城址有单垣城址及双垣城址，城垣建于山顶或山腰处。遗址内数量不等的椭圆形锅底状凹坑，均分布于山丘的阳坡处或平缓地带。这些都具有三江平原汉魏时期遗址的显著特点。在遗址中采集的标本多为夹砂黄褐陶，少量为夹砂灰褐陶、红褐陶，以素面居多，纹饰简单。

简报称，这些城址规模都不大，大一点的周长800多米，小的周长才几十米，相当于1个大碉堡。

180.黑龙江省富锦市富珍遗址调查与试掘简报

作　者：黑龙江省文物考古研究所　孙雪松等

出　处：《北方文物》2013 年第 3 期

2011 年 5 月，黑龙江省文物考古研究所在富锦市东堤二期风电场工程考古调查勘探过程中，根据第 3 次文物普查成果的线索发现了富珍遗址。为了解遗址地层情况，即在该遗址密集区域进行两处 2 米的试掘。此次发现遗物数量虽然不多，但陶片纹饰丰富。简报分三个部分进行了介绍，有手绘图。

第一部分为"文化层堆积情况"。第二部分为"遗物"，称富珍遗址内发现的遗物只有陶器残片，体积又偏小，不易判断器形，所以只能按照口沿、腹片和器底分别加以描述。

第三部分为"结语"，称此次在富珍遗址进行的田野工作时间较短，获得文化遗物数量有限，但特征较为鲜明。陶器主要为手制，质地粗糙，夹粗砂或细砂，纹饰以按压的宽附加堆纹、细附加堆纹和圆点纹、方格纹、三角纹、压划几何纹、红衣为代表。有些学者认为蚂蜒河类型与俄罗斯境内的波尔采三期接近，相当于我国的西汉至东汉时期。

简报指出，值得注意的是，富珍遗址中的附加圆点纹、压划几何纹在以往的蚂蜒河类型的遗址中还没有发现，在波尔采文化的遗址中也不多见。此次发现为深入认识蚂蜒河类型的内涵和波尔采文化在我国境内的分布情况提供了重要的资料。

七台河市

牡丹江市

181.黑龙江东宁大城子新石器时代居住址

作　者：黑龙江省博物馆　张泰湘

出　处：《考古》1979 年第 1 期

1972 年夏季，进行黑龙江省东部边境地区考古调查时，绥芬河组考古人员于东宁大城子发现 1 处新石器时代遗址。当时，生产大队砖厂取土烧砖，挖出一批文物。简报分为：一、地层堆积，二、遗迹与遗物，三、小结，共三个部分。有手绘图。

据介绍，大城子遗址位于东宁县城东 4 公里、绥芬河南岸 2 公里处。遗址为 1 个略高出周围地面的土岗，由于历年烧砖取土，遗址大部分已被挖掉 1～2 米，并有一半压在大城子古城下面。发掘地点在大城子古城西墙外约 150 米的大城子大队砖厂内。发现居住遗址 2 座，为半地穴式。出土遗物有陶器、石器、骨器等。陶器均为手制，烧制的火候较低，陶胎较厚而疏松，以泥质红陶居多，但因烧制关系，陶色不匀，常呈红褐色或黑褐色。陶器均为素面，未见有纹饰者。石器以磨制为主。据测定年代为距今 2100±85 年。相当于西汉时期。

简报称，大城子遗址地处以东宁—大城子为中心的盆地，其北为高山，形成一道天然屏障。东去日本海仅 110 余公里，这里气候温和，雨量充沛，土地肥沃。从遥远的古代起，先民们就在这块土地上生活、居住。大城子遗址出土的陶豆、陶甗和穿孔石刀、石镰等，都是黄河流域原始居民创造、使用的富有特色的生产工具和生活用具。它们在绥芬河流域出土，证明从远古起，居住在白山黑水间的原始部族就和黄河流域的古代先民们产生了密切的联系，他们共同创造了我国光辉灿烂的古代文化。

182.黑龙江海林市东兴遗址发掘简报

作　　者：黑龙江省文物考古研究所、吉林大学考古学系　陈国庆、张　伟、李砚铁

出　　处：《考古》1996 年第 10 期

东兴遗址隶属海林市三道河乡，东北距东兴村 1 公里，北距牡丹江仅 10 余米。遗址面积 30000 余平方米，南部已被砖场取土破坏，现存面积 2 万余平方米。遗址于 1992 年春被发现。1993 年春进行了第 1 次发掘，清理房址 5 座、灰坑 6 个。1993 年秋，进行了第 2 次发掘，共清理房址 8 座、灰坑 17 个，出土器物 100 余件。简报分为四个部分，配以手绘图等，介绍了 1993 年 2 次发掘的情况。

据介绍，从房址的情况看，早期房屋面积一般较大，大者近 100 平方米，晚期房屋面积较小，未知隐藏着怎样的变化。卜骨在黑龙江省为首次发现。简报测定年代为距今 2000 年左右，大致相当于西汉时期。

183.黑龙江宁安沙兰热水坑熔岩石穴遗址调查

作　　者：牡丹江市文物管理站、宁安县文物管理所　陶　刚、黄景林、王祥滨
出　　处：《北方文物》1998 年第 4 期

1990 年 10 月，考古人员在进行秋季文保单位安全检查时，根据百姓提供的线索，

在省级文保单位——洋草沟古墓群 A 区的东侧，当地人称为"热水坑"的熔岩台地中，发现 1 处有遗迹、遗物的火山熔岩石穴遗址。1991 年春，进行了第 2 次调查，采集到一些石器、陶器等遗物，并发现与之有关联的新的遗迹。简报分为：一、热水坑遗址位置与环境，二、石穴居址与石圈遗迹，三、采集遗物，四、结语，共四个部分。有手绘图。

据介绍，遗址位于宁安市沙兰镇洋草沟村东 2.5 公里处。北距沙兰镇 9 公里，南约 7 公里为镜泊湖北端水泥坝，这一带石洞不计其数，但为人类利用过的不多。此次发现有 6 处石穴居址、1 处石圈遗迹、1 座积石墓。采集有石斧 6 件及陶片等，另有唐、宋铜币。简报称，整体看石穴居址与石圈建筑遗迹应属同一时代，即同属早期铁器时代，距今 2000 年左右，相当于西汉、东汉之交时期。

184.黑龙江省穆棱市四方台遗址调查简报

作　者：裴红善

出　处：《北方文物》2006 年第 3 期

1996 年 8 月，考古人员在穆棱市福录乡四方村进行田野考古调查时发现该遗址，并采集到一批文物标本。简报分为：一、地理位置及保存现状，二、出土器物，三、结语，共三个部分。有手绘图。

据介绍，四方台遗址位于黑龙江省穆棱市福录乡四方村南 1.5 公里处。陶器均为手制夹砂陶，以黄褐陶为主。器壁厚薄不均，陶器均为素面，部分安有圆柱状器耳，可辨器形有罐、碗、杯、豆等，另有铁镢残段 2 件。简报推断此遗址属团结文化，年代大致相当于中原地区两汉时期。

黑河市

绥化市

185.黑龙江省肇东县哈土岗子遗址试掘简报

作　者：黑龙江省文物考古研究所、吉林大学北方考古研究室　陈国庆、关　强

出　处：《北方文物》1988 年第 3 期

哈土岗子遗址是 1964 年黑龙江省博物馆考古人员在对松花江中游和嫩江下游

的原始文化遗址进行考古调查时发现的。1986 年 7 月，黑龙江省文物考古研究所和吉林大学历史系考古专业组成联合考古发掘队，在对七棵树遗址进行发掘的同时，派出小分队对哈土岗子遗址进行了复查和试掘。这次试掘的主要收获，简报分为：一、地理环境和地层堆积，二、遗迹，三、遗物，四、结语，共四个部分。有手绘图。

据介绍，哈土岗子村位于肇东县城南 40 公里处，属四站镇管辖，东南距第一松花江约 1.5 公里，西距小窑村约 1.5 公里。遗址位于哈土岗子村和后屯之间的两条长条形土岗上，哈土岗子遗址发现的遗物主要是陶器。简报认为，哈土岗子在文化性质上与"汉书二期文化"相去不远（年代下限相当于西汉）。所不同的是，在哈土岗子遗址中没有发现"汉书二期文化"中富有特征的器物——船形器；而这里的鬲足比较有特征：矮裆，足短平，这在其他遗址中尚未见到。

简报称，由于发掘面积有限，基本没有发现生产工具，简报无法弄清这一地区当时居民的经济生活，但在这里发现了铁器，虽然不能证明是这当地的产品，还是从外地输入的，但至少可以确定当时人们是使用铁器的。

186.黑龙江庆安县出土玉器、石器

作　者：徐　风
出　处：《考古》1993 年第 4 期

1983 年秋，黑龙江省庆安县勤劳乡勤富村莲花泡屯村民李耀坤在屯后挖坑取土时，发现一批玉器、石器和煤精石串饰。简报分为：一、地理形势，二、出土玉器、石器形状特点，三、几点认识，共三个部分同。有手绘图。

据介绍，勤劳乡位于庆安县城东北，距县城 15 公里，地处呼兰河右岸。这批玉器、石器出土地点，即在莲花泡屯后西北约 300 米处的黄土岗上。这批玉器、石器是在深约 2.5 米的二黄土与黄土层之间发现的。因系村民掘出后在黄土堆中拣出的，已无法确切知道其层位与埋藏形式。石钺是在距此 2.5 公里左右的六道岗与七道岗之间的田间采集到的，与莲花泡屯属于同一台地。共计玉器 15 件、石器 14 件，其中 12 件为石镞及煤精石串饰等。这批玉器、石器，当为距今 2000 年左右的汉代遗物。

大兴安岭地区

上海市

187.嘉定县发现一座汉墓

作　者：孙维昌

出　处：《文物》1959 年第 11 期

上海市文物保管委员会文物普查小组于 20 世纪 50 年代在嘉定县外冈镇发现了 1 座汉墓。

这是 1 座汉代的土坑竖穴墓，墓穴离地表约 0.7 米，因遭扰乱，墓区范围无法确定，葬具和人骨架全已腐朽，墓底留有石灰痕迹。随葬器物有陶罍、陶鼎、陶盒、陶壶等 11 件。此外，有釉陶盒 2 件、釉陶壶 1 件、碎陶瓿及绳纹灰陶罐各 1 件。

根据墓葬结构、出土陶器的形制等特征，简报初步推断，这个墓葬是汉代中期的。

188.上海市青浦县骆驼墩汉墓发掘

作　者：黄宣佩、孙维昌

出　处：《考古》1959 年第 12 期

骆驼墩位于青浦县西北，为一座高约 2.5 米的土墩。1957 年曾在墩南发现战国陶罐。1959 年 5 月，考古人员在进行文物普查时发掘了汉墓 1 座。简报配以手绘图予以介绍。

据介绍，此墓为长方形土坑竖穴墓，葬具与人骨已朽。陪葬品主要为陶器，部分施有青釉。该墓年代，简报推断为西汉中期。据称这是上海发现的第 1 座汉墓。

189.上海市松江县佘山汉墓清理

作　者：孙维昌

出　处：《考古》1962 年第 5 期

佘山在上海市西南，南距松江县城约 20 公里。1961 年 8 月，上海市文管会与当地文化部门在松江县佘山地区进行文物复查时，发现了 1 座汉代墓葬。简报配以手绘图予以介绍。

据介绍，墓座坐落在东佘山的山坡下，是1座土坑墓。墓中葬具与人骨均腐朽无存。随葬品全是陶器，有甑、壶、罐等共5件。将该墓的出土器物，与过去绍兴离诸汉墓所出的器物相比，如陶壶、陶甑等，简报推断均为该处汉代中叶墓中所常见。

190.上海市松江县汤庙村古遗址调查

作　者：黄宣佩、孙维昌
出　处：《考古》1963年第1期

上海市文物保管委员会根据松江县人民委员会文化科的反映，在该县天马公社汤庙村新发现了1处古文化遗址。遗址在松江县西部、小昆山之西南、柳塔附近，恰好处于华田泾和走马塘2条大河的汇合处。根据调查，遗址地面上遍布着自新石器时代至晋代的陶瓷片、砖瓦和残石器。简报配图予以介绍。

据介绍，地面暴露遗物比较集中的地点有两处：一是在走马塘的北岸、汤庙村生产队办公室以北约100米的田野里。在这里到处可以采集到晋瓷、汉砖和几何印纹硬陶等遗物。据当地农民反映，过去在深翻耕地时也曾翻出大量带有绳纹的砖块，因此当地流传着此处为1座庙基的说法。二是在走马塘的南岸，从走马塘起沿华田泾向南延长80余米，在东西长50余米的范围内，田地上同样散布了文化遗物。共采集到石器18件、瓷碗3件等。

简报称，上海地区的古文化遗址，至今已发现的有马桥、松泽和广富林等9处。这些遗址，上层一般都相当于春秋至战国时代。至于具有穿格纹印纹陶、绳纹砖和人字纹系釉陶壶等汉代文化特征的层次，目前仅发现金山卫戚家墩遗址和此处遗址2处，而戚家墩遗址大部已沦入海中。故而要了解汉代时上海地区先民的生活，只有依靠此处遗址了。

191.上海福泉山西汉墓群发掘

作　者：王正书
出　处：《考古》1988年第8期

福泉山位于上海西郊青浦县重固乡。这是1个新石器时代晚期人工堆积的历史土墩。长期以来，当地农民上山取土，经常有汉代陶器出土。为此，经报请国家文物局批准，上海市文管会考古部于1982年底至1983年初对其进行发掘，共清理西汉时期墓葬46座（编号M1～M46）。简报分为：一、墓葬情况，二、随葬器物，三、墓葬时代；四、几点认识，共四个部分。有手绘图、照片、拓片。

据介绍，墓葬位于土山顶部，分布十分密集，均为土坑竖穴墓。46座墓未发现双人合葬墓，这批墓葬出土器物（除钱币外）共604件，钱币中铜半两及铜五铢均300余枚。第一期墓葬计9座（附表一），简报推断为西汉中期的武帝时期；第二期墓葬稍晚的有19座，简报推断其时代在武帝以后的昭、宣时期；第三期墓葬计14座（附表三），时代上简报推断属西汉晚期。

简报称，福泉山46座西汉墓葬尽管都是小型土坑墓，其规模不大，但出土的器物有其连续性，为了解西汉时期器物的演变规律及与之相应的时代提供了标尺，为研究西汉时期上海地区的社会状况提供了依据。同时简报指出，上海地区汉代的丧葬习俗有其自身的特点，即往往选择冈、墩、山的高阜之地。福泉山西汉晚期墓中出土石砚1件，其上留有使用的墨迹，为研究汉墨提供了重要资料。

江苏省

南京市

192.南京栖霞山及其附近汉墓清理简报

作　者：葛家瑾
出　处：《考古》1959 年第 1 期

1956 年泸宁线改建过程中，于栖霞山一带发现不少古墓。考古人员共清理了 29 座墓，其中汉墓 22 座、六朝墓 3 座、宋墓 1 座、明墓 3 座，共出土遗物 309 件。另征集、采集遗物 219 件。简报分为"墓室形制及文化遗物""初步推论"等几个部分，配以照片，先行介绍汉墓的清理情况。

据介绍，22 座汉墓，计石椁墓 2 座、木顶石椁墓 3 座、木顶砖室墓 7 座、券顶砖室墓 6 座、土坑墓 4 座。出土有陶器、铜器、铁器、石器、货币等。墓葬的年代，简报推断为东汉。

193.江苏高淳县赵村汉墓清理简报

作　者：江苏省文物管理委员会　屠恩华
出　处：《考古》1961 年第 6 期

赵村在漆桥镇东南 1 公里处，在赵村北面为双女墩，这次清理的汉墓，就在双女墩的北边。清理工作于 1958 年 4 月 22 日开始，至 26 日结束。简报配以照片予以介绍。

据介绍，墓室以砖石合筑，由甬道、前室、后室 3 个部分组成，出土遗物共 15 件。在江苏所清理的古墓中，以砖石合用，分甬道、前室、后室的建筑类型，大都是东汉到六朝时候所盛行的。汉墓中多出绿釉陶器，六朝墓中多出青瓷器，而这座墓所出土陶器上施以翠绿釉，无青瓷器；又从陶耳杯看，是承袭战国漆耳杯而来，没有多大变化。所以这墓的年代，简报认为推断为东汉较宜。

194.南京邱家山汉墓

作　者：王文辉

出　处：《考古》1963 年第 8 期

邱家山又名和尚山，位于中央门北 7 公里。1961 年 12 月 4 日，在这里发现古墓 1 座。共计清理了六朝墓 1 座、汉墓 2 座（编号 1、2、3 号墓）。3 座墓都经扰乱，其中 2 号墓比较典型。简报分为：一、墓的形制与墓内情况，二、出土遗物，三、结语，共三个部分。有照片、手绘图。

据介绍，2 号墓位于邱家山的东南麓，该墓为竖穴土坑，因墓顶被破坏，高度不得而知。出土遗物有铜器、铁器、陶器共 24 件，有的器物破碎严重，无法复原，修整复原的只有 14 件。其中铜矛头、陶虎子等均值得注意。简报推断年代为西汉。

195.江苏六合李岗楠木塘西汉建筑遗迹

作　者：吴学文

出　处：《考古》1978 年第 3 期

1965 年 1 月间，南京博物院在六合县调查中发现 1 处西汉建筑遗迹。遗迹位于六合县东 2.5 公里的许喻庄，属灵岩公社李岗大队。塘里埋着成排的古代楠木桩，当地称为"木塘"。许喻庄的社员曾在楠木塘中挖木头时，挖到许多汉代陶器和钱币。简报配以手绘图、照片予以介绍。

据介绍，楠木塘建筑遗迹是 1 座房屋建筑，在地下部分发现木桩结构，地面又发现大量的筒瓦和板瓦，反映当时在一些地区建筑房屋已采用地下打桩结构和地面建筑相结合的建筑方法。从建筑遗迹中出土的遗物，特别是大量钱币——主要是废钱和铸钱时遗存的铜锭、铜块的出土，说明这座遗迹与铸钱有关，因此简报认为该遗址可能是当时郡国铸钱遗址所在。出土遗物都具有东汉特征，根据这些，简报推断"楠木塘"建筑遗迹的时代应为西汉，其下限为西汉中期；六合"楠木塘"铸钱遗址的最后废毁时间，简报推断为汉武帝元鼎四年（前 113 年）。

196.江苏省高淳县东汉画像砖墓

作　者：镇江博物馆　刘和惠

出　处：《文物》1983 年第 4 期

1974 年 12 月，江苏省高淳县固城公社修建公路时，在西距固城镇约 5 公里、西南距春秋固城遗址约 3 公里处发现 1 座古墓，考古人员作了清理。简报分为：一、墓葬形制，二、出土器物，三、画像砖，共三个部分。有照片、手绘图。

据介绍，此墓所在地原为 1 个小岗阜，修建公路时已被推平，墓顶乱砖淤土露于路面，故原距地表深度不明。墓由甬道、墓室、耳室三部分组成。墓顶已坍塌，墓内填满淤土。

此墓早年曾被盗，最大收获就是画像砖。内容主要有三类：一是神话，二是墓主人生活，三是人物故事传说。

该墓的年代，简报推断为东汉晚期。

197.南京大厂陆营汉墓清理简报

作　者：南京市博物馆
出　处：《考古与文物》1987 年第 6 期

1984 年 3 ～ 4 月间，考古人员在扬子乙烯工程过渡房基建工地，发掘清理了 1 座保存尚好的汉代木椁墓（编号 84DIM1）。墓葬所在，东临长江约 2.5 公里，南距大厂镇约 4 公里，原地属大厂区长芦乡陆营村。该墓为 1 座长方形土坑竖穴木椁墓，基建时曾在该墓周围发现时代和类型相似的残墓数座。木椁外四周充填青灰色膏泥。简报配以拓片、手绘图予以介绍。

据介绍，葬具为 1 椁 1 棺 2 厢。死者为 1 名壮年男性。出土有陶器、铜镜、铜钱等。简报初步认为，这座墓的时代应定在西汉晚期（含王莽时期）较为妥当。

198.江苏高淳固城东汉画像砖墓

作　者：南京市博物馆　陈兆善
出　处：《考古》1989 年第 5 期

高淳县固城乡位于南京市的东南面，东、北是低山丘陵，西、南为湖泊水网。1974 年 12 月，镇江市博物馆在该乡东约 5 公里的檀村王坟山西南坡上发掘了 1 座东汉画像砖墓。1985 年底到 1986 年初，该乡修筑公路，途经此地，又发现另 1 座东汉画像砖墓。南京市博物馆考古部对此墓进行了清理。为叙述方便，暂时按发掘时间先后把 2 座墓葬分别定为 M1 和 M2。简报分为：一、墓葬结构，二、遗物，三、墓砖花纹与画像，四、结语，共四个部分。有手绘图、照片、拓片。

M1 的平面由甬道、墓道和耳室 3 部分组成。此次发掘的 M2 则由甬道、前室、后室 3 部分组成。遗物破碎不全，散落前后 2 室，经整理尚有 10 余件。出土有陶器、

1块青铜残片、铜钱数枚。除铺地砖外，其余墓砖绝大部分印有花纹。总起来可分2类：1类是几何形纹饰，另1类是画像，计有10种。画像是模印而成，都印在砖的侧面或端面，有的墓砖侧面和端面均印有画像。其技法：一是阳线刻，二是以浅浮雕（或类浮雕）为基础，加以阴线、阳线刻划。简报推断此墓的时代为东汉晚期，和早期发掘的M1时代一致。墓主人可能是县治官员。

简报称，汉代画像砖在苏南出土甚少，墓中出土的画像砖为研究汉代苏南地区的经济、文化艺术、生活习俗，以及六朝画像砖、线刻砖画的渊源提供了新的资料。

199.江苏江宁出土三枚古印

作　者：邵　磊、周维林
出　处：《文物》2007年第7期

20世纪70年代以来，文博部门陆续入藏了一批江宁出土的古代印章，其中有经考古发掘而得的，亦有从当地窑厂及私人手中征集来的。简报配图予以介绍。

一为"黄帝神印"，该印1995年7月出土于江宁县湖熟镇经济开发区1座东汉早期墓（95JHM120）中，现藏南京市博物馆。该印木质，印体黝黑漆亮，已近碳化，残缺较严重。该印形制较特殊。传世战国印为以圆穿横贯印体的穿带印，到西汉中期以后始易为扁方形穿孔印。这方印出土于东汉早期墓葬中，穿孔仍作圆形，可能为穿带印的异制。

二为"臣柱"印。1991年5月于江宁县湖熟镇中学基建工地1座汉代木椁墓中发现1枚汉代私印，同时出土陶壶、灶具、铜镜、铜带钩、铁剑等文物20余件。该印现藏南京市博物馆。该印木质，通体漆黑若炭，印面阴刻"臣柱"2字。该印初出土时，印表尚有一层金粉，抑或取其类铜之故。在木印表面髹涂金粉的做法，尚见诸明代鲁荒王朱檀墓随葬之木质谥宝。该印当是为墓主人陪葬而专门刻制的明器。

三为"脩朝私印"。1990年江宁县湖熟窑厂在取土时发现1枚汉代私印，同时出土的还有陶器及铜器残片若干。湖熟窑厂范围内的土岗坡地是汉墓分布较集中的地区，1989年8～9月，南京市博物馆考古部曾在紧邻此印发现地点的1处土坡上清理了6座汉墓，并根据出土木牍推断该批墓葬为汉代朱氏家族墓群。该印现藏江宁县博物馆。该印通体黝碧，保存完好。正方，边长1.7厘米，印文为"脩朝私印"4字。铸印。印体通高1.6厘米，瓦钮，钮边厚0.2厘米，瓦钮与印台相交两点之距即钮孔最宽处，为0.7厘米。从印文形态考察，该印时代当是西汉末期。

200.南京市东汉建安二十四年龙桃杖墓

作　者：南京市博物馆　龚巨平、周保华等

出　处：《考古》2009 年第 1 期

东汉龙桃杖墓位于南京市中华门外长干里，地处明大报恩寺遗址范围内。明永乐十年（1412 年），明成祖敕工部在天禧寺的废墟上依准大内宫阙重建寺院，建九级琉璃塔，赐额大报恩寺，宣德三年（1428 年）寺成。清咸丰年间，塔、寺毁于兵火。为复原大报恩寺提供实物资料和科学根据，南京市博物馆对大报恩寺遗址进行了考古发掘。2007 年 2～6 月，在一期考古发掘中清理了近 30 座西汉至唐、五代时期的墓葬。其中 2 座东汉墓葬为异穴夫妻合葬墓，编号为 M1、M2。M1 早年被破坏。M2 出土 1 件建安二十四年（219 年）买地券和多件青瓷器、金银饰等，根据买地券铭文可知，墓主姓名为龙桃杖。简报分为：一、墓葬形制，二、出土遗物，三、结语，共三部分。有彩照、拓片和手绘图。

简报介绍说，南京地区目前发现的汉代墓葬主要分布在栖霞、湖熟、高淳等地，主要有竖穴土坑墓、砖木合构墓、砖室墓等几种形制，但出土明确纪年材料的墓葬比较少见。M2 出土的买地券记述的建安二十四年（219 年），应为墓葬年代。建安二十四年（219 年），为东汉献帝末年。此时江南为孙坚、孙策所据。尽管孙吴仍奉东汉为正统，行建安年号，但在诸多方面已逐渐形成一套自己的制度。因此 M2 可定为孙吴早期墓葬，属于孙吴墓葬系统。

就墓葬形制而言，南京地区东汉、六朝时期墓葬发掘众多，但叠涩顶砖室墓发现较少，见诸报道的仅有 1 座。这种叠涩顶砖墓的墓室较长，随葬器物置于木棺外，一般置于脚端。墓室宽度及高度仅可容棺。从建筑力学的角度看，叠涩顶砖墓的墓室越高、越宽，顶部结构就越不稳定。为了稳固，必然会缩小砖室内部空间。这两座叠涩顶砖墓的墓室宽度、高度都在 60～80 厘米左右。正是由于墓室结构的不稳定和内部空间的有限，这种叠涩顶日后逐渐被穹隆顶、券顶取代。

简报指出，买地券自汉代至清代均有发现，主要有砖质、铅质、石质等。目前出土并见诸报道的孙吴买地券有黄武六年（227 年）郑丑买地券、赤乌八年（245 年）查萧整买地券、五凤元年（前 57）黄甫买地券、永安二年（259 年）陈重买地券、永安四年（261 年）大女买地券、永安五年（262 年）彭卢买地券、建衡二年（270 年）买地券、凤凰三年（274 年）孟赟买地券 8 件。就形制而言，买地券多刻写在长方形砖或铅板上。根据出土资料，这种长条形买地券宽度一般为 4.1～11 厘米，类似于汉简，应是买地券的最初形态。M2 所出龙桃杖买地券与习见的汉、吴晋时期买地券在内容上差别较大。这主要反映在如下四个方面：

第一，纪日方法不同。东汉以来，记录时间一般按照年、月、朔日、干支序列书写。三国吴时买地券除永安四年（261年）大女买地券外，大多不用干支纪年，月、日间附朔。M2所出龙桃杖买地券直接用时间纪日，未用干支及朔。查陈垣先生《二十四史朔闰表》，建安二十四年十月六日为己亥年十月己卯朔六日甲申，公元纪年为219年10月31日。

第二，目前出土的买地券多记述墓主身份、籍贯、买地四至、面积，而M2出土的买地券只言墓主姓名，不及其余。

第三，券文中没有出现常见的地下神祇的名称和道符。

第四，券文中劝警的语言较多，如"越时知要，不得争容，桃杖要自当得所"等，极为少见。

所谓买地，不是人与人之间的交易，而是人与神之间的交易。买地券中出现的人名"余根"，是龙桃杖买地的对象。购买土地所花"钱万石"，亦仅具冥界意义，与现世流通货币无涉。券文为隶书刻写，对研究孙吴早期书法具有一定价值。

简报认为，根据M2内出土的陶五联罐、买地券及"龙桃杖"名推测，墓主可能信奉道教。

201.南京六合李岗汉墓（M1）发掘简报

作　者：南京市博物馆、南京市六合区文化局　王　宏、徐　华等

出　处：《文物》2013年第11期

李岗汉墓（编号M1）位于南京市六合区雄州镇李岗村西部、冶浦路和峨眉路交界偏南处、峨眉河与滁河交汇处北面的高台地上。2010年1月，南京市博物馆考古部配合峨眉路扩建工程对该墓进行了抢救性发掘，出土陶、铜、铁、漆木、玉质器物30余件。分三个部分予以介绍，配有拓片、手绘图。

第一部分"墓葬形制"介绍说，该墓为竖穴土坑墓。葬具为1棺1椁。其构筑方法为先挖长方形竖穴，再用木材构筑椁室，椁室与竖穴间填青膏泥，椁室内放置漆木棺。椁内西侧出土铜釜甑、铜盆、漆量，釉陶瓿、罐、壶等器物，东侧置棺。

木棺棺底、侧板、头挡、足挡、盖之间均用锯齿形榫卯连接。棺外施黑漆，内施朱漆。棺内底部残存一层粟米颗粒，还有一些草编织物等。

第二部分"出土器物"介绍说，该墓出土器物比较丰富，有陶器、铜器、铁器、漆木器、玉器等，其中以漆器的数量最多。

陶器8件。均置于棺椁之间，种类有釉陶瓿、壶、罐等。

铜器7件。器形有釜甑、盆、尼、箅、笔刷等。

铁器2件。削1件、剑1件。

漆木器 15 件。计漆笥 1 件、漆方盘 1 件、漆量 1 件、长方形漆盒 3 件、椭圆形漆盒 2 件、漆果盒 2 件、漆笄 2 件、漆钗 2 件、漆枇 1 件。另有部分漆器残片，木篦 3 件、木梳 1 件、角质梳 1 件等。

玉器 2 件。为鱼形、六棱柱形饰件。

铜钱 45 枚。包括小泉直 2 枚、货泉 6 枚、五铢钱 6 枚、大泉五十 31 枚。

第三部分为"结语"。简报称，自中华人民共和国成立以来、在南京六合发掘过一些两汉时期的墓葬，但大多等级低、规格小，且多经盗掘，出土器物以釉陶器居多，漆器、铜器少见。此墓不仅出土了釉陶器，还出土有铜器、漆器，尤其是漆器保存较好，纹饰精美，工艺考究，在以往六合乃至南京地区汉墓中从未发现，为认识六合地区汉代考古学文化提供了新的资料。

简报称，墓葬中保存有较为完整的墓主遗骨，据耻骨联合推断墓主为女性，年龄在 45 岁左右。李岗汉墓未出土有纪年文字的器物，也没有出土可以判断墓主人身份的资料，但根据出土器物特征和铜钱的年代下限，可以初步推断此墓年代为新莽时期，墓主人或为堂邑县权贵的家眷。

无锡市

202.宜兴均山青瓷古窑发现记

作　　者：刘汝醴

出　　处：《文物》1960 年第 2 期

宜兴是烧制实用陶器和紫砂壶的地方，明代最有名的是欧窑。考古人员于 1959 年走访了一些地方，有所发现。

据介绍，均山位于鼎蜀镇附近，离镇子约二三公里。山上有古窑址 4 处，其中 1 处已毁。发现大量陶瓷片，还有窑砖、窑具。初步推断均山窑的时代可能早到东汉中叶。同刊同期发表有蒋玄佁先生《访均山青瓷古窑》一文，可参阅。

203.江苏江阴市长山镇出土两件青铜器

作　　者：林嘉华

出　　处：《考古》1995 年第 11 期

1989 年 12 月中旬，江阴市博物馆征集到 2 件青铜器：1 件是盂，1 件是鼎。它们是该市长山镇任桥砖瓦厂取土时发现的，后由该厂民工卖给了当地收购站，然后由收购站交给市博物馆。简报配以手绘图予以介绍。

据介绍，计铜盉 1 件，重 1800 克；铜鼎 1 件，重 6200 克。均无铭文。简报推断两器时代可能是秦汉时期。

徐州市

204.徐州黄山陇发现汉代壁画墓

作　者：葛治功

出　处：《文物》1959 年第 1 期

1958 年 6 月，江苏省文物工作队、徐州市汉画像石保管组和徐州师范学院历史系共同清理 1 座汉代带壁画的石椁墓。简报配以照片予以介绍。

据介绍，墓在徐州东郊黄山陇村的东南约 500 米处，当地名"双孤堆"。1958 年冬发现。墓分前、中、后 3 室，全部用大石条、石板构筑，用石灰勾缝，坚固异常。在前室的四壁上都有壁画。因年久和水浸的缘故，壁画大都脱落，只在西壁和南壁尚保存一部分。虽然画多已残缺不全，但仍有研究、参考的价值，特别是在江苏省还是首次发现。现在工作队已将壁画加固后运到徐州云龙山保存。

简报称，墓在早年被盗，中室的盖顶石已不见，前室和后室尚完整，室内淤土也较少。从前室和中室的淤土中已清理出零乱的人骨、布纹青瓷片、印双鱼纹陶洗片、带彩绘陶盘片和铁棺钉、铜饰片等。综合以上情况，简报初步推断墓的年代为东汉末年。

205.徐州贾汪古墓清理简报

作　者：南京博物院　尤振尧等

出　处：《考古》1960 年第 3 期

1959 年 11 月 25 日至 12 月 1 日，南京博物院与徐州市文化处共同派考古人员清理石墓 1 座。墓址在徐州市郊贾汪镇东约 3 公里的山坡间，墓的南面是小洪山，北面 100 米紧挨三座山。该墓发现时墓顶已被揭走无存，乱土、碎石塞满石室，已被盗掘。简报分为：一、墓室结构；二、随葬器物，共两个部分予以介绍，有手绘图、照片。

据介绍，墓的结构分前、中、后 3 室。墓内随葬品几经盗掘，器物多被砸碎，位置也被移动。器物可辨的大致有：陶器类、铜器类、铁器类、青瓷器类，简报推断这墓年代大致在汉末晋初。

206.江苏徐州、铜山五座汉墓清理简报

作　　者：江苏省文物管理委员会、南京博物院　石祚华、郑金星
出　　处：《考古》1964 年第 10 期

1963 年 11～12 月间，考古人员至徐州、铜山、丰县和睢宁等地调查汉代遗址和墓葬。在调查过程中，共清理汉墓 5 座。简报分为：一、小山子石棺墓，二、利国画像石墓，三、岗子一、二号墓，四、黄山砖石结构墓，五、结语，共五个部分。有拓片、手绘图。

据介绍，小山子位于徐州市南 1.5 公里处，墓址在小山子东面。该墓为小型石棺墓。石棺用青石板砌成，石灰勾缝。随葬品有铁斧、陶器。利国位于徐州市北约 40 公里处，墓址在利国镇北，系 1962 年 11 月间发现的，后室已毁。岗子村位于铜山县东北，距大泉乡约 5 公里。1957 年普查时在岗子村前发现 2 座画像石墓，已残毁过甚。两墓南北并列，相距约 15 米，北面 1 座编为一号墓，南面的编为二号墓。黄山离利国镇 3.5 公里，墓地在黄山东南，紧挨微山湖畔。该墓在几十年前因受大水冲刷，已露出地面，并遭破坏。

简报初步推断 5 座墓的年代：小山子石棺墓大概在西汉初期至中期，利国、岗子、黄山四座墓都约属东汉末期。利国、岗子一、二号墓均有画像石。

207.江苏邳县刘林遗址的汉墓

作　　者：南京博物院
出　　处：《考古》1965 年第 11 期

在刘林遗址第 2 次发掘的各探方内（发掘报告在《考古学报》1965 年第 2 期发表），共发现晚期墓葬 44 座。这些墓葬的共同特征是：除个别瓦棺葬外，其余都是长方形土坑竖穴墓。墓口多压在表土层下，少数压在扰土层之下。墓圹打破了新石器时代的文化层，多数并伸入到生土层以下。圹内填土为松软的五花土。个别墓的填土甚硬，似经过夯打。填土内除包含有少量新石器时代陶片等遗物外，还发现一些汉代绳纹陶片和瓦片。简报配以照片、手绘图予以介绍。

据介绍，由于刘林遗址的地下水位较高，这种土坑墓大多数挖至深 2 米以下时，地下水便大量涌出。在 44 座墓葬中有 37 座即因此而未清理到底。墓 63、64、

68、119、124、191、201 七座墓被清理到底。墓葬分为三类：第一类，墓 201 一座。墓口南北，在距墓口深 0.75 米处，墓室东西 2 侧均有生土二层台，人架葬在二层台间的狭长坑内。墓内未发现葬具，可能已朽毁无存。人回头向南，仰身直肢。随葬品只一陶罐，置于足端。第二类，有墓 63、64、119、124、191 五座。人架置于墓室东侧，头向北，仰身直肢，未发现葬具。随葬品有 2 陶罐置于足端，身体左侧置 1 铁刀。第三类，只墓 68 一座。系瓦棺葬，在深 1.77 米处发现，圹限不明。棺内人架已朽成粉末，但可看出为 1 婴儿。无随葬品。7 座墓中总共只出土 7 件随葬遗物，其中有陶罐、铁刀和五铢钱等。根据遗物的特征，简报初步推断这些墓葬大约属于西汉时期。

简报称，此外在 T500 内的淤土层下生土层上发现了 5 件陶器。有模型陶猪圈、四注式陶屋顶、陶仓、陶灶（附陶釜）及釉陶双耳罐各 1 件，均为典型的东汉遗物。但未发现墓葬痕迹，估计为已遭破坏的东汉墓。

208.江苏徐州十里铺汉画像石墓

作　　者：江苏省文物管理委员会、南京博物院

出　　处：《考古》1966 年第 2 期

十里铺乡位于徐州市南郊，距市区约 4 公里。墓地就在玉庆山的北麓，为一黄土坡地，俗称"姑墩"，它西距翟山村约 0.5 公里，东北距十里铺 1 公里。1964 年 10 月，当地生产队发现了这座画像石墓。考古人员前往调查，并于同年 11 月 29 日至 12 月 18 日作了清理发掘。简报分为五个部分予以介绍，有拓片等。

据介绍，清理工作首先从已暴露的甬道着手，由此陆续清理出墓道、前室、东侧室、西侧室、中室，最后清理后室。清理中发现各室室顶都有残毁或塌陷的现象，尤以中室为甚；甬道和前室的画像石刻的位置已被挪动过；随葬器物除东侧室和中室保存稍好外，其他各室都破碎凌乱，混杂在淤土之中。同时，在后室前端发现 1 个盗洞。出土遗物有陶俑、陶模型等。当然更重要的收获是画像石。

简报揣测此墓的具体年代是东汉灵帝时期，即公元 167 ~ 189 年之间。

209.铜山小龟山西汉崖洞墓

作　　者：南京博物院

出　　处：《文物》1973 年第 4 期

1972 年 6 月，考古人员在铜山小龟山，清理了西汉崖洞墓 1 座。简报分为：一、

地理位置及发现经过，二、墓室结构及葬具，三、出土遗物，四、结语，共四个部分。有照片、手绘图。

据介绍，小龟山是 1 座高约三四十米的小石山，位于徐州市西北约 9 公里处，属铜山县拾屯公社孤山大队。1972 年 5 月 29 日，该大队第六生产队在此山的北麓开采石料时发现此墓，取出了部分文物。此墓为 1 个依山开凿的崖洞墓，出土有铜镜 4 面及陶器、漆器、木器和铜器 7 件等。铜器上刻有重量、容量，对研究度量衡很有帮助。

简报认为，这个墓的时代，上限不会早于始铸五铢的武帝元狩五年（前 118 年），下限则不应晚于楚王国被除的宣帝地节元年（前 69 年）。墓主人应为 1 位与"丙长翁主"关系密切的男性。

210.徐州发现东汉建初二年五十湅钢剑

作　　者：徐州博物馆　王　恺
出　　处：《文物》1979 年第 7 期

1978 年 1 月，徐州铜山县潘圹公社段山大队农民在驼龙山南坡发现一座小型汉代砖室墓。考古人员在骨架左侧发现一把刻有错金铭文的建初二年（77 年）五十湅钢剑。简报配以照片、手绘图予以介绍。

据介绍，钢剑锋部稍残，无首。通长 109 厘米，剑身长 88.5 厘米，把上有麻织物痕迹。剑原有鞘，为苧胎髹漆，已朽，附剑上。剑把正面有隶书错金铭文一行，为"建初二年蜀郡西工官王愔造五十湅□□□孙剑□"21 字。剑镡已残脱，铜质，内侧上阴刻隶书"直千五百"4 字。经检测，是用含碳量较高的炒钢的原料锻造而成。"湅"字即"炼"字。据铭文，在东汉建初二年（77 年），蜀郡（今四川成都地区）已能炼出此钢剑。

211.江苏新沂东汉墓

作　　者：吴文信
出　　处：《考古》1979 年第 2 期

1973 年 3 月，新市唐店公社龙泉大队因取土在南墩发现 1 组汉墓群。该墩长 35 米、宽 20 米，高出地面约 3 米，面积约 700 平方米。在取土范围内共发现长方券顶砖室墓 7 座，考古人员清理了其中的 3 座（M1、M3、M4）。简报配以照片、手绘图予以介绍。

据介绍，各墓早年均经盗掘，形制及出土遗物基本相同。一号墓遗物无存。三号墓遗物有铁镜、铁剑、铜镜、陶器等计 10 件。四号墓出土铜器、铁器、陶器、瓷器、铅器计19件。其中黄绿釉瓷虎子比较重要。墓葬的年代，简报推断为东汉早期。

212.江苏铜山县青山泉的纺织画像石

作　者：王黎琳、武利华

出　处：《文物》1980年第2期

铜山县青山泉公社位于徐州市东北30公里处，地势平坦，三面环山。附近曾经多次发现画像石及画像石墓。1978年12月，青山泉公社子房大队农民平整土地时，在距地表0.3米处发现4块画像石，其中1石刻纺织图。估计此地原有画像石墓，但早年已被破坏，清理时在附近没有发现墓葬痕迹及其他遗物。简报配以拓片、手绘图予以介绍。

据介绍，此批画像石应为东汉中晚期作品。纺织图画像石为了解汉代纺织手工业提供了新资料。我国古代纺织的程序一般为一调丝，一纺一织。青山泉纺织图中没有反映调丝的场面，只刻出一纺一织。据图中织机的构造判断为"脚踏提综斜织机"，应为家用小型织机。画面上织妇接抱婴儿的描写，生动地反映了家庭纺织的真实情景。

213.徐州青山泉白集东汉画像石墓

作　者：南京博物院　尤振尧

出　处：《考古》1981第2期

1965年冬，考古人员在青山泉白集清理了1座东汉画像石墓。简报配以照片予以介绍。

据介绍，白集位于徐州市东北约20公里，属铜山山泉公社。这一带四周环山，石料丰富，是徐州附近常出汉代画像石墓的地区之一。墓葬早年曾遭破坏，封土堆已残缺，墓前的祠堂仅部分保存；墓室顶部的藻井已被揭开，随葬器物被掠劫一空，室内并填满淤土。但结构大体完整，石刻画像内容丰富，对研究当时社会制度，特别是探讨徐州地区的政治、经济和文化等方面，仍有一定参考价值。

墓葬的整体结构由祠堂和墓室两部分组成。祠堂在前，墓室在后，两者在一条中轴线上，所用材料全是附近盛产的青石。祠堂，汉代又名享堂，墓庐即建筑在墓前供其后人奠祭的地方。现遗存下来的结构，面积计1间，以内壁计算，阔2.19米、进深1.5米，顶部已经倒塌。墓室位于祠堂后，相距8.56米。结构分前、中、后3主室，另中室附有左、右2耳室。墓门朝南。墓室全长8.85米。

214.东汉彭城相缪宇墓

作　者：南京博物院、郫县文化馆　尤振尧、陈永清、周晓陆
出　处：《文物》1984年第8期

东汉彭城相缪宇墓，位于江苏邳县西北55公里的青龙山南麓。墓早年被盗，局部结构已有残损。1980年冬，考古人员进行调查，发现墓内后室横额上镌刻墓主缪宇的姓名、职官、简历以及丧葬日期等。1982年春，考古人员对该墓进行了调查和发掘。

简报分为：一、墓葬形制，二、画像石刻，三、墓志，四、结语，共四个部分。有手绘图等。

据介绍，此墓现存有残墓垣、封土和墓室。墓室由前室、后室、回廊组成。画像石7幅，内容有庖厨图、舞乐图、弋射图、宴饮图、狩猎图等。墓志已残，简报录有全文。由墓志知墓主为缪宇，和平元年（150年）去世，元嘉元年（151年）下葬。缪宇，字叔异，为东汉彭城相，相当于2000石官员。志文可补《后汉书·彭城靖王传》之缺。

215.徐州石桥汉墓清理报告

作　者：徐州博物馆　王　恺、李银德
出　处：《文物》1984年第11期

1982年10月，徐州市石桥石灰厂开山采石时发现西汉墓1座（编为二号墓），出土了一批珍贵文物。石桥石灰厂采石场位于徐州市东北杨庄乡石桥村南的洞山西北麓。墓是在山上凿石而成。因石灰厂采石爆破，墓室北壁部分遭到破坏，室内堆满大小石块，不少文物也随之受损。徐州博物馆闻讯前往，但采石场附近百姓先已入内，将随葬器物大部取出，为墓葬的清理和复原工作造成一定困难。二号墓南约10米，有一较大石洞，调查证实也是一墓（编号为一号墓）。

简报分为"一号墓""二号墓""其他遗迹""结语"，共四个部分。有照片、手绘图。

据介绍，石桥汉墓系在石灰岩山体上凿洞成墓。在各墓的墓壁上均见有规律的凿痕，壁面整齐。简报认为一号墓的墓主人应为西汉分封的楚国的国王，二号墓的墓主人应为王后或其他女性。2墓出土了大量珍贵的宫廷用器。

2墓的年代，简报推断大致在西汉宣帝前后。

216.江苏沛县出土汉代陶猪圈

作　者：江苏省沛县科委　训　强、保　亚、景　涛
出　处：《农业考古》1984 年第 1 期

1977 年 5 月底，江苏省沛县栖山南坡发现古墓 1 座，系汉代石棺墓葬。出土的大量文物中，有一较完整的陶猪圈，为研究古代农业生产特别是养猪业的发展史，提供了宝贵的实物资料。简报配以照片予以介绍。

据介绍，陶猪圈的四边有整齐、宽敞的围墙，围墙一角搭有栅屋，对侧盖有门楼，正面墙有一缺口，便于添食喂养。建造结构合理完整，圈中有一陶猪，正拱土觅食，肥胖有神，形象逼真。从出土的陶猪圈可以想见，汉代养猪业已成为当时农业生产的重要组成部分。猪圈的设计和建造显示出汉代养猪技术已经达到了相当的水平。

217.江苏新沂瓦窑汉画像石墓

作　者：徐州博物馆、新沂县图书馆　王　恺、夏凯晨
出　处：《考古》1985 年第 7 期

1979 年 3 月，新沂县瓦窑公社子房大队农民在平整土地时发现汉画像石墓 1 座，文物部门随即进行了清理。简报配以手绘图、照片、拓片予以介绍。

据介绍，子房村位于江苏省北部新沂县西 10 公里的陇海铁路瓦窑车站北侧，墓在村东约 300 米处。该墓在清理之前已被扰乱，前室顶已拆除，部分石材及文物被搬出室外。墓室呈凸字形，分前、后 2 室。后室被中间一墙隔成南、北 2 室。整个墓共用大小石材 45 块，其中有画像者 9 块，计有图像 21 幅。另有石柱 1 件，铜质、陶质、玉质器物 6 件。瓦窑墓的最初建筑年代，简报推断为东汉晚期，亦在公元 151 年前后，估计不会超出恒帝年间，即公元 147 ～ 167 年。

218.铜山龟山二号西汉崖洞墓

作　者：南京博物院、铜山县文化馆　尤振尧、贺云翱、殷志强等
出　处：《考古学报》1985 年第 1 期

龟山位于徐州市西北约 9 公里，是 1 座高约三四十米的石灰岩山，因南北呈椭圆形起伏，形状似龟，故名。其南旁另有 1 座小山，形状与龟山相似，当地称为"小龟山"。1972 年 6 月，考古人员曾在龟山的西麓中部发掘 1 座西汉竖井式崖洞墓（原

未编号，现补编为龟山一号墓），出土一批珍贵的器物，其中有"楚私官""御食官""文后家官""丙长翁主"等铭刻铜器，故推定此墓为西汉中期与楚国诸侯王家族有关的墓。1981 年 2 月，当地在一号墓南边采石时，又发现另一座西汉横穴式崖洞墓，即这次发掘的墓葬，编为二号墓。一号墓墓坑西沿与二号墓墓口并列于一条直线上，两者相距仅 5 米左右。两墓时代大体相当，且埋在同一墓区，说明关系密切。二号墓规模较大，发掘工作分两期进行：一期在 1981 年 11 月，二期在 1982 年 11 月。简报分为三个部分予以介绍，配有照片等。

据介绍，二号墓为大型横穴式崖洞墓，方向 270 度。整个墓葬由双墓道、双甬道和 12 个墓室 3 个主要部分构成。墓道为墓外部分，开凿在龟山西麓山脚下，上口露天，西端与现大路相连，东端与甬道衔接，应是运送棺椁进入墓室的过道。甬道开口于山腰下侧；西连墓道，东端紧接墓室。甬道、墓室全部凿筑在山中。墓葬东西全长 83.3 米、墓室南北最宽处 33 米。清理墓道内原有填土和碎石，大部经盗掘时破坏扰乱，发现有 9 块大条石作东西向排列。这种大条石与遗留在甬道中的大条石大小、形状完全一致，原来应是用于封闭甬道的"塞石"。墓内遗物以筒瓦、板瓦为主。另有枣、桃、梅杏、酸枣、李子的核。简报认为墓主人似以西汉诸侯王刘纯的可能性最大，具体年代应在汉武帝时或稍晚。

该墓在王莽时期和魏晋南北朝时曾两次被盗，随葬品几被洗劫一空。但徐州市曾征集到 1 方阴刻篆文"刘注"的龟钮银印。据了解，龟钮银印发现于此墓内第六室，为一电工在发掘过程中装电灯时所拣。保存基本完整，印文阴刻小篆"刘注"2 字。刘注系西汉第六代楚王，是第五代安王刘道之子，于武帝元朔元年（前 128 年）嗣位，元鼎二年（前 115 年）薨，在位十四年，谥号襄王。《史记》中的《汉兴以来诸侯王年表》《楚元王世家》和《汉书》中的《诸侯王表》《楚元王传》均有他的记载。据《史记·楚元王世家》索隐赞述称"文、襄继立，世挺才英"，说明刘注是诸楚王中 1 位颇有才干的人物，可惜文献记载皆语焉不详。此方银印的出土，证明此墓的具体年代不超过武帝元鼎二年（前 115 年），很可能是当年下葬，或距此不久，与原报告推测接近。由此还证明其旁的附葬墓（龟山一号西汉崖洞墓）的时代也大体与此墓相当，或稍晚。汉代诸侯王的印章发现不多，文献记载中关于汉代诸侯王印章的规定，也不一致。此系楚王刘注私印，龟钮银印，与官印印制不同。

简报称，此次发现，可弥补文献记载的不足。详见同期所载尤振尧先生《〈铜山龟山二号西汉崖洞墓〉一文的重要补充》。

219.徐州北洞山西汉墓发掘简报

作　者：徐州博物馆、南京大学历史系考古专业　邱永生、魏　鸣、李晓晖、
李银德等

出　处：《文物》1988 年第 2 期

北洞山西汉墓位于江苏省徐州市区北 10 公里处，铜山县茅村乡洞山村内。北距微山湖 15 公里，东近津浦铁路，南临京杭大运河。北洞山原为 1 座海拔 54 米的石灰岩小山，汉墓依山开凿，上面夯筑高大的封土堆。此墓早年严重被盗，10 余年来由于当地农民开山取石，封土堆绝大部分遭破坏。1985 年，徐州市政府将此墓列为市级文物保护单位。1986 年 5 月，考古人员对此墓进行了清理。简报分为：一、墓葬形制与结构，二、随葬器物，三、结语，共三个部分。有彩照、手绘图。

据介绍，北洞山西汉墓坐北向南，由墓道、主体建筑和附属建筑 3 部分构成巨大的地下建筑群，结构复杂，共有不同用途、大小不等的 19 个墓室和 7 个小龛。每个小龛内置彩俑 30 件左右，一共出土 200 余件彩绘彩俑，以及铜器、玉器、石器、漆器残件等。

简报指出，北洞山汉墓是 1949 年以来发掘的规模巨大、结构复杂的西汉洞（石）室墓。年代应在西汉武帝元狩五年（前 118 年）之前。墓主人身着金缕玉衣，墓中虽经盗扰，仍出土彩绘俑 200 多件、半两钱 70000 余枚，以及礼乐器等。墓中出土"楚宫司丞""楚御府印""楚邸""楚武库印"4 枚带有楚字的印章。根据《史记》和《汉书》记载，西汉时期彭城一带没有封过楚侯。楚宫、楚"御府"应该是指楚王的王宫和御府。"邸"是指当时郡国在京师设立的邸宅。"楚武库印"表明楚国与当时其他郡国一样，建有武器仓库，进一步证明汉初"宫室百官，同制京师"。

这些都表明墓主人为楚王身份。简报推测墓主人是在公元前 175 年至公元前 128 年之间的刘郢客、刘戊、刘礼、刘道四代楚王中的一位。

220.徐州出土四川铸造汉代钢剑

作　者：李国华

出　处：《四川文物》1988 年第 4 期

1978 年，徐州博物馆在徐州市铜山县驼龙山南坡 1 座汉代砖室墓出土了 1 把五十炼钢剑。剑锋部稍残，通长 109 厘米，原有鞘，为苎胎髹漆，已朽附剑上。剑的正面有隶书错金铭文 1 行。简报录有全文，并配以照片予以介绍。

简报称，从剑上文字可以看出，剑由蜀郡铁工匠锻造于东汉章帝建初二年(77 年)。蜀郡，汉代属益州，在今四川成都地区。徐州出土的这把五十炼钢剑，经对剑身刃

口及剑柄部分作取样鉴定，得出的结果是：剑体组织由珠光体和铁素体组成，分层明显，各层含碳量不同，最高为 0.7%，最低为 0.4%。该剑是用炒钢作原料锻造而成。此剑上有"直千五百" 4 字，证明主要用当时通用的 1500 铜钱即可购得。出土钢剑的墓为 1 座小型汉代砖室墓，剑主人应为一般富庶人家。

221.徐州市韩山东汉墓发掘简报

作　者：徐州博物馆　钱国光、李银德等
出　处：《文物》1990 年第 9 期

1985 年 2 月，徐州韩山东麓的江苏工人徐州疗养院开挖水渠时发现 2 座汉墓，考古人员进行了清理发掘。墓葬编号为 85XHM1 ～ M2。简报分为：一、墓葬形制和结构，二、随葬品，三、结语，共三个部分。有照片、拓片、手绘图。

据介绍，M1、M2 均为土坑砖石结构单室墓。2 墓共出土遗物 67 件，其中釉陶器较为重要，M1 所出铜镜也堪称精品。因现场已被破坏，不清楚随葬品原来位置。墓门门额、门扉等处有浮雕。两墓的年代，据简报推断，M1 为东汉中期，M2 为东汉中期偏晚。

222.徐州发现东汉元和三年画像石

作　者：徐州博物馆　李银德
出　处：《文物》1990 年第 9 期

1986 年 5 月，江苏徐州市铜山县汉王乡东沿村农民在村北山丘南侧发现 1 座汉画像石墓，徐州博物馆即派考古人员做了调查。东沿村位于徐州市南约 13 公里处，西南不远即为安徽萧县县境。附近曾多次发现东汉砖石结构墓葬。这座画像石墓已遭破坏，墓门方向不清，墓顶距地表仅有 10 多厘米厚的耕土层。顶盖石已失。简报配有照片和手绘图。

简报称，据发现者回忆，墓内有 2 个以上墓室。此墓早年被盗，随葬品毫无遗留。出土画像石 10 块，其中 9 块完整，1 块已断裂，但仍可拼接。据石刻铭文，该墓为东汉元和三年（86 年）墓，墓主人有可能是楚王刘英后裔中的某位封侯者。

223.江苏铜山县荆山汉墓发掘简报

作　者：徐州市博物馆　邱永生、陈　山、孟　强
出　处：《考古》1992 年第 12 期

荆山，位于江苏省徐州市铜山县大黄山乡桥北头村东北，海拔 116 米，处于京

杭大运河与不老河交界处，西南距徐州市约 11.5 公里。当地村民开山采石时，在荆山西北坡发现 1 座汉墓。1990 年 8 月 20 日～24 日，考古人员前往清理发掘。简报分为：一、墓葬形制，二、随葬器物，三、结语，共三个部分。有手绘图、照片、拓片。

据介绍，该墓为竖穴崖洞墓结构，由墓道、洞室和小龛 3 部分组成。出土器物为陶器、铁器、铜器、玉器四类。简报推断该墓下葬年代当在宣帝时期或稍晚。

224.徐州后楼山西汉墓发掘报告

作　者：徐州博物馆　耿建军、孟　强等
出　处：《文物》1993 年第 4 期

后楼山位于江苏省徐州市区北 10 公里的京杭大运河北岸，属铜山县茅村乡洞山村。1991 年 1 月，村民在该山采石时发现 1 座西汉竖穴墓（编号为 XHM），考古人员进行了发掘。简报分为：一、墓葬结构，二、随葬器物，三、结语，共三个部分。有照片、拓片、手绘图。

据介绍，后楼山在洞山村北，为一低矮的小丘。此墓为竖穴式，由墓道和东西墓室组成。墓葬上部已遭破坏，封土情况不明。据附近百姓反映，平台上原有一层排列不很规整的石板，石板之下即为夯土。共出土随葬器物 139 件（组），有陶器、铜器、铁器、玉器等。其中玉枕、玉面罩等均极为珍贵。鎏金铜车马器表明墓主人有较高身份。简报认定这是 1 处规模较大的西汉早期墓。

225.徐州市东郊陶楼汉墓清理简报

作　者：徐州博物馆　梁　勇、李银德
出　处：《考古》1993 年第 1 期

1989 年 10 月，徐州市郊区下淀乡陶楼村采石场在开山采石时发现 2 座墓葬，考古人员前往征集了全部出土遗物，并对 2 墓进行了清理。墓葬编号为 XTM1 和 XTM2。1990 年 11 月，在其东侧又发掘了 2 座墓葬，依次编为 XTM3 和 XTM4。墓葬位于陶楼村小凤山顶端，自西向东依次为 M2、M1、M3、M4。简报分为：一、墓葬形制与结构，二、随葬器物，三、结语，共三个部分。有手绘图、照片。

据介绍，4 墓都在石灰岩山顶上凿成，均为长方形竖穴墓。四壁与墓底基本垂直，墓壁较为粗糙，凿痕明显。仅 M4 未遭破坏，其他在采石过程中均已毁坏。4 座墓共出土器物 58 件，其中陶器 32 件，其余为铜器、铁器、玉器、银器。简报称，尽管四墓的规模不大，但当时能够在山顶上开凿这样的竖穴墓，随葬品种类较多，质量较高，可以肯定墓主人生前有着一定的政治、经济地位。M1 出土的印章为我们确认墓主人及其身份提供了可靠的依据。根据印文，墓主人姓刘名顽，应为楚王家族成员。M1 出土的玉人 1 件也很少见。此 4 墓的年代，简报推断上限为西汉武帝元狩五年（前118 年），下限为武帝时期而不应再晚。

226.徐州郭庄汉墓

作　者：邱永生
出　处：《考古与文物》1993 年第 1 期

郭庄汉墓位于徐州市铜山县拾屯乡郭庄，是在当地采石场施工时发现的，受损严重。简报配以照片、拓片等予以介绍。

据介绍，此墓为 1 座竖穴式崖洞墓，随葬品已被民工取出，后又索回。计有瓦当 1 件、铜镜 2 件、金饼 1 枚及五铢钱、玛瑙琀等。金饼重达 247.5 克，接近西汉 1 斤的重量。墓主很可能系贵族身份的刘氏王族成员。此墓或为龟山王陵的附葬墓。

227.江苏徐州九里山汉墓发掘简报

作　者：徐州博物馆　梁　勇、陈　山
出　处：《考古》1994 年第 12 期

1991 年 2 月，徐州市铜山县拾屯乡刘楼村少数农民在徐州北郊九里山盗掘古墓。徐州博物馆闻讯后会同公安机关及时抓获盗墓分子。5 月，徐州博物馆对该墓进行了发掘。编号 91XJM1。该墓位于徐州北郊徐州碳素厂西侧的奶头山山顶。奶头山为九里山的 1 个小山峰，海拔 101.4 米，东距徐运新河 1.4 公里，东北距大运河 4.2 公里，距北洞山汉墓 5 公里，北距丁万河 1.4 公里，西距小龟山汉墓 4 公里。简报分为"墓葬形制""随葬器物""结语"，共三个部分。有手绘图、照片。

据介绍，该墓在石灰岩山顶上凿成，封土上有近现代小墓 4 座，小墓下即为竖穴墓道。竖穴墓道平面基本呈长方形，该墓为同穴异室。简报推测东室所葬为女性、西室所葬为男性的可能性较大，两者应为夫妻关系。九里山汉墓竖穴的封填形式尚属首次发现。出土仿麟趾金的陶饼 90 余枚，麟趾金在当时是帝王作赏赐用的，拥有者只是上层统治阶级，墓主人用来随葬可能一方面显耀他生前受到的恩宠，另一方面也可能有取喜瑞的意义。因此，简报认为九里山汉墓的主人生前应有较高的政治、经济地位。

该墓出土遗物有铜器、铁器、玉璧、石璧、圆珠、六博棋、半两钱等，简报推断该墓的年代应为文帝五年（前175年）铸四铢半两之后、武帝废半两铸五铢之前。

228.江苏铜山县李屯西汉墓清理简报

作　者：徐州博物馆　梁　勇、耿建军
出　处：《考古》1995年第3期

1990年初，徐州市铜山县拾屯乡李屯村村民在村内小山顶端发现一座墓葬。1990年9月，考古人员对该墓进行了发掘。简报分为：一、地理位置和墓室结构，二、随葬器物，三、结语，共三个部分。有手绘图。

李屯村位于徐州市区西北7公里。该墓在石灰岩山体上凿成，为竖穴洞室墓，由竖穴与洞室两部分构成。该墓早年被盗，盗洞在竖穴北部。被扰填土中发现钫、仓、猪圈、马、俑等陶器残块。共清理出随葬品64件，除1件铜钤、1件铁镬外，其余均为陶器，计有鼎3件、盒5件、壶11件、钫2件、镬壶1件、仓2件、灶1件、盆4件、罐3件、勺1件、猪圈1件、井1件、俑27件。洞室内淤土厚达0.5米，尸骨、陶俑及铜钤埋于积土中，竖穴内为其他器物，铁镬被发现于盗洞中，疑为盗墓者所遗。

简报称，尽管李屯汉墓规模不大，但在当时能开凿这样的墓室，随葬品也较多，可以肯定墓主是有一定地位的统治阶层人物。出土陶俑刻画细致，发型较多。该墓的年代，简报推断为西汉中期。

229.徐州发现东汉画像石

作　者：王黎琳、李银德
出　处：《文物》1996年第4期

1992年底，徐州市西南约13公里的铜山县汉王乡东沿村农民在翻地时发现一批画像石，计6块。其中2块出土时已断裂，但可拼合，其中1块有"永平四年"（61年）纪年。这批画像石出土地点距1985年5月发现的东汉元和三年（86年）画像石墓东约1公里，现场已被扰乱，据调查为汉代画像石墓的石材。简报配以拓片予以介绍。

据介绍，这批画像石的数量虽然不多，但有浅浮雕和线刻两种不同雕刻技法，由于这批画像石为征集品，原墓已被扰乱，不能明确判明是否为同一墓葬出土。第一、二、三石为浅浮雕，带有早期浅浮雕画像石风格，画面的构图还较少使用分栏。虽不能肯定此3块画像石的具体年代，但其相对年代应早于元和三年（86年）墓的浅浮雕画像石，很可能与第六石年代相近。第四、五、六石为平而阴线刻，线条简练，画面疏朗，为早期画像石特征。第四、五两石与第六石的雕刻风格又略有差异，但是其总体风格一致，画面的构图布局甚至楼宇的样式也完全相同，应是同一墓葬、同一时期的作品，或略有先后。此墓的时代，简报推断为永平四年（61年）。

简报称，这次永平四年（61年）画像石墓的发现，使徐州纪年画像石墓增至5座，而且是五座纪年画像石墓中年代最早的1座，为徐州汉画像石墓的研究增添了新的内容。该纪年画像石墓的发现，对于弄清这一地区汉画像石的断代分期有着重要的意义。

230.徐州发现一批散存汉画像石

作　　者：徐州博物馆　孟　强、耿建军等
出　　处：《文物》1996 年第 5 期

徐州是汉画像石的主要分布区域之一。画像石除了出土于发掘的画像石墓之外，还有一些流散于民间。在近几年的考古工作中，屡有发现。主要分布在铜山县汉王乡，茅村乡的大山、蔡丘、梅庄及贾汪区青山泉乡店子等地。简报分为以大山散存画像石、蔡丘散存画像石、梅庄散存画像石、店子散存画像石、汉王散存画像石共五个部分予以介绍，有照片。

据介绍，大山散存画像石有7方、蔡丘散存画像石9方、梅庄散存画像石2方、店子散存画像石4方、汉王散存画像石2方、地点不详画像石1方，共计25方。以市区北部的茅村、青山泉2个乡最为集中。这批画像石时代有早有晚，大山村的常青树等石采用阴线刻，画面简单、对称，时代较早。此时画像石多用于构筑石棺（椁）。东汉晚期画像石占大多数，为进入成熟阶段的作品。雕刻技法以浅浮雕为主，构图繁密。

简报称，散存的画像石材料较为零杂，不能像完整的画像石墓那样，可以从墓葬整体上做综合研究，但这些画像石具有较高的艺术性，反映了汉代人的精神生活和物质生活，同样是不可忽视的资料。

231.江苏徐州市清理五座汉画像石墓

作　　者：徐州博物馆　孟　强、耿建军等
出　　处：《考古》1996 年第 3 期

近年来，徐州博物馆先后在徐州市周围地区发现并清理了5座汉画像石墓，这几座墓葬主要分布于铜山县境内的利国、茅村、潘塘及贾汪区青山泉等乡镇。简报分为：一、墓山石棺墓，二、檀山石棺墓，三、曹山一像石墓，四、大山画像石墓，五、张山画像石墓，共五个部分。有拓片。

据介绍，墓山石棺墓位于利国镇西南部，石棺深埋2.5米的竖穴内。棺内仅有残骨，出土器物较少，皆灰陶器物。简报推断墓山墓年代为西汉晚期。檀山石椁墓位于茅村乡檀山村西南部西峰山北坡，南距乡政府4公里，石棺置于深5.2米竖穴内。此墓出土钱币2枚、铜印1方。简报推断檀山墓时代大致为王莽时间。曹山画像石墓位于徐州市区东南约10公里的潘塘乡，北部有拖龙山，墓葬发现于二山之间的山谷地带，为前后室结构石室墓。曹山墓所出画像石较为简单，以平行线组成的几何图案为主。雕刻技法为阴线刻。前室南北二壁刻菱形格纹，边饰波浪纹；后室南北二壁为三角纹，西壁为十字穿环纹。简报推断曹山墓时代大致为东汉早期。大山画像石墓位于铜山县茅村乡大山西北的山坡上，墓室筑于凿入山体的竖穴内，为砖石混合结构，有前、后二室，画像石均出于前室，共9石。简报推断大山墓时代为东汉中晚期。张山画像石墓位于贾汪区青山泉乡西南，地处青山泉、茅村2个乡交界处。墓葬在张山西坡，早年被盗，破坏严重。该墓为砖石混合结构，前室南北二壁及墓门北侧一石有画像，浅浮雕技法。简报推断张山墓时代为东汉中晚期。

232.江苏徐州市米山汉墓

作　者：徐州博物馆　耿建军、梁　勇、李银德
出　处：《考古》1996年第4期

米山位于徐州市区以北6公里，属铜山县拾屯乡天齐村。该山大致呈椭圆形，海拔100.2米。米山东南邻簸箕山，西北为凤凰山，此两山中均发现有汉代墓葬。1986年，天齐村村民在米山西小山头取土时，发现了1座竖穴墓（编号为86TMM1，简称M1）；1991年，在米山山顶又陆续发现了3座墓葬（编号为91TMM2、91TMM3、91TMM4，简称M2、M3、M4）。简报分为：一、墓葬形制，二、随葬器物，三、结语，共三个部分。有照片、手绘图。

据介绍，米山为页岩结构，石质较差，不宜开凿洞室，因此，此4座墓葬均为石坑竖穴墓。其中M1为双椁墓，已遭破坏，M2、M3曾被盗。出土有陶器、铜器、玉器、铁器等。

简报称，米山为汉代贵族的重要葬区，此4墓应为一处家族墓地。时代为西汉早期偏晚。M1为夫妇合葬墓，M2墓主人为男性，M3墓主人为女性，有可能为夫妇异穴墓，M4墓主人为男性。

233.徐州西汉宛朐侯刘埶墓

作　者：徐州博物馆　孟　强、耿建军等
出　处：《文物》1997 年第 2 期

　　簸箕山位于江苏省徐州市以北 5 公里的九里山北侧，属矿区拾屯乡天齐村界。簸箕山为石灰岩山体。石质较好，山北有 1 个采石场。1990 年冬开山采石时，在山东北坡发现 1 座竖穴墓，因采石场附近有 1 个小村名郭庄，故当时将此墓定名为郭庄汉墓，现统一编号为簸箕山一号墓（编号简称 M1）。该墓出土了金饼等珍贵文物。1993 年 1 月，在近山顶的北坡发现 1 个陪葬坑（编号简称 K），出土陶俑 25 件。1994 年 1 月，在距 M1 不远的山坡上发现 1 墓（编号简称 M2），经过清理，出土随葬品 30 余件。同年 2 月，又于山顶发现 1 座规模更大的竖穴墓，即宛朐侯刘埶墓（编号简称 M3）。3 月 20 日至 4 月 20 日，考古人员对此墓进行了发掘，历时 1 个月。简报分为：一、墓葬结构，二、随葬器物，三、陪葬俑坑，四、结语，共四个部分。配以彩照、拓片、手绘图，先行介绍了 M3 的发掘情况。

　　据介绍，1949 年簸箕山为国民党在徐州外围的 1 个重要军事据点，山顶建有碉堡、围墙等军事设施。20 世纪 70 年代将其拆除，但仍留下 1 个厚约 1 米的碎石堆，刘埶墓即被压在碎石下。墓上原有封土，封土四周以石块垒砌墓垣，现仅存局部。墓圹为石坑竖穴式，竖穴墓道共用 9 层封石封填，方法较特殊。出土有金印、陶俑、铜器、金银器、玉石器等 100 件（组）。据金印知墓主人为西汉宗室、宛朐侯刘埶。他是因谋反自杀或被杀的，故墓中缺少玉衣、铜器、玉器等显示身份的随葬品。简报称，虽然刘埶墓所出随葬品较之其他同级别墓葬数量偏少，但所出文物中仍不乏精品，如"宛朐侯埶"印是目前所知最早的龟纽金印，金带扣、人物画像镜内容丰富、工艺精湛，均具有较高的研究价值和艺术价值。

　　至于相关史实，《汉书·楚元王传》等均有记载。刘埶为楚元王刘交之子。汉高祖刘邦于公元前 201 年封异母弟刘交为楚王，都彭城（今徐州），下辖 3 郡 36 县。在位 23 年，文帝前元元年（前 179 年）卒。因长子早死，庶子继王位。刘埶可能是刘交第六子，封地在今山东菏泽西南。汉景帝二年（前 155 年），吴王、楚王等串通叛乱，史称"七国之乱"。刘埶也参加了叛乱。叛乱仅 3 个月就被镇压，刘埶也随即自杀或被杀。简报指出，西汉早期，楚国历五王，属早期的楚王墓已发现、发掘 4 座，这些墓的排列问题一直没有得到圆满解决，而参加"七国之乱"的第三代楚王刘戊墓葬的判定是其关键。刘埶墓的发掘为解决这一问题提供了有力佐证。汉代尤其是西汉时期，诸侯势盛，因谋反、叛乱被诛者屡有所见，此墓也为我们辨别和研究其身份和葬制提供了依据。

234.徐州韩山西汉墓

作　者：徐州博物馆　耿建军、孟　强、梁　勇等

出　处：《文物》1997 年第 2 期

1992 年 5 月，江苏省徐州市郊区奎山乡韩山村村民在山上取土时，发现 2 座西汉竖穴墓，考古人员进行了抢救性发掘，历时一个月。简报分为：一、墓葬结构，二、随葬器物，三、结语，共三个部分。有照片、手绘图。

据介绍，韩山为 1 座海拔 70 米的石灰岩山体，其西 0.5 公里为卧牛山（山北曾发现西汉晚期楚王崖洞墓），西南与小长山相连，东部紧靠市区。墓葬开凿于韩山顶部，其中 2XHM1（简称 M1）偏北，92XHM2（简称 M2）偏东，2 墓相距 48 米。M1 为竖穴洞室墓，墓上有直径 10 米、高 0.8 米的圆形封土堆。该墓早年被盗，墓中共出土随葬品近 100 件，其中尤以玉器最具特色。M2 也曾被盗，出土遗物 50 余件。简报推断 2 墓的年代为西汉早期。M1 的墓主人当为女性，很可能是楚王近亲。M2 的墓主人当为男性。2 人是否是夫妻尚无法确定。M1 出土有玉片、玉七窍塞、玉枕等，表明其墓主人身份应较高，但有待核实。

235.江苏睢宁墓山汉画像石墓

作　者：睢宁县博物馆　全泽荣

出　处：《文物》1997 年第 9 期

1991 年 3 月，江苏省睢宁县张圩乡阎山村村民在墓山上植树时发现 2 座汉画像石墓（编号为 91YM1、91YM2）。因山上墓葬密集，故名墓山，是睢宁县重点文物保护单位。1 号墓、2 号墓位于墓山顶部偏东处，2 墓相距 5.5 米，东西排列。在 2 墓西、北部，还有 1.5～2.5 米高的土冢 4 个。简报配以照片予以介绍。

据介绍，1 号墓分前后两室，出土画像石 62 块，简报认为应属东汉中晚期墓葬。2 号墓画像石技法与 1 号墓基本一样。简报推测此处应为 1 处家族墓地。

236.江苏铜山县龟山二号西汉崖洞墓材料的再补充

作　者：徐州博物馆　耿建军

出　处：《考古》1997 年第 2 期

龟山二号西汉崖洞墓位于徐州市区西北约 7 公里的龟山西坡上，属徐州市九里区拾屯镇孤山村（原属铜山县）。1972 年 6 月，南京博物院曾在龟山西麓发掘过 1

座西汉竖穴洞室墓，编为龟山一号墓。1981 年 2 月，在一号墓南侧又发现一座规模
更大的横穴式崖洞墓，编为龟山二号墓。1981 年 11 月和 1982 年 11 月，分两期对二
号墓进行了发掘。1985 年，徐州市在文物普查中征集到二号墓中出土的第六代楚襄
王刘注之龟钮银印，遂确认该墓为刘注夫妇合葬墓。今习惯上将二号墓称为龟山汉墓，
1993 年建立龟山汉墓陈列馆。

由于种种原因，1981 年和 1982 年对龟山汉墓的发掘不够彻底，1987 年，考古
人员首先清理了北墓墓道及甬道中的塞石，在塞石缝隙中发现有水晶带钩等文物。
1990 年春天，孤山村两村民从北墓甬道进入墓室后又进入南墓甬道，砸坏了第 13 列
上部的 1 块塞石，遂发现南墓甬道中的 3 个耳室。这 3 个耳室由徐州博物馆进行发掘。
1992 年夏天，又对南墓墓道及甬道进行清理，将甬道中的塞石全部取出。这几次的
工作情况简报分为：一、南墓墓道、甬道及耳室的形制与结构；二、南墓耳室出土
器物；三、结语；共三个部分。作为对过去 2 次发掘材料的再补充，有手绘图、照片。

据介绍，这次清理的墓道、甬道和耳室，皆属龟山二号汉墓（楚襄王刘注墓）
的南墓资料。2 墓共发现凹槽 20 组，可能与放置或运输塞石有关。

南墓甬道内的塞石刻铭是这几次发掘工作最重要的发现，特别是墓口部塞石刻
铭，对于研究汉字的发展及古代丧葬制度等都具有十分重要的价值。该刻铭的内容
比较简单，主要是记述西汉楚夷王刘郢提倡死后薄葬的"遗训"。刘郢为汉高祖刘
邦之异母弟楚元王刘交庶子，高后二年（前 186 年）任宗正，文帝元年（前 179 年）
刘交死后，因太子刘辟非早卒，文帝乃以刘郢嗣位，是为夷王。文帝五年（前 175 年），
夷王卒，仅立 4 年。简报称，龟山汉墓刻铭的发现，为研究汉字发展提供了一个重
要的时代标尺。

237.江苏铜山县班井村东汉墓

作　者：徐州市博物馆　梁　勇、孟　强
出　处：《考古》1997 年第 5 期

1992 年 1 月，徐州市铜山县汉王乡班井村村民在村南山丘北坡发现 3 座汉墓被
盗。徐州市博物馆闻讯后派人做了调查，同年 12 月进行了清理发掘。由于其中两墓
破坏严重，结构等已不甚清楚。简报分为：一、墓葬形制，二、出土遗物，三、结语，
共三个部分。有手绘图、拓片。

据介绍，班井村位于徐州市西南 13 公里处，南邻安徽省萧县，属丘陵山区。墓
葬为砖石混合结构。由墓道、前室及后室组成。随葬陶器有楼、磨各 1 件，釉陶器
有仓楼、磨、碗、杯、猪圈计 7 件，瓷器有灶 1 件，五铢钱 9 枚。班井村 1 号墓不

仅主体为三顺一丁，局部亦见四顺一丁、二顺一丁，这在徐州东汉早期砖室墓及砖石混石墓中尚未发现；所出 6 块画像石风格、技法各异，这在汉画像石墓中是较少见的。从班井村 1 号墓的墓葬形制、随葬器物、画像石刻 3 方面考察，简报推断：班井村 1 号墓为东汉晚期墓葬，其具体时代当与十里铺画像石墓相近，即东汉灵帝时期（167～189 年）。

238.徐州狮子山西汉楚王陵发掘简报

作　者：狮子山楚王陵考古发掘队　王　恺、邱永生等
出　处：《文物》1998 年第 5 期

1991 年 7 月，考古人员找到了 1984 年发掘的徐州市狮子山兵马俑的主墓，当年 12 月进行了发掘，历时 106 天。简报分为：一、墓葬形制，二、出土遗物，三、几点认识，共三个部分。有彩照、拓片、手绘图。

据介绍，狮子山位于徐州市东郊，为一海拔高度 60 余米的小山包，主峰上有人工覆土，该墓由外墓道、内墓道、天井、耳室、甬道、侧室、棺室、后室及陪葬墓组成，墓道、耳室、侧室、后室等处可见未完工痕迹。规模巨大，结构奇特。该墓早在王莽时期就曾被盗，但仍出土 2000 余件珍贵文物，被评为 1995 年中国十大考古发现之一。简报推测墓主人为第二代或第三代楚王，下葬年代应在公元前 175 年至公元前 154 年之间。

简报称，狮子山楚王陵共发现 3 座陪葬墓，即食官监墓及 E4、E5 两座女性墓。根据鉴定，食官监为 40 余岁的男子，E4 女性墓死者年龄在 30 岁左右。以活人殉葬乃商周丧葬制度的残余，到了西汉已很少见，特别是楚王的属官与楚王的女侍同为殉葬的情况非常少见。

今有刘尊志先生《汉代诸侯王墓研究》（社会科学文献出版社 2012 年版）一书，可参阅。

239.江苏徐州市狮子山西汉墓的发掘与收获

作　者：韦　正、李虎仁、邹厚本
出　处：《考古》1998 年第 8 期

1984 年，徐州市博物馆在徐州市云龙区狮子山西麓发掘了 1 处西汉兵马俑坑。1994 年 12 月至 1995 年 4 月，南京博物院与徐州兵马俑博物馆联合组队，在该兵马俑坑以东约 500 米处的狮子山山顶发掘 1 座汉墓，取得重大成果。发掘情况与主要

收获，简报分为：一、墓葬形制，二、随葬品，三、主要收获，共三个部分。有手绘图、照片、拓片。

据介绍，狮子山汉墓形制之特别，出土遗物之多，文物质量之高，是以往汉代考古中不曾多见的。该墓虽遭盗掘，但墓道部分的 3 个耳室幸免于难，主体建筑部分的随葬品位置也基本保持原状。狮子山汉墓的墓葬形制与金缕玉衣、印章封泥等随葬品，表明这是 1 座西汉时期的楚国王陵墓。已发掘的兵马俑坑为其陪葬坑。墓葬中出土了文帝四铢半两，简报推断该墓的上限不超过公元前 175 年。出土钱币虽多，但五铢钱一个不见，因此该墓的下限不晚于武帝元狩五年，即公元前 118 年，墓主为四代楚王中刘戊的可能性较大。

简报称，该墓的发掘对于汉代文物考古、典章制度、社会历史等方面的研究具有重要意义。

240.徐州东甸子西汉墓

作　者：徐州博物馆　梁　勇、刘尊志等
出　处：《文物》1999 年第 12 期

东甸子西汉墓位于徐州市东郊狮子山乡东甸子北的无名山上。该山呈东北—西南走向，海拔 70.7 米，北距东洞山楚王墓 2.25 公里，西南距狮子山楚王墓 4.5 公里。由于发现不法分子在山顶部盗掘墓葬，1995 年 8 月至 1996 年 1 月，徐州博物馆对无名山顶的 3 座汉墓进行抢救性清理发掘。简报分为：一、墓葬形制，二、随葬器物，三、结语，共三个部分。有拓片、手绘图。

据介绍，无名山为石灰岩山体，有东北、西南两个山头。M1 位于东北山顶，墓上封土为纯沙土，厚 1.25 米，封土中部有 1 堆石块。封土四周有墓垣，封土上部及其周围有空心砖和大量的板瓦、筒瓦、瓦当残片，纹饰和式样较多。该墓为长方形石坑竖穴墓，棺内有 2 具骨架，已朽。仰身直肢，头皆朝南，其中西侧骨架为男性，东侧骨架为女性。该墓早年就曾被盗，盗洞从竖穴上部东南角直达下部东龛外，但仍有玉器、小陶俑等出土。M2 西距 M1 8.4 米，为长方形石坑竖穴墓，无封土，是一未做完的墓圹。墓内没有出土遗物。M3 出土有陶器、钱币等。简报认为东甸子汉墓的年代约在西汉早期偏晚，约在汉景帝末至汉武帝初年。其中 M1 出土 1 枚"秘府"封泥，墓主人可能是西汉楚国掌管机要文书的官吏。

简报称，东甸子汉墓出土了大量的彩绘陶器，其颜色种类之多、纹饰图案之丰富，是以往徐州汉墓中不多见的。此外，彩绘陶俑形式多样，服装各异，为我们研究当时的服饰提供了丰富的实物资料。

241.江苏铜山县凤凰山西汉墓

作　者：徐州博物馆　刘尊志等
出　处：《考古》2004 年第 5 期

　　凤凰山位于江苏省铜山县三堡镇焦山村北，共有 3 个山头，呈东北—西南走向。1996 年 3 月，当地村民在山顶挖土时发现 1 座汉墓。徐州博物馆闻讯后派员前往调查，发现该墓已被挖开至 3 米多深，南椁室已遭破坏。随后对其进行了抢救性发掘，工作历时 2 天，此墓编号简称 M1。1998 年 2 月，村民在 M1 东南的 1 座小山顶部开山时又发现 1 座汉墓，徐州博物馆也对其进行了发掘，工作历时 7 天，此墓编号简称 M2。简报分为：一、M1，二、M2，三、结语，共三个部分，介绍了这 2 座墓葬的发掘情况，有手绘图、照片。

　　据介绍，M1 位于山顶，为石坑竖穴双椁墓。简报推断为西汉早期偏晚或西汉中期偏早的墓，可能是武帝之时。M1 虽处山顶，但修建粗陋，随葬品少，尤其是玉器、铜器少，说明墓主人身份不高。简报认为 M2 的年代已是西汉王莽时期。M2 有两个陪葬墓，但均已被盗，墓主人可能有一定身份地位，但也不会太高。

　　简报称，此次出土遗物中，M1 出土的 4 块画像石算是比较珍贵的，也是徐州地区出土的较早的汉画像石。简报指出，铜山县凤凰山这两座西汉墓的发掘，为我们研究当时的葬制、葬俗及物质文化提供了较为丰富的实物资料。

242.江苏徐州市九里山二号汉墓

作　者：徐州博物馆　李　祥、孟　强、耿建军等
出　处：《考古》2004 年第 9 期

　　九里山位于徐州市北郊，为 1 片东北—西南走向的山体，山脊部多有汉墓发现。1991 年 5 月，曾在九里山东段 1 处山顶发掘汉墓 1 座（编号为九里山一号墓，简称 M1）。1997 年 2～3 月，徐州博物馆在 M1 深 700 米处又发掘汉墓 1 座（编号为九里山二号墓，简称 M2）。二号墓亦位于 1 座山顶，其北侧为簸箕山、米山。每个山上都有汉墓发现，其中米山发现西汉刘和墓，出有完整的银缕玉衣；簸箕山发现西汉宛朐侯刘埶墓。简报分为：一、墓葬形制，二、随葬器物，三、结语，共三个部分。有手绘图等。

　　据介绍，该墓为竖穴式，竖穴平面呈长方形，竖穴内填红土并经夯打，夯层厚约 0.2 米，夯层之间或夹以炭灰，以免粘连；夯土中发现铁夯具 1 件。填土中夹有 3 层封石，均偏置于竖穴东侧宽 1.8 米的范围内。石板间的缝隙以小石块填塞。出土随葬器物 42

件（组）。简报推测年代为西汉武帝时期，墓主人应为男性，可能是地方官吏或豪绅。

简报称，九里山是徐州汉墓较为集中的地区，在一、二号墓之间及其以西，还发现汉代竖穴墓近 10 座。这些墓葬的时代相关不大，规模相近，其中相距较近的墓葬可能属于同一家族。九里山二号墓的发掘，丰富了人们对徐州地区西汉竖穴墓的认识，对研究西汉的葬俗及经济、军事等也具有一定的价值。

243.徐州碧螺山五号西汉墓

作　者：徐州博物馆　刘照建、李　祥等
出　处：《文物》2005 年第 2 期

碧螺山位于徐州市金山桥开发区石桥村南面。墓葬位于碧螺山北麓，在此已发现或发掘 4 座汉墓。1999 年 1 月，此处又发现 1 座竖穴墓。徐州博物馆闻讯后，对该墓（编号为 99XBM5，简称 M5）进行了抢救性发掘。简报分为：一、墓葬结构，二、随葬器物，三、结语，共三个部分。有照片、手绘图。

据介绍，该墓为石坑竖穴洞室墓，由竖穴墓道和洞室两部分组成。由于墓葬上部已遭破坏，封土情况不明，墓道用 5 层石板封堵。尸骨保存状况较差，仅发现零星的颅骨和腿骨残片。墓主头朝南。墓主周围发现有玉器、铜器、印章、金箔、铜铁兵器、五铢钱等。另外，在洞室内发现木结构房屋，虽然坍塌，但建筑结构清晰。房屋长 2.44 米、宽 1.8 米，由木构架及覆瓦组成，四角置立柱，四面有木板墙，厚 0.05 米。墙内髹红漆，外表髹黑漆。此木建筑有重大研究价值。

简报指出，M5 并列放置双棺，应为夫妻合葬墓。其中东侧墓主随葬多件兵器，应为男性；西侧墓主则为女性。男性墓主还陪葬玉璧、玉具剑，在其上身发现了 10 余片玉片以及金箔，且墓内随葬鼎、钟、钫等铜器，表明墓主人身份显然较高。下葬年代应在西汉昭、宣帝时期。

244.江苏徐州市顾山西汉墓

作　者：徐州博物馆　刘尊志等
出　处：《考古》2005 年第 12 期

顾山位于江苏省徐州市东郊，为 1 处低缓的石灰岩山丘，海拔 56 米。其南临 310 国道，北侧、东侧分别与蟠桃山、刘山相连，2 山均有汉墓发现。2000 年元月，附近村民在该山西北坡发现 1 个陪葬坑，编号简称 K。同年 2～3 月，徐州博物馆对该山上 3 座墓葬进行了抢救性发掘，编号简称 M1、M2、M3。在对墓葬发掘的过程中，考古工作者在该山西北 500 米处还发现 1 处汉代居住址。简报分为：一、墓葬形制，二、出土遗物，三、陪葬坑，四、结语，共四个部分。介绍了墓葬和陪葬坑的发掘情况，有照片、手绘图。

据介绍，徐州顾山的 3 座西汉墓位于徐州市东郊，其中 M1 和 M3 为长方形石坑竖穴洞室墓，M2 为 M1 的陪葬墓。简报认为 M1 北距同时期的驮篮山楚王墓较近，出土器物与驮篮山楚王墓出土的同类器物相近，说明 M1 可能为驮篮山楚王墓的陪葬墓之一，墓主人可能是楚王身边较为亲近的贵族。M1 及其陪葬坑内出土的陶俑品种多，数量大，这在徐州地区的中小型汉墓中是极少见的。M1 洞室向南深凿，形成一龛，其内出土许多女俑，包括立俑、踞坐俑、乐俑、舞俑等，展现出一幅生动的乐舞场面。陪葬坑（K）内出土的 I 式陶男俑在徐州地区的其他汉墓中未有发现，为徐州汉代陶俑增添了新的资料。

245.江苏徐州市后楼山八号西汉墓

作　者：徐州博物馆　李　祥、吴公勤等
出　处：《考古》2006 年第 4 期

后楼山八号西汉墓位于徐州市区北约 7 公里的京杭大运河北岸，属铜山县茅村镇洞山村。2000 年 10 月中旬，徐州博物馆闻讯该墓被盗，随即前往调查并与铜山县文化局联合进行抢救性发掘。因徐州博物馆曾在该山发掘墓葬 7 座，故将该墓编为八号墓。简报分为：一、墓葬形制与结构，二、出土遗物，三、结语，共三个部分。有照片、手绘图。

据介绍，墓葬为石坑竖穴洞室墓，墓道为长方形，墓室有内、外 2 室。随葬品主要出土于外室，有车马器、陶器和原始瓷器等，内室出土了一些乐器和铜镜等，共计 66 件。后楼山八号墓的时代，简报认为应为西汉初期。

简报指出，后楼山八号墓虽然早年曾被盗，但墓中出土随葬品仍较为丰富，特别是鎏金车马器、玉印、心形玉佩等体现墓主身份的随葬品的出土，说明墓主人地位比较高。玉印上"陈女止"3 字应为墓主人姓名。从墓中发现有兵器的情况看，墓主可能为男性。

简报称，迄今为止，在后楼山附近已发掘西汉早期墓葬 8 座；从发掘情况来看，M1、M5 出土有玉枕、玉面罩、玉璜等，M2 出土有玉璜、玉璧、玉猪，M4 出土有银缕玉衣，山上亦发现了车马、陶俑、动物等陪葬坑。由此可见，后楼山墓群的规格比较高。后楼山南距北洞山楚王墓仅 100 余米，应在其陵园的范围内，后楼山墓群当为北洞山楚王墓的陪葬墓，墓主人应为楚王的亲属或近臣。北洞山楚王墓的时代在西汉早期偏晚的武帝元光六年（前129年）或稍后，其主人为西汉楚国第五代楚王刘道。八号墓墓主人为陈姓而不为刘姓，但其墓葬却居于山顶，时代又早于北洞山楚王墓，简报推断应不属于北洞山楚王墓的陪葬墓，或与楚王墓无关。

246.江苏徐州金山村汉墓

作　　者：徐州博物馆　李　祥
出　　处：《中原文物》2006年第6期

2003年6月和12月，在徐州市南郊泉山北麓金山村金山花园工地发现西汉墓葬2座。考古人员调查后即对其进行了抢救性发掘，并按发现顺序分别编号为金山村一号墓（M1）和二号墓（M2）。简报分为：一、墓葬结构，二、随葬器物，三、结语，共三个部分。有照片、手绘图。

据介绍，M1和M2皆属土坑石椁墓，即先在地上挖一土圹，再在土圹里用石板砌成石椁。在发掘之前，墓区上部已被施工单位破坏，封土情况不明。木棺、人骨已朽。两座墓葬共出土陶器、原始瓷器、铜器、玉器、骨器、贝壳等随葬品38件（组）。简报推断为西汉早期墓。墓主人应为小官吏或有一定经济实力之人。

247.江苏徐州市凤凰山西汉墓的发掘

作　　者：徐州博物馆　刘尊志等
出　　处：《考古》2007年第4期

凤凰山西汉墓位于江苏徐州市南郊凤凰山的西北麓。1998年12月，凤凰山西北部一小山顶部墓葬（M1）被盗，徐州博物馆闻讯后即派员前往调查并进行抢救性发掘。1999年7月，有关单位在小山东南山坡地带进行基本建设时又发现了3座墓葬（M2、M3、M4），随后进行了抢救性发掘。1999年12月，又对位于M2南的1座墓葬（M5）进行了发掘。简报分为：一、墓葬形制，二、出土遗物，三、结语，共三个部分，介绍了这5座墓的发掘情况。

据介绍，M1为石坑竖穴洞室墓，M2～M4为石坑竖穴墓。出土遗物有陶器、铜器、铁器、泥、泥器、骨器和滑石器等共188件（组）。

简报称，M1下葬时间应为西汉高祖刘邦时期，且规模较大，虽曾被盗，出土遗物仍很丰富。估计墓主人应属较高的官员或贵族。

M2～M5这4座墓下葬年代相近，简报推断M2、M3、M5三墓的下葬年代为吕后二年（前186年）之前，榆荚半两钱发行之后；M4的下葬年代应在八铢钱发行之前，均在西汉早期。

此外，M2出土的陶罐有朱书"藏简器"3字，陶釜口沿下刻有草书"简"字，简报认为这2件器物是用来盛放书简的。这类陶器在徐州地区的汉墓中并不多见，说明在徐州地区许多汉墓中应随葬有书简，只是由于封填方法、墓室环境等造成腐烂而没有保存下来。

简报指出，M3、M4内出土很多陶俑，如M3前面有骑马俑，其后为4匹马，马后为驭手俑，驭手俑双臂平举，驾驭4马拉车前行。驭手俑后为1男俑，男俑后还有1男俑，再后为4男俑、4女俑；M4最前为4骑俑，后为4匹马、驭手俑、2男俑前后站立，再后为男俑和女俑。从放置方式看，应为车马出行俑阵。这种车马出行俑阵在徐州地区的早期汉墓中较为少见。M3、M4出土的车马出行俑阵，对研究西汉早期的车马出行制度有重要的意义。

简报最后强调，徐州凤凰山五座汉墓的发掘，为我们研究西汉早期的历史及葬俗、物质文化等提供了较为珍贵的实物资料。

248.徐州新发现一批散存画像石

作　者：盛储彬
出　处：《中原文物》2007年第2期

徐州地区处于苏鲁豫皖四省交界，在全国范围内是汉画像石分布较为集中的地区之一，迄今为止已出土汉画像石千余块。最近徐州博物馆又征集一批画像石，这批新发现的画像石主要集中在江苏省邳州市北部的戴庄乡、安徽省宿州市东北部的褚兰镇和江苏省徐州市贾汪区的汴塘镇3个地区。简报配以照片予以介绍。

据介绍，戴庄乡李圩村画像石计4块，褚兰镇画像石共8块，汴塘镇画像石计2块。简报称，这次发现的画像石共有14块，雕刻技法以弧面浅浮雕为主，只有1块为平面阴线刻。其内容各异，有迎宾、车马、百戏、建筑、鱼、二龙穿璧、门吏等。其中高鼻深目手持环首刀的门吏图和阴线刻的藻井石为以往所不见。这一批汉画像石除了平面阴线刻藻井石的年代为东汉早期外，其余的画像石的时代均为东汉中晚期。简报指出，它们的出土更加丰富了徐州地区汉代画像石的内容，对于研究徐州地区汉代社会、经济也有一定的意义。

249.江苏铜山县伊庄洪山汉画像石墓

作　者：徐州博物馆
出　处：《华夏考古》2007年第1期

1999年3月，铜山县伊庄镇洪山村西北面的山顶上有人盗掘古墓，考古人员进行了抢救性的发掘，历时10余天。简报分类：一、墓葬结构，二、出土器物，三、画像石，四、第三石的改用问题和其时代，五、结语，共五个部分。有拓片、手绘图。

据介绍，墓葬位于洪山村西北1000米寨山南面的一小山顶上，山顶处已露出该墓的封土，由于年久雨水冲刷，封土堆已不明显。这次盗墓的方式是将封土挖开，露出前室的顶部，破坏藻井石直接进入墓室。墓葬系先在山顶挖圹，之后用大条石砌墓，用生石灰填缝，然后在其上封土。封土四周及山顶有较多的绳纹陶片。墓葬总长6.55米，宽1.85米，由墓道、甬道、前室和后室组成。从墓内的情况看，该墓早年被盗，盗墓者应是从墓道进入墓室。这次又遭盗掘，墓内随葬物已不存，仅在清理墓上封土时在前室墓壁上部的北侧出土1件陶虎子。墓内残存有3块画像石，画面内容有仙人驾车、迎宾、纺织、乐舞等。

该墓的年代，简报推断应在东汉晚期，具体年代应该在灵帝建宁、熹平以后。

250.江苏徐州贾汪汉画像石墓

作　者：徐州汉画像石馆　郝利荣、杨孝军
出　处：《文物》2008年第2期

汉画像石墓位于徐州市贾汪区东北约5公里处的固岘村。据调查，在其周围曾发现多座汉画像石墓和散存的汉画像石。该墓早年被盗，仅存石砌墓壁，墓内未见随葬器物。2002年1月，徐州汉画像石馆对该墓进行清理。墓内出土的画像石较为精美。简报分为：一、墓葬形制，二、画像石，三、结语，共三个部分。有照片、拓片。

据介绍，此墓坐北朝南，为石结构单室墓，平面呈"凸"字形，由甬道、墓门、墓室组成。甬道已毁。与墓室相连的门楣上及墓室内有8幅画像。简报推断该墓为魏晋时人利用废弃的汉画像石建造而成，墓主应为社会下层。画像石本身的年代，应为东汉中晚期。

251.江苏徐州市翠屏山西汉刘治墓发掘简报

作　者：徐州博物馆　原　丰、耿建军、周　波等

出　处：《考古》2008 年第 9 期

翠屏山位于江苏省徐州市东郊乔家湖村东南。2003 年 8 月 27 日，接群众举报，翠屏山顶有墓葬被盗。徐州博物馆随即派考古人员前往调查，发现在墓圹的东侧中部有 1 个盗洞，大致呈长方形，地表有散落的石块。徐州博物馆对该墓进行了抢救性发掘，历时约 40 天，墓葬编号简称 M1。简报分为：一、墓葬结构，二、出土遗物，三、结语，共三个部分。有彩照、手绘图。

据介绍，翠屏山为石灰岩山体，在山的东部、北部均有现代采石场。墓葬位于山顶，墓上有红褐色黏土堆筑的封土，直径约 13 米，残高约 0.8 米，由于当地居民取土堆筑现代坟丘，墓口局部已暴露在外。在封土上及封土周围发现一些板瓦、筒瓦和瓦当残片，多饰绳纹。在墓的外围明显可以看到由石块垒砌的长方形墓垣，共有内、外两层，除北部和南部的局部遭到破坏外，其余的多保存较好。该墓为长方形竖穴墓道洞室墓，系在山体上开凿而成。在墓的外围有石砌的 2 重墓垣。在墓道底部椁室内有 1 棺，棺内葬 1 人。洞室有双扇石门，室内用漆木板装饰，葬具为 2 重棺，置于漆木棺床上，棺内葬 1 人。出土遗物 56 件，以陶器为主，但有玉璧、玉印、铜剑、铜戈等较高规模陪葬品。

简报认为，墓葬年代为西汉早期中后段，即西汉文帝至武帝初年。墓主刘治，为西汉同姓楚王家族成员。

据《汉书·高帝纪》载，高祖刘邦以谋反为由废楚王韩信为淮阴侯，分其地为 2 国，淮河以北仍称楚，以其异母弟刘交为楚王，是为第一代楚王，都彭城（今徐州），辖薛郡、东海、鼓城 3 郡 36 县。西汉时封国楚国，共传了十二代。因此，刘治有可能是楚王宗室成员。从墓中出土的多件兵器看，他很可能曾在楚国军队中任职。

简报指出，翠屏山西汉墓为夫妻合葬墓，墓主刘治葬于洞室内，随葬品较为丰富；竖穴墓道底部椁室内葬的是刘治夫人，随葬品较少。二者并不是同时下葬的，刘治夫人埋葬时间明显较晚。刘治葬入洞室后，洞室外的椁室及竖穴墓道内即以夯土封填，其夫人死后，又将填土挖开，葬入预先留好的椁室中。椁室内葬具下的夯土及周围的夯土台即是第 1 次封填的遗留。椁室内出土的大乐贵富博局蟠螭纹镜，明显晚于洞室内出土的四叶蟠螭纹镜，也正好说明刘治下葬的年代要早于其夫人下葬的年代。

简报强调，刘治墓的墓葬结构十分独特：

其一，墓上有两层较大的墓垣；

其二，墓葬封填得极为严密，竖穴墓道中共用8层封石，其中5层为块石、3层为条石，尤其是第8层以10块条石侧立摆放，这在以往发现的汉墓中是不多见的；

其三，刘治墓在随葬品组合方面也表现出与同类墓葬不同的特征。洞室及椁室中均不见同时期墓葬中常见的陶磨、陶井、陶仓、陶灶等模型明器，而椁室中甚至连鼎、盒、壶、钫这些陶礼器组合也未见到。过去汉墓中虽然也常见在容器中放鸡、鱼及陪葬牛骨的情况，但放螃蟹、鱼卵、鸡蛋的情况较为少见，特别是螃蟹和鱼卵，可以说是十分少见。

252.江苏徐州市大孤山二号汉墓

作　者：徐州博物馆　吴公勤等
出　处：《考古》2009年第4期

大孤山位于徐州市区西北约7公里，为较大的石灰岩山丘，由于长期的开山采石，山体多被破坏。2004年4月23日，徐州博物馆接龟山派出所报告，大孤山北麓有1座古代墓葬被盗，经过现场勘查，确认是1座西汉墓。徐州博物馆于2004年4月24日至5月2日对墓葬进行了抢救性发掘。由于1994年铜山县文化局在该墓西侧4.1米处曾清理过1座墓葬（补编为大孤山一号墓），此次发掘的墓葬编为大孤山二号墓（以下简称M2）。简报分为：一、墓葬形制，二、出土遗物，三、结语，共三个部分。有彩照、手绘图。

据介绍，该墓为石坑竖穴洞室墓，随葬品较丰富，有陶器、铜器、漆器、玉器、铁器、龟钮玉印和铜印等共计73件。大孤山二号汉墓的时代应为西汉中期。

简报称，该墓共葬有3个人。竖穴内的1人没发现任何随葬品，地位应稍低。徐州地区发掘的墓葬中，有多座墓葬有这样的合葬者，其身份可能为妾或其他家庭成员。洞室内埋葬的2人东西并列，随葬品也为2套，身份大致相当，应为夫妻。外侧墓主人随葬有铁刀和铁剑，随葬品也相对较多，应为男性，从出土的印可知其名为王霸。内侧墓主人随葬品相对较少，应为女性。

简报指出，大孤山二号墓虽然位于山坡，墓葬的封堵也不是很严密，但随葬品却较丰富，质量也比较高，除陶器、铜器和漆器外，男性墓主还有玉印、玉带钩及3件玉剑饰。洞室外还有1个地位较低的合葬者，反映出墓主人的身份比较高。这种情况多见于汉代刘氏宗族墓中，非刘氏宗族墓葬中较少发现。大孤山二号墓东部不远即为第六代楚襄王刘注夫妻合葬墓，时代也接近，二者之间或有一定的关系，王霸可能为当时级别较高的官吏。

253.江苏徐州出土的汉代陵墓石雕

作　者：徐州汉画像石馆　杨孝军
出　处：《四川文物》2009 年第 1 期

徐州地区出土了一批汉代陵墓石雕，具有较高的研究价值。简报分为：一、石雕简况，二、结语，共两个部分。配以照片，介绍了 2002 ~ 2006 年先后出土的 13 块汉代陵墓石雕。

据介绍，汉代陵墓石雕共有 13 件，其中 1、2、7 号石为圆雕石刻，3、4 号石为陵墓石阙；5、6、8、10 号石为陵墓石柱，9、11、12、13 号石为陵墓建筑构件。年代均属东汉中晚期。

254.江苏徐州黑头山西汉刘慎墓发掘简报

作　者：徐州博物馆　吕　健、耿建军等
出　处：《文物》2010 年第 11 期

黑头山位于徐州市东郊的上店子村北侧。2006 年，黑头山南坡山腰处有墓葬被盗，考古人员前往调查。该墓的部分已暴露，盗洞位于竖穴的西南角，大致呈方形，最深处约 6 米。但墓大部分保存完好，考古人员随后对该墓（编号 M1）进行了抢救性发掘。简报分为：一、墓葬形制，二、出土器物，三、结语，共三个部分。有彩照、手绘图。

据介绍，该墓为西汉早期的石坑竖穴墓，墓上有封土，周围还发现有陪葬坑。竖穴夯土间放置 5 层封石，葬具为木椁，内葬 2 人，应为夫妻合葬。墓内出土随葬器物，包括陶器、铜器、铁器、玉器和玛瑙器、骨木器等。其中有 8 方印章，属于墓主的官印及私印。从印文得知墓主名刘慎，简报推测其为西汉楚国的宗室成员。

简报称，此次出土的六博棋十分珍贵，六博棋在汉墓的发掘中较为常见，棋子一般为 12 枚，每人 6 枚。棋子上通常都没有文字，但该墓出土的棋子中，有 1 方的 6 枚棋子上刻有文字，分别为"青龙""小岁""德""皇德""司陈""白虎"。棋子上的文字可能表示该子在棋盘中的方位，从而为解释六博棋的行棋方法提供了线索。

255.江苏徐州市汉代采石遗址发掘简报

作　　者：徐州博物馆　刘尊志等
出　　处：《考古》2010 年第 11 期

徐州市汉代采石遗址位于江苏省徐州市市区南部，西面为中山南路，南临和平路和云龙山。东面为徐州博物馆，东北为土山东汉彭城王墓。2004 年 5 月，相关部门在基建时，发现一些有凿痕的石坑遗迹，徐州博物馆闻讯后前往调查，并进行了抢救性发掘。简报分为：一、地层堆积与文化遗迹，二、采石遗迹，三、出土遗物，四、遗址内的相关墓葬，五、结语，共五个部分。有彩照、手绘图。

据介绍，遗址地层堆积简单，但采石遗迹分布密集。采石坑数量大，反映的采石工艺较为多样，另外还有石坯坑、石渣坑、未完成坑、踏步、楔窝等。遗址内出土遗物丰富，主要为采石用的铁质工具和生活用的陶器等。遗址的时代为西汉时期，下限不晚于东汉早期。简报推断应为 1 处官营采石场。简报指出，汉代采石遗址在我国发现较少，目前所知的仅有广州南越王墓开采石料的采石场，但规模较小，采石量少，反映的采石工艺等也不如徐州汉代采石场遗址丰富。

256.徐州拖龙山五座西汉墓的发掘

作　　者：徐州博物馆　刘尊志、耿建军、吴公勤等
出　　处：《考古学报》2010 年第 1 期

拖龙山 5 座西汉墓葬位于徐州市东南约 9 公里的拖龙山南端山顶和山脊上。拖龙山呈东北—西南走向，长近 4 公里。1998 年秋天，拖龙山南端有墓葬被盗，徐州博物馆在铜山县文化体育局的配合下，于 1998 年 11 月至 1999 年 1 月对其中的 5 座墓葬进行了抢救性发掘。由于 1992 年 8～9 月曾在该山北部发掘两座西汉墓葬，故将此次发掘的 5 座墓葬编号简称 M3～M7。简报分为：一、墓葬形制，二、出土遗物，三、结语，共三个部分。介绍了这 5 座墓葬的情况，有彩照、手绘图。

据介绍，此次发掘的五座墓葬均位于拖龙山南端的山顶和山脊上，墓上有封土，封土周围多以块石砌墓垣，1～3 层不等。墓葬形制多为石坑竖穴洞室，个别无洞室（M6），出土遗物 284 件（组）。简报推断年代为西汉中期后段至西汉晚期前段，即汉宣帝至汉成帝早期。

简报称，该墓群墓葬分布集中，时代接近，M3 地势高，规模居墓群之首，应该是墓群中规格最高的。M3 墓封土高大明显，有内、中、外 3 层墓垣，其中外层墓垣的面积达 900 平方米。洞室高近 3 米，面积约 20 平方米，在以往发现的这一时

期的中型汉墓中规模最大。在洞室的南部还设有专门放置车马的龛，面积较大，近10平方米。洞室口用了10余块大型规整块石，封堵严密。陪葬品中有大量陶瓷器、铜器、铁器、玉石器等，均反映出墓主人生前的身份和地位较高。从出土的车马器、镶玉铜枕、玉衣片、龙形玉佩、心形玉佩、铜镇、薰等大量陪葬品看，墓主人的身份应大致相当于列侯或更高。该墓距离南洞山楚王及其夫人墓较近，时代亦接近，墓主为楚王家族成员的可能性较大。其他墓葬规模较小，出土物也相对很少，应为M3的陪葬墓或家族中身份较低者的墓葬。

简报指出，拖龙山M3～M7均被盗掘，盗洞痕迹明显，盗洞内多发现有盗墓者留下的遗物。徐州地区历史上盗掘西汉墓葬最为猖狂的时期共有2次：1是西汉末年，另外1次就是唐末至北宋早期。拖龙山这次发掘的5座西汉墓的盗洞内均发现有唐末至北宋早期的遗物，为徐州地区这一时期西汉墓葬被盗提供了新的佐证。这一时期被盗的西汉墓数量远远多于西汉末年。唐末时期徐州地区西汉墓被盗现象较为普遍，而这可能与当时社会动荡等社会原因有较大关系。

简报强调，拖龙山5座西汉墓葬的发掘对研究汉代徐州地区的墓葬制度、物质文化、墓葬建筑等方面具有极为重要的参考价值。

257.江苏徐州小长山汉墓 M4 发掘简报

作　者：徐州博物馆　郑洪全、耿建军
出　处：《中原文物》2010 年第 6 期

小长山汉墓群为徐州地区1处重要的汉墓群。2008年9月发现并发掘的M4为其中较为重要的1座墓，虽然被盗过，仍出土8件精美的玉器，包括玉枕、双层玉面罩、玉塞、玉蝉、青玉璧等，尤其是双层玉面罩的发现，在徐州乃至全国尚属首次，不仅增加了面罩的新类型，而且解释了面罩结构方面的一些问题。简报分为：一、墓葬结构，二、随葬品，三、结语，共三个部分。有照片、手绘图。

该墓为石坑竖穴结构，由封土、竖穴墓道、椁室等部分组成。墓葬曾两次被盗，盗洞均位于墓葬中部，直达墓室，在第3块石板（从北端开始编号）上有2个砸开的洞，即是两次盗墓造成的。封土仅残存1米高左右，葬具已朽，尸骨仅存上半身。墓主人有可能是女性，简报推断可能是刘氏宗室中与楚王血缘稍远的宗室女或是庶出的翁主。

该墓的时代，应为西汉早期后段。

258.江苏徐州市奎山四座西汉墓葬

作　者：徐州博物馆　刘尊志、郑洪全、吕　健
出　处：《考古》2012 年第 2 期

2005 年 7 月，有关单位在西奎山北麓进行施工时发现有古墓葬，考古人员确认为 4 座西汉墓葬。2005 年 8 月 13 日至 8 月 24 日进行了发掘，将 4 座墓葬分别编号为 M9 ～ M12。4 座墓葬的发掘情况，简报分为：一、墓葬形制与结构，二、出土遗物，三、结语，共三个部分。有彩照、拓片、手绘图。

据介绍，4 座西汉时期夫妻同穴合葬墓。其中 M9、M10 为石坑竖穴墓，竖穴底部并列葬夫妻 2 人；M11、M12 为石坑竖穴洞室墓，竖穴底部及洞室内均葬有人。墓葬虽遭盗扰，但仍出有陶器、原始瓷器、铜器、铁器、漆木器、玉石器等。4 座墓分布较为集中，简报认为应为同一家族墓葬。

今有刘尊志先生《徐州汉墓与汉代社会研究》（科学出版社 2011 年版）一书，可参阅。

259.江苏徐州苏山头汉墓发掘简报

作　者：徐州博物馆　孙爱斧、马永强、耿建军等
出　处：《文物》2013 年第 5 期

苏山头是徐州市西北郊九里山西侧的两个山头，其中偏东北的山头较高，海拔112.7 米。2001 年 6 月 11 日至 7 月 22 日，徐州博物馆对苏山头汉墓进行了抢救性发掘，共清理墓葬 4 座，编号为苏山头 M2 ～ M5。简报分为三个部分对之进行了介绍，并配有彩照和手绘图多幅。

苏山头 4 座汉墓中，M2、M3 在偏西北的小山顶部，M4、M5 在东南相邻的山顶，皆为依山开凿。

M2、M3 南北并列，均为石坑竖穴洞室墓，从山顶向下开凿而成。2 墓共用 1 个封土。封土堆大致呈圆形，直径约 8 米、高 0.5 米。在封土的上部，发现有唐代板瓦、筒瓦等建筑材料，以及唐代的侈口弧腹凹底青黄釉瓷碗。在封土内及周围的山坡上，还发现了一些汉代的绳纹板瓦、筒瓦碎片，应与当时修建墓葬有关。下面具体介绍M2、M3、M4、M5。

第一部分为"墓葬形制"。如 M2，简报介绍说，该墓由墓道、洞室组成。墓道竖穴式，东西长 2.75 米、南北宽 1.85 米、深 6 米，方向 290°。四壁开凿得较为规整，口部石壁缺失处以块石垒砌。竖穴上部深约 1.2 米全部填碎石块，有的石块还比较大。

1.2 米以下填夯土，土质较为纯净，取自山下平地，其间夹杂少量碎石子。夯土不甚紧密，夯层厚约 10 厘米，大致呈西高东低倾斜。在距墓口 3.7 米处有 1 层封石，由 5 块条石南北向平铺，条石大小基本相同，长 1.8 米、宽 0.49～0.53 米、厚 0.33 米。该墓已被盗掘，盗洞位于竖穴东北部，大致呈长方形，东西长 1.2 米、南北宽 0.8 米，直达墓底。

竖穴底部和洞室内各葬 1 人。由于该墓遭盗掘，竖穴东端和洞室均被扰乱，扰土中有大量的陶器碎片及其他陪葬器物碎片。竖穴底部的漆木棺已朽，从残留痕迹看，木棺长约 2.15 米、宽 0.73 米，内髹红漆，外髹黑漆。棺内骨骼腐朽严重，头向东。棺内无陪葬器物。木棺的南北两侧放置陪葬器物，其西端还用石块垒砌出界线。棺南侧的东部为牛的肋骨和陶俑，棺南侧的西部及北侧的西部基本上是陶器。

第二部分"出土器物"。简报称，苏山头 4 座汉墓出土的随葬器物较为丰富，共计 219 件（组），包括陶器、铜器、铁器、玉石器等。

陶器 96 件（组）。占随葬器物的绝大部分。包括鼎 12 件、盒 13 件、壶 11 件、罐 2 件、钫 6 件、茧形壶 9 件、盆 5 件、仓 1 件、磨 1 件、井 2 件、汲水罐 1 件、勺 3 件、灶 1 件、匜 1 件、釜 1 件。

陶金饼 1 组 96 枚，女立俑 18 件、男立俑 4 件。

铜器 11 件，器形有鼎、铃环、镜、耳杯、带钩等。

铁器 8 件，有釜、钉、勺、剑、矛等。剑、矛，均锈残严重。

玉石器 12 件，其中玉面罩、玉枕、玉舞人等值得重视。

第三部分为"结语"。简报认为该墓群的时代大致在西汉早期后段，即文帝至武帝前期，其中 M2、M3 的时代稍微早些，M4、M5 的时代略晚。

至于墓主身份，简报认为，苏山头汉墓群的 4 座墓葬中，M2、M3 为一组，M4、M5 为一组，可能属于不同的家族。M4、M5 规模都比较小，墓主可能是中小地主或小官吏。两座墓东西并列，位于同 1 个山头上，共用 1 个封土堆，竖穴墓道间的距离只有 2～3 米，二者的关系十分密切。M5 未见汉代男性墓葬中常见的剑或刀，可能是女性；M4 因被盗而未见陪葬品，墓主可能是男性。若果真如此，则二者应为同茔异穴的夫妻合葬墓。

简报指出，M2 是此次发掘中规模最大、随葬品最多的 1 座，墓主可能是宗室中下嫁的刘氏家族女。M3 不见规格较高的随葬品。墓主人的身份较低。该墓北侧和东侧洞室内各葬有 1 人，其中东室内发现有铁剑，墓主人为男性；北室内陪葬有带钩、铜镜，不见男性佩戴的剑或刀，可能是女性，是男性墓主人的陪葬者。

简报注意到，M2、M3 位于同 1 个山头，共用 1 个封土，两座墓葬之间相距约半米，二者的关系非常密切。M2 墓主为女性，M3 墓主为男性，而且二者的棺室都位于东侧，形制相同，南北并列，应该属于夫妻同茔异穴合葬墓。值得注意的是，M2、M3 均发现有陪葬者。但 M2 与 M3 的陪葬品悬殊，男性墓主的身份低于女性。简报推测，M2 墓主可能是刘氏宗室女，其所嫁的男性因为没有官职，只能按照比较低的身份下葬。

260.江苏徐州后山西汉墓发掘简报

作　　者：徐州博物馆　李　祥、刘尊志

出　　处：《文物》2014 年第 9 期

后山西汉墓位于江苏省徐州市鼓楼区刘楼村南的后山顶部。该山为 1 座低矮平缓的石灰岩山丘，海拔 46 米，西南与水山相连。2006 年 4 月下旬，当地村民在开山采石时发现 1 座墓葬（编号 M1），徐州博物馆随即对该墓进行了抢救性发掘。该墓的发掘情况，简报分为：一、墓葬形制，二、出土器物，三、结语，共三个部分。有彩照、拓片、手绘图。

据介绍，后山西汉墓为石坑竖穴结构，墓上封土已不存，墓口局部遭到破坏。竖穴平面为长方形，墓壁开凿较为规整，凿痕清晰。竖穴内葬有 2 个不同时期的墓葬，上层墓葬（简称 M1 上）叠压下层墓葬（简称 M1 下），并打破下层墓葬。上层墓葬出土有铭文铜印，墓主为叫"明□"的男性，简报认为有较高身份，可能是地方中级官吏，似有一定军事背景。简报推断上层墓时代为新莽时期。下层墓葬的墓主人，简报认为应当具有较高的身份等级。特别是玉衣，在徐州地区除楚王（后）外，一般只有刘氏宗室才能享用，故下层墓葬的墓主人很可能是刘氏家族成员。其时代简报推断为西汉早期。

简报指出，后山上、下 2 层墓葬分别属于新莽时期和西汉早期，相差 150 年左右。

常州市

261.江苏武进县出土汉代木船

作　　者：武进县文化馆、常州市博物馆　陈　晶

出　　处：《考古》1982 年第 4 期

1975 年，武进县万绥公社蒋家巷生产队在建设农田水利工程中，发现了 1 艘古代木船的 1 端，由于船身压在渠道下面，发掘工作未能进行。当时为了防止木质急

剧收缩、变形，故埋藏在另1地点的土坑内，使其缓慢脱水，以便保存。1982年初，将保存的木船1端启土清理，进行测绘、碳十四测定、木材鉴定等工作。木船的类型在我国造船史资料中尚属初见，为长江水文考古及航运史提供了新的研究资料。简报分为：一、木船出土的地理位置，二、木船结构，三、木船周围出土的遗物，四、长江杨中、武进段水道的变迁，五、小结，共五个部分。有手绘图。

据介绍，武进县万绥公社蒋家巷生产队位于常州市西北，离市区20多公里，北距万绥镇1公里左右。简报认为这里有可能是古代长江的1个避风江湾，也有可能是修造船只的场所。木船全长可达20米左右，宽度1米多，估计吨位在10～15吨左右，这样的船只当时可能通行长江。比较独特的是木船全部采用木榫结合，未用铁钉。经测定年代，应为汉代遗物。

262.常州发现西汉墓

作　者：陈娟英、陈丽华
出　处：《文物》1993年第4期

1990年5月，常州市国棉二厂在建设基建工程时发现一批釉陶器，简报配以照片予以介绍。

据介绍，墓葬已遭破坏，葬具无法复原，仅征集到6件完整的釉陶器和1堆残碎陶片，经拼对复原，又得11件陶器。总计17件，其中16件为釉陶器，1件为夹炭泥陶。简报推断此墓时代为西汉中期。

简报称，有些器物的器形、纹饰很有特色，为常州地区首次发现，釉陶皆局部施釉，釉色黄绿。

苏州市

263.江苏吴县窑墩汉墓

作　者：吴县文物管理委员会　张志新
出　处：《文物》1985年第4期

1980年4月，江苏吴县东渚公社淹马大队农民在万家村前渚头山东的窑墩上挖土制砖坯时，发现1座古墓。简报配以手绘图、照片予以介绍。

据介绍，窑墩原是1处高出地面3～4米、面积约400平方米的土墩。这里原是 1 处新石器时代晚期的古文化遗址。此次发现的古墓,为木顶砖室墓,四周砌砖。出土器物有铜器、陶器。根据在墓穴附近采集到的碎陶片判别,墓中出土的器物还有灵敏件硬陶壶和罐等,铜器为生活实用器,盘口壶和双耳罐都不施釉,器表密布旋坯而留下的弦纹,耳部饰藏纹。综合情况,简报初步推断窑墩墓是一座东汉早期的墓葬。

264.苏州北郊汉代水井群清理简报

作　者:苏州博物馆　王德庆
出　处:《考古》1993 年第 3 期

1989 年 1 月上旬,苏州火车站职工医院基建工地发现多口古代水井。考古人员配合工程进行了抢救性清理,前后清理发掘为期共 5 天。简报分为:一、地理位置和概况,二、出土遗物,三、结语,共三个部分。有手绘图。

据介绍,水井群位于苏州市平门外北郊,距古城外壕(即护城河)约 50 米,西距火车站约 200 米,北距沪宁铁路仅 15 米。水井共计 11 口,其中 4 口因施工被破坏,清理了 7 口。其中 4 口为土井,3 口为陶制圈井。出土遗物有陶器、板瓦、木刀、木钩、骨钩、铁钩等。简报认为土井朝代应略早于圈井,约当在西汉的中晚期,圈井大致在东汉早期,下限不会晚于东汉中期,两者在时间上大致基本相衔接。

南通市

连云港

265.江苏连云港市海州网疃庄汉木椁墓

作　者:南京博物院　尤振尧、黎忠义
出　处:《考古》1963 年第 5 期

连云港市海州网疃庄焦山于 1962 年 7 月间大雨后被水冲刷出 1 座古墓。连云港市文教局闻讯派人去了解,并搜集散失出土物,其中除漆器、玉器外,还有铁剑、铜镜等重要文物。8 月间市文教局秦锦森同志来南京开会,带来部分出土物,要求帮助鉴定并派人前往调查,9 月 16 日由南京博物院尤振尧同志去了解。

网疃庄在连云港市海州区东门外 2.5 公里处。墓在该庄南 100 余米的焦山下。墓室南北向，为木椁结构，棺木 2 具，安置在椁室之中，分列东西两边，为夫妇合葬，中间用木板隔墙分开。东边 1 具筑有脚厢，西边 1 具无此结构。现在所见的出土遗物共计 29 件，其中以漆器最多，共 8 件。简报推断该墓为西汉末或东汉初的墓葬。

简报称，1949 年以来，江苏境内虽然陆续出土些汉代漆器，但大都在扬州附近，淮安县青莲岗和仪征县龙河一带，连云港市发现这么大型木椁墓，特别是大量漆器的出土还是第 1 次，并且这种扣银银平脱绘有图案的漆器为江苏省以往所未见。这批漆器的出土不仅为我们研究连云港地区汉代物质文化提供了宝贵的线索，而且也提供了极有价值的古代工艺美术资料。

266.海州西汉霍贺墓清理简报

作　者：南京博物院、连云港市博物馆
出　处：《考古》1974 年第 3 期

海州现在是连云港市的 1 个区。汉代曾在此地设置朐县，属东海郡。海州东门外约 2 公里的网疃庄的小礁山北麓，俗名"猴顶"。时有汉代墓葬发现，其中以木椁墓居多，也有土坑墓。1973 年 3 月间，当地农民在小礁山北麓平整土地时，发现了这座西汉霍贺墓。发掘工作从 3 月 13 日开始，15 日结束。简报分为：一、墓葬形制，二、随葬器物，三、几点推论，共三个部分。有手绘图。

据介绍，墓的结构主要由墓坑、椁室和木棺 3 部分组成，为男女合葬墓。男棺大于女棺。随葬品有铜质印章、铁刀、漆器、鸠杖、釉陶器及钱币等。从男棺出土的铜质印章看，知墓主姓霍名贺。此人史书无载。汉代铜印有官印、私印之分，"霍贺之印"当属私章。此外，环首铁刀上所刻"宜官腜二千石"6 字，汉官中无"宜官"职称，但"宜"字常作介词用，是汉器铭文中屡见不鲜的现象。"腜"古文作"厚"解，是祝愿的意思。这里的"宜""腜"是同一个意义。享有 2000 石俸禄者，在外的是地方最高一级官僚，也是封建士大夫阶级上爬追求的目标，简报认为是作为祈祷语写在器物上。该墓的时代，简报推断为西汉。

267.江苏连云港市海州西汉侍其繇墓

作　者：南　波
出　处：《考古》1975 年第 3 期

1973 年 12 月，考古人员在连云港市海州区南门大队网疃庄附近，又清理了 1 座

汉代木椁墓。网疃庄在海州东南约 2.5 公里,这一带汉墓很多。简报分为:一、墓葬形制,二、随葬器物,三、结语,共三个部分。有照片、拓片。

据介绍,该墓系夫妻合葬墓,圹为长方形竖穴,2 木椁 2 棺木。随葬品有铜器、漆器、五铢钱、骨钗、银印等。简报推断此墓为西汉中晚期墓。据出土银印,墓主人叫侍其繇。侍其是复姓,此人不见于史传,但从考古发掘的情况看,此人应为郡守一类地方官。

简报称,此墓木方记载的绮、罗、丸(纨)绣、纱縠、练和襜褕、复(複)衣、禅衣、复(複)襦、禅襦、复(複)被等丝织品和衣服的名称,在《说文》《急就篇》《释名》《六书故》等书上大体都可以找到记载和解释。汉代丝织品的产地以齐、蜀两地为大宗,《汉书·地理志》注齐郡临淄县即有服官。此木方所载各种丝织品,应来源于齐地。

268.连云港市孔望山摩崖造像调查报告

作　　者:连云港市博物馆　丁义珍
出　　处:《文物》1981 年第 7 期

孔望山位于江苏省连云港市海州锦屏山(古称朐山)东北,东西长约 700 米、高 129 米。300 年前,孔望山与东部云台山之间还无陆地相连。相传孔子曾登此山以望东海,故名孔望山。孔望山摩崖造像位于南麓最西端,依山岩的自然形势雕成。现可识并已编号的图像有 105 个,刻在东西长 17 米、高 8 米的山崖上。离造像群东 70 米处有 1 大型的圆雕石象,南 150 米处有 1 圆雕石蟾蜍。石象南 25 米还有 1 块顶部有人工凿槽的"馒头"状巨石。1980 年,史树青、俞伟超等先生曾前往考查。同年,考古人员进行了调查和测绘。简报分为:一、摩崖造像内容,二、时代,共两个部分。有照片。

据介绍,这处摩崖造像内容主要与佛教有关。简报推断年代为东汉晚期。

269.江苏连云港市花果山出土的汉代简牍

作　　者:李洪甫
出　　处:《考古》1982 年第 5 期

1978 年 7 月,连云港市花果山下的云台砖厂爆破取土烧砖时,出土了一批破碎的汉代简牍,可辨成文的有 13 片,其余 17 片残甚,字迹漶漫无法辨认,或根本无字迹。简报配以手绘图等予以介绍。

简报认为这批简牍很可能是 1 座汉墓中的随葬品。简报给出了 13 枚简牍释读并试注需要指出的字，后因运送、处理时损坏，摹写时已不见。简牍内容涉及法律、买卖价格等。由简牍中的干支纪年推算，简牍文字的时代，应是汉哀帝元寿二年（前1年）。

270.江苏连云港市花果山的两座汉墓

作　者：李洪甫

出　处：《考古》1982年第5期

1978年7月，连云港市花果山下的云台砖厂取土时，发现了一批汉代简牍。之后，在简牍出土地东2米处，发现了2座木椁墓，编号为IHM1～M2。简报配以拓片、手绘图予以介绍。

据介绍，M1为竖穴土坑墓，1椁1棺，棺系用整段楸树刳空制成，葬具四周塞有膏泥。出土有陶器、木俑等12件。M2距M1约1米，也为竖穴土坑墓，为夫妇合葬墓，仅出土梳篦、角钗、五铢钱等。

2墓的年代，简报推断为西汉晚期。

271.连云港市锦屏山汉画像石墓

作　者：李洪甫

出　处：《考古》1983年第10期

锦屏山，明代以前称朐山。在连云港市西南郊7公里，其北麓即古海州城（今连云港市海州区）。在锦屏山的小礁山、石棚山、饮马池、白鸽涧、凤凰山、孔望山、青龙山等小山包上，散布着许多秦汉墓。1979～1982年，在桃花涧、酒店、白鸽涧、刘顶陆续发现四座汉画像石墓。简报分为四个部分予以介绍，有照片。

据介绍，这批画像石墓，画像都采用阴线刻，底粗糙，未经磨平，图像简略，线条率直，显然属于早期品，简报推断年代可定在西汉晚期或新莽前后。

272.江苏赣榆金山汉画像石

作　者：徐州博物馆、赣榆县图书馆　王　恺

出　处：《考古》1985年第9期

1979年11月，考古人员在赣榆县金山镇下庄村发现散存的画像石32块。经进一步调查了解，画像石均出在墓葬中，其中1～11号出于1座墓（1号），其余出处不明，已移作他用。周围墓葬共4座（编号1～4）。其中3座已被挖开，第4座

据说早年已被挖开，因故又回填。简报配以手绘图、拓片予以介绍。

据介绍，赣榆县在江苏省东北部，东为浩瀚的黄海，北部和西部与山东省毗邻。下庄在金山南 2 公里。墓群在下庄村北约 250 米的龙王河支流的北岸、县城通往金山的公路的西侧。1、2、3 号墓为东西一字排列，间距约 25 米。现存较好的是 1 号墓，2、3 号墓仅存土坑。1 号墓为砖石结构。下庄墓出土的 32 块汉画像石，共有 39 幅图像。内容主要是人物和奇禽异兽，边饰主要是宽带，次为连弧纹、垂幛纹及"S"形纹等。雕刻技法多为浅浮雕和平面阴线雕，也有减地平面阴线雕等；其石质主要为石灰岩，个别为黄褐色砂岩。

273.江苏赣榆县金山乡发现一座汉墓

作　者：仲璟维、高立保、于惊鸿
出　处：《考古》1986 年第 11 期

1983 年 12 月 5 日，在兴建水库时，金山乡董河村东岭的阳坡上发现 1 座古墓，封土尚存，墓坑为长方形竖穴土圹，坑内有木椁，椁内并排 3 副木棺。人骨已朽，出土有铜镜、釉陶器等 7 件。其中 1 件打开时酒味尚存。

该墓年代，简报推断为西汉中后期。

274.连云港地区的几座汉墓及零星出土的汉代木俑

作　者：连云港市博物馆　李洪甫、石雪万等
出　处：《文物》1990 年第 4 期

近年来，连云港地区陆续清理了几座汉墓，墓中出土了数量不等的木俑，一些残破汉墓中也常有木俑发现。这些木俑具有地方特色。

简报分为：一、锦屏青龙山纱帽寺西汉木椁墓，二、海州凤凰山水库西汉木椁墓，三、花果山唐庄砚台池西汉墓，四、几座残墓出土的汉代木俑及结语，共四个部分。有照片、手绘图。

简报指出，汉代木俑主要发现于长江中下游及广东地区，中原地区出土的木俑很少。西北陕西地区多有陶俑出现，但无木俑。四川汉画艺术兴盛，也无木俑。甚至与连云港相邻的山东临沂以及江苏徐州的汉墓中，也没有发现木俑。已经发现汉代随葬木俑的地区多受到过楚文化的强烈影响，简报认为这一葬俗应是楚文化的特色之一。而连云港地区发现汉代木俑之处多在海边，简报认为这是通过海上交通受楚文化影响的结果。

简报认为，连云港地区出土的木俑有一定特色。从制作看，长沙马王堆和其他地区的汉墓中出土的着衣木俑和小木俑几乎没有刻出四肢，或只粗略地刻出四肢的轮廓，再通过施墨彩绘来表现四肢和服饰衣纹，风格与战国的木俑一脉相承。而连云港地区出土的木俑则四肢刻画比较完备，小臂和双足甚至是插榫另接上去的，灵活多变，面部五官刻画细致。就服饰特点而言，连云港汉代女俑的发式、男俑的冠饰和所戴"介帻"等，均有自己的特征。

275.江苏赣榆县发现"朐邑铜鼎"

作　者：李克文

出　处：《考古》1992 年第 2 期

1990 年，赣榆县米堵乡寺后村于地下 1 米处挖出 1 件铜鼎。简报配以照片予以介绍。

据介绍，该鼎口稍残。直口微敛，矮领，扁折腹，附耳，高兽蹄足外撇，沿下一周凹弦纹。通高 21.2 厘米、口径 14.1 厘米、腹径 21.5 厘米、腹深 12 厘米、壁厚 0.2 厘米，重 4650 克。出土时底部尚有烟炱。肩部镌刻铭文 11 字，文为"朐邑铜鼎容斗四千值廿斤"。

从鼎的形式和铭文看，简报推断此器年代为西汉前期。

276.江苏赣榆县出土东汉别部司马印

作　者：赣榆县博物馆　李克文

出　处：《考古》1996 年第 10 期

在江苏省赣榆县汉代古城盐仓城附近的烽火台旁约 2 米深处，出土了 1 方铜印。印呈正方形，边长 2.3 厘米、厚 1 厘米，瓦形钮，重约 50 克。印体浇铸，印文为后镌，阴刻隶书白文"别部司马"4 字。简报配图予以介绍。

据介绍，"司马"之职，西周时始置，春秋、战国沿用，汉代仍行，掌管军政和军赋，亦为将军府的佐官，在将军之下综理一府之事，参与军事计划。据《后汉书·百官志》载："大将军营五部，部校尉一人，比二千石，军司马一人，比千石……其不置校尉部，但军司马一人。又有军假司马、假侯，皆为副贰。其别营领属，为别部司马，其兵多少，各随时宜。"由此可知，此"别部司马"印当是东汉时期的武职官印。该印出土地点曾发现大量汉代砖瓦、陶壶、陶罐等器碎片和铜、铁箭镞残件等。此次铜印的出土，证实此地是汉代屯军所在。

277.连云港市东连岛东海琅邪郡界域刻石调查报告

作　者：连云港市文管会办公室、连云港市博物馆　孙　亮等
出　处：《文物》2001 年第 8 期

1987 年，连云港市考古人员在文物普查中发现了位于该市连岛镇东连岛村灯塔山羊窝头北侧海边的 1 块隶书刻石（简称羊窝头刻石）。1998 年底，《连云港日报》记者经当地人指点，在东连岛村苏马湾海边又发现了另 1 块刻石（简称苏马湾刻石）。简报分为：一、地理位置，二、保存现状，三、几点认识，共三个部分。有照片、手绘图。

据介绍，东连岛界域刻石 1 处位于连云港市连云区连岛镇东连岛上的东连岛村灯塔山羊窝头北侧，另 1 处位于东连岛村苏马湾，均面海而立。2 刻石相距约 2 公里。羊窝头刻石距海水低潮平面约 8 米，苏马湾刻石距海水低潮平面约 5 米。苏马湾刻石明确记载着"始建国四年四月朔乙卯"，即公元 12 年夏（农）历三月初一。羊窝头刻石没有确切纪年，简报认为上限应为秦末，最晚不过东汉光武帝建武六年（30 年）。2 处刻石应为同时刻制，书写者应为 1 人。性质为划界石。据《汉书》记载，王莽于建国四年（12 年）诱杀了高句丽侯，所以王莽要划清东海郡和琅邪在东海上的管辖范围以防不测。东连岛界域刻石是我国迄今发现的较为完整的、有确切纪年的西汉晚期界域刻石，也是我国目前发现的年代最早的界域刻石，为研究西汉末东汉初的行政地理和整个中国古代史、中国书法史，提供了珍贵的实物资料。

278.江苏连云港海州西汉墓发掘简报

作　者：连云港市博物馆　程志娟、项剑方、惠　强等
出　处：《文物》2012 年第 3 期

2007 年 7 月 8 日至 19 日，为配合道路基建，连云港市博物馆对海州区双龙村花园路的 2 座西汉墓（M1、M2）进行了抢救性发掘。2 座墓中，M1 首先被发现，墓葬保存也较完整。M2 在 M1 东南约 2.5 米，是 1 座残墓。简报分为：一、墓葬形制，二、随葬器物，三、结语，共三个部分。有彩照、拓片、手绘图。

据介绍，M1 墓室东西长 4.2 米、南北宽 3.6 米，内有 2 个椁室，共放置 4 具漆木棺。随葬器物有铜器、铁器、玉器、漆木器、角器、木牍等。其中木牍包括名谒和衣物疏。墓主人可能是西汉中后期的地方官员。在 M1 的三号棺内发现了 1 具保存完好的女尸，从出土的龟钮铜印看，墓主叫凌惠平，死亡年龄大约为 55 岁，可能是男性墓主人的妻子。

简报推断：M1 的时代属西汉中后期，M2 应在西汉中晚期至王莽时期。

279.江苏东海县体育场汉代水井发掘简报

作　者：东海县博物馆　朱　磊等

出　处：《华夏考古》2014年第1期

2008年12月13日，接到东海县体育场五游泳馆建筑工地发现"古井"的报告，考古人员赶到现场进行调查，并对水井进行了清理，清理工作持续了3天，从13日起至15日结束。简报分为：一、地理位置与地层情况，二、水井结构，三、出土遗物，四、结语，共四个部分。有照片、手绘图。

据介绍，东海县体育场建筑工地清理的水井，为1眼砖券、陶圈混合结构的汉代水井，同时与以往发现的同类遗迹进行了比对。简报称，该水井的发现，为研究汉代水井的形制、建造技术及东海地区的人群分布和生活方式提供了不可多得的实物资料。

淮安市

280.江苏涟水三里墩西汉墓

作　者：南京博物院

出　处：《考古》1973年第2期

1965年2月，江苏省涟水县三里墩发现1座西汉墓，掘开了墓室南部一小部分，挖出了一些铜器等随葬遗物。考古人员闻讯后，即派人调查并清理了残墓。简报分为：一、地理环境及墓葬发现经过，二、墓葬形制和结构，三、随葬器物，四、结语，共四个部分。有手绘图、照片。

据介绍，三里墩位于涟水城北12.5公里，浅集之南约1.5公里，东临盐河，属河网公社刘桥大队。墓室系长方形土高竖穴，圹内积石为椁，系用不规则的大石块叠成，高低参差不一。棺木及骨殖均朽烂不辨，2次出土的较完整的和可复原的遗物79件，铜器碎片和杂件14件，共93件，另有刀币和五铢钱若干。这座墓葬简报推断西汉时期，墓主人应是西汉时期的封建贵族。关于墓主人的身份，简报初步推测可能与鳣侯应或其家族成员有关。

简报称，这2墓葬出土有错金银嵌绿松石的铜器、金银器和其他一些铜器、玉器，数量虽然不多，但有不少精致器物，有的过去没有发现过，或很少发现。例如错金银嵌绿松石飞鸟壶，错金银盘龙纹鼎、牺尊，镂空透雕盘蛇纹铜架，透雕蟠螭纹铜镜，铜鹿，银鹰座玉琮，雕纹精美的金带钩等，在造型、纹饰、镶嵌技巧方面都是绝佳的工艺品。

281.江苏盱眙东阳汉墓

作　者：南京博物院　邹厚本
出　处：《考古》1979 年第 5 期

盱眙县位于江苏省的西部，县城濒临淮河。东阳在县城以东 35 公里处，介于洪泽湖与高宝湖之间。与安徽省天长县毗邻。秦汉时期的东阳城址即坐落于此，目前尚能见到土筑城垣。当地人在古城外修渠整田，经常发现汉代墓葬，尤其是在东南部发现最多。1974 年 8 月，当地出土一批汉代木刻画，内容较为丰富。考古人员对出土木刻画的那座墓葬（编号墓 01）做了进一步了解，并收集部分文物。同时，在其附近又清理了 7 座已经暴露的墓葬（编号墓 1 至墓 7）。简报分为四个部分予以介绍，有拓片、手绘图。

据介绍，墓地在古城外的东南方，距城垣大约有 300 米，地当苏、皖两省交界。一部分墓葬处于安徽。此次清理的仅是处于江苏境内的一小部分。这些墓葬都是竖穴木椁墓，近椁顶填青灰色膏泥，椁室盖板平放横铺，木板料都采用锭椎榫加固，木板搭缝多用阴阳扣。"顶板"有木刻画是这一带西汉中晚期墓葬葬制中所特有的。另外，薄胎铜器、漆器、釉陶器的造型和纹饰也几乎完全一致。出土的木刻画、漆器及墓 7 出土的木札较为重要。可分两组：甲组有墓 2、墓 3、墓 5、墓 6 以及墓 1，共五座墓葬。为西汉晚期墓，有夫妇同茔异穴墓和夫妇合穴墓。乙组有墓 1、墓 4、墓 7 共 3 座墓葬。为西汉晚期至新莽时期墓，全部为夫妇同穴墓。此批墓的墓主人应为东阳城内中小地主或官员。

282.盱眙县出土东汉神兽镜

作　者：秦士芝
出　处：《文物》1986 年第 4 期

1981 年，江苏省盱眙县顺河公社朱楼大队曾庄百姓在挖水沟时发现 1 面铜镜。简报配以拓片予以介绍。

据介绍，此镜正面和背面边缘呈茶绿色，镜背中间呈深绿色，光洁发亮，镜直径 16.5 厘米、缘宽 1.5 厘米、边厚 0.4 厘米，纹饰缜密，制作精细，镜上有人 25 个、珍禽瑞兽 28 只。最大的人高不过 1.6 厘米，最小的兽只有 0.6 厘米长，但形象生动，线条流畅。从镜钮、纹饰及艺术风格看，简报推断它的制作年代为东汉中晚期。

283.江苏盱眙出土一面铜镜

作　者：吴　炜

出　处：《考古》1992 年第 10 期

1980 年 4 月，江苏省盱眙县马坝乡山西村 1 个农民在开沟挖渠时，发现了 1 面铜镜，现已送交扬州博物馆收藏。简报配以拓片予以介绍。

据介绍，此镜直径 12.5 厘米、缘宽 1.4 厘米、边厚 0.4 厘米。半球钮，圆钮座。内区主体纹饰为高浮雕对置式神兽图案，以钮为中心，分成四组。有铭文。此镜同 1981 年在盱眙县顺河乡朱楼大队发现的 1 面铜镜十分相近（见《文物》1986 年第 4 期第 3 页），由此推断此镜的制作年代大致在东汉末至三国吴期间。

284.江苏盱眙县出土西汉玉带钩

作　者：朱安成

出　处：《考古与文物》2001 年第 6 期

江苏盱眙县东阳乡墓葬出土了 1 件西汉玉带钩。简报配以照片予以介绍。

据介绍，该带钩长 4.3 厘米、宽 1.2 厘米、高 2.7 厘米。白色玉料，滋润，半透明状，有少量的褐色斑点。长钩，圆钮柱，椭圆钩，水禽形，禽顶部羽毛分开，前卷，小眼，长喙，曲颈，短腹，收拢双翅，腹部两边各有 1 朵水花。雕塑家运用夸张的手法作喙，虽喙过腹，上翘，然不失均衡之感。全器以弧线为主，前腹下刻有水花，将水禽漫游的情景表现得淋漓尽致。此带钩在造型、纹饰和雕刻上是汉代不可多得的珍品。

285.江苏东阳小云山一号汉墓

作　者：盱眙县博物馆　秦士芝、谢元安、朱安成等

出　处：《文物》2004 年第 5 期

小云山位于盱眙县东 34 公里的东阳乡，在东阳城遗址西北。1990 年 12 月，当地的采石厂在山顶偏南发现 1 座古墓。考古人员进行了抢救性清理，编号为 M1。简报分为：一、墓葬形制，二、随葬器物，三、结语，共三个部分。有照片、手绘图。

据介绍，M1 为长方形竖穴岩坑墓，出土遗物有漆器、铁器、银器、玉器、铜器等，年代据简报推断为西汉中期以前，似应在武帝元狩五年（前 118）发行五铢钱之前。墓主为男性，从出土铜印、漆器上所书"巨田侯"三字推测，或与陈婴家族有关。

286.江苏盱眙县大云山汉墓

作　者：南京博物院、盱眙县文广新局　李则斌、陈　刚、盛之翰
出　处：《考古》2012 年第 7 期

大云山汉墓位于江苏盱眙县马坝镇云山村大云山山顶，2009 年初，大云山发生了严重盗墓事件。2009 年 2 ~ 3 月，考古人员对现场进行调查与勘探，钻探表明山顶存在大型汉墓区。2009 年 9 月至 2011 年 12 月，考古人员对大云山汉墓区进行全面勘探与抢救性发掘。通过发掘，揭示出 1 处较完整的西汉江都王陵园，出土陶器、铜器、金银器、玉器、漆器等遗物 1 万余件（套）。许多遗物为首次发现，收获巨大。简报分为：一、陵园结构与平面布局，二、主墓，三、陪葬墓，四、陪葬坑，五、墓主人的身份，六、结语，共六个部分。有彩照、手绘图。

据介绍，大云山汉墓区为西汉第一代江都王的陵园。陵园内共发现主墓 3 座、陪葬墓 11 座、车马陪葬坑 2 座、兵器陪葬坑 2 座以及陵园建筑设施等遗迹。其中，M1 与 M2 出土了包括玉棺、金缕玉衣等在内的漆器、铜器、金银器、玉器等精美遗物。结合文献和出土资料，简报推断 M1 墓主人为西汉第一代江都王刘非。

287.江苏盱眙县大云山西汉江都王陵东区陪葬墓

作　者：南京博物院、盱眙县文广新局　陈　刚、李则斌等
出　处：《考古》2013 年第 10 期

大云山江都王陵在陵园北部和陵园外东边都分布有陪葬墓。其中东区有 M16、M17 两座陪葬墓。墓葬封土已被严重破坏，但整体形制尚能复原。封土下还发现陪葬坑 1 座（编号为 K10），坑内仅发现漆皮痕迹 1 处，未见其他遗物。墓葬开口揭露后，共发现盗洞 4 处，编号为 D1 ~ D4。其中，D1 ~ D3 皆为现代盗洞，D4 为早期盗洞。所有盗洞均未进入 2 墓椁室，随葬品未受盗扰。

简报认为，2 墓为同茔异穴合葬墓，皆为长方形竖穴土坑墓，出土铜器、铁器、玉器、漆器、陶器等遗物 80 件。从墓葬所处位置、随葬品组合及形制、印章印文等材料看，M17 墓主人为江都国高级官员，M16 墓主人为其夫人。下葬时间应在公元前 153 年至前 127 年之间的中间时段。

简报认为，发掘为探明汉代诸侯王陵陵园外王国官员陪葬制度提供了难得的材料，并为西汉帝陵官员陪葬制度研究提供了参照案例。此外，封土与墓坑的大小、棺椁的结构与尺寸、釉陶器的组合与数量等，皆可认定为西汉中期王国高级官员墓葬陪葬的标准配置，对汉代墓葬研究意义颇大。

288.江苏盱眙县大云山西汉江都王陵北区陪葬墓

作　者：南京博物院、盱眙县文广新局　陈　刚、李则斌
出　处：《考古》2014 年第 3 期

2009～2010 年，南京博物院对位于盱眙县马坝镇云山村大云山山顶的大云山汉墓进行了抢救性发掘，发掘出 1 处比较完整的西汉诸侯王陵园。陵园内共发现主墓 3 座（M1、M2、M8）、陪葬墓 13 座、车马陪葬坑和兵器陪葬坑各 2 座。简报分为：一、位置与布局，二、M6，三、M12，四、M13，五、M14，六、其他墓葬，七、结语，共七个部分。有彩照、拓片、手绘图。

据介绍，作为第一代江都王的陪葬墓，简报推断上述墓葬下葬的年代应在江都国立国之后，即年代上限为公元前 153 年；江都国传 2 代，第二代江都王刘建在位仅 6 年即国除，故此陪葬墓的下葬年代通常早于江都国国除的年代，即年代下限为公元前 121 年或稍后。

简报称，上述墓葬的发掘为诸侯王陵陪葬墓的研究提供了重要资料，并将进一步推动汉代诸侯王陵陪葬制度的深入研究。

289.江苏盱眙大云山江都王陵二号墓发掘简报

作　者：南京博物院、盱眙县文广新局　李则斌、陈　刚等
出　处：《文物》2013 年第 1 期

江都王陵位于江苏省盱眙县马坝镇云山村的大云山山顶，海拔高 73.6 米，西距盱眙县城 30 公里，南距汉代东阳城遗址 1 公里，西南与青墩山、小云山汉代贵族墓地相邻。2009～2012 年，南京博物院对大云山汉墓进行了抢救性考古发掘，揭露出 1 处比较完整的西汉诸侯王陵园，在陵园内发现主墓 3 座（一号墓、二号墓、八号墓）、陪葬墓 11 座、车马陪葬坑 2 座、兵器陪葬坑 2 座、陵园建筑设施等遗迹。简报分为三个部分进行了介绍，配有彩照和手绘图。

据第一部分"墓葬形制"介绍，二号墓（编号 M2）位于陵园内东南区域，与一号墓为同茔异穴。发掘前，封土破坏严重，但整体形制尚能复原。封土平面近似方形，

推测为覆斗形，南北长约 200 米，残高 14 米。分析封土可知，二号墓封土叠压在一号墓大封土之下。

墓室由主室、北室、南室 3 部分组成。主室位于墓室中央，由 1 棺 1 椁构成，南北长 4.7 米、东西宽 3.9 米。出土时主室顶板与侧板均已坍塌至底板，高度不明。棺处于主室中部，周围用隔板分成北、东、南、西 4 个边厢。漆木棺髹黑漆，内壁满嵌玉饰。为方便介绍，下文称"玉棺"饰。北边厢内放置明器漆木车马 1 具，南边厢内放置各类生活器具，西边厢内放置陶器。

北室位于主室北部，其南侧板与主室北侧板相邻，东西长 3.9 米、南北宽 2.5 米。北室顶板与侧板均已坍塌，高度不明。清理表明，北室内共放置明器漆木车马 2 具。南室位于主室南部，其北侧板与主室南侧板相邻。南室顶板与侧板亦均坍塌，高度不明。清理表明，南室中部盗扰严重，遗迹不存，但两侧出土的大量模型车马器与车轮痕迹证实，南室内亦放置明器漆木车马两具。

墓葬开口揭露后，共发现盗洞 3 处。清理时，3 个盗洞内均有小件器物出土。

第二部分为"出土器物"。尽管遭到现代盗扰，M2 仍出土各类文物 218 件（组），包括铜器、铁器、金器、漆器、玉器、陶器等。其中，铜器主要有车马器与生活用具，铁器有凿、戟、剑、削等，漆器有奁、樽、耳杯、盘等，漆奁内 7 个小奁尤其精美，玉器有玉衣、玉棺、玉璧、玉环、玉佩饰、玉带钩、玉觽、玉晗等，陶器有鼎、盒壶、罐。

第三部分为"结语"，首先介绍了金缕玉衣片的制作工艺，称尽管 M2 金缕玉衣整体盗扰严重，但盗洞内还是残存了部分玉衣片。由于部分残片穿孔内尚留有金丝而且相互连接，因此，玉衣片的制作工艺得以部分还原。

简报介绍说，汉代玉棺发现极少。据统计，迄今发表的汉代诸侯王（后）墓葬中，使用玉棺的不超过 5 件。以往研究者多认为，"金缕玉柙"即是金缕玉衣。本次玉棺清理过程中，玉棺内出土了 1 套金缕玉衣，证明"金缕"为金缕玉衣，"玉柙"则为玉棺。如此，"金缕""玉柙"在实物上的概念得以完全厘清。尽管 M2 玉棺遭遇盗扰，但其前档板、左右侧板保存大致完好，棺板内侧镶嵌的玉璧、玉片、金银片饰的排列组合基本可以复原。对比以往的发掘资料，本次出土的玉棺纹样最为复杂，保存最为完整。该套玉棺的出土，极大地丰富了汉代玉棺的研究资料，为进一步研究汉代丧葬用玉制度提供了资料。

至于墓葬年代，简报认为，M1 与 M2 同为同茔异穴。M2 的下葬时间要早于M1，M2 的年代下限为公元前 127 年或稍后。M2 的下葬时代当在公元前 129 年或稍后至公元前 127 年或稍后之间。

简报推测，M2 墓主人当为第一代江都国王后。关于第一代江都国王后，文献无载，但从墓室内所出大量漆器铭文"连"可以推测，王后的姓氏可能为"连"。

简报最后指出，M2出土文物数量众多、种类齐全、等级较高，在迄今全国发掘的60余座汉代诸侯王（王后）墓葬中并不多见，尤其是出土了金缕玉衣、玉棺、错金银嵌宝石铜镇等一批珍贵文物，研究意义重大。

290.江苏盱眙县大云山西汉江都王陵一号墓

作　者：南京博物院、盱眙县文广新局　李则斌、陈　刚等
出　处：《考古》2013年第10期

大云山西汉江都王陵位于江苏盱眙县马坝镇云山村大云山山顶，海拔73.6米。西距盱眙县城30公里，南距汉代东阳城遗址1公里，西南与青墩山、小云山汉代贵族墓地相邻。2009～2012年间，南京博物院对大云山汉墓进行了抢救性发掘，揭露出一处比较完整的西汉诸侯王陵园，园内共发现主墓3座（一号墓、二号墓和八号墓）、陪葬墓11座、车马陪葬坑和兵器陪葬坑各2座，以及陵园建筑设施等遗迹。简报分为：一、地理位置，二、墓室结构，三、出土遗物，四、结语，共四个部分。重点介绍一号墓的发掘情况，有彩照、手绘图。

据介绍，一号墓（M1）位于陵园东南，与二号墓为同茔异穴墓。封土已被严重破坏，但整体形制尚能复原。封土平面近方形，推测为覆斗形，南北长约200米、残高8米。因封土早期被大规模盗掘，顶端形成一个面积1000平方米、最深约8米的水塘。墓室结构为黄肠题凑，南北长15米、东西宽13.9米、复原高5.1米，包括外回廊、题凑、前室、中回廊、内回廊、内椁、外棺、内棺等部分。其中，外回廊结构保存相对完整，其内随葬品多未受盗扰影响。回廊分为上、下2层，上层放置明器马车20余辆，车厢内大多放置铁剑、铁刀、铁戟、铁弩机、铁箭镞等兵器及明器编钟、编磬等器物。回廊下层随葬品按功能分区放置，南回廊下层西部为洗浴用品区，西回廊下层中部和南部为乐器区，北回廊下层为车马明器区，南回廊下层东部到东回廊中部皆为庖厨区，东回廊下层北部为钱库区。前室与内椁被盗严重，内外2重棺均遭砍砸，玉棺与金缕玉衣残损严重。M1虽被盗扰，但仍出土遗物7092件（组），有铜器4754件（组），另有铁器、金器、银器、玉器、石器、陶器、漆器等。仅铜钱就出土了重约1吨的半两钱。

简报说，通过对历史文献与出土材料的综合研究，一号墓的墓主人应为西汉第一代江都国国王刘非，该墓的下葬年代应在刘非死后的公元前128年或稍后的一段时间之内。

简报指出，大云山一号墓是继河北满城中山王墓、广州南越王墓、徐州狮子山

楚王墓之后汉代诸侯王陵考古的又一重大的考古发现，其出土文物数量之丰富、种类之复杂、工艺之精美，均代表了汉代诸侯王室用物的最高等级。该墓的发掘，不仅为汉代诸侯王陵葬制及文物研究提供了全新材料，更为汉代文物考古的综合研究提供了新角度，学术意义十分重大。

盐城市

291.江苏盐城三羊墩汉墓清理报告

作　者：江苏省文物管理委员会、南京博物院　袁　颖、黎忠义
出　处：《考古》1964 年第 8 期

1963 年 11 月，考古人员在盐城县伍佑公社三羊墩发现并清理了 1 座汉代木椁墓。该墓棺椁大部已破坏，仅清理了 2 个边厢。在清理 2 厢过程中，紧依其东南又发现 1 墓。前者编为 1 号墓，后者编为 2 号墓。简报分为：一、清理经过及地理环境，二、墓的结构和葬具，三、葬式及随葬品，四、随葬品，五、结语，共五个部分。有照片、手绘图。

据介绍，三羊墩位于徐巷（村）之西南，北距县城 10.5 公里，南距伍佑镇 4 公里。在盐城以南伍佑镇以北 10 余公里之间，在串场河以东、范公堤以西的地带，有着大大小小的土墩，其中有几个较大的，当地人称为头墩、二墩、三墩。三墩在三羊墩以南 2 公里左右，二墩在三羊墩以北 1.5 公里许，二者遥遥相对。这些墩子都是高约 3～4 米的土丘。调查中发现地表残留一些汉代遗物，因此推测这些土墩大概是汉墓。

简报称，三羊墩就是这些墩中面积较大的 1 个，高约 4 米许，呈漫坡状，现存面积南北长 64.3 米、东西宽 30 米。1 号墓的位置就在墩的中部偏西，2 号墓紧依 1 号墓的东南。1 号墓棺椁结构宏大，随葬品丰富，在江苏各地的汉墓中还是少见的。出土漆器、铜器多，花纹精细，漆盘口沿上嵌鎏金铜扣，以及一些作为明器的车马饰，皆非一般常人所有。墓主人可能是汉代 1 位大官僚及其眷属。2 号墓的结构与随葬品与前者不能相比，但从随葬内容来看，也绝非一般贫民之墓，应为一般官吏或地主之墓。两墓共出土随葬品 124 件。年代为西汉末期至东汉早期之间，1 号墓的时代应略晚于 2 号墓。

292.江苏盐城出土窖藏半两钱

作　者：俞洪顺

出　处：《考古》1993 年第 1 期

1985 年 5 月 26 日，在盐城市中医院大门外挖下水道时，于地下 0.9 米处发现窖藏半两钱。简报配以拓片予以介绍。

据介绍，出土时，半两钱盛放在陶罐中，罐为泥质灰陶绳纹罐，为汉代早期形式。铜钱堆在路边，散失甚多，所剩约 18 公斤，送交盐城市博物馆收藏。这批半两钱保存情况尚好，除少部分黏结外，大部分钱文清晰。总数约 10000 枚。其中大部分为汉代四铢半两，秦半两钱仅 56 枚。简报称，这批窖藏半两钱种类繁多，字体形式多样，使我们可以看出文字由篆到隶的变化。其年代上自秦代，下至武帝铸三铢钱。盛钱的泥质灰陶绳纹罐属西汉早期，三铢钱为汉武帝建元元年（前 140 年）所铸，行四年废，而半两钱自战国秦始行，汉武帝元狩五年（前 118 年）罢半两钱，行五铢钱。简报认为，这批铜钱大致为公元前 140 年至前 118 年之间埋藏的。

扬州市

293.江苏高邮邵家沟汉代遗址的清理

作　者：江苏省文物管理委员会　朱　江

出　处：《考古》1960 年第 10 期

邵家沟汉代遗址在高邮县城以北约 8 公里的里运河的东岸。1957 年 2 月，考古人员进行了发掘，历时 40 余天，出土遗物 387 件（包括可能复原的残器）。简报分为三个部分予以介绍，有手绘图。

据介绍，出土遗物包括陶器 323 件、瓷器 19 件、漆器 11 件、木器 9 件、铁器 5 件等。其中竹篾木片和"天帝使者"封泥，当是道教方面的东西。"天帝"，神名。1 作"皇天上帝"，1 作"皇天大帝"。竹篾木片上有"天帝神"1 名，同封泥状土块的"天帝"，当同为 1 神，也是道教中的最大的神。由此考察，有铭灰陶器当是道教遗物。汉代道教的活动，过去仅见于文字记载，它的遗物发现较少，出自地下的则更为罕见。这批道教的遗物，是研究我国道教史的物质资料。从这些实物及其文字内容上看，当时道教已进入神化方士的境地。

这个遗址的时代，简报推断为东汉末期。

294.江苏扬州七里甸汉代木椁墓

作　者：南京博物院、扬州市博物馆　尤振尧、黎忠义
出　处：《考古》1962 年第 8 期

扬州师范学院和农学院两院所属农场，在 1962 年 2 ～ 3 月间联合开凿输水渠，在工程中发现了 1 座木椁墓。墓的位置在扬州市西门外七里甸西北丘陵地区的高冈上，距市区 5 公里，扬州通往扬庙公路右旁。简报分为：一、墓的结构，二、出土器物，三、墓的年代，共三个部分。有手绘图。

据介绍，原应有封土，分墓坑、木椁和木棺 3 大部分。椁为楠木，内有棺木两具，估计为夫妇合葬，出土有漆器、铜器、铁器、釉陶器等计 47 件。

该墓的年代，简报推断为东汉初期。

295.江苏仪征石碑村汉代木椁墓

作　者：南京博物院
出　处：《考古》1966 年第 1 期

1965 年 5 月和 8 月，考古人员在仪征县的石碑村相继清理了 2 座汉代木椁墓。石碑村位于县城北门外 1.5 公里，因村边有 1 座明代石碑，故名。村西北有个高约 5 ～ 6 米的土岗，俗名"牧牛山"。由于在牧牛山挖水沟，发现了这 2 座墓。考古人员先清理了沟东北的 1 座墓（编为一号墓）。另 1 座（编为二号墓）在一号墓的西南 9.3 米处，发现时仅露出墓室的一角，大部分尚压在沟的西壁下，因为当时正是农忙时节，于是延至 8 月间进行了清理。简报分为：一、墓室结构，二、随葬品，三、结语，共三个部分。有照片。

据介绍，两墓结构均由墓坑、木椁和棺具 3 个部分组成。一号墓为单棺木椁墓，二号墓为夫妇合葬墓。随葬品有陶器、石器、铁刀、铁剑、铜镜、铜带钩、五铢钱等。其中，简报认为铜尺是与道教有关的炼丹工具，棺上放的铁剑似也有避邪作用。二号墓的年代，简报推断为东汉中期，一号墓或许要稍晚一些。

296.扬州邗江县郭庄汉墓

作　者：扬州博物馆　印志华
出　处：《文物》1980 年第 3 期

1978 年 5 月，邗江县西湖公社郭庄生产队的农民送来一批漆器、铜器与陶器等，

考古人员进行了调查。简报配以照片介绍了调查结果。

据介绍，农民送的文物出自 1 座汉墓，是 1 座男女合葬木椁墓，椁内分棺室和头厢 2 部分。2 棺东西并列，内外皆髹棕色漆，棺内尸骨无存。郭庄汉墓中出土的漆器较完美，铜镜也多，这在扬州地区还是少见的；尤其是棺下装置轮盘，便于棺木推动，在全国也是少见的。简报推断此墓为西汉晚期至王莽时墓葬。

297.扬州邗江县胡场汉墓

作　者：扬州博物馆、邗江县文化馆　王勤金、印志华、徐良玉、古　健
出　处：《文物》1980 年第 3 期

胡场位于扬州市西郊约 7 公里，地属邗江县西湖公社。1967 年，曾发现战国墓 1 座。1979 年 3 月下旬，农民在整修水沟时，在不到 200 米的一段水沟中，先后发现汉墓 4 座（编号为 M1、M2、M3、M4）。简报分为三个部分予以介绍，有照片、拓片、手绘图。

据介绍，4 墓中以 M1 保存最好，随葬品最多。该墓为 1 棺 1 椁长方形竖穴墓，距地表深约 5 米。棺内人骨经鉴定为 45 ～ 50 岁女性，棺内撒有 66 枚五铢钱。随葬器物计 126 件，部分残缺，多数保存较好，有木板彩画、木俑、漆器、乐器、铜器、陶器、木器等不同类型。其中有三弦乐器、五弦乐器、二十五弦瑟，木俑中两件说唱俑也颇有价值。这批墓葬的年代，简报定为西汉中晚期。M1 的上限不得早于汉宣帝，下限也应距宣帝时不远。

扬州乃汉代的江都，亦称广陵，据《史记·货殖列传》记载，早在汉初，扬州就已名闻全国。旧称境内南有铜山，东临大海，因得铸铜为钱、煮海为盐，十分富足。丰富多彩的随葬器物为我们探讨汉时扬州的经济状况，提供了许多极有价值的实物例证。

298.扬州甘泉山出土东汉刘元台买地砖券

作　者：蒋　华
出　处：《文物》1980 年第 6 期

1975 年，在扬州甘泉山以南、老虎墩以西发现一座汉代砖室墓，出土 1 件东汉买地砖、1 件小灰陶罐、1 面"长宜子孙"铜镜。简报配图予以介绍。

据介绍，券文计 102 字，隶书，简报录有全文。从券文的内容上看，它虽然和一般地券一样写上买地时间、买地地点、买卖土地者、土地范围、土地价格、知见

证人等，但券中所提到买地者、卖地者、临知者、邻近者，都为"刘"氏一姓，则为其他地券所未见。这件地券，出土于甘泉山汉代刘姓诸侯王墓地封域之内，又有东汉熹平五年（176 年）明确纪年，为研究这一带汉墓的属性找到了一个很好的实例物证。作为"幽契"的地券，虽是汉代以后墓中常见的 1 种明器，但七角柱形的砖地券，还是首见的一例。

299.扬州西汉"妾莫书"木椁墓

作　　者：扬州市博物馆
出　　处：《文物》1980 年第 12 期

1977 年 10 月，在邗江县甘泉公社老山大队发现 1 座大型木椁墓。墓内出土"妾莫书"银印，因名"妾莫书"木椁墓。简报配以照片、手绘图予以介绍。

据介绍，这座土坑木椁墓的封土现存 1 米多高，墓向正南。墓道为斜坡土坑。棺室放漆棺 1 具。该墓虽然被盗，但尚存遗物 200 余件，以玉器和漆器最为突出。此墓年代，简报推断当在西汉晚期，可能在元帝至平帝这一时期。墓主人当与山阳王刘荆有一定关系。这一带可能是刘氏宗族墓地，此墓或属刘氏家族墓。

300.扬州东风砖瓦厂汉代木椁墓群

作　　者：扬州博物馆　李久海
出　　处：《考古》1980 年第 5 期

墓葬位于扬州市肖家山一带，东距汉代广陵城遗址约 1.5 公里。这里是扬州古代墓葬较集中的地区，其中以汉墓最多。1974 年 1 月，在东风砖瓦厂发现一批汉代木椁墓，考古人员共清理墓葬 7 座。简报分为：一、墓葬形制，二、随葬器物，三、结语，共三个部分。有手绘图等。

据介绍，7 座木椁墓按排列的次序，分别编号为：肖家山 H 区 M1 ～ M7。7 座墓均为土坑木椁墓。其构筑方法为，先挖出长方形竖井，再在竖井下用木材构筑棒室，室内放木棺，木椁与坑壁之间再填土夯实。木椁盖板距现地表一般深约 2 米。这 7 座墓的椁室分两类：第一类以 M1、M2、M6、M7 为例，有棺室和足厢 2 个部分；第二类以 M3、M4、M5 为例，有棺室、侧厢和头厢 3 大部分。M1、M2、M3、M6 为夫妇合葬墓，M4、M5、M7 为单葬墓。出土遗物有陶器、铜器、铁器、漆器、木器、玉石器、果核等，其中尤以漆器制作最为精美。这批墓的年代，简报推断为新莽时期或东汉初年。

301.江苏邗江胡场五号汉墓

作　　者：扬州博物馆、邗江县图书馆　王勤金、吴　炜、房　宁、张容生
出　　处：《文物》1981 年第 11 期

1979 年 3 月下旬，考古人员在距扬州市西郊约 7 公里的邗江县西湖公社胡场大队一带清理了 4 座西汉中晚期的木椁墓，基本情况已在 1980 年《文物》第 3 期作了报道。1980 年 4 月中旬，该地百姓在整修水沟时又挖到木椁墓 1 座，编为胡场五号汉墓（M5）。简报分为三个部分予以介绍，有照片、手绘图。

据介绍，M5 为方形竖穴异椁夫妇合葬墓。墓坑内 2 椁东西并列，内各有 1 棺。西棺内为 1 位 20 岁左右的女性，东棺内为 1 位 30 岁左右的男性。随葬品 200 余件，大多保存完好，有漆器、铜器、玉器、陶器等。其中较珍贵的为 13 件木牍，简报录有部分木牍上的文字。据木牍和出土印章，知墓主人为王奉世夫妇。据上海自然博物馆人类组对王奉世夫妇遗骸的鉴定，王奉世头骨异常，疑为受刑或长期受重压所致，死年仅 30 岁左右（30 岁以内可能性较大），其妻死时年仅 20 岁左右（20 岁以内可能性较大），夫妇年轻而亡，似为非正常死亡。根据木牍，墓主人死亡时间为汉宣帝本始三年（前 71 年）十二月十六日，下葬时间在次年夏天。

302.江苏邗江甘泉二号汉墓

作　　者：南京博物馆　纪仲庆
出　　处：《文物》1981 年第 11 期

邗江县甘泉镇位于扬州西北郊约 12 公里。在镇的北偏西约 3 公里的地方，有 2 座东西相对的大型汉墓，当地人称之为"双山"。1975 年，考古人员清理了西边的一号墓，并发表了发掘简报。1980 年春，又清理了东边的二号墓。简报分为三个部分予以介绍，有照片、手绘图。

据介绍，甘泉二号墓的封土堆，原高 13 米左右，估计用土达 20000 立方米以上。此墓为砖室墓，仅墓底用砖就达 2 万块左右。葬具已不存，仅存人骨少许。此墓有两个棺室，估计为夫妻合葬墓。该墓早期被盗，仅出土陶器、铜器、青瓷、玻璃片、琉璃器、小件金玉饰品等。其中玻璃片可能是自西方传入，青瓷器也年代颇早。简报认为墓主人可能是东汉光武帝的第 9 个儿子刘荆。

据《后汉书·光武十王列传》等史书记载，东汉光武帝刘秀的第 9 个儿子刘荆在建武十五年（39 年）被封为山阳公，十七年（41 年）进爵为山阳王。中元二年（57 年）光武帝死后，刘荆曾几度阴谋策划叛乱，均因被明帝刘庄察觉未遂。后徙封为

广陵王，并遣之国。终因继续谋反，于永平十年（67年）败露后被迫自杀，谥为思王。永平十四年（71年），明帝又续封刘荆的儿子元寿为广陵侯，元寿子孙数代均承袭了这一爵位。此墓地古属汉广陵郡，雁足灯上又有"山阳邸"和"建武年号"字样，与文献所载完全相符。1981年2月，甘泉砖瓦厂工人在距二号墓百米处发现一纯金铸金印，上刻"广陵王玺"四字。这也为墓主人为刘荆提供了新的证据。

303.扬州东风砖瓦厂八、九号汉墓清理简报

作　者：扬州博物馆　印志华、徐良玉
出　处：《考古》1982年第3期

东风砖瓦厂位于今扬州城北，地处蜀冈上下，是扬州附近古墓发现比较集中、墓葬时代延续较长的1处古遗址。由于历年来该厂不断地挖冈取土，许多有价值的古墓暴露出来。1974年以来，在该厂肖家山A区共清理了汉代木椁墓9座，相距都不远，1974年清理的7座编为一至七号汉墓（简报见《考古》1980年第5期），1975年清理的1座编为八号汉墓，这次清理的编为九号汉墓。简报分为：一、墓葬形制，二、随葬器物，三、结语，共三个部分。有照片、手绘图。

据介绍，八号汉墓为竖穴土坑木椁墓，距地表深1.9米，南北向。椁室南北长3.2米，东西宽1.92米，内高0.7米。椁室盖板计6块，东西向横拼而成；底板亦为6块，南北向顺铺而成。椁室的东、西两壁各用1块整木构成，厚0.14米；南北两壁，每壁用2块木板，高低榫扣合。椁室转角处用燕尾榫连接。椁室内由棺室和足厢两部分组成。棺室内置木棺两口，皆髹褐漆，椁底满铺一层蒲席。九号墓大同小异。出土遗物均不多，仅有陶釉器、木俑、弓箭架、料珠、石饰、铜钱等。其中八号墓所出1件背水壶上似有阿拉伯文。

简报称，八、九号均为夫妇合葬墓，简报推断年代为王莽时期。漆面罩及木篦均极精细，不多见。

304.扬州出土的汉代铭文铜镜

作　者：王勤金、李久海、徐良玉
出　处：《文物》1985年第10期

扬州是汉唐古城，故城遗址在今扬州市区西北蜀冈上。1949年后，在汉广陵城遗址及其附近，发现了许多零散汉墓；遗址东南的萧家山、华家山，西北的甘泉山一带，发现了汉墓群。这些汉墓大多有铜镜出土，少则1面，多则3面。其中带铭

文的铜镜主要有"日光"镜、"清白"镜、"清明"镜、"昭明"镜、规矩铭文镜、画像铭文镜及双重铭文镜等。简报配以拓片予以介绍。

简报称，扬州出土的这批铭文铜镜，无论从质地，还是从纹饰来看，都反映了汉代铸镜工艺的成就。

305.扬州市郊发现两座新莽时期墓

作　者：扬州博物馆　吴　炜
出　处：《考古》1986 年第 11 期

1984 年 3 月，扬州市西郊蜀冈大队和西北郊平山茶场所属平山养殖场在取土时分别发现 1 座汉墓，均为夫妇合葬木椁墓。前者编号 M5，已遭到毁坏；后者编号 M6，保存较完好。简报分为：一、五号墓，二、六号墓，三、结语，共三个部分。有拓片等。

据介绍，两墓均为木椁墓，棺身都用一整段楠木剖凿而成，断面呈"凹"形；用料宽大，两端楔入燕尾形木榫，以防开裂。就随葬品而言，出土了西汉时期的钱币和铜镜，未见东汉之物。据此可以推断两墓应为西汉末王莽时墓。出土有日常使用的铜器、漆器、铁刀、铁剑等。明器不多。根据两座墓葬均为 1 椁 2 棺的葬制和出土较为丰富的随葬品等情况，简报推断墓主人的身份当属于士大夫阶层，据 M5 所出兽钮铜印，得知墓主人的姓名叫周永。

306.扬州平山养殖场汉墓清理简报

作　者：扬州博物馆　印志华等
出　处：《文物》1987 年第 1 期

扬州平山养殖场位于今扬州城西北郊，东距汉广陵城旧址 0.5 公里，是汉代墓葬区之一。1983 年 4 月，当地百姓在这里挖鱼池时，发现 3 座汉代墓葬，后分别编为一、二、三号墓。不久，在西侧的花园生产队又发现 1 座汉代墓葬，编为四号墓。简报分为：一、墓葬概况，二、随葬品简介，三、结语，共三个部分。有照片、手绘图。

据介绍，一、二、三号墓属西汉中晚期墓葬，其中二号墓已遭破坏，仅出土遗物 12 件。四号墓为新莽时期墓葬，随葬品最丰富。四墓共出土随葬品 191 件，包括漆器 36 件，木器、木牍、木俑 42 件，铜铁器 35 件，陶器 62 件等。另有铜钱 1077 枚。

简报指出，平山养殖场汉墓的规模虽然不大，但在墓葬的形制、随葬器物上却有一些独特之处，为扬州地区历年来发现的汉墓所少见。如四号墓的木棺内底板上，用大泉五十铜钱整齐地满铺一层，每横排 15 枚，共 63 排，合计 945 枚。这种现象，是否具有特殊意义，目前尚难断言。一号墓在椁室以外另设 1 个放置随葬器物的外椁仓，可能表示一种埋葬制度。

307.江苏仪征胥浦 101 号西汉墓

作　者：扬州博物馆　王勤金、吴　炜、徐良玉、印志华等
出　处：《文物》1987 年第 1 期

近年来，为配合仪征化纤联合工业公司基建工程，考古人员先后清理了 100 余座古墓葬，其中 101 号墓为西汉元始五年（5 年）纪年墓，墓内出土了一批有价值的竹简和器物。简报分为：一、墓葬结构，二、随葬器物，三、简牍文字，四、结语，共四个部分。有照片、手绘图。

据介绍，101 号墓位于原胥浦公社佐安大队姜村生产队，是 1 座夫妇合葬竖穴土坑木椁墓。木椁距地表深约 3 米。墓室结构保存完好。棺室内放置木棺 2 口，南边的 1 口编为甲棺，北边的 1 口编为乙棺。甲棺内尸骨保存较好，为仰身直肢葬。棺内出简牍、铜镜、铁刀、木剑、纱面罩、骨笄、石琀、耳塞等遗物。乙棺内尸骨已朽，出土有铜镜、带钩、铁削等。墓内共出土金属、铜钱、陶器、漆木器、简牍等遗物 100 余件。

简报称，此墓出土的简牍很有研究价值。如有关于当时物价的记载，遣册中有不少西汉丝织的名称，还有不少涉及汉代婚丧礼俗的文字，为杨树达先生《汉代婚丧礼俗考》一书所未载。出土的漆木器，为研究汉代家具提供了实物资料。

据墓中所出的简牍文字，墓主朱凌临终前夕，约请乡里小吏作"先令券书"，首记"元始五年九月壬辰朔辛丑亥"，当是其立嘱时间，其去世日期当与此极为相近。再据"女徒何贺"简所记日期为"元始五年十月□日"，知朱凌亡后，未能及时入葬。其弟公文分别从江都、广陵、舆、下吕诸地取丧礼钱物"凡值钱五万七千"，推知当有一个停丧待葬的过程。据"先令券书"及其他简牍文字推测，墓主人朱凌当是一个身份较低但拥有一定田产的小地主。

308.江苏仪征烟袋山汉墓

作　者：南京博物院　王根富、张　敏等
出　处：《考古学报》1987 年第 4 期

烟袋山汉墓（编号 YYM1）位于江苏省仪征县龙河乡丁冲村南，北距龙河乡 2 公里，西南距仪征县城约 8 公里。墓上有较大的封土堆。近年来，当地百姓在烟袋山附近

取土烧窑和建房时发现了该墓，并部分毁坏。1985年10～12月，考古人员对该墓进行了发掘清理。简报分为：一、墓葬结构，二、随葬器物，三、结语，共三个部分，有手绘图等。

据介绍，烟袋山汉墓位于烟袋山的顶部，是1座竖穴式土坑木椁墓。墓上有封土堆，高4.6米、底径21.8米。封土系取墓地周围的表土和部分原坑土堆积而成，内含有少量的红烧土颗粒。封土内出土遗物稀少，仅出土1件铁斧和少量的几何印纹硬陶片及汉代陶片。为男女合葬墓。该墓曾被盗，但出土遗物仍多达400余件。有陶器、木俑、漆器、铜器、五铢钱等。简报推断年代为西汉中期。

简报称，关于男女墓主人的姓名、身份等，因没有明确的文字证据，只能根据墓葬形制及随葬品的情况作一大致的估计。此墓规模较大，面积达45平方米以上；墓坑开挖规整，坑内填土夯实，棺椁用料宽大，结构复杂；随葬器物400余件（劫余部分），其中有木俑126个、鎏金车3辆、马10匹、漆器30余件等。凡此种种无不说明墓主人生前的豪华生活。"正藏"和"外藏椁"的设施，据以往汉墓材料的研究，只有诸侯王、列侯这两级有食邑的最高爵级和皇帝才能享用。此墓的规模及丰富的随葬品非一般小民或低级官吏所能享用，同已发掘的汉代墓葬相比，应属大墓类。在西汉中期前后，仪征县分属江都国和广陵国统辖的范围，据此推断墓主当与江都国和广陵国皇族有关。

墓中出土的大批木俑造型古朴典雅，比例协调，说明汉代雕刻匠师已具备了人体解剖学知识，有从事人体雕塑的能力。俑的制作手法简练，取舍大胆，对外露部分细加雕刻，而对被衣服所掩饰部分则又大胆地砍削，但也逼真。雕刻善于抓住人物瞬间表情大胆创作，如栩栩如生的伎乐俑。这就为研究汉代美术、雕塑和艺术提供了一批珍贵的实物资料。

简报认为，墓中出土的30余件漆器，与以往扬州地区汉墓出土的为同一风格。这次的大批出土，似乎说明漆器为当地所产。《汉书·贡禹传》记载，当时著名的漆器产地有"蜀郡"和"广汉郡"，未提及扬州（汉代称广陵）。但是，扬州地区汉墓中均有大批漆器出土，这就为探讨汉代漆器产地的分布提供了线索。

309.江苏邗江姚庄101号西汉墓

作　者：扬州博物馆　印志华、李则斌等
出　处：《文物》1988年第2期

在扬州市西北12公里的邗江县甘泉乡，有1座海拔63米的土丘，名叫甘泉山，相传是西汉广陵国厉王刘胥的陵寝。近年来在甘泉山附近发现了较多的两汉墓葬。

1984 年冬，甘泉乡在挖水渠时，在甘泉山附近的姚庄村地段内，发现 3 座西汉木椁墓。其中 1 座已遭破坏；1 座压在邗江县工具二厂职工宿舍下，暂不能清理；还有一座位于水渠正中，1985 年 2 月扬州博物馆发掘了这座墓葬，编号 85HYM101。简报配以照片、拓片、手绘图予以介绍。

据介绍，101 号墓为竖穴土坑木椁夫妇合葬墓。椁室由椁底板、椁壁板、内天花板和椁盖板组成。底板计 12 块，东西向横铺，用高低榫拼合。每块长 3.32 米、宽 0.35 ~ 0.5 米、厚 0.34 米。椁壁板砌筑在底板上。椁内分为头厢、侧厢、足厢和棺室 4 部分，各厢之间皆有直棂窗和板门相通。总计为 1 椁 10 棺 3 厢。出土有金印（上无文字）、铁刀、铁剑、铜器、漆器、粉彩木雕面罩、铜钱等。漆器、面罩等十分精美。简报认为墓主人应为广陵国一名中级武官，墓葬年代为西汉晚期。

310.江苏邗江县甘泉老虎墩汉墓

作　者：扬州博物馆　徐良玉、印志华、吴　炜等
出　处：《文物》1991 年第 10 期

甘泉镇位于扬州市西北郊约 12 公里处。在镇西约 0.5 公里有 1 座高大的黄土墩，当地人称它为"老虎墩"。数年前，村民依墩造砖窑时，发现此墩有明显的夯土堆积迹象。1981 年 4 月，村民取土制砖时，在墩的南侧发现了砖砌的墓门和券顶，考古人员于 4 月 11 日至 6 月 2 日进行了清理。

简报分为：一、墓葬结构，二、随葬遗物，三、结语，共三个部分。有照片、手绘图。

据介绍，此墓墓台约 5000 平米，封土堆高达 10 多米。墓室全部用砖砌，由甬道、双耳室、前室和后室组成，规模宏伟。整个墓室除后室的后墙因当地农民砌窑烧砖造成部分倒塌，前室的东侧室墙倾斜，甬道顶部有 1 明显的盗洞外，其余基本保存完整。出土遗物有劫余的铜器、玉器等，其中 1 件飞熊砚滴玉器及玻璃杯十分难得。玻璃杯应是从国外输入。

简报推断此墓的年代为东汉中期，墓主人疑是汉广陵王刘荆以后某一代广陵王或其重臣。

311.江苏邗江县杨寿乡宝女墩新莽墓

作　者：扬州博物馆、邗江县图书馆　李则斌等
出　处：《文物》1991 年第 10 期

1985 年 4 月，江苏邗江县杨寿乡砖瓦厂在李岗村宝女墩取土时，先后发现汉代

木椁墓 2 座，编号为 85YBM104 ~ 105。M104 棺木及部分椁板被当地农民取出。同年 5 月，考古人员对 M104 进行了清理。M105 当时没有清理，后于 1986 年 12 月被破坏。墩东北部还发现零散汉代铜器 7 件。简报分为三个部分一并介绍，有照片、手绘图。

据介绍，宝女墩位于扬州市西北 18 公里处，北距杨寿镇 2 公里。M104、M105 早年被盗，后又遭破坏，仅出土陶器、铜印、漆器等遗物。两墓的年代，简报推断为新莽时期。简报认为宝女墩应为汉广陵王刘守的墓葬，M104、M105 的位置偏离封土中心，不可能是主墓，而应是与主墓有着密切关系之人的墓葬。出土器物中带有"中官""服食官""王家"等铭文的铜器、漆器，也证实了这一点。

312.仪征张集团山西汉墓

作　　者：南京博物院、仪征博物馆筹备办公室　　张　敏、孙庆飞、李民昌等
出　　处：《考古学报》1992 年第 4 期

江苏省仪征市在长江下游的北岸，张集乡位于仪征境内蜀岗小丘陵的东端，东北距扬州市区约 12 公里，西南距仪征市区约 20 公里，与邗江县杨庙乡毗邻。团山位于庙山西北，南距张集乡 2 公里。1990 年 5 月，张集茶场的砖瓦厂在团山取土时，陆续发现西汉墓 4 座。考古人员进行了抢救性发掘。简报分为"概说""1 号墓""2 号墓""3 号墓""4 号墓""结语"等几个部分予以介绍，有照片、手绘图。

据介绍，4 座墓从团山近顶部向南排列成一行，由北向南依次编号简称 M1 ~ M4。4 座墓皆为竖穴土坑木椁墓。墓坑呈长方形，没有墓道，现已不见封土。墓坑口大底小，四壁向内倾斜，平整光滑。坑内填五花土，经过夯实，夯层厚 20 厘米左右。近椁顶处及椁四周均填青膏泥。青膏泥油滑细腻，富有黏性，椁顶上厚约 40 ~ 50 厘米，四周厚约 10 ~ 40 厘米。椁底平铺在生土之上。葬具为木棺和木椁，由于深埋及青膏泥的密封，保存情况较好。棺椁结构主要有平列、套榫和扣槽 3 种，十分牢固。随葬器物主要置于箱内，亦有少量置棺内。有釉陶器、灰陶器和漆器、铜器、玉器、料器等。釉陶器火候较高，质地坚硬，胎呈灰白色，亦有少量呈暗红色，外施青釉，釉色泛黄者多有脱釉，一般釉不及底，除盆、洗、匜、豆等内外施釉外，鼎、罐、壶、钫等皆不施内釉。漆器除个别为夹纻胎外，多为木胎。木胎的制法主要为剜制、卷制和研制。器表一般为内髹红漆，外髹黑漆，并用红漆、黑漆、褐漆等绘出花纹或图案。墓主皆为女性，1 为成年女性，3 为青年女性，成年女性规格最高。简报推断墓葬年代不晚于西汉武帝元狩五年（前 118 年），又推测这 4 位女性墓，可能是西汉江都王的陪葬墓。而江都王刘非的陵墓，就在附近的庙山。

313.江苏邗江县姚庄 102 号汉墓

作　者：扬州博物馆　印志华
出　处：《考古》2000 年第 4 期

1984 年春，考古人员在邗江县甘泉乡姚庄村水利基建工地发现了 3 座汉代木椁墓。其中 1 座因保存较差，又遭到后期人为的破坏而不复存在，另两座保存较好，相距约 6 米，分别编号为 M101 和 M102。1985 年 2 月，考古人员清理了 M101，而 M102 号墓因木椁的西南角压在邗江县工具二厂职工宿舍墙基下，经研究后暂作原地保护。1988 年 8 月，甘泉乡水利部门因对渠道进行砖石驳岸加固而危及此墓。鉴于该墓在原地无法继续保存，对该墓进行抢救性的发掘。发掘工作从 8 月 23 日至 9 月 13 日，历时 23 天。清理结果，简报分为：一、墓葬形制，二、出土文物，三、结语，共三个部分。有手绘图、拓片。

据介绍，M102 墓位于 M101 西南约 6 米处，为土坑竖穴木椁夫妇合葬墓，出土了 138 件随葬品和大量的五铢钱。简报推断男墓主为周姓，卒葬的时间为西汉晚期，女墓主卒葬的时间应在新莽始建国元年以后，即公元 9 年以后。

314.江苏扬州西汉刘毋智墓发掘简报

作　者：扬州市文物考古研究所　束家平、薛炳宏等
出　处：《文物》2010 年第 3 期

2004 年 9 月 5 日，扬州市邗江区杨庙派出所抓到几名盗墓者，缴获一批文物。次日，扬州市文物考古研究所派人对该墓的残存部分进行了抢救性清理，编号为 M1。该墓位于杨庙镇杨庙村王家庙组的砖瓦厂内。简报分为：一、墓葬形制，二、随葬器物，三、结语，共三个部分。有彩照、手绘图。

据介绍，该墓为长方形土坑竖穴木椁墓，因遭盗挖破坏，墓上封土与棺椁的详细结构已不明。残存的墓坑内的填土为黄黏土夹杂灰沙土夯实而成，坚硬致密。从残存的棺椁判断，该墓由正藏椁和外藏椁两部分组成，外藏椁保存完好。据盗墓者交代，正藏椁内南侧有一棺。残存和收缴的随葬器物数量近 180 件，分为陶器、漆器、竹器、木器、骨器、金属器、玉器等大类，其中包括精美的漆器、竹木器和金牌饰。墓内发现的玉印表明墓主名为刘毋智，简报推测是西汉初年吴王刘濞家族的成员。

镇江市

315.江苏丹阳东汉墓

作　者：镇江市博物馆、丹阳县文化馆　刘　兴
出　处：《考古》1978 年第 3 期

丹阳东汉墓在丹阳县城北 6 公里的大泊公社瓜渚大队宗头山上，东近沪宁铁路，原是 1 座四面环水的荒土墩。1973 年，大队在此平整土地建校时发现。墓室内两侧有排列整齐的随葬品，即右侧为铜器，左侧除前端置一铜灶外，其后均为陶瓷器。墓室中部有带钩、铜镜等，前部有鎏金铺首等，中、后多为朱红漆片，是漆棺腐烂的现象。简报配以手绘图、拓片予以介绍。

据介绍，该墓出土器物计 45 件。该墓随葬品中，有"永元十三年"带钩一件，"永元"是东汉和帝刘肇的年号，十三年是公元 101 年。简报推断，该墓的时间应为距此以后不远。简报称，该墓出土的四只青瓷壶，质白中略带灰，质地坚硬，是由高岭土烧制而成，釉色青绿呈半透明，与胎紧密结合，是东汉中期的青瓷器，为我们研究我国青瓷发展情况，提供了实物资料。

316.江苏丹徒县蔡家村汉墓

作　者：镇江市博物馆　谈三平
出　处：《考古》1987 年第 7 期

蔡家村位于镇江市谏壁镇西南约 2 公里处。1985 年 4 月，该村农民在修筑道路时将村南一土墩挖去半个，暴露出石板条。考古人员前往现场调查，确认为 1 座石室古墓，随后进行了清理发掘。简报分为：一、墓葬结构，二、出土遗物，三、小结，共三个部分。配以拓片、手绘图予以介绍。

据介绍，该墓为平地筑室，然后上覆封土。由于历年冲刷，加之农民在周围及封土堆上开垦种植，该墓已面目全非。考古人员估计封土堆原直径应有 20 ~ 30 米。墓室用石应从 1.5 公里远的山上运来，封土为附近挖坑取土。因曾被盗，仅出土有陶器等少量遗物。该墓的时代，简报推断为东汉晚期。

泰州市

317.江苏泰州新庄汉墓

作　　者：江苏省博物馆、泰州县博物馆

出　　处：《考古》1962年第10期

汉墓位于泰州城西约1公里处，在新庄之北，中间隔1条小河，旧名双山寺，以前这里曾零星发现古墓砖和古陶器等。1959年12月下旬，又在这里发现大量的绳纹砖、陶器、铁器、铜镜、五铢钱等。考古人员清理了4座汉代残墓，简报配以照片、手绘图予以介绍。

据介绍，清理的四座墓葬，可分单室砖墓（墓4）、双室砖墓（墓1、墓2）和多室砖墓（墓3）3种。均受到严重破坏，出土遗物有石猪、铜戟、铜镜、铁戟、陶器等共计36件。

318.江苏泰州市发现一面鎏金神兽镜

作　　者：泰州博物馆　黄炳煜

出　　处：《考古》1996年第9期

泰州博物馆藏有1面鎏金神兽镜，是1958年江都县彬州乡农民种地时挖到的，简报配图予以介绍。

据介绍，该镜为神兽镜。在我国出土的神兽镜中，对置式神兽镜数量最多，分布最广。此对置式神兽镜背及缘外侧通体鎏金，富丽豪华，是极为珍贵的。简报推断为东汉末至西晋时遗物。

宿迁市

319.泗洪县曹庄发现一批汉画像石

作　　者：江苏省润洪县文化馆

出　　处：《文物》1975年第3期

20世纪70年代，泗洪县曹庄公社曹庄大队出土了一批东汉画像石，计有四五十块之多。这些画像石是该队农民在平整土地的劳动中发现的。部分画像石已于1974年10月运往南京博物院收藏。简报配以照片予以介绍。

据介绍，这座东汉画像石墓位于曹庄大队十五小队（亦称裴庄）以北250米，占地面积为5亩左右，当地群众称之为裴墩。该墓在以前已被盗过。曹庄汉墓出土的画像石，有纺织图、车马出行图、人物图以及反映当时生产、生活、建筑等方面的画面。

简报介绍说，此次发现的画像石中，特别是纺织图画像石具有重要意义。据资料记载，该石是我国已经出土的绘刻有汉代织机的第8块画像石。和以前7块不同之处，在于图上所绘织机挂有经线，踏木横置，前方有幅撑装置，比以前7块所反映的生产情况更加具体。

简报称，此次曹庄公社这1块具有特点的纺织图的画像石出土，为研究汉代的纺织工业以至我国的纺织技术史方面的儒法斗争，又提供了一份新的材料。

320.江苏泗洪重岗汉画像石墓

作　者：南京博物院、泗洪县图书馆　尤振尧、周晓陆
出　处：《考古》1986年第7期

1987年2月，江苏省泗洪县重岗乡植树时，发现1座汉画像石墓。考古人员于3月1至4日进行了清理。简报分为五个部分予以介绍，有拓片、手绘图。

据介绍，墓地位于泗洪县城青阳镇西北6.5公里处，南京至徐州的公路从墓地的东侧通过。墓葬由墓坑、墓室、封土3部分构成。墓坑平面呈长方形，墓室构建于墓坑中，由12块石板、石块搭扣砌成双室。当地不产石料，应为远途运来，非有财有势，无法办理。从壁画及随葬品判断，西室为男性，东室为女性，应为夫妇合葬墓。简报推断，此墓为王莽时期郡中尉至县尉一类武官的夫妇合葬墓。

简报指出，此墓4个壁面的4大幅画像，含有丰富内容，它们不同于徐州、连云港早期画像石刻1石1个内容的单调布局，也不同于东汉时的分格表现诸内容的手法。这些由各种内容组成的大幅画面，相互连接为整体，主次分明，由左向右展开。其中有已经出土汉画见过的内容，亦有过去罕见的景物，如某些杂技节目，表现特殊的日相、月相等。尤其值得提及的是有关农业生产的内容，从加工粮食的画面看，应属加工稻谷；而从耕地、整地和播种画面反映的，无疑属旱谷作物。

321.江苏泗阳陈墩汉墓

作　者：江苏泗阳三庄联合考古队　左　骏、陆建芳等
出　处：《文物》2007年第7期

泗阳县三庄乡位于江苏省宿迁市，为西汉泗水国王陵区及陪葬墓所在地。2002年冬季，遭到不法分子的盗掘，破坏严重。考古人员对墓葬区内的2座封土墓葬进行了抢救性发掘。简报分为：一、墓葬形制，二、随葬器物，三、结语，共三个部分。配以彩照、拓片、手绘图，先行介绍其中的一座——陈墩汉墓的发掘情况。

据介绍，陈墩汉墓位于三庄乡东郊的夫庙村，地面原有高大的封土，现仍留有直径约25米、占地面积4500平方米、高约3.5米的圆形封土，发掘之前，封土顶部有两处明显的盗掘痕迹。两墓相距1.75米。M2已经被盗，只剩下已碳化的椁木和防潮的白膏泥，无随葬品。M1保存完好，椁室置于墓坑中央，四周填有厚约0.4米的白膏泥。随葬器物包括陶器、铜器、玉器、铁器，以及大量精美的漆木器，共计116件（套）。其中汉瑟较为少见。简报认为此墓的时代为西汉中后期，具体地说，应在昭、宣时期。墓主可能是泗水王的亲属。M1的墓主经鉴定为女性，M2位于M1左侧，墓主可能是男性。所以，这两座土坑竖穴木椁墓应为同坟异穴的夫妇合葬墓。M1仍保留有棺饰与棺束，为研究汉代葬俗提供了重要资料。

简报称，陈墩M1的棺饰保存较差，仅在棺盖、棺帮与档头上有丝织品覆盖痕迹，应是所谓的"帷荒"。棺束保存较好，棺身由7周麻布缠缚，又髹漆加固。在交界处，又以鎏金柿蒂纹泡钉钉住。棺束主要是用来封棺，陈墩M1棺束的发现，说明鎏金柿蒂纹不仅起到装饰棺木的作用，也显示出封棺技术的提高。

322.江苏泗洪曹庙出土的东汉画像石

作　者：淮安市博物馆、泗洪县博物馆　尹增淮、江　枫
出　处：《文物》2010年第6期

1984年春，泗洪县图书馆在曹庙乡祝圩村进行文物普查时，征集东汉晚期画像石30块。其中8石均刻菱形纹，还有部分斗拱石。简报配以拓片、摹本，逐块予以介绍，如：

第1石　墓壁刻石，高0.37米、宽0.7米。刻奇禽异兽图。左起刻3条翼龙，独角短须，龇牙吐舌。右侧两只小鹿向前奔跑，上方边缘有3只衔草的雁雀。

第2石　墓壁刻石，两边残缺，高0.18米、宽0.4米。为车马出行图。左侧1辆轺车在前，车主为男性长者。1辆辎车紧随其后，车厢四周遮蔽，上面雕饰菱形纹。两车皆为1马驾辕。石侧已残，只见1马。上下边缘饰绚索纹。

简报称，这批画像石，对研究东汉历史很有价值。

浙江省

杭州市

323.杭州古荡汉代朱乐昌墓清理简报

作　者：浙江省文物管理委员会

出　处：《考古》1959 年第 3 期

古荡位于杭州西郊，距老和山约 2 公里。1958 年 10 月 19 日，考古人员接到浙江大学古荡钢铁厂工地取土中发现古墓的消息，前往清理，工作 3 天，共清理了汉代土坑墓 2 座。其中第 2 号墓就是朱乐昌墓，因为这座墓形制较为特殊，随葬品丰富，简报分为"墓葬情况""随葬品""结语"共三个部分，配以照片、手绘图，先行介绍了该墓的情况。

据介绍，该墓由 2 个长方形土坑竖穴组成，墓室上部已被破坏。据葬具、人体遗迹看，应有朱漆木棺，应为夫妻合葬墓。出土有铜器、铁器、玉器、石器、水晶、漆器等计 156 件。有 1 枚"朱乐昌印"铜印，推测应为墓主人姓名。简报推断年代为汉代中叶。墓主人随葬品有铜剑、铁剑、铁马、弩机、铜矛、铁戟等，可能是个武官。

324.汉代随葬冥币陶麟趾金的文字

作　者：赵人俊

出　处：《文物》1960 年第 8、9 期合刊

陶麟趾金是浙江境内汉墓中常见的随葬冥币，在杭州市郊古荡发掘的朱乐昌墓即有 80 枚之多。最近省博物馆在清理库藏文物时，发现 1957 年在杭市老和山出土的陶麟趾中有不少刻有文字，计有"令""一斤""令之金一斤"等汉时金银的形式。简报配以照片予以介绍。

据介绍，麟趾金在当时是帝王作赏赐用的，拥有者只是上层统治阶级，又据史书记载，金 1 斤值钱 1 万，同时汉代赐金中也有付与铜钱的，因此金 1 斤只是一种

价值的表示，不可能在民间广泛流通。汉以前黄金的单位有镒和斤 2 种，从陶麟趾金的文字来看，它证实了汉时黄金的单位由 1 镒减成 1 斤。墓主人用来随葬可能一方面显耀他生前受皇帝的恩宠，另一方面也有可能有取喜瑞的意义。关于陶麟趾金文字中的"令之金一斤"，推测有 2 种意义：1 种可能指赐金 1 斤；1 种可能是当时制陶工匠因"麟趾" 2 字笔画比较繁复，取同音字而简写成的。

宁波市

325.浙江慈溪发现东汉墓

作　　者：浙江省文物管理委员会
出　　处：《考古》1962 年第 12 期

1958 年 3 月，在慈溪县西 2.5 公里的担山发现东汉砖室墓 2 座，推测原为券顶。人骨已朽尽。根据棺钉和随葬品的位置来看，棺的位置应紧靠墓室的南壁。

2 座墓均为长方形竖穴砖室墓，人骨已朽尽，根据砖台的位置，木棺应靠墓室西壁。从 2 墓的形制和结构来看，都是绍兴漓渚汉墓常见的一种，陶灶模型、弦纹罐均与绍兴漓渚汉墓出土的相似。规矩镜系东汉较风行的器物。墓底的砌法出现了人字形，这是东汉末期及六朝墓用的较多的砌法。简报推断这两座墓应是东汉晚期的。

326.浙江宁波汉代瓷窑调查

作　　者：林士民
出　　处：《考古》1980 年第 4 期

在妙山公社八字桥大队，向有十八窑的传说，考古人员发现在郭塘岙一带沿山确有许多碎瓷片和窑具，当时采集了一些标本。1977 年初，该地开山造田时又发现了好几处古窑址。考古人员又一次对郭塘岙古窑址进行了调查。这次调查过程中发现了宋代古窑址 3 处，东汉到晋代古窑址 1 处，晋代古窑址 1 处，东汉古窑址 2 处，共计 7 处，自北向南编号为郭 Y1 ~ Y7。仅将 1 个汉代窑（郭 Y1）进行了小规模的试掘。简报分为：一、地理环境与堆积情况，二、出土遗物，三、烧造技术，四、几点看法，共四个部分。有手绘图。

据介绍，此汉窑址位于宁波市妙山公社八字桥大队郭塘岙村。在试掘中获得的遗物，可分瓷器和窑具 2 大类。主要器物有罍、钟、壶、罐、盆五种，以大敛口球腹罍、粗颈球腹圈足钟及喇叭口细颈球腹平底壶最多。窑应属龙窑，没有陶、瓷合烧现象，应是已发展到单一烧造瓷器。该窑的烧造时间，简报推断为东汉后期。

327.浙江宁波汉代窑址的勘察

作　者：林士民
出　处：《考古》1986 年第 9 期

浙江宁波在汉代为句章、鄞、鄮 3 县之地，属会稽郡。这里土地肥沃，物产丰盈，水道畅通，贸易旺盛，陶瓷手工业也很发达。以目前发现的一批汉代窑址中的原始瓷、青瓷、黑釉瓷制品来看，以生活实用器为多。汉代遗址、墓葬中大量出土物证明，它们已成为商品而广泛地流通。简报分为三个部分予以介绍，有手绘图、照片。

据介绍，目前已发现宁波四周的汉代窑址有郊县慈溪上林湖的周家岙、横塘山、吴石岭、黄婆山、桃园山，江北区的八字桥、季岙、鸡步山、郭塘岙，鄞县栎斜的玉缸山、郭家峙的谷童岙、上水的老鼠山以及余姚历山的柏家岭等 10 多处。这十多处汉代窑址中，产品种类、选料、施釉、成型、装饰艺术以及窑具的使用与创新，不但保留有共同之点，而且各自都有所发展。从演变序列看，大体上可以分为 3 种类型：鸡步山、谷童岙和玉缸山类型。简报以表格形式予以介绍，并探讨了汉代宁波窑的工艺与原料、釉色、窑具、装饰等。简报称，宁波地区东汉晚期偏早时是原始瓷、瓷器合烧的鸡步山类型窑址，到晚期中段的谷童岙类型窑址，成为名符其实的瓷窑。这证明宁波地区东汉瓷器已烧造成功，并且是由原始瓷发展而来的。从 3 类窑址的实物观察、分析，说明瓷器烧制成功是在原料粉碎、器物成形、工具的改进、胎釉配制方法的改善、烧成技术的提高等项条件下获得的。宁波地区瓷器烧制成功，是宁波先民们长期生产实践的结果，是对祖国、对人类文明的又一伟大贡献。宁波地区东汉装饰瓷器亦是著名越窑青瓷的鼻祖。

328.浙江象山县清理一座东汉墓

作　者：象山县文管会　夏乃平
出　处：《考古》1997 年第 7 期

1986 年 6 月，象山县文管会在县城丹城镇西门外矮山东坡清理了 1 座东汉墓（编号浙象 M2）。简报配以手绘图、拓片予以介绍。

据介绍，该墓东壁在发现时已因塌方而无存，现平面略呈长方形。墓室内棺椁已无存，仅见零星红色漆皮和铁钉锈屑。随葬品有双耳瓷罐、铁刀、铜镜（有铭文）等。铜钱总重 7.5 公斤，约 4700 枚。出土时锈结严重，成串的钱孔中仍有藤条留存，触之即成粉末。经处理后发现有四铢半两、五铢、大泉五十、货泉、五朱、无文钱及磨廓、剪边、凿边五铢。该墓形制及出土的双耳瓷罐、神兽镜都具有东汉晚期的特征，出土钱币均为两汉钱，未发现晚于汉代的器物。同时，磨廓、剪边、凿边五铢钱和五朱、无文钱等的出现与战乱割据、通货膨胀的东汉末年相印证，无文钱又是汉献帝年间（189～220年）的铸币。因此该墓时代，简报推断当为东汉末年。

温州市

329.温州发现西汉晚期铜镜

作　者：温州市文物处　王同军
出　处：《考古》1989年第2期

1986年8月，在温州市市郊西山气功疗养院基建工地上发现1枚铜镜，文物处闻讯即将其征集收藏。简报配以照片予以介绍。

据介绍，镜为圆形，圆钮，外区为铭文带，字体方正，文中有减笔、代字。据镜的形制、铭文来看，其年代应是西汉晚期，《中国古代铜镜》也将这类铜镜的流行年代定在西汉晚期。

嘉兴市

330.浙江海宁东汉画像石墓发掘简报

作　者：嘉兴地区文管会、海宁县博物馆
出　处：《文物》1983年第5期

1973年春天，浙江省海宁县长安镇海宁中学扩展操场时，发现1座画像石墓，考古人员进行了发掘清理。此墓早年被盗，随葬器物保存甚少，但墓内大批珍贵的画像石刻却保存较为完整。简报分为"墓室结构""随葬器物""时代推断"，共三个部分予以介绍，有照片、手绘图。

据介绍，该墓为砖石混用券顶结构，共分为前后两室，前室有东西两耳室。墓壁基础及墓壁下段均用长条形石灰石叠砌，条石之上用砖起券。墓门上有1个盗洞，随葬品几乎荡然无存，仅剩一些陶器碎片。所幸画像石尚保存完好，大小共计63块，上有画像 55 幅，面积多达 22 平方米。该墓年代，简报推断为东汉晚期至三国时期。

简报称，画像除图案花纹和补白外，主要内容大致可分为墓室建筑图、墓主人生活画像和祥瑞图 3 大类。整个墓葬，可以作为 1 座规模宏大的地面建筑的缩影。所绘车马出行归来图、宴饮图、炊厨图、车马库图和舞乐百戏画像等，从各方面反映了墓主人生前的地位和生活的场景。祥瑞图，则是墓主人及当时人们的神学观念和对"上苍"迷信的反映。

331.浙江嘉兴九里汇东汉墓

作　者：嘉兴市文化局　陆耀华
出　处：《考古》1987 年第 7 期

九里汇东汉墓，位于 1 个高土墩上，当地称"皇坟山"，实为东汉墓葬群。1961 年公布为县级文保单位。皇坟山是人工堆积的土墩，后逐年动土，土墩减低。1975 年 10 月农民挖地时，发现五管瓶 1 件，考古人员即去清理。简报配以照片予以介绍。

据介绍，皇坟山位于嘉兴镇西北 4 公里，属嘉北乡新兴村，土墩面积较大，南北约 80 米，东西 60 米。土墩南端被现代砖窑破坏，土墩中曾出土大量汉砖。皇坟山由于长期动土破坏，墓葬已不完整。根据五管瓶出土地点，进行清理，从清理的情况看，墓的规模较大，由于破坏严重，墓只残留一部分。骨架已模糊不清。南北两侧有陶器和铜器数件，中间有 1 串五铢钱币，作东西向 2 排弯曲放置。旁有很薄 1 层鲜红色朱砂。东南角砖墙旁有 1 陶灶，南北放置，上有铜釜 2 件，后 1 件釜上有 1 件铜甑，已被移在灶旁，灶面上放置 1 件铜戟；灶西边有陶井、陶吊桶，吊桶在井内。五管瓶的位置在灶的南边，西边放置钟 1 件、小罐 2 件，墓北有呈东西向排列的大小罐 5 件，其中 1 件残破。另发现有交叉绳纹板瓦 2 块。共清理出器物 16 件。瓷器可能出自金华婺州窑。该墓时代，简报推断为东汉中期偏晚。

湖州市

332.浙江长兴县出土一件有刻度的铜弩机

作　者：夏星南
出　处：《考古》1983 年第 1 期

1976 年 1 月，浙江长兴县开挖长兴港工程，在下箬公社杨湾村前施工时发掘出

1 件有刻度的错银铜弩机，由于深埋在老河泥沙中，出土时仍旧光泽如新，至今仍可扳动。简报配以照片、手绘图予以介绍。

据介绍，铜弩机重 1.25 公斤。按汉简记载：弩机有一、三、四、五、六、七、八、十、十二石等，一般又以六石为最常用，这件弩当为六石弩。与铜弩机一起出土的器物还有汉代常见的铁兵器环首刀、短柄刀、戟、矛等 20 余件；铁农具凹形锄、凹形尖头苗、镰等 10 余件；同时还有汉五铢钱、剪边五铢、綖环五铢、货泉、大泉五十等几十斤钱币。这批遗物的时代，简报推断为汉代。

333.浙江安吉县上马山西汉墓的发掘

作　者：安吉县博物馆　程亦胜
出　处：《考古》1996 年第 7 期

上马山位于浙西北的安吉县良朋乡，乡砖瓦厂建于此。长期以来，砖厂取土时常有汉代陶器出土，确认是 1 处汉代墓地。考古人员于 1989 年和 1990 年先后两次对已遭破坏的 2 座土墩进行抢救性发掘，共发现西汉时期墓葬 8 座（编号 M4 ～ M11）。简报分为：一、墓葬情况，二、随葬器物，三、结语，共三个部分。有手绘图等。

据介绍，这次发掘的 11 座墓，均为竖穴土坑木椁墓，椁外填土经夯打，墓坑周围散见木炭。这些墓大小悬殊，从棺钉及板灰痕迹看都是单棺葬，葬具、人骨无存。墓内留有红漆痕，说明棺外髹漆。墓坑较大的木椁分室，椁内置棺有箱，随葬器物置于箱内，墓坑较小的有椁无箱，随葬品置于棺外一边。出土器物有釉陶器、陶器、铜器、铁器、五铢钱等。11 座墓可分三期：第一期 1 座（M5），属西汉早期；第二期 5 座（M4、M6、M9 ～ M11），为西汉武帝元狩五年（前 118 年）以后的武帝时期，只有 M11 稍晚，当在昭、宣时期；第三期 2 座（M8、M7），当属西汉晚期。简报推测此处墓地为安吉古城的墓葬区。

334.浙江湖州市方家山第三号墩汉墓

作　者：浙江省文物考古研究所　黎毓馨、徐　军、郑嘉励
出　处：《考古》2002 年第 1 期

方家山位于湖州市区西北约 8 公里，隶属龙溪乡三天门村。1998 年 3 月下旬至 7 月中旬，为配合杭宁高速公路湖州段的施工建设，考古人员对分布于方家山上较大的 3 个土墩（D1、D2、D3）及岗地上的 32 座汉墓（编号为 98 湖方 M1 ～ M32，以下简称为 M1 ～ M32），进行了抢救性发掘，共出土各类器物 427 件（组）。

第三号墩（D3）是方家山上最大的 1 个土墩，坐落于方家山东部的平岗上。土墩内发现了数量较多的印纹硬陶和原始瓷残片以及石镞、锛等石器，个别汉墓里还随葬春秋时期的印纹硬陶瓿。由此可见，此墩的堆筑年代在春秋或春秋以前，只是到了汉代，它再次被人们当作坟壁使用。由于公路从土墩正中 30 米范围内穿过，故此墩没有作全部发掘。第三号墩共发掘汉墓 13 座，编号为 M19～M31，出土各类随葬品 180 件（组）。墓葬年代比较集中，为西汉中期晚段至西汉末东汉初，相当于西汉昭、宣帝到东汉光武帝。这 13 座汉墓的发掘情况简报分为：一、墓葬概况，二、随葬器物，三、墓葬年代及分期，四、结语，共四个部分。有手绘图。

据介绍，简报大体推断这批墓葬的年代在西汉中期后段的昭、宣时期至东汉初年的光武年间；此次发掘的 13 座汉墓埋葬于同一土墩，且延续时间不长，简报推测它们有可能属于某一家族墓地。

335.浙江安吉县上马山第 49 号墩汉墓

作　者：浙江省文物考古研究所、安吉县博物馆　黄昊德、沃浩伟
出　处：《考古》2014 年第 1 期

上马山墓群位于浙江省西北部的安吉县良朋镇，北面为高禹镇五面墓群，东面为笔架山墓群，东南约 3.5 公里是国家级重点文物保护单位安吉古城遗址。截至 2012 年，共发掘土墩 128 座，清理墓葬 530 多座，其中 422 座为汉代竖穴土坑墓，出土了大量随葬品。2008 年发掘的第 49 号墩汉墓（D49）即为其中 1 座，简报分为：一、土墩概况，二、墓葬形制，三、出土遗物，四、结语，共四个部分。有彩照、手绘图。

据介绍，这批汉墓均为土坑竖穴木椁墓，1 椁 1 棺或 1 椁 2 棺。根据出土器物组合及其他汉墓的发掘资料，结合长江下游地区汉墓的分期结果，简报把这批墓葬分为西汉中期和西汉晚期，晚期又可分成早、晚两段，并推测 D49 为家族墓地。

绍兴市

336.绍兴漓渚的汉墓

作　者：浙江省文物管理委员会　朱伯谦等
出　处：《考古学报》1957 年第 1 期

1955 年 2 月，为配合绍兴县修路工程，考古人员在绍兴县西南漓渚镇以南，清理、

发掘古墓 111 座。

简报分为：一、引言，二、墓葬形制和随葬品，三、结论，共三个部分。先行介绍汉代及汉代以前的 54 座墓葬。

据介绍，54 座墓可分两期：第一期 23 座墓，为长方形土坑竖穴墓，简报推断时代可能早至战国；第二期 31 座墓，简报推断时代有早到汉代中叶、晚至汉代末期的。出土遗物第一期以陶器为主，第二期有大量釉陶出土。

337.浙江上虞县发现的东汉瓷窑址

作　者：浙江省文物考古所、上虞县文化馆　朱伯谦
出　处：《文物》1981 年第 10 期

1972 至 1977 年，考古人员在上虞县上浦公社石浦大队的龙池庙后山、小仙坛、大陆岙，友谊大队凤凰山和联江公社红光大队帐子山，凌湖大队畚箕岙、倒转岭等地发现东汉瓷窑遗址多处。简报配以照片加以介绍。

据介绍，出土有青瓷、黑瓷。简报认为当时工匠用较差的匠料制作黑瓷，甚至可能用青瓷的下脚料做黑瓷，因为色泽较深的黑瓷可以掩饰坯体的缺点。

简报说，原来一直以为黑瓷是从东晋时的德清窑开始的，此次在帐子山发现的黑瓷，说明东汉中晚期，黑瓷已经出现了。

338.浙江上虞蒿坝东汉永初三年墓

作　者：吴玉贤
出　处：《文物》1983 年第 6 期

1973 年 3 月，浙江省上虞县蒿坝公社发现有纪年的古墓 1 座，出土了很多有"永初三年""己酉"等铭文的墓砖，省文物部门及时进行了清理，编号为上虞 M52。简报分为：一、墓葬结构，二、随葬器物，三、墓砖铭文，共三个部分。有照片、拓片、手绘图。

据介绍，此墓位于蒿坝公社后旺大队狗尾巴山的南坡上，濒临曹娥江，西 100 米即为江堤。墓上半部已毁，下半部基本完好，墓内有顶上坍落的杂土和楔形墓砖。墓由墓室和甬道两部分组成。随葬品为陶器 22 件、铁器 2 件，共 24 件。墓铭文砖有 3 种。据铭文，该墓的年代为东汉永初三年（109 年）。

339.绍兴狮子山东汉墓

作　者：绍兴市文物管理委员会　沈作霖
出　处：《考古》1984 年第 9 期

绍兴市坡塘公社知音砖瓦厂在狮子山西坡取泥制砖时，发现了两座古代墓葬。考古人员分别于 1982 年 2 月下旬和 3 月中旬作两次清理。

简报分为：一、墓葬结构，二、M305 出土器物，三、M307 出土器物，四、结语，共四个部分。有手绘图、拓片、照片。

据介绍，两墓依坡而筑，按历次发现古墓先后次序，分别编号为 M305、M307。M305 为一砖筑券顶墓，由甬道和墓室组成。M307 距 M305 6 米多，形制相同，由甬道、墓室组成。这两座墓出土的遗物以青瓷器占绝大多数，它们的胎色大都灰白，这与西晋开始瓷土中因氧化铁含量增加而使胎色发灰有所不同，灰白胎的瓷器应早于西晋。装饰上普遍在肩部饰几条弦纹，双耳均直置，并定位在肩部弦纹线两旁，耳部饰松杉纹。釉色青绿，胎釉结合不好，剥落较多，施釉未及底，不少器物下腹部和器物整个底部露胎。在造型上都较矮胖，所有这些，都具有东汉晚期浙江青瓷的风格。

简报认为出土的铜镜和五铢钱都具有东汉特征，且未出现晚于东汉的器物，简报推断这两座墓的时代为东汉晚期。

340.绍兴狮子山西汉墓

作　者：绍兴市文物管理处　董忠耿
出　处：《考古》1988 年第 9 期

1982 年 10 月，绍兴县坡塘知青砖瓦厂在制砖取土时发现 1 处土坑墓，绍兴市文物部门闻讯后即派人作了清理。此墓位于狮子山的西坡，与绍兴 306 号战国墓（《绍兴 306 号战国墓发掘简报》，《文物》1984 年第 1 期）、绍兴狮子山东汉墓（《绍兴狮子山东汉墓》，《考古》1984 年第 9 期）同为一个基区。按历次发现古墓先后次序，此墓编号为绍兴 M308，简报配以手绘图予以介绍清理情况。

据介绍，此墓为长方形竖穴土坑墓。墓内随葬品共计 15 件，有陶器、铜镜、铁器和钱币。

根据墓葬形制和随葬品组合基本特征，简报推断此墓的时代为西汉中晚期。

341.浙江绍兴市发现东汉窖藏

作　者：绍兴市文物管理处考古组

出　处：《文物》1991 年第 10 期

1983 年 6 月上旬，绍兴市南郊金刚庙浙江涤纶厂基建工地出土了一批铜器。绍兴市文物部门闻讯后派人到现场调查，因坑壁破坏过甚，未能清理，坑底距地表深约 2 米，未见棺椁痕迹。填土全为疏松的黄褐色淤泥，因此断定是 1 处窖藏。这批铜器计 10 件。简报配以拓片予以介绍。

据介绍，这批铜器有铜洗、三足提梁铜盆等。简报推断，此窖出土的铜器，从形制和锈蚀程度看，应是同一时期的器物，一次埋藏的。这批铜器的时代为东汉时期。

金华市

342.浙江义乌发现西汉墓

作　者：浙江省文物管理委员会　汪济英、牟永杭

出　处：《考古》1965 年第 3 期

1964 年在义乌县城北郊 1 公里处发现 1 座西汉墓，7 月 1 日考古人员去调查时，器物已全部被取出。简报配以拓片、手绘图予以介绍。

据介绍，该墓为土坑墓，墓底深约 1.2 米。出土的遗物有陶鼎、陶盒、陶壶、和陶勺等 10 件，伴出的还有小半两钱和五铢钱。出土陶器几乎都带釉，陶胎呈灰黄色，质细，但不很硬，容易吸收水分。釉呈土黄色，色泽较暗。釉层均匀，但较易于剥落。该墓的年代，简报推断为西汉中叶。

343.浙江武义东汉墓

作　者：金华地区文管会　贡　昌

出　处：《考古》1981 年第 2 期

1978 年 10 月下旬，考古人员在芦北公社农牧场清理了几座古墓葬，简报配以照片予以介绍。

据介绍，该墓位于芦北公社所在地东北 2 公里处。该墓早年已被破坏，墓葬形

制为"凸"字形，仅出土青瓷器 3 件、釉陶器 1 件。青瓷器应为婺州窑产品。该墓的年代，简报推断为东汉晚期。

344.浙江省金华马铺岭汉墓

作　者：金华地区文管会　贡　昌
出　处：《考古》1982 年第 3 期

浙江省金华市在新建环城公路时，在金华汽车北站至东关大队一段工程中，发现汉代土坑木椁墓 2 座，考古人员立即前往清理。简报配以照片予以介绍。

据介绍，该土坑木椁墓位于金华马铺岭的丘陵上，南距金华造漆厂 200 米，我们清理时仅存西南一角，后壁残存 1 米，南壁残存 2 米。墓四周及底垫黄色白膏泥 0.2 米左右。墓底距地表 0.5 米。M2 在 M1 东边五米处，墓底与 M1 在同一水平上，四周及底垫黄色白膏泥 0.2 米。方向与 M1 相同。2 座土坑木椁墓，虽然是残墓，但出土器物较多，M1 出土铜器 9 件、陶器 8 件，M2 仅有铜器 2 件。铜器未见铭文。两墓年代，简报推断为东汉早期。

衢州市

345.浙江龙游县东华山汉墓

作　者：朱土生
出　处：《考古》1993 年第 4 期

1979 年上半年，为配合龙游建筑公司水泥预制场的扩建工程，考古人员对位于县城东 0.5 公里的东华山北端的墓葬进行了发掘，在约 5000 平方米的范围内发掘汉墓 12 座，出土随葬器物共 170 件。1987 ~ 1989 年期间，由于龙游县气象站的基本建设工程的陆续施工，又对其中部的汉墓进行了清理发掘，共发掘汉墓 15 座，出土文物达 276 件。简报分为：一、墓葬形制，二、随葬器物，三、结语，共三个部分。文章介绍了第 2 次发掘的资料和第 1 次发掘的 2 座早期墓葬（78 龙东 M11 和 79 龙东 M22）的有关情况，有手绘图。

据介绍，地面封土多已不存，当地土质为黏土。具有很强的酸性腐蚀能力，加之白蚁活动的猖獗（墓室内往往发现有废弃的大量白蚁穴），因而人骨、葬具、竹木漆器、麻丝织品等有机质随葬品均腐朽无存。出土遗物有陶器、铜镜、铁刀等。

墓葬可分七期，时代从西汉初、西汉武帝时或稍后、王莽时或稍后至东汉中期等。

又据《考古》1993年第3期，龙游县还曾发现汉代铜镜。该镜为县东郊一农民开荒时掘得，惜已打碎，后于1986年11月28日送交县文管会。内区主纹为浅浮雕东王父、西王母及两兽，东王父、西王母两侧各有一协侍，其内铭有"侍女"2字。外区依次饰连珠纹、锯齿纹、变形云纹、复线波状纹各一周。

又有同向式神兽镜1件。扁圆钮，圆座。主纹高浮雕同向上下各2神、左右各1神，其间隔有四兽。主纹外饰锯齿纹、铭文、变形云纹各一周。铭文曰："吾作明竟宜侯建安廿四年六月明竟宜侯建安四年六月辛巳朔廿五日乙巳造。"直径101毫米。镜面光亮照人。此镜于1988年3月9日由墓中出土。

舟山市

台州市

346.浙江温岭市塘山西汉东瓯贵族墓

作　者：浙江省文物考古研究所、温岭市文化广电新闻出版局　陈元甫、黄昊德、郎剑锋等

出　处：《考古》2007年第11期

塘山西汉东瓯国贵族墓（编号简称M1）位于温岭市大溪镇塘山村北面，这里地处浙江东南沿海，与黄岩区海拔仅有270多米的塘岭相隔，东南距温岭市区约20公里，北距黄岩区城30余公里。由于当地百姓取土时对墓葬造成了一定程度的破坏，2006年9～11月，由温岭市政府资助，浙江省文物考古研究所联合温岭市文化广电新闻出版局，对这座墓葬进行了抢救性发掘。简报分为：一、墓葬形制，二、随葬器物，三、结语，共三个部分。有彩照、手绘图。

据介绍，此墓为1座带墓道的长方形深土坑木椁墓，墓上堆筑有高大的封土，墓外设有1座陪葬器物坑。出土较多原始瓷、印纹硬陶、印纹软陶、硬陶、泥质陶器和玉器等。这些对研究西汉初期东瓯国的文化内涵、埋葬制度与墓葬特点，探索其都城的地理位置等，都具有极其重要的意义。

简报称，据《史记·东越列传》记载，战国中期楚国击败太湖地区的越国之后，一部分越国王族为楚所迫，带着部分越国遗民南逃至今浙江东南沿海的台州和温州

一带。秦末战争中，越王勾践之后摇先随诸侯灭秦，后又在楚汉争雄中佐汉击楚。因此，西汉初年，摇曾被汉王朝正式封为东海王（东瓯王），在浙江东南沿海地区建立东瓯国。东瓯国自西汉孝惠三年（前192年）受封立国起，至建元三年（前138年）因受闽越国的攻击而请求撤王归汉，率四万民众迁徙江淮之间止，在西汉初期一共存在了54年。塘山墓葬所处的地理位置正在当时东瓯国的地域范围内，其年代也正与东瓯国的存在时间相吻合。因此，这座墓葬应该属于东瓯国的墓葬。

该墓的规模较大，不但是迄今为止台州地区乃至整个浙江东南沿海发现的最大1座西汉墓葬，也是浙江全省目前发现规模最大的1座西汉墓。虽因早年被盗，墓内没有出土规格较高的铜礼器和礼仪用玉，但其巨大的规模足以表明墓主人的身份绝非一般。同时，墓外设置有1个陪葬器物坑，坑内陪葬有大量仿铜器的镈、錞于、磬、勾鑃等陶质乐器。这种陶质乐器虽是专门为随葬而制作的明器，并无实用价值，但同样是墓主人生前有很高身份和地位的象征。此外，在这座大墓之南不足1公里处，还有1座与墓葬同时代的古城遗址。据研究，这座城址很有可能就是当时东瓯国的国都王城。这些情况都足以说明，塘山大墓应该是1座东瓯国的上层贵族墓，甚至也不排除是东瓯国王陵的可能。

丽水市

安徽省

合肥市

347.肥东、霍丘县发现汉墓

作　者：葛介屏

出　处：《文物》1959 年第 10 期

1957 年 2 月间，在肥东县草庙乡大孤堆农民开荒生产中，发现了汉代砖室墓 1 座。简报配以照片予以介绍。

据介绍，出土遗物计有神兽砚 1 个，造型似一猪，头部有角，背上带一铜环，全身镶有红、蓝色料珠，两目嵌有淡绿色料质装饰，四足作虾蟆伏地状，是砚形中最奇特的一种。另外还出土有镇墓铜辟邪 1 个，玉环 1 个，玉珮 12 个，微残；铜灯 1 个。

同年 4 月间，霍丘县胡埠大社生产队东湖沿地方百姓开荒生产中又发现了汉墓 1 座。出土文物有带文字"严氏作器"的吉羊纹铜洗，"王氏器"的单鱼纹铜洗、吉羊纹铜洗各 1 件，制作精美。

348.安徽合肥汉墓清理

作　者：马人权

出　处：《考古》1959 年第 3 期

1956～1957 年，考古人员在合肥水西门窑厂取土处，发现了 62 座土坑墓。都属于中小型墓，未被盗过。出土遗物计有 1000 多件，其中 4 件铁斧引人注目。

349.安徽肥西县金牛汉墓

作　者：肥西县文物管理所　席为群
出　处：《考古》1990 年第 5 期

1984年4月，金牛乡中学生来信反映李长庄又发现古墓葬，考古人员立即前往调查。李长庄位于金牛乡东南部的士岗上，东至县城约50公里，北距扬（小店）桃（溪）公路 2.5 公里，东部紧靠扬湾河，两岸有商周时期的古文化遗址多处。在百姓发现的3座古墓葬中，两座（编号84JCM2～M3）在调查前已被挖毁，仅收集了许多残陶片，考古人员清理了另外 1 座（编号84JCM4）。简报配以手绘图、拓片予以介绍清理情况。

据介绍，墓葬区在紧靠李长庄北部的一块坡地上，墓葬分布在不到 300 平方米的范围内，M3 和 M4 仅距 0.8 厘米。根据百姓介绍和调查的结果来看，M2 和 M3 规模不大，为土坑竖穴墓，葬具、骨架全腐，墓向、葬式、随葬品及墓主身份、年龄、性别等均不清。M4 为长方形土坑竖穴墓。清理各类器物 19 件，M2、M3 只收集到一些碎陶片。简报推断，M4 墓的时代应是西汉中期偏晚，从墓葬规模、遗物器型等方面看，M2、M3 墓和 M4 墓应属于同一个时代的墓葬。简报称，值得思考的是，M3、M4 墓所出土的陶灶，在这一地区是首次发现。

芜湖市

350.芜湖市贺家园西汉墓

作　者：安徽省文物工作队、芜湖市文化局　王步毅等
出　处：《考古学报》1983 年第 3 期

贺家园位于芜湖市鸠江公社杨家场大队。铁路第四局在贺家园进行基建，用推土机将这里的一个 5 米多高的土堆（墓葬的封土）铲平。1981 年 1 月工地挖基槽时，挖出鼎、钟、钫、盆、匜等铜器 20 余件。考古人员进行了抢救性发掘，出土这些铜器的是 1 座西汉木椁墓。另外 2 座墓的墓口也已暴露。这 3 座墓的位置呈"品"字形，各相距约 20 米，出土铜器的 1 座墓在北（M1），东南 1 座（M2），西南 1 座（M3）。1981 年 2 月21 日开始发掘，由于阴雨连绵，工作时断时续，历时 40 余天结束。简报分为"一号墓""二号墓""三号墓""结语"等几个部分，配以照片、拓片、手绘图予以介绍。

据介绍，3 座墓都是竖穴土坑木椁墓，有阶梯式的墓道，木椁外的四周都用木炭填塞，这是 3 墓相同之处。但是，它们差异之处也较明显。如 M1、M3 是单人葬，

墓向东，墓道设在墓东端的正中；M2 是男女合葬，墓向西，墓道设在墓的西端，偏于一边。3 墓均未被盗，M1、M3 的随葬品虽然有多寡精粗之分，但主要器物基本相同。M2 的随葬品中，没有鼎、钫、壶等礼器，其他器物也与 M1、M3 不同。简报推断年代为西汉后期，M2 要晚至西汉末年。墓主人当为一曹姓官宦世家成员。

随葬品中，蟠螭纹钫十分珍贵，这是研究中国古代计量史的 1 件难得的实物。

蚌埠市

351.垓下遗址出土一批汉代铁器

作　者：黄立水
出　处：《考古》1993 年第 1 期

安徽固镇县濠城集古名垓下，为楚汉相争的古战场。1987 年春出土一批铁器，为汉末之物。简报配以照片予以介绍。

据介绍，铁器出土于集东 210 米的谷堆南坡，距地表深 1.2 米。器物堆放于坑中，器物周围有残砖 12 块。同坑出土 1 罐铜钱。出土的铁器计有铁农具、铁工具、铁车器等，为研究汉代铁器的使用提供了实物资料。

淮南市

352.淮南市下陈村发现一座东汉墓

作　者：安徽省文物考古研究所、淮南市博物馆　杨鸩霞
出　处：《考古》1989 年第 1 期

淮南市淮河南岸的黑泥洼乡下陈村原有 1 个中型孤堆，经调查，确定是 1 座古墓葬，1986 年 3 月，考古人员对该墓进行了钻探调查和清理发掘工作。简报分为：一、墓葬结构，二、随葬器物，三、结语，共三个部分。有手绘图、照片。

据介绍，此墓为斜坡墓道土坑墓，随葬器物放置在墓底南端。葬具为 1 具木棺，已朽，发掘时，棺木上的红黑漆皮均散落在随葬器物的上面。随葬器物共 15 件，主要是釉陶器，其次是泥质灰陶及铜镜、带钩等小件器物。此墓规模不大，结构比较完整。出土器物简单，陶器的组合为壶、盒、罐。这是汉墓常见的组合形式。该墓的时代，简报推断为东汉早期。

353.安徽省淮南市出土汉代铁农具

作　者：安徽淮南市博物馆　徐孝忠
出　处：《农业考古》1990 年第 2 期

1956 年夏季，淮南市田家奄区黑泥乡农民在抗旱挖渠中，在距地表深约 1 米处的地方，发现 4 件汉代铁质农业生产工具。事隔不久，当时的淮南市文教局闻讯后，即派人去进行征集。1958 年淮南市博物馆开始筹建时，这 4 件珍贵的文物移交市博物馆收藏至今。简报配以照片予以介绍。

据介绍，这 4 件农具为：一、凹字形铁锸，1 件；二、凹字形侈刃铁锄，1 件；三、铁镰，1 件；四、长柄铁镰，1 件。

简报称，淮南市出土的这 4 件铁质工具是汉代比较普遍使用的典型农业生产用具。

354.安徽淮南市发现一座汉墓

作　者：徐孝忠
出　处：《考古》1991 年第 2 期

1987 年 7 月，淮南市蔡家岗唐山乡李咀孜村村民张家胜在合（肥）阜（阳）公路乳山路段施工中，在乳山村西 0.5 公里处的 1 座土岗上发现 1 座古墓。简报配以照片等予以介绍。

据介绍，墓为土坑竖穴墓，有青灰泥，棺已腐朽，仅留有漆痕，尸骨腐烂无存，葬式不明。随葬器物多放在墓坑的北部。有茧形陶壶 1 件、陶壶 1 件、陶罐 1 件、铜镜 1 面。此墓的年代，简报推断为西汉时期。

355.安徽凤台县新莽时期墓葬

作　者：王西河、秦克非、王光辉
出　处：《考古》1992 年第 11 期

1986 年 11 月，凤台县白塘乡殷家岗村农民在修路取土时，发现了 1 座新莽时期的墓葬。考古人员前往进行了清理。简报分为：一、墓葬形制，二、出土器物，三、结语，共三个部分。有手绘图。

该墓位于泚殷路南端，南距西泚河 350 米，东南距殷家岗村 200 米，西面是一望无际的西泚河湾地。

据介绍，该墓为 1 座券顶砖室墓，由墓道、主室、侧室 3 部分组成，墓葬平面呈梯形。

出土器物有陶器 6 件、铜器 2 件。随葬品中主要为模型明器和生活用具。墓中出土的货币，都是王莽居摄二年（7 年）始铸的"大泉五十"。简化蟠螭纹铜镜的钮偏大，镜面微鼓，也具有一定的汉代铜镜风格。因此，简报推断该墓应为新莽时期的墓葬，其上限不超过居摄二年（7 年）。

简报称，新莽时期的墓葬，过去在淮南地区发现甚少，在我县更属首次。该墓的发现，为研究淮河中游地区的古代葬俗，提供了新的资料。

356.淮南市出土战国西汉文物

作　者：徐孝忠
出　处：《文物》1994 年第 12 期

1992 年 12 月 12 日，安徽省淮南市博物馆获悉唐山乡第三砖厂发现了文物，考古人员前往开展调查和征集工作。简报配以拓片、照片予以介绍。

据介绍，唐山乡第三砖厂位于淮南市谢家集区唐山乡邱岗村附近，与寿县毗邻，西南距寿县城关镇仅 3 公里。1985 年文物普查时，确认这一带是淮南市古墓葬分布比较集中的地区之一。1992 年 11 月以来，砖厂在施工中多次发现古墓葬，当地民工和村民私自进行了挖掘。墓葬均系小型土坑竖穴木棺椁墓，但由于破坏严重，有的文物出土后已流入寿县九龙乡境内，调查人员在有关部门的协助下，追回了部分出土文物，计 8 件。其中青铜器 5 件、玉印章 2 枚、陶器 1 件。简报推断应是西汉前期的遗物。

马鞍山市

淮北市

357.安徽淮北市李楼一号、二号东汉墓

作　者：安徽省文物考古研究所、淮北市博物馆　唐杰平、杨中文等
出　处：《考古》2007 年第 8 期

李楼一号、二号汉墓位于安徽省淮北市相山区，西北距市政府约 500 米，1988年被淮北市人民政府公布为市级文物保护单位。2004 年底，为配合市体育中心体育

场扩建工程，考古人员对 2 座汉墓进行了详细的勘探，随后对两座墓葬进行发掘。发掘工作从 2005 年 1 月 2 日至 29 日，历时近 1 个月。简报分为：一、一号墓，二、二号墓，三、结语，共三个部分。有照片、手绘图。

据介绍，一号墓为大型多室砖墓，墓内出土釉陶器、陶器、铜器、铁器及铜缕玉衣片等遗物 30 余件（组）。二号墓为砖石混筑墓葬，墓内出土陶器、釉陶器、铜器等遗物 20 余件。根据墓葬形制、出土遗物等，简报推断 2 座墓葬的年代属于东汉中晚期。

简报称，两座墓葬均坐北向南，北依淮北市相山，南面为开阔的平地，应在建造前经过了精心择地，严格规划。其中一号墓墓室结构严谨，所用砖材考究。随葬品精美，釉陶器器形规整，施釉技术精湛，釉的质量上乘，釉色莹润光亮。更难能可贵的是出土的铜缕玉衣，虽残缺不全，却是墓主人高贵身份的有力证明。墓主人的身份可能为嗣位列侯或级别相当的达官显贵。该墓早期被盗扰，但从墓内出土的铜弩机、铜箭镞、铜环首刀、铁斧等看，墓主人应是一位男性。二号墓的规模及出土遗物质量都不及一号墓，因此墓主人的身份可能低于一号墓墓主人。但该墓建筑风格和一号墓相似，所用砖材也相差不大，因而其墓主人也应为豪强地主或富贵之人，后室并排双棺说明是夫妻合葬墓。简报称，两墓墓主人之间有无关系，因缺乏实物证据，暂时还无法作出明确的判断。

铜陵市

358.安徽铜陵金牛洞铜矿古采矿遗址清理简报

作　者：安徽省文物考古研究所、铜陵市文物管理所　杨立新、叶　波
出　处：《考古》1989 年第 10 期

金牛洞为一小山丘，因西部山腰原有一古洞而得名。1980 年迄今，当地群众一直在此山的西侧露天开采铁矿，结果洞毁山平。1987 年 7 月，考古人员在调查铜陵市古代铜矿遗址时，于金牛洞现代采矿场的边坡上发现一些暴露的古矿井。同年 10 月下旬，勘探了金牛洞遗址。11 月，对该处古铜矿进行了抢救性清理，发掘面积 40 余平方米，取得了重要的实物资料。简报分为：一、地理与地质概况，二、古矿井开拓与支护，三、文化遗物，四、古矿井的年代和有关认识，共四个部分。有手绘图、照片。

据介绍，金牛洞位于铜陵县新桥乡凤凰行政村境内，距铜陵市区约 34 公里。金牛洞古矿井井口部分均已破坏，地表开采遗迹没有保存下来。金牛洞古矿井均采用

木支撑结构。竖井井筒采用"企口接方框密集支架"结构（也称"垛盘"），抗压强度大。出土的铁工具和铜凿，应是当时的主要采矿工具。古矿井内存在着大量的木炭屑，推测可能与采掘或通风有关。据《史记》《汉书》记载，西汉政权曾设铜官于今铜陵官山下。凤凰山地区发现的西汉时期铜矿采冶遗址，规模较大，绝非一般民间作坊可比，简报认为很可能属于铜官管辖下的 1 个地区性采冶场所。简报推断，金牛洞古铜矿两个矿点的时代大体是一致的，其开采时代的下限不会晚于西汉时期。

安庆市

359.安徽桐城杨山嘴东汉墓的清理

作　者：安徽省文物考古研究所　阚绪杭
出　处：《考古》1985 年第 9 期

1979 年六、七月间在桐城县石河公社西石河大队杨山嘴村西侧荒岗上发现 1 座砖墓，经地、县有关部门要求，考古人员于 1981 年 11 月进行了清理。简报配以手绘图、照片予以介绍。

据介绍，该墓为券顶结构的多室砖墓。墓室上有高出地面 3 米多的圆丘形封土堆（未经夯实）。墓室内充满淤泥和塌土，在左（南）后室顶部中间发现 1 个直径 1.5 米的圆形盗洞。该墓被盗严重，随葬品仅发现零散的陶片及铜镜碎片等。尚可修复的器物有：陶灶 1 件、陶罐 1 件、铜镜 1 件、五铢钱 2 枚。

简报称，这座墓葬规模较大，结构讲究，死者生前应有较高的身份。从其券顶多室的墓室结构及质地较硬的黄绿色釉陶器来看，简报推断似为东汉。

360.安徽望江县发现汉代规矩镜

作　者：宋康年
出　处：《考古》1987 年第 10 期

1985 年 12 月间，安徽省望江县文物管理所在该县翠岭乡，征集到 1 面汉代规矩铜镜，是该厂工人在取窑土时挖出的。简报配以拓片予以介绍。

据介绍，铜镜直径为 18.7 厘米，边缘厚度为 0.8 厘米，圆形钮，镜面微鼓。镜背，钮座外加方框，框内四角有青龙白虎等兽纹饰，四角尖对衬有四对三角形双线框，每个框内均有狮子头面纹饰，方框外四边各有 1 只兽纹饰，中圈直径为 13 厘米，形成凸形环带，环带以内饰双层锯齿纹，环带以外周围有六个等分小格，每个格内有一兽首纹，另有六对兽纹饰布满在六等距内，外圈直径为17.5厘米，并有一环带，环带内又饰锯齿纹。这些兽的形状，栩栩如生，状态各异，有的前蹄高扬，有的后蹄腾空，有的仰空长啸，有的俯首低吟。简报称，由此镜足见汉代工匠冶炼艺术之高超。

361.安徽省潜江县发现西汉墓

作　　者：余本爱

出　　处：《文物》1988 年第 11 期

1982 年 2 月，潜江县模范公社王湾大队庆丰生产队彭像岭发现西汉墓 1 座，考古人员前往调查，简报配以照片予以介绍。

据介绍，墓中尚有椁、棺，棺髹朱漆，有榫卯，两侧有边厢，内有漆器、环首铜刀等随葬品。漆器较精美，为安庆地区首次发现。

362.安徽望江出土一面铜镜

作　　者：程霁红

出　　处：《考古与文物》1995 年第 3 期

1986 年 9 月，安徽省望江县翠岭乡城北村窑厂一民工挖取窑土时发现了 1 面铜镜，当即送交县文物管理所收藏。简报配以照片予以介绍。

据介绍，此镜直径 15.6 厘米、缘厚 0.35 厘米。镜呈青黑色，半球形圆钮，柿蒂纹座，座外有三层正方形线框；内框之间饰有"一二一"符号纹，框外四周有八禽八乳丁图案；中区一周有隶书铭文带，21 个字。缘边有两周锯齿纹，中间夹有波浪纹。该镜同前些年湖南资兴东汉墓出土的铜镜基本相似，因此简报推断此镜的制作年代大致在东汉时期。

363.潜山县发现东汉铜尺

作　　者：余本爱

出　　处：《文物》1996 年第 4 期

1993 年初，潜山县余井镇马道村村民在该村一古墓中挖得 1 件青铜尺，交余井镇公安派出所后即转交县文物管理所。经县文管所工作人员现场勘查，发现该墓为砖室墓，墓内同出铜环首刀 1 件、灰陶器 2 件。从墓葬形制及随葬物推断，此铜尺为东汉实用尺。简报配以照片予以介绍。

简报介绍，铜尺全长 23.3 厘米，宽 1.8 厘米，厚 0.2 厘米。一端顶部及一截边缘微残。一端有直径为 0.4 厘米的穿孔，正面镂刻着多组菱形、三角形组合成的几何图案。其间有竖线间隔。纹饰精美，线条匀称。背面也有阴刻单线刻度，与正面刻度完全吻合。

简报称，这件青铜尺与 1976 年 9 月河南卢氏县出土的 1 件骨尺类似，为研究古代度量衡又提供 1 件珍贵实物资料。

黄山市

364.安徽歙县西村东汉墓

作　者：杨鸠霞
出　处：《考古》1995 年第 11 期

1991 年 4 月，皖南歙县城西 7.5 公里的郑村乡西村村民在刨树根时发现 1 座古墓葬，并从中取出部分随葬品。考古人员赶赴现场进行调查保护，于 4 月 15 日至 21 日，对该墓进行清理发掘。简报分为：一、墓葬形制，二、随葬器物，三、结语，共三个部分。有手绘图。

据介绍，墓葬坐落在西村仇家塘的红土丘陵岗地上，编为西村 1 号墓。该墓为 1 座长方形单室券顶砖室墓，墓顶距地表深 1.8 米，由墓室和甬道两部分组成。平面呈“凸”字形，墓室和甬道总长 4.98 米。墓室内长 3.9 米、宽 1.9 米、残高 1.56 米。曾被盗，墓顶已倒塌，葬具、人骨已朽。出土硬陶器、铁刀等 12 件，五铢钱 8 枚。简报推断此墓为东汉晚期墓葬。

滁州市

365.定远县壩王庄古画像石墓

作　者：安徽省文物管理委员会　王业友等
出　处：《文物》1959 年第 12 期

1958 年 4 月，定远县永康乡三八农业社农民在壩王庄北挖塘时，发现古画像石墓1座。同年5月,安徽省文管会派考古人员前往了解,并于6月11日进行了清理工作。简报分为:一、发现经过,二、墓葬形制与结构,三、画像石内容,四、出土遗物,共四个部分。有手绘图、照片。

简报介绍,墓全部用石材建成。墓室顶端已被破坏,由前室、中室、后室、侧室四部分组成。全墓画像石共7大块,计10幅,仅在中室内清理出出土遗物10余件。从此墓结构和画像内容来看,简报推断其时代应属于东汉末期。

366.安徽天长县汉墓的发掘

作　者:安徽省文物工作队
出　处:《考古》1979年第4期

天长县汉墓位于天长县安乐公社北冈大队,北面与江苏省的东阳故城接壤。1975年10月,考古人员清理了9座汉墓,获得很多精美完整的漆器。

简报分为:一、墓葬类型与结构,二、随葬器物,三、结束语,共三个部分。有手绘图。

据介绍,9座墓中只九号墓上面存有封土,其余8座都没有封土。墓葬形制可细分为四个类型。出土有漆器、陶器、铜器、铜钱、木器等随葬品。年代从西汉早期至东汉早期不等。

367.安徽定远谷堆王九座汉墓的发掘

作　者:安徽省文物考古研究所　阚绪杭
出　处:《考古》1985年第5期

1977年3月25日至4月22日,考古人员在定远县青洛公社李巷大队谷堆王村西南角发掘了9座汉墓。简报配以手绘图、拓片予以介绍。

据介绍,这次发掘的9座墓葬中,4座被盗,2座被破坏。9座所得随葬品不多,可以看出以陶器为主,其中除釜、甑、灶、井为明器外,其余均为实用器。剑、斧、矛、货币等也是生前所用。从小砖结构的长方形墓室、耳室及券顶来看,这9座墓具有东汉早期的特征,出土的瓮、罐、灶等陶器和五铢钱、货泉也都有东汉早期的典型性。简报推断这批墓葬的时代应属于东汉早期。

368.安徽定远侯家寨西汉墓

作　者：安徽省文物考古研究所　阚绪杭
出　处：《考古》1987 年第 6 期

侯家寨位于定远县七里塘乡袁庄村后。据当地农民反映，这一带常发现砖室墓及出土陶器，器物被打烂扔掉，墓砖被挖起建房。1985 年 5 月，考古人员发现这两座汉墓。两座墓均为长方形土坑竖穴墓，无墓道，无封土堆。简报配以手绘图予以介绍。

据介绍，两座墓均在墓口后部一侧发现祭祀活动的遗迹，即祭祀坑。祭祀坑呈圆形或椭圆形状，坑内堆积物为草木灰样灰烬，还含有小动物骨骼和陶器碎片。M1 和 M2 墓坑内的填土均未夯实，头向正东，单人仰身直肢葬，墓坑底部有骨架和木棺腐朽痕迹。随葬品放在前部棺外一侧，均为陶器。两墓共计出土陶器 8 件。两墓的年代，简报推断为西汉中期或稍晚。

369.安徽天长县三角圩战国西汉墓出土文物

作　者：安徽省文物考古研究所、天长县文物管理所　杨德标、贾庆元、杨鸠霞等
出　处：《文物》1993 年第 9 期

为配合天长县三角圩水利工程建设，考古人员于 1991 年 12 月和 1992 年 4 月先后 2 次对天长县三角圩水利工地古墓群进行了清理发掘，共清理墓葬 25 座（M1 ～ M25），包括战国墓 1 座，西汉墓 24 座，其中 M23 ～ M25 破坏严重。出土铜器、铁器、陶器、漆器、木器、玉器等遗物 700 余件，取得了一批极为珍贵的实物资料。简报分为：一、战国墓，二、西汉墓，三、汉墓的年代与分期，四、一号墓主人的身份，五、M1 出土的铁工具，共五个部分。有照片、拓片、手绘图。

据介绍，天长县位于安徽省东部。三角圩古墓坐落在县城关镇东北 3.5 公里处。这里原是一片平坦的农耕地，地面栽种着水稻等农作物，墓地无封土堆，这次清理的 25 座墓葬，填土已被民工挖完，暴露出来的棺椁距地表深在 0.8 ～ 2.5 米之间。墓地西北为一片低洼的圩田，与白塔河相隔，呈三角形，故名三角圩。战国墓 1 座（M14）。为长方竖穴土坑墓，有棺无椁，形制简单，属小型墓。棺保存较好，棺内尸骨已腐烂无存，性别、葬式不明。汉墓 24 座，为土坑竖穴墓，其中 M1 为双人合葬墓，随葬品多达 340 余件，有铜器、铁器、木器、漆器、玉器等，未见陶器。男棺内有印章 5 枚，知墓主叫桓平，当为汉广陵王刘青身边近臣。简报又认为三角圩西汉墓地可能是桓氏家族墓地。

除战国墓外，简报将西汉墓分为两期。早期的有 M6、M7、M8、M12、M13、M18、M21、M22 8 座，年代定为西汉中期。中晚期的有 M1、M2、M3、M4、M5、M9、M10、M11、M15、M16、M17、M19、M20，共 13 座，年代定为西汉中晚期，但不会晚于西汉元帝以后。

出土遗物中，M1 出土 1 套完整的铁质木工工具，值得重视。这套工具共 25 件，功能各异，是我国目前保存最完整的 1 套手工业工具。这一套铁质木工工具装在 1 个大长方形漆木盒内，木盒保存完整。盒内还装有长方形磨石 1 件、长方形木器 1 件、圆木盒（带盖）2 件、龙头柄圆木盒（带盖）1 件、短柄方木盒（带盖）1 件、六边形凹槽木器 1 件，共 7 件。铁质木工工具完好如新，刃、齿锋利。有的工具装有木柄，也有的没有装木柄。铁质木工工具包括铲、斧、扁铲、凹凿、方凿、正方凿、尖凿、锉、包刀、粗细齿锯、尖齿锯、花凿及一齿钻、三齿钻、五齿钻、细线锯等，有的用途不明，功能尚难以区别，其名称也有不妥之处，有待更进一步的研究。

370.安徽天长西汉墓发掘简报

作　者：天长市文物管理所、天长市博物馆　杨以平等

出　处：《文物》2006 年第 11 期

2004 年 11 月 26 日，天长市安乐镇纪庄村民在挖蓄水塘时，发现了 1 座古墓。考古人员对该墓进行了抢救性发掘。

简报分为：一、墓葬形制，二、随葬器物，三、木牍释文举例，四、结语，共四个部分。有彩照、手绘图。

据介绍，该墓（M19）位于市区以北 35 公里、205 国道东侧 3 公里处。这里位于安徽省东北部，与江苏省盱眙交界，北距北岗汉墓群 1 公里。从地域上看，这座古墓应归属于北岗汉墓群。这里原是浅水塘和稻田，墓上无封土堆，形制为竖穴土坑墓。椁盖板已被推土机推至一旁，墓室内填满新土。葬具为 1 椁 1 棺。人骨架已朽，葬式不清，性别不明。该墓出土遗物 119 件，其中陶器 8 件、铜器 8 件、铁器 7 件、漆器 47 件、木器 49 件。随葬器物主要放置在椁内头厢和边厢中，出土了龟驮凤鸟铜灯及精美的漆木器。漆木器种类较多，有奁、案、笥、樽、盆、盘、耳杯、勺、砚盒、木俑等。在部分漆盆、漆盘、漆耳杯的内底上，有墨书"谢子翁"3 字。此墓还出土了 34 片木牍，上面书有 2500 余字，内容丰富，有户口簿、算簿、书信、药方等，具有重要研究价值。

结合漆器和木牍上的文字，简报认为墓主人叫谢孟，是西汉中期偏早时东阳县的官吏。

371.安徽天长三角圩 27 号西汉墓发掘简报

作　者：天长市文物管理所、天长市博物馆　杨以平、施　庆、纪春华等
出　处：《文物》2010 年第 12 期

2002 年 4 月，天长市城南乡祝涧村的村民在三角圩发现古墓葬 1 座。考古人员对该墓进行了抢救性清理发掘，编号 M27。简报分为：一、墓葬形制，二、随葬器物，三、结语，共三个部分。有照片、手绘图。

据介绍，M27 为竖穴土坑墓，葬具为 1 椁 1 棺。随葬器物多放置在棺与边箱中，主要有陶器、铜器、玛瑙器等 44 件，其中陶器 35 件。此墓属于三角圩西汉墓葬群中的 1 座，其年代简报推断为西汉中期偏晚。

阜阳市

372.阜阳双古堆西汉汝阴侯墓发掘简报

作　者：安徽省文物工作队、阜阳地区博物馆、阜阳县文化局　王襄天、韩自强
出　处：《文物》1978 年第 8 期

1977 年春，阜阳县城郊公社罗庄大队平整土地时，在村前双古堆发现了陶器，考古人员于同年 7 月 1 日到 8 月 8 日进行了发掘。简报分为：一、墓葬形制，二、随葬器物，三、墓主人及墓葬年代，四、结语，共四个部分。有手绘图、照片。

据介绍，双古堆在阜阳城西南，距市中心约 3 公里。原封土高出地面约 20 米，东西长约 100 米，南北宽约 60 ~ 70 米。封土上原有 2 个尖顶，所以被称为"双古堆"。1957 年因工程取土，封土仅余 4 米多。封土经过夯筑。清除封土后，出现了东、西两个墓，东墓定为 M1，西墓为 M2。这两座墓葬由于早期被盗掘，器物位置被扰乱，有的器物因棺椁塌毁砸压破碎，完整的已不多。残存的器物都放置在头厢和边厢内，棺床上除了铜镜、带钩以外，别无他物。劫余器物尚有漆器、铜器、陶器等。据出土器物上的铭文，简报推断双古堆 M1 主人是第二代汝阴侯夏侯灶。M2 建在生土层，M1 是打破 M2 的封土后建造的，M2 的时间应略早于 M1，M2 的主人应是夏侯灶的妻子。夏侯灶死于汉文帝十五年（前 165 年）。

简报称，双古堆两座汉墓的年代明确，这样就为汉代考古断代研究提供了一批实物资料。铭文中记有容量、重量和尺寸，可供研究汉代度量衡者参考。漆器、铜器的自铭，可补文献记载的不足。更重要的是竹简《仓颉篇》的发现。《仓颉篇》

原为李斯所作，共有七章，是秦始皇用以统一文字的课本。汉初曾经合《仓颉》《爰历》《博学》三篇五十五章，仍称《仓颉篇》，但该书已失传。解放前后曾在汉简中有过两次出土，但文字很少。这次出土的《仓颉篇》虽然残缺不全，但比较原始，有一定的研究价值。尤其值得注意的是M1中三件天文仪器的发现：栻，是古代测天文以定时日的工具，又是占卜用具；另两件为太乙九宫占盘和二十八宿圆盘。均极其珍贵。

《考古》1978年第5期载有殷涤非先生《西汉汝阴侯墓出土的占盘和天文仪器》一文，认为它们超越文献记载最早的所谓"立仪表""晷仪"和"转运浑天"的年代，是我国古文献没有记载过的汉初测天仪器的具体实物，展示了汉初测天的应用方法。因此，它们对我国和世界天文学史的研究，具有极其重要的意义。

373.安徽省阜阳市发现汉代汝阴宫殿遗址

作　　者：刘　峰

出　　处：《考古与文物》1996年第5期

1990年3月，阜阳市老城区文昌阁建筑工地一号楼挖楼基址时，在距地表2～3米深处，发现大量的筒瓦、板瓦、瓦当、铺地方砖残片，考古人员前往实地调查并采集标本。经现场调查，发现这里属于1处大型汉代建筑遗址的范围，因发掘面积有限，具体情况尚不清楚，在出土的瓦当中发现有西汉"女阴宫当"铭文瓦当，因而确认是西汉汝阴侯宫殿遗址的范围。同出的筒瓦、板瓦、方砖皆为青色泥质。筒瓦内外通体麻布纹，为模制。瓦当颜色可分为青灰色、灰色、灰褐色三种，纹饰多以卷云纹为主，云纹瓦当种类较多，尤以当面中央纹饰变化较大。文字瓦当为其次，其中1枚"女阴宫当"瓦当属国内首次发现。采集到的几枚较完整的瓦当简报配以拓片、照片予以介绍。

据介绍，几枚完整的瓦当有"女阴宫当"瓦当、"安乐□贵"瓦当、"安乐富贵"瓦当、"蘑菇"形云纹瓦当、卷云纹瓦当。1977年，在阜阳西郊飞机场附近，发掘了双古堆西汉汝阴侯墓，经考证为第二代汝阴侯夏侯灶及其妻子的墓葬，出土了大量竹简和带有汝阴侯铭文的漆器。事隔多年，在阜阳市老城区文昌阁又发现了汉代建筑遗址，并且出土了带有"女阴宫当"的铭文瓦当，简报证实了此处就是汝阴侯宫殿遗址的范围，也说明现在的阜阳城即为汉代的汝阴，文昌阁地处阜阳城区中心，2000多年来阜阳城址没有出现太大的变化。

简报称，出土的文字瓦当和卷云纹瓦当为我们研究汉代的书法艺术、手工业情况提供了重要的实物资料。

374.安徽阜阳出土汉代铜器

作　者：刘建生、董　波、杨玉彬

出　处：《考古与文物》1998 年第 6 期

1992 年 4 月 20 日，安徽阜阳市医药公司仓库基建地施工时，发现 1 座竖穴土坑墓，出土器物被民工哄抢。在市医药公司机关协助下，被抢文物全部追回。简报配以照片予以介绍。

据介绍，墓葬位于阜阳西汉汝阴侯宫殿遗址东南约 40 米处。墓残长 4.95 米、残宽 3.2 米，墓底距地表 5.36 米。清理时葬具、尸骨无存，从残存板灰痕迹看，应有棺椁。出土铜鼎 1 件、铜铊 2 件、鎏金铜尊 1 件以及铜簋、铜洗等。此墓出土的这批青铜器无铭文，其形制具有汉代风格。

简报认为，此墓的年代应不晚于东汉早期。

375.安徽涡阳稽山汉代崖墓

作　者：阜阳市博物馆、阜阳市文物管理处　刘海超、杨玉彬

出　处：《文物》2003 年第 9 期

1975 年 3 月，阜阳市涡阳县石弓公社一采石场在稽山炸石时，发现 1 座崖墓（编号 M1）。该墓遂遭采石工人破坏，随葬品也被哄抢。简报分为：一、墓葬形制，二、随葬器物，三、结语，共三个部分，介绍了清理及追缴的情况，有照片、手绘图。

据介绍，稽山地处涡阳县东北，海拔不足 50 米，M1 便位于稽山山顶。该墓为崖墓，单室，东西向。墓室为长方形，长 2.4 米、宽 1.8 米、高 1.8 米。长方形竖井墓道，已残。其开凿方式是从山顶向下凿出墓道，然后向东横凿成墓室。在墓室与墓道之间，以 4 块条石横排封堵。墓室内未见棺木、尸骨，随葬器物不存。

M1 清理结束后，考古人员在其南侧不远处又发现 1 座崖墓（编号 M2）。该墓的形制、大小与 M1 相同，因早年多次被盗，清理室内时未发现随葬品。M1 追缴回来的随葬品较为丰富，按质地分，有陶、铜、金银、玉、石、象牙、蚌珠等。其中鎏金和错金铜器还有玉器等，均十分精美。

该墓的年代，简报推断为西汉前期，墓主人应属贵族。涡阳在汉初属梁国，墓主人或与梁孝王后世支族有关。

376.安徽阜阳博物馆收藏的汉代铜器

作　者：阜阳博物馆　杨玉林、杨钢锋

出　处：《文物》2011 年第 5 期

1968 年 3 月，在阜阳县颖南红旗中学院内，1 座汉代砖室墓（编号简称 M2）被农民取土时挖毁，墓室大部分被拆除，葬具痕迹和随葬器物均被扰乱。文物部门接到报告后，派人赶到现场清理，追缴回 11 件（组）青铜器，后入藏阜阳博物馆。有鼎、耳杯、勺、釜等。简报推断该墓年代为东汉晚期。

今有杨玉彬先生《阜阳汉代铜镜研究》（合肥工业大学出版社 2017 年版）一书，可参阅。

宿州市

377.安徽宿县褚兰汉画像石墓

作　者：安徽省文物考古研究所　王步毅等

出　处：《考古学报》1993 年第 4 期

1956 年春，原文化部社会文化事业管理局郑振铎局长，获悉宿县褚兰镇"九女坟"古墓遭到破坏，电报通知安徽省文物管理委员会，立即派员前往调查。安徽省博物馆随即派员前往褚兰进行实地调查。褚兰镇位于宿县东北部，距县城 67.5 公里，距江苏徐州市仅 30 公里。传说中的"九女坟"，实为 1 座规模较大的汉代画像石墓。该墓坐落在镇子西南的墓山孜上，离镇约 1.5 公里。九女坟在山顶的中部，地位高敞，墓冢突兀。由于水土流失和人为的破坏，墓顶的石块已露出地面。此墓早年被盗，前室顶盖的南半边已被揭掉，室内堆积泥土碎石约有 1 米厚。墓室全系大石块建造，比较坚固，虽经盗掘，至今仍基本完好。又于墓山孜西南山脚下发现另 1 座汉画像石墓，这座墓在耕地中，距离九女坟约 0.5 公里。该墓也于早年被盗掘，破坏比较严重，墓室顶全部拆除，墓冢几成平地。墓室南侧有一石祠，很像昔日农村的土地庙，当地百姓称为"石屋子"。祠顶已失，墙壁上部残缺。祠内及门旁满刻画像。后壁正中镌刻一方小墓碑，知此墓是"辟阳胡元壬墓"，建于东汉灵帝建宁四年（171年）。两墓的年代应均在东汉末年。一号墓墓主不详，二号墓墓主胡元壬，简报估计为一郡县中的富豪。安徽省博物馆于当年秋天进行发掘。经过清理，发现 M1 地面有石祠和墓垣的遗存，M2 除石祠外也发现墓垣的遗存。两座墓葬均遭盗掘，被洗劫一空，均未发现随葬器物。野外发掘工作结束后，对 2 墓采取的保护措施是：因为 M1 墓室保存基本完好，又比较坚固，决定原地保护，并于 1961 年列为省级保护单位；M2 的墓室破坏严重，石祠和墓碑都是罕见的珍贵文物，不宜置于旷野，故将此墓的石祠和墓室中的画像石全部运回安徽省博物馆收藏。简报分为：一、一号墓，二、二号墓，三、画像石的内容及其位置，四、结语，共四个部分。有照片、手绘图。

简报指出，经过对宿县褚兰 2 座汉画像石墓的发掘，获得一批有关墓室结构、墓上建筑设施、画像石配置等的考古资料和 32 块（画面 60 余幅）珍贵的画像石。尤其是墓垣、祠堂和墓碑同时出土，在全国鲜有发现。墓碑的明确纪年，使这两座画像石墓成为研究安徽、徐州、山东等地同类墓葬的典型资料。有关这次发掘的具体收获，简报归纳为以下几点：

其一，2 墓的画像石，内容丰富，画像密集，装饰讲究，刻工精细。祠堂和墓室的前室（相当于住宅的庭院），是画像集中之处，壁面和墓顶均刻满画像，有神仙人物和祥禽瑞兽，有表现世间官吏富豪社会活动和享乐生活的情景，也有除崇辟邪等物像。是汉画像石考古的一大收获。

其二，胡元壬墓碑镌刻在二号墓祠堂北壁画像石的正中，是一方凸形的小墓碑。碑顶突出的部位为额题。碑通高 18.8 厘米、宽 12.6 厘米。四周起边框，行间有界格。额题 7 字分 3 行，文 9 行，每行字数不等，多者 22 字，少者 15 字。额题和碑文均隶书，笔画平直，书体质朴自然，应是民间一种实用的书体。碑面皴剥漫漶，已不能通读。额题为：辟阳胡元壬□墓。间断的碑文如下："建宁四年二月壬子……为冢墓石……父以九月乙巳母以六月……多子孙……上人马皆食大（太）仓……律令……禄慕高荣寿四敬要（腰）带朱紫车……金银在怀何取不寻（得）贵延年……德子孙常为……"从这些断续的文字中，可以了解到胡元壬的祖籍是辟阳（西汉冀州刺史部县置，属信都国，今河北省冀县东南）。造墓立祠的时间，是在东汉灵帝建宁四年（171 年）。关于碑文中那些"人马皆食太仓""腰带朱紫""金银在怀，何取不得"等语，是祝愿死者到另一个世界里做高官、享厚禄、拥有金银财宝、想要什么都能办得到。此碑形制为目前仅见，实为碑学研究的珍贵资料。

其三，祠堂和墓垣虽然已成断垣残壁，但原貌可以复原。它们的形制、结构基本一致。墓垣为长方形，东西略长，垣墙低矮，墙顶向外一面，雕成瓦垄。垣墙可能还有防护封土流失的功能。祠堂立于南垣墙的正中，是一间悬山式的房屋，门向南敞开。内壁及门旁盛雕画像。北（正）壁刻墓碑 1 方。可以想见，这种墓葬的地面建筑，在较为广泛的地区应是同类墓葬采用的基本形式。

其四，一号墓的鞞舞画像是新发现。鞞舞是汉代丰富多彩的舞蹈形式之一，史籍记载它是汉、魏、晋著名的乐舞，用于宴享、表演时载歌载舞。关于鞞（鼓），当时的文献记载简略，更没有形象的描述，过去论及此舞时，对鞞（鼓）未能确指。这幅观舞图中舞女们所舞之物，状如团扇，与南朝梁志所提的鞞扇正相吻合。这两座墓葬都有鸟衔联珠的画像。以往各地发现的汉代壁画和画像石（砖）的天象图中，不少星宿也是用圆点和直线相连的，有的还在星旁刻画苍龙、白虎、织女、织机、牛郎等画像，很明确地标示出星宿的名称。褚兰汉画像石墓的几幅鸟衔联珠的图像，也应视为星宿的图像。认识它们的名称及在墓葬中表现的涵义是很有意义的。

378.安徽省萧县出土一批陶谷仓、陶猪圈

作　　者：安徽省萧县博物馆　王小凤
出　　处：《农业考古》1995 年第 1 期

安徽省萧县县城以西西虎山发现了数十座汉代墓葬，出土了大批随葬器物。西虎山位于萧县县城以西 1 公里左右，其山脚下为县窑厂烧制砖瓦的取土工地。随着取土的掘进，一座座汉墓破土而出。其墓室结构大多为常见的汉代竖穴式土坑长方形券顶砖室墓，估计该地为汉古墓群丛葬区。考古人员对所发现的汉墓逐座加以清理，其出土的文物计有青铜器、陶谷仓、陶猪圈。最近出土的一批陶仓、陶猪圈共计21件，其质料为红釉陶、彩绘陶和灰陶等。简报配以照片予以介绍。

简报称，萧县位于安徽省北部，历史悠久。曾发现过多处铸钱遗址及钱范，可知此处为汉代 1 处重要政治经济中心。这批汉墓出土的陶仓、陶猪圈，其质料主要是红釉陶、彩绘陶、红陶、灰陶，其形制多样，有楼阁式、平房式，屋顶有庑殿顶、硬山顶、悬山顶等，体现了汉代建筑风格。另外，这些器物制作合理科学，工艺上有手捏、模印等，动物造型生动逼真，反映出当时手工艺水平的提高。陶谷仓、陶猪圈作为随葬器物在出土文物中是较为普通的，但像萧县汉墓中出土数量这样多.占比例这样大，却属少见。

379.安徽萧县张村汉墓发掘简报

作　　者：安徽省文物考古研究所　朔　知、刘　锋
出　　处：《江汉考古》2000 年第 3 期

张村汉墓位于安徽萧县白土镇张村北面的山坡上，东面紧挨小山，西面为平缓的麦地，墓地总面积 2 万多平方米，是 1 处较大规模的西汉墓地。因连霍高速公路在此取土，墓地遭到大面积破坏，并引发了大规模盗掘。1999 年 1 月底至 4 月中旬，考古人员对该墓地残存墓葬进行了抢救性发掘，共计发掘墓葬 22 座，出土各类器物

170 余件（组）。简报分为：一、墓葬形制，二、随葬器物，三、结语，共三个部分。有手绘图。

据介绍，这次发掘的 22 座墓葬除 1 座为砖室墓外（已被盗掘），其余均为长方形竖穴土坑墓。这批墓葬的葬式因多数骨骼已朽，未能辨识，残存骨骼痕迹均为仰身直肢葬。少数墓葬墓穴宽大，从随葬品摆放或骨骼痕迹判断属同穴合葬；同时，还存在极少数交穴合葬墓。

简报认为该墓葬的时代从西汉早期至西汉中期乃至西汉末年，但不会晚到王莽以后。简报称，这是西汉地区当地一个比较稳定的家族的墓地。

380.安徽宿州市骑路堌堆汉墓发掘简报

作　者：安徽省文物考古研究所、宿州市文物管理所　周　群
出　处：《华夏考古》2002 年第 1 期

宿州市位于安徽省北部，骑路堌堆位于宿州市西寺坡涉故台西 200 米处。当地煤矿为运煤而建一条 8.7 公里铁路专用线，该铁路线通过骑路堌堆遗址南部。为配合铁路建设，考古人员于 2000 年 6 ~ 7 月间进行了考古发掘工作。在这次考古发掘中发现了 3 座土坑竖穴墓，并进行了清理。简报分为：一、一号墓（M1），二、二号墓（M2），三、三号墓（M3），四、结语，共四个部分。有照片、拓片、手绘图。

据介绍，骑路堌堆 3 座墓葬均为长方形土坑竖穴，带二层台墓，无墓道，无封土堆，长、宽均在 2 ~ 3 米以内，为一般小型墓葬。坑内置单棺和随葬品一组。器物组合以陶器为主，多为明器，少量为生活实用器。这种墓葬在江淮地区比较流行，其时代特征明显，应为西汉早期墓葬。

381.安徽萧县新出土的汉代画像石

作　者：安徽省萧县博物馆　周水利
出　处：《文物》2010 年第 6 期

近年来，在安徽萧县的白土镇冯楼、丁里镇王山窝、孙圩子乡破阁村、圣泉乡圣村、龙城镇陈沟村陆续出土一批汉代画像石。内容丰富，题材广泛。简报分为"一、圣村 M1""二、破阁村 M61"等予以介绍，有拓片。以圣村 M1 为例，简报先介绍该墓概况，指出萧县圣泉乡圣村 M1 为砖石结构多室券顶墓，平面呈"中"字形，由墓门、甬道、前室、后室、西耳室、东耳室组成。随葬器物以釉陶为主，有陶楼、陶灶、陶罐、陶盆等，时代为东汉。然后逐石加以介绍，如：

第 1 石　西耳室右边门柱。石高 105 厘米、宽 42 厘米。上为凤鸟，身旁有一飞鸟，足下有一游鱼。中央刻一似龙神兽。下部为驯象，身材高，瘦腹细腿，神态安详。像背上骑一个驯象之人，脑后梳有椎状长髻，右手执象钩，直钩象鼻。

简报指出，萧县这批汉画像石反映了汉代人的物质文化生活，是难得的实物资料，为研究皖北地区的汉代石刻及经济、文化、艺术等增添了新的内容。

巢湖市

382.安徽无为县甘露村西汉墓的清理

作　者：无为县文物管理所　何福安、邹喜庆、向　阳等
出　处：《考古》2005 年第 5 期

1998 年 5 月至 1999 年 3 月，在无为县襄安镇军二公路改道工程中，先后发现 4 座古墓，依次编号为 M1～M4。考古人员赴现场调查时，其中 2 座墓葬已遭扰乱，墓室尚存，经抢救性清理，出土了一批遗物。另外 2 座墓葬被严重破坏，随葬品全部被民工取走。在县公安部门的配合下，追回了两座墓葬所出全部器物。简报分为：一、墓葬形制，二、随葬遗物，三、结语，共三个部分，分别介绍了相关情况。有彩照、手绘图。

据介绍，这是 4 座长方形土坑竖穴墓，均为 1 棺 1 椁。随葬品主要有陶器，其他还有铜器、玉器和漆木器。根据墓葬形制以及出土遗物，再与邻近地区战国、秦汉墓葬等进行比较，可以初步推断这 4 座墓葬的年代均为西汉时期。

六安市

383.安徽省寿县安丰塘发现汉代闸坝工程遗址

作　者：殷涤非
出　处：《文物》1960 年第 1 期

1959 年 5 月间，考古人员为配合史、淠、杭灌溉水利工程，在寿县南 30 余公里的安丰塘越水坝地方，发掘出 1 座汉代闸坝工程遗址。简报配以照片予以介绍。

据介绍，这座闸坝工程，是用草土混合的散草法筑成。它的结构遗存是：闸坝

建筑在 1 条泄水沟的上面，沟的东壁和西壁向泄水沟的当中和前面倾斜低下，形成沟向的倾斜面，至闸坝前有 1 个水潭。这是由于安丰塘在沟南，地势较高，水潭在沟北，地势较低。水顺坡由南向北下流之故。这座闸坝可能是蓄泄兼顾，以蓄为主的水利工程。由结构和建筑形式推测，在缺水时，安丰塘内经常有很少的水滴可以通过闸坝的草层泄到拦水坝的水潭内，使之有节制地流到田间，而有很多的水被蓄在安丰塘内，使之灌溉附近农田。在雨水盈满或洪水暴发时，又可以凭借草土混合坝本身的弹性和木桩的阻力，让水越过闸坝顶部，自外泄到水潭内，再由拦水坝挡住，缓缓流出坝外。由于水越坝顶入于水潭，在不大时冲力很大，故水潭边缘附近，还留有水流冲击的窝槽。在这座闸坝工程遗址中，还发现有大批铁工具、铜工具和陶器、陶器残片等共 800 余件，完整的器物中有百分之九十以上为铁器。主要出土物有："都水官"铁锤、铁锯、铁凿、铁箭头、铁犁铧（残）、铜鱼钩、铜箭头和鱼骨印痕、编竹丝篓底（残），以及"半两""五铢""货泉""大泉五十"等。陶片除汉井圈、绳纹瓦和素砖以外，并有大量黑色暗纹陶片。简报认为该遗址年代为东汉章帝时。

这一遗址的发现，为汉代水利工程的研究提供了实物资料。

384.寿县东门外发现西汉水井及西晋墓

作　者：吴兴汉

出　处：《文物》1963 年第 7 期

1961 年 8 月下旬，安徽寿县东门外发现古代水井及墓葬。考古人员前往调查，进行了勘查和清理发掘工作。简报配以照片予以介绍。

据介绍，在由西到东不到 140 米的狭长形的地带内，先后发现古井 9 眼。计土窑井 2 眼，陶圈井 7 眼。在接近井底处，出现遗物有汲水用的双耳圆底陶罐、大型敞口陶盆、绳纹筒瓦、石杵及石碾槽、有砥磨生产工具用的磨石，还发现刻划着记数符号的 1 片残陶钵口沿。其中以双耳圆底陶罐为最多，均属泥质灰陶，器表刻满施绳纹与弦纹。从陶井圈及出土遗物的纹饰、质地和形制等特征来看，简报推断古井的建造年代可能是在西汉前期。

另在陶井附近发现砖券墓 1 座。出土文物有金手镯 2 对、金戒指 2 对、银手镯 1 对、四系带釉陶罐 1 件，还有墓志砖 1 块，上刻"元康元年六月十四日蒋之神柩"13 字。据出土墓志的花纹与四系带釉陶罐的胎质和釉色来看，简报推断砖券墓应为西晋时的墓葬。

385.安徽寿县茶庵马家古堆东汉墓

作　者：安徽省文化局文物工作队、寿县博物馆　崔　璿
出　处：《考古》1966 年第 3 期

马家古堆在寿县正南 50.5 公里处，东南距茶庵集 5 公里。这里的墓葬过去受到过严重破坏。考古人员于 1965 年 4 月 4 日进行了调查，并进行了发掘清理。简报分为：一、墓葬形制，二、随葬器物，三、结语，共三个部分。有照片、拓片、手绘图。

据介绍，马家古堆位于茶庵公社瓦房大队境内的一片平原上。由于多次被挖掘，所有墓室顶部都被破坏。经过清理，共发现 3 座砖室墓，自西至东按顺序编为 1～3 号。出土随葬品有陶厕、陶磨等，以及陶器、漆器、铜器、铁刀、五铢钱等。其中漆器十分精美。至于 3 墓年代，2 号墓为东汉中期，3 号墓约当东汉桓帝时，1 号墓为东汉灵帝以后。

386.安徽寿县发现一方古代官印

作　者：王西河、秦克非
出　处：《考古》1989 年第 1 期

凤台县尚塘乡尚塘村农民奕凤祥，1982 年在寿县城西关广场，拾到 1 方东汉至三国时期的官印，现已被凤台县文化局征集。简报配以拓片予以介绍。

据介绍，印为铜质方形，重 46.8 克。印面阴刻篆文"别部司马"4 字。"别部司马"为军职之称。《后汉书·百官志》载："将军，不常置。"本注曰："掌征伐背叛。""大将军营五部……其别营领属为别部司马，其兵多少各随时宜。"此外，《三国志》中也多见此种官称。从这方官印的印文书体来看，这方官印的时代应为东汉至三国时期。

387.安徽寿县出土的两件汉代绿釉陶模型

作　者：苏希圣、李瑞鹏
出　处：《文物》1990 年第 1 期

安徽省寿县出土了两件汉代绿釉陶模型，简报配以照片予以介绍。

据介绍，其中，绿釉陶楼于 1975 年秋自寿县迎河区东汉墓葬出土，通高 98 厘米，共四层，各层之间可以拆卸；陶釉陶厕猪圈，1975 年寿县城郊出土，下为猪圈，上为楼厕。

简报称，这件陶厕猪圈较之 1959 年河南郑州南关西汉晚期墓出土的陶厕猪圈更完善更精致，与本县出土的东汉绿釉陶楼的釉色、纹饰及建筑形制雷同，反映汉代北方流行厕所猪圈综合构筑的建筑风格。

388.安徽霍山县西汉木椁墓

作　者： 安徽省文物考古研究所、霍山县文物管理所　杨鸠霞等

出　处：《文物》1991 年第 9 期

1986 年底至 1987 年初，霍山县砖瓦厂工人取土时，在 5 米多深的地方先后发现木椁墓 6 座。其中，2 座墓由于早年被盗掘，遭受彻底破坏，木椁已朽，尸骨及随葬品无存。其余 4 座墓编号为 M1 ~ M4，考古人员进行了抢救性的清理发掘，出土一批珍贵文物。简报分为：一、墓葬形制；二、随葬器物；三、结语，共三个部分予以介绍，有照片、拓片、手绘图。

据介绍，霍山县地处皖西大别山北麓。墓葬位于迎驾厂镇三星村，在霍山至佛子岭的公路南侧，距佛子岭水库 5 公里，西南距县城 7.5 公里，西距东淠河 1 公里。这里是一片高冈地带，高出地平面约 3 ~ 4 米。墓葬就坐落在这片岗地上，分布比较集中。M1 和 M2 南北并列，相距 4 米，位于岗地的西部；M3 和 M4 在 M1 和 M2 以东约 2 米，亦为南北并列，相距 4 米。据当地群众说，地面原有封土堆，早年已夷平，现辟为耕地。墓葬形制均为长方形竖穴土坑木椁墓，清理时，除 M1 尚保留一部分墓壁外，其他墓坑已全遭破坏，木椁基本暴露在外，墓坑大小及有无墓道等情况不明。四墓共出土随葬品 128 件，大宗为陶器、铜器、漆器、木器。似受楚文化影响较深。出土遗物中漆器、兵器、彩绘髹漆陶器较珍贵。简报推断此为一处西汉前期家族墓。墓主应为中小贵族。

389.安徽六安发现西汉车马坑

作　者： 六安县文物管理所　邵建国

出　处：《考古》1991 年第 1 期

1978 年 3 月 31 日，六安县城东乡双墩大队松墩生产队集体挖渠道时，发现车马坑 1 个，并挖出车軎、镳、衔、马络饰及殉葬驭手铁镣等遗物 100 多件。4 月 3 日，又清理出遗物 11 件。简报配以照片予以介绍。

据介绍，该车马坑早年应已被盗过，挖渠时又被民工破坏，虽因年代较远，车的木构件已全部朽烂，但根据民工介绍，认真观察马骨和各种饰件的位置，该陪葬

坑应为二乘车、四匹马和一个驭奴殉葬，车应为实用车。

简报推断车马坑年代为西汉。据观察附近应有大墓，也即此车马坑陪葬的主墓。

390.安徽寿县东津柏家台两座汉墓的清理

作　者：寿县博物馆、寿县文管所　许建强
出　处：《江汉考古》1992年第4期

1984年4月和1990年5月，寿县东津乡柏家台农民在取土时，先后于台南100米处、台东500米处发现1座砖室墓和1座石板墓，分别编号为M1、M2。墓葬位于寿县城关东郊约3公里，东淝河的西岸，寿蔡公路北约200米。考古人员对这2座墓葬进行了清理。简报分为：一、墓葬结构；二、出土遗物；三、结语，共三个部分，有手绘图。

据介绍，M1为砖石结构，M2系石板立成的竖穴双室合葬墓。2墓共出土铜镜等铜器5件、钱币8枚、陶器5件。简报推断为王莽时墓。

简报称，寿县城关地处八公山，石料资源丰富，取石极为方便，营建石板墓造价低廉，对于一般的平民百姓来说都易做到，所以该地区发现石板结构的墓较多，尤以王莽时期的石板墓最为常见。王莽时期这种石板墓，为竖穴单室墓，无棺木葬具，随葬的陶器组合与M2相同，有的甚至器物大小都十分接近，陶器主要为红釉红陶，火候低，有灶、厕、仓、鼎、盒、井、壶等，是本地区这一时期颇具典型的平民百姓墓。这次发现的M2，其结构独特，有两个墓室，属竖穴石板双室夫妻合葬墓，为研究王莽时期这一类型墓葬增添了新的资料。

391.安徽舒城县秦家桥西汉墓

作　者：安徽省文物考古研究所、舒城县文物管理所　杨鸠霞
出　处：《考古》1996年第10期

1988年，窑厂民工在取土时发现了一批古墓葬，墓葬位于秦家桥乡窑厂内。考古人员于1991年9～10月进行发掘，共发掘7座墓葬（编号M1～M7）。简报分为：一、墓葬结构，二、出土遗物，三、结语，共三个部分。有手绘图等。

据介绍，此7座墓均为小型竖穴土坑墓，封土已不存，除M2、M3外均曾被盗。其中M1～M4属早期墓，简报推断年代为西汉初年。其他3座属晚期墓，年代比早期墓稍晚，但仍属西汉早期。这批墓葬反映出楚文化对这一地区的影响。

392.安徽六安市九里沟两座西汉墓

作　者：安徽省文物考古研究所、六安市文物管理所　万永林、李　勇、李娟娟
出　处：《考古》2002年第2期

九里沟位于六安市区以北约4.5公里处，这里原是一片高冈地，地势东高西低，总面积约1.5平方公里。历年来，这一地区在生产建设过程中曾多次发现古墓葬。自1995年以后，考古人员陆续清理了战国至西汉时期的墓葬100多座，多为土坑竖穴木椁墓。2001年7月，九里沟第三窑厂在生产取土时又发现了2座西汉墓，考古人员于7月24～25日进行了抢救性发掘。这两座墓位于九里沟乡九里沟村北50米处，编号为九里沟第176、177号墓，墓葬所在地西距六安至寿县的公路约1公里。简报分为：一、176号墓，二、177号墓，三、结语，共三个部分。有手绘图、照片。

据介绍，九里沟是1处重要的古墓葬分布区，历年来在这里清理的墓葬中，木椁墓占到近半数，时代一般为战国至西汉早、中期。

简报推测，这两座墓的年代应为西汉早期。

393.安徽六安市汉墓的清理

作　者：皖西博物馆　李　勇
出　处：《考古》2002年第9期

1988年5月4日，安徽省六安地区砖瓦厂在取土过程中发现汉墓1座，考古人员赶往现场。墓葬距六安市区东郊约5公里，南距312国道（合肥—六安）400米，北距战国、西汉时期古城——东古城约5.5公里。此处为丘陵高冈地带，历年来时有古墓葬出土，在其东侧1公里处即为汉代墓葬群区。该墓为长方形土坑竖穴墓，葬具为单棺单椁，尸骨已完全腐烂，葬式不明。器物散乱无序、有明显人为扰乱迹象，仅出土铜钫1件、铜镈1件、铜勺2件、外文铅饼1枚。简报配以手绘图、拓片予以介绍。

据介绍，六安地区砖瓦厂历年来屡有中小型汉墓出土，是汉代墓葬聚集区。这座墓由于早期被盗，残存器物不多，但据本区以往出土的墓葬特点，简报推断该墓葬的时代为东汉晚期。简报称，六安地区砖瓦厂汉墓出土的外文铅饼，出土地点明确，并有共出器物，具有较高的科学性；亦是仅见有文字记载的由墓葬中出土的实物。它的出土，不仅丰富了本地区的历史研究资料，也为外文铅饼的研究提供了珍贵的实物资料。

亳州市

394.亳县凤凰台一号汉墓清理简报

作　者：亳县博物馆
出　处：《考古》1974 年第 3 期

凤凰台位于亳县旧城西南郊外约 1 公里，是由人工用砂姜土堆积成的高出地面约 1.7 米的土台，现属城关镇西关大队。经调查，这一带是古墓群区，一号墓位于土台的北部。该墓于 1972 年 8 月由农民取土时发现。简报分为：一、墓葬情况，二、出土遗物，共两个部分。有照片、拓片、手绘图。

据介绍，墓葬早年遭到严重破坏，墓顶、墓壁被拆，铺地砖揭去大半。由墓道、甬道和前后墓室组成，墓道全长不详。前墓室中有 2 个十字形砖柱（现存约 1 米高），将其分成前后、左右几个部分，现称为墓前室、中室、后室、南双耳室及北双耳室。墓室（前、中、后三部分）全长 8.74 米、宽 6.2 米。由前室的南壁直到后室有色彩鲜艳的壁画残迹，可惜已看不出形状。墓前室有人骨残骸。因早年墓被破坏，器物被扰乱，且多破碎，尚完整或可复原的有陶器、瓷器、铜器、铁器、骨器及玉石器。漆器仅见残片，无法复原。遗物中的 2 件玉刚卯值得注意。可证实《后汉书·舆服志下》中的相关记载。此墓的年代，简报推断为不晚于东汉末年。

池州市

宣城市

395.安徽广德县南塘汉代土墩墓发掘简报

作　者：安徽省文物考古研究所　陈　超、王　峰
出　处：《考古》2014 年第 1 期

2011 ～ 2012 年，安徽省广德县经济开发区桃洲镇南塘村在平整土地时发现古代墓葬，考古人员对其进行发掘，共抢救发掘了 70 余座土墩，其中有 270 余座单体墓葬。

这批墓葬除少数几座为周代土墩墓之外，绝大部分为汉代墓。简报配以彩照、手绘图予以介绍。

据介绍，当地土墩墓是先选址，然后平整土地，之后再铺垫一层土，随后开挖墓坑，葬入死者后掩埋形成土墩。可分一墩一墓和一墩多墓两种，以一墩多墓为主。排列方式有单列式、单排式、双排式、绕心式四种。此次发掘共出土随葬品上千件（套），有铜器、铁器、玉石器、陶器和釉陶器。其主体年代为西汉中期至两汉之际。少量墓葬出土陶器组合中有钫等时代较早的器形，说明墓地年代最早可至西汉早期。少数土墩内有砖室墓，从形制及墓砖纹饰判断，其年代已晚至东汉初期。其中 D48 的形成年代应在西汉中晚期。该批墓葬是符合大一统汉文化习俗，同时又带有地方特色的土墩墓。

福建省

福州市

396.福建连江发掘西汉独木舟

作　者：福建省博物馆、连江县文化馆　卢茂村

出　处：《文物》1979年第2期

1973年间，连江县浦口公社山堂大队砖瓦厂工人在田间挖泥时，在地面下深约1米的地方发现独木舟的残体。简报配以照片予以介绍。

简报介绍，独木舟淹埋在鳌江南岸，北距鳌江1公里，南面靠近云居山北麓，相距不过40米。在舟尾下面，还挖出残断圆木10多截，直径约6.5厘米，质地松软，可能是舟上的附件，或为行船工具，用材为樟木。

简报称，从残体看原独木舟系用大树干削去约二分之一的纵断面，存留树皮，再凿成舟形。舟体头小尾大，不设挡板。舟尾中部凸起一块约48厘米×60厘米的木座，可能是行舟时掌舵者的站位，近舟首两侧弦上凿有对称的凹槽，应是用于放置横板。简报指出，据中国科学院贵阳地球化学所对舟体木材测定，其年代距今为2170±95年，即相当于西汉初期。

厦门市

莆田市

三明市

泉州市

397.福建晋江流域丰州地区考古调查

作　者：泉州海外交通史博物馆　许清泉、王洪涛
出　处：《考古》1961 年第 4 期

晋江为福建南部主要河流之一，在晋江流域散布着很丰富的古代文化遗存。1959 年 11 月初旬在晋江流域丰州地区考古调查中，发现 2 处新石器时代遗址：1 处在柯厝山，1 处在狮子山。另外还在双溪口附近发现数处"贝丘"遗址。简报分为：一、柯厝山新石器时代遗址，二、"贝丘"遗址，共两部分。有手绘图。

据介绍，在丰州西北约 1.5 公里的柯厝山上，这次调查在那里又采集到残石斧和残石锛各 1 件。在采集到的陶片中，以夹砂陶最多，火候很低，表面易脱落，胎为灰黑色；印纹陶数量较少，纹饰为方格纹。"贝丘"遗址发现在溪口乡临溪一带的小山丘下，距现在村落不远，堆积甚厚，绝大部分是贝壳，大都凝成石灰状的白色晶体，质地坚硬，内含沙土不多。主要分布地点有井兜遗址、溪州乡遗址、霞福村遗址 3 处。堆积比井兜及溪州乡两种遗址更丰富的，计发现 5 处。

简报称，上述各遗址主要分布在山丘的半腰或较低处，贝壳大小不等，且在堆积中发现有兽骨。简报推断这里遗址可能是汉代的文化遗存，最迟也不会晚于西晋末叶。

漳州市

南平市

398.福建崇安城村汉城遗址试掘

作　者：福建省文物管理委员会　许清泉、曾　凡、林玉山、林宗鸿
出　处：《考古》1960 年第 10 期

城村汉城遗址位于福建崇安县南部的城村西南的丘陵上，距崇安县城约 35 公里，是 1958 年间南平专区文物普查队发现的。当时在这里发现有大量的绳纹和印有文字

的板瓦、筒瓦和印纹硬陶片，以及保存相当完整的城墙和砾石路面等重要迹象。根据出土遗物观察，初步认为是汉代的古城遗址。简报分为：一、前言，二、城垣与城内遗迹情况，三、发掘地层和遗迹，四、出土文物，五、结论，共五个部分。有手绘图等。

据介绍，该汉城城墙还隐约可见，总长 2555 米，面积 40 万平方米，揭露面积 864 平方米。发掘出房屋基址 1 座、灰坑 10 个，获得完整或能复原的陶器、铜器、铁器等 391 件，以及大量的板瓦、筒瓦片、陶片。遗迹与遗物均表明不是一般民居，而是所谓的"王城"。该城的年代可能早到西汉；最后可能毁于火焚，时间不详。

399.闽北建瓯和建阳新石器时代遗址调查

作　者：福建省文物管理委员会　许清泉
出　处：《考古》1961 年第 4 期

1957 年 4 月至 7 月，考古人员在闽北建瓯、建阳两县进行了文物普查，在建阳的崇溪、西溪、清溪和建瓯的建溪、东溪等河流的两岸，发现新石器时代遗址 61 处，发现了丰富的石器和陶器。简报分为：一、遗址，二、遗物，三、结语，共三个部分。有手绘图、拓片。

据介绍，建瓯、建阳位于闽北山区，在河流两岸谷地的边缘，常见成群低矮的高出河面 3～50 米的丘陵。有不少山丘分高低两级，构成两层台地。新石器时代遗址大都分布在这类丘陵的顶端或坡地上。遗址分布密集，主要分布在"崇溪流域""清潭溪流域""西溪流域""建溪流域""东溪流域"5 处。上述遗址，简报指出主要有两种现象：一是遗址中除地表暴露大量遗物外，尚见有散乱的红烧土和圆形的火烧遗迹，另一种在遗址边缘较低处常见成堆的陶片在一起，都可以复原。发现遗物有：石器共 909 件，附近除个别遗址外，俯拾皆是，完整的不多。简报推断，建阳东南及建瓯诸遗址，以印纹硬陶为主。建阳西北以夹砂粗陶为主，两种情况有时也见于同一个地区。简报推断，硬陶为主的遗址，年代可能要晚些，但不会迟于汉。

400.崇安城村汉城探掘简报

作　者：福建省博物馆　张其海
出　处：《文物》1985 年第 11 期

福建省崇安县城村汉城位于福建省闽北山区，崇溪西岸，崇安县兴田公社城村西南。城址因丘陵地形营建，逶迤曲折的墙垣仍隐约可见。自 1958 年发现以来，引起国内外学术界的关注。1980年9月至1984年1月,考古人员对城址进行了系统的勘探和重点发掘,探明城内外汉代遗迹约35处,基本上查明城址范围、形制和城内外文物遗迹的分布状况及地层堆积情况,使我们对崇安城村汉城有了较系统的了解。简报配以拓片、手绘图予以介绍。

据介绍,城村汉城,平面近似长方形,南北长约860米、东西宽约550米,面积约48万平方米。城墙依山势夯筑而成,周长2896米。已探明城墙、城门、道路、排水口、宫殿区、冶铁遗址、制陶作坊等遗迹。出土有原始瓷碗、封泥、铁钺、铜镞、弩机栓等。简报初步推测城村汉城应是西汉闽越族所建的"王城",可能是闽越王无诸受封于汉时的都城"东冶"、汉灭闽越之后的冶县县治"冶城"。它的发现从物质文化上证明在西汉时期,以城村为中心的一片地区可能是闽越人的活动区域。这在福建汉代考古学或民族学上的重要意义是不言而喻的。

401.福建建阳县邵口垌汉代遗址

作　者:谢道华、王治平
出　处:《考古》1988年第7期

邵口垌位于建阳县北约15公里处,属将口乡将口村辖地,遗址分布在邵口砖瓦厂后山。1985年5月和1986年7月,考古人员对该遗址进行了两次调查,简报配以手绘图予以介绍。

据介绍,遗址边缘部分受破坏,以采集的陶片和石器遗物分布情况推测,遗址面积东西长约100米、南北宽约80米。采集的陶片标本中,以泥质灰陶为主,泥质红陶次之。遗址出土的陶器具有典型的汉代风格,瓿壶、钵的造型与崇安汉城遗址出土的同类器相似(《崇安城村汉城探掘简报》,《文物》1985年第11期)。因而,简报推断这是1处西汉时期的古文化遗址。简报称,邵口垌遗址对研究福建地区西汉时期的地方文化有一定的参考价值。

402.福建建阳平山汉代遗址调查

作　者:杨琮
出　处:《考古》1990年第2期

1982年春,考古人员去建阳县搞文物调查,在将口乡新建村的平山发现1处汉代遗址。其后,崇安城村汉城考古队进行复查,发现不仅平山有较大面积的遗址,在其周围也发现了2处汉代遗存。平山遗址因当地农民在此取土烧砖瓦,已受到严重破坏。1986 年 1 ~ 7 月，考古人员又对该遗址进行细致的勘察和初步钻探，同时采集一批被农民取土挖出的汉代遗物。简报将调查情况分三部分予以介绍，有手绘图、拓片。

据介绍，在平山遗址破坏坑中采集的陶器，大部分见于崇安城村汉城遗址，说明此遗址与城址的时代相一致，关系十分密切。但这里的个别器形不见于崇安汉城遗址中，此处发现的圆圆形或几何图形戳印纹饰在陶器上所占的比例，也大于城址中的比例。另外，此遗址中的许多陶器，在形制作风上也都与广东、广西地区西汉前期墓葬及遗址中的出土陶器相同或相似。简报推断：此遗址的时代为西汉前期，遗址为西汉前期闽越国时代的遗址无疑；此遗址年代的下限最晚也不会晚于汉武帝元封元年（前 110 年）灭闽越国之时。

403.崇安汉城北岗一号建筑遗址

作　者：福建省博物馆、厦门大学人类学系考古专业　杨　琮等
出　处：《考古学报》1990 年第 3 期

福建崇安城村汉代城址在崇安县兴田乡城村的西南部。城址东门外紧靠城墙的高地叫北岗。北岗高出周围地面 7 米左右。1980 年对城址内外全面钻探，发现北岗上有础石和瓦砾堆积，确定是属于城址的 1 处建筑遗址。近年来，当地村民常到北岗挖土，建筑遗址受到一些破坏。1984 年 12 月，考古人员对该遗址进行发掘。1985年 11 月，发掘工作全面铺开。这次发掘至 1986 年 1 月中旬暂告一段落。1986 年 7 ~ 8月，继续进行发掘。在发掘范围内发现一组约 1500 平方米的大型建筑遗址，定名为北岗一号建筑遗址。简报分为：一、地层堆积，二、建筑遗迹，三、建筑技术，四、出土遗物，五、结语，共五个部分。有照片、手绘图。

简报称，该建筑遗址为封闭式的宫室庭院建筑，3 个天井的四周皆为回廊而非厢房，应为公共建筑。始建时间为西汉前期汉高祖时，焚毁时间的下限为汉武帝元封元年（前 110 年）。似乎是在一次突然事件中被焚毁的。自焚毁后至唐中晚期以前，遗址所在地一直是废弃的，出土遗物以砖、瓦等建筑材料为主。

404.福建崇安城村汉代城址出土的铁农具

作　者：福建省博物馆　杨　琮
出　处：《农业考古》1990 年第 1 期

崇安城村汉代城址自 1958 年文物普查时被发现后，曾于 1959 年进行了 1 次试掘。

而后从 1980 ～ 1986 年以来，又进行了第 2 次大规模的探掘。经过先后的发掘，在古城内外的遗址中，出土了大批的建筑材料及陶器、铁器、铜器等汉代遗物。其中铁器出土的数量之多，尤其引人注目。而在这些铁器中，铁制农具又占了很大的比重。简报分为三个部分予以介绍，有手绘图。

据介绍，崇安城村汉城内外遗址中，先后出土的铁农具种类有：锸、锄、犁、镰、五齿耙、铁锤锸等。简报称，崇安城村汉城遗址出土的这批铁农具，为研究汉代福建地区农业生产的状况，提供了非常宝贵的实物资料。以往人们多认为福建地区在汉代时还尚未开发，农业生产是极为落后的，仍处于火耕水耨的阶段。而城址中这些汉代铁制农业工具的发现，则纠正了以往认识的不足。这些出土的铁制农具，在当时来看也是十分先进的，至少与中原内地的情况相当。

405.福建崇安汉代城址出土的建筑材料

作　者：杨　琮

出　处：《文博》1990 年第 1 期

福建省崇安县城村汉代古城遗址，于 1958 年文物普查被发现后，次年进行了初步试掘，在城内东北部的马道岗发掘揭露了 1 座面积 470 平方米的宫室建筑遗址。1981 年起，对该城内外遗址又进行了一系列的发掘工作，先后发掘了城内中部的高胡坪甲组宫室建筑群遗址、城外东北部的门前园建筑遗址、城东门外北岗一号建筑遗址和二号建筑遗址，以及城东门房等遗址。在这些遗址中出土了大批的文化遗物，其中建筑材料占绝大多数，以板瓦、筒瓦、瓦当、砖类、供排水管道和井圈等为主。简报对这些建筑材料作一概述，并对其反映出的一些历史问题作了一些初步的探讨。简报分为：一、城址出土的建筑材料概况，二、从建筑材料的面貌看中原秦汉文化对福建地区的影响，共分两个部分予以介绍。

据介绍，城址出土的建筑材料以瓦类为多数，有筒瓦、瓦当和瓦钉。在遗址中曾清理出许多带有竹木印痕的墙土，有不少墙土中的木骨印迹排列得十分密集。在城址所出的建筑材料中，还有可能用于宫殿房门上的兽面铁铺首及门环等物。简报推测在遗址中出土的一些铜、铁残器中，还应有与建筑有关的构件等，但由于许多金属器都断蚀成残渣破块，器形不辨，因此无法收录于文中。

简报称，历史记载都说明，西汉时期，闽越始终与中原内地有着广泛的交往和联系。该城址出土的众多与当时中原内地大体相同的建筑材料，更从物质文化上证实了历史文献的有关记载。这也反映出西汉闽越人在宫室制度及建筑业上，慕仿秦汉之制。

406.崇安汉城北岗二号建筑遗址

作　者：福建省博物馆、厦门大学人类学系　杨　琼等
出　处：《文物》1992 年第 8 期

北岗二号建筑遗址位于福建崇安县兴田乡城村汉故城东门外北侧名为北岗的高丘上。该遗址东邻北岗一号建筑遗址，相距仅 9 米，西侧即为汉城城墙和壕沟。二号遗址的东廊庑与一号遗址的西围墙平行，方向为 15 度。一号遗址西围墙的前后 3 个门道都通向二号建筑遗址，二号遗址东廊北端的廊墙也与一号遗址北围墙相连接。1988 年 9 月初至 11 月上旬，考古人员对北岗二号建筑遗址进行了探掘。简报分为：一、地层堆积，二、建筑遗址，三、出土遗物，四、结语，共四个部分并配以手绘图、拓片予以介绍。

据介绍，二号遗址为 1 座面积为 2600 平方米的建筑基址。与一号建筑遗址关系密切，两者仅相距 9 米。前者东廊有门道与后者相通，北端往东折与后者北围墙相接。两者的建筑技术和风格也一致。与一号遗址一样，二号遗址活动面上也有许多烧痕炭迹，说明它与整个城址一样，同毁于一场大火。这次出土有建筑材料和一批陶器、铁器、铜器等汉代遗物。二号建筑遗址的时代，简报推断属西汉前期。

简报称，中原的祭坛多以祭祀坑来印证，而此遗址周围无祭祀坑发现。从福建地区从未发现商周秦汉时代的祭祀坑及祭祀牢牲的情况看，或许闽越人的祀俗与中原不尽相同。

407.福建武夷山市城村西汉窑址发掘简报

作　者：福建博物院、福建闽越王城博物馆　杨　琼
出　处：《考古》2003 年第 12 期

西汉陶窑址位于武夷山市城村后山（又名"后门山"）的东北部，南距城村汉城遗址北城门约 1 公里。1994 年村民建房时发现该窑址。1996 年考古人员对西汉陶窑进行复查，决定抢救发掘。经报国家文物局批准，于 1996 年 12 月至 1997 年 2 月进行了发掘，发掘面积 225 平方米。在发掘范围内共发现西汉陶窑 3 座（Y1、Y2、Y4）、废品堆积坑 1 个（H1）、唐代窑炉 1 座（Y3）、五代墓 1 座（M1）。西汉陶窑和废品堆积坑的相关情况，简报分为：一、地层堆积，二、遗迹，三、出土遗物，四、结语，共四个部分。有手绘图、拓片。唐代窑炉和五代墓，简报以后另行报道。

据介绍，此次清理的 3 座陶窑、废品堆积坑（H1）以及地层所出的砖、瓦类建筑材料和陶器等遗物，均与位于其南部的城村汉城遗址所出遗物完全相同，这说明

窑址与城址关系密切，年代应是一致的。从窑内的砖瓦堆积和窑炉的使用状况看，窑址所出均为西汉前期遗物，简报推断其上下限年代应与城村汉城遗址一样，即上限不早于汉高祖五年（前 202 年），下限为汉武帝元封元年（前 110 年）；此窑址应为城村汉城建立时修筑，用于烧制建筑材料，在汉武帝元封元年（前 110 年）汉军灭闽越国焚城迁民时被废弃；窑址位于汉城外崇阳溪畔，则又证明城村汉城应是宫城（内城）的性质。

龙岩市

408.福建武平新石器时代遗址调查报告

作　者：福建省文物管理委员会　　陈仲光
出　处：《考古》1961 年第 4 期

1958 年 3 月，龙岩专署决定在全区进行文物普查。武平县新石器时代遗址是这次普查的重点之一。武平县的调查开始于 1958 年 5 月 9 日，结束于 6 月 15 日。先后调查了城郊、汾忠、万安、中山、岩前、象洞、上坊、十方、高梧、帽村、小澜和湘店等乡，共调查遗址 186 处。简报分为：一、遗址分布及其概况，二、文化遗物，共两部分。有手绘图、拓片。

据介绍，武平地处闽、粤、赣 3 省交界处，地势高而多山。据调查，遗址主要有"县城附近和平川河两岸遗址""武平东部遗址""武平北部和小澜溪流域遗址"3 处，在 186 处遗址中，共采集到石器 801 件、陶器 127 件、陶片标本 4669 片。

简报称，出土釉陶器极少，青铜器片的发现虽然不多，但已说明当时这个地区的人类已开始懂得使用铜器。从铜器片的出现和釉陶器的使用的情况，简报推断遗址的时代相当于中原地区东汉末年或六朝初期。

宁德市

江西省

南昌市

409. 江西南昌青云谱汉墓

作　者：江西省文物管理委员会　红　中
出　处：《考古》1960 年第 10 期

青云谱位于南昌市南郊 7.5 公里处，这一带的土堆是古代的墓葬区。1960 年上半年，考古人员在这里清理了一批汉墓。简报分为：一、墓室结构，二、出土器物，三、年代推论，四、结语，共四个部分。配以手绘图等，先行介绍了其中 8 座墓（编号为墓 1 ～ 6、8、9）的材料。

据介绍，这 8 座墓，除墓 1、8、9 单独埋在各土堆中外，墓 2、3、4 则并排埋在同一土堆中，封土高约 2 米。墓 5、6 也并排埋在另一土堆中，封土高约 3 米。8 座墓除墓 1、8、9 完整外，其余 5 座墓均早年被盗，室内堆满乱土，器物破碎不堪。有的在封门砖乱堆中及墓外发现铜戟和陶器碎片。各墓的葬具、骨架早已腐朽，仅遗棺钉。出土遗物中，墓 5、6、8 三墓中出土的 10 件铜器兵器值得注意。8 墓的年代，除了墓 2、3 其年代绝不会晚至南朝，有可能是汉末墓葬外，其余 6 座墓的年代应早于六朝。

410. 江西南昌市郊清理一座汉墓

作　者：刘　玲
出　处：《考古》1964 年第 2 期

1957 年 3 月，考古人员在南昌东郊老福山清理了 1 座汉墓。简报配图予以介绍。
据介绍，此墓在高约 6 米的封土堆内，顶部有近代墓葬。为长方形券顶单室砖墓。在清理时，发现墓顶中部有 1 个直径约 70 厘米的盗洞，底部发现有腐朽棺木及红、黑漆皮的遗迹，人骨无存。出土遗物有长方形方銎铁斧 2 件、铁锤 1 件、铜弩机 1 件。

铜钱有"大泉五十"5枚、残"契刀"1枚、"大布黄千"1枚、"货泉"3枚,共计10枚。另出土有陶壶1件,石砚1方。简报认为该墓的时代为新莽时期或晚至东汉初期。

411.江西南昌老福山西汉木椁墓

作　　者:江西省文物管理委员会　王德庆、萧　鹿
出　　处:《考古》1965年第6期

1964年10月7日,在南昌市南郊老福山发现1座木椁墓。当时该墓的主室与前室已被挖开,出土了部分铜器与陶片。考古人员随即进行了清理,共历时7天。简报分为:一、墓的形制,二、出土遗物,三、结语,共三个部分。有照片。

据介绍,墓葬所在地原系一片红土矮山岗,西面数百米即为抚河。此墓上部原有高6米余的土堆,因早年取土,已被削平,情况不明。此墓为长方形土坑墓,西端有墓道。距地表3米多深。墓底平整,并用白膏泥夯土,白膏泥厚0.3米。墓道为台阶状,因碍于建筑物,只清理了三级,故长度不明。墓底中央有椁,用巨木构成。椁室上部已毁,底部保存较好。葬具、人骨已朽。随葬遗物有木器、漆器、铜镜、陶器等120余件。其中漆器、铜器占70%以上。简报推断应为西汉中期或稍晚的一座贵族墓。

412.南昌市郊东汉墓清理

作　　者:江西省文物管理委员会　陈文华、陈柏泉
出　　处:《考古》1965年第12期

考古人员在南昌市郊清理了两座东汉墓,简报配以照片、手绘图予以介绍。

据介绍,1964年12月,市郊一交通路段清理了1座东汉砖室墓,分前、中、后3室。出土随葬品有陶器、铜器、铁器等计19件。简报推断年代为东汉前期。1965年1月8日,南昌东郊塘山人民公社星光大队发现1座古墓,古墓位于青山湖畔1个高4米的封土堆中,为砖室拱顶,墓室呈"凸"形。全墓由封土、甬道、前室、后室组成,曾被盗。出土有陶器、陶俑、铜灶、铜钱、铁刀、金指环等。简报推断年代为东汉晚期。

413.南昌东郊西汉墓

作　　者:江西省博物馆　陈文华等
出　　处:《考古学报》1976年第2期

南昌市东郊西汉墓地位于贤士湖南畔的山丘上,东距南浔铁路约0.5公里。

这个山丘因多年开垦，绝大部分已辟为菜地，现在只剩下1个高约5米的小土堆。1973年1月间，当地村民在平整菜地时，偶尔掘出铜器多件。考古人员立即派人前往调查，判断这里应是1处古代墓地。同月下旬，对墓地进行发掘。发掘期间，正逢汛期，墓地被淹，工作中断一个时期，至7月间结束这一工作。共发掘西汉墓13座，唐墓5座，宋墓1座。

简报分为：一、墓葬形制，二、出土器物，三、结语。共三个部分，配以照片、手绘图，先行介绍西汉墓的全部发掘资料。

据介绍，这次发掘的13座西汉墓，编号为永 M1～M9、M13～M15、M19（以下省去"永"字）。1号墓埋在现存土堆下面，其余12座埋在菜地下面。由于多年取土，墓坑上部已遭到破坏，各墓实际深度已不清楚。又因墓地低洼潮湿，汛期遭到水淹，葬具、人骨均已腐朽，不留残迹，故葬式不明。这13座墓均为土坑竖穴墓，出土遗物200多件，有陶器、铁器、铜器、象牙、玉器、滑石器等。所出青瓷，将江西青瓷的历史上溯至西汉。所出铁器，表明当地至少在西汉中期已普遍使用铁器。简报推断年代为西汉中期。

简报指出，这批墓葬出土的器物既与中原地区有相同之处，也有其不同处，或者说具有一些南方地区的特点。这种现象，可能和墓主的身份有关。江西是到西汉初年才设立豫章郡的，当然统治豫章的官员绝大多数都是出身于北方的封建贵族。因此，在他们的坟墓里必然会埋葬一些中原地区流行的殉葬品；但由于他们长期生活在南方，所以在坟墓里也埋葬一些具有南方特色的器物。

414.江西南昌东汉、东吴墓

作　者：江西省博物馆

出　处：《考古》1978年第3期

1973年初，博物馆在南昌市区和郊区清理了东汉墓2座和东吴墓1座，编号为73·南·丁 M1、M2和73·南·抚·向·都 M1（以下简称丁 M1、M2和都 M1）。简报分为：一、墓葬结构，二、随葬器物，三、几点认识，共三个部分。有手绘图。

据介绍，丁 M1和 M2出土的器物，多见于江西省东汉墓葬之中。对角几何纹、网圈纹，亦为这个时期常见的墓砖纹样，但土坑竖穴墓尚发现不多。通过类比分析两墓出土器物，简报推断其时代为东汉中期。都 M1出土的器物，特别是以拍印格纹、篦纹组合纹样为主题纹饰的泥质灰陶器，以及墓中保存较好的棺木，在江西省尚属少见，简报推断这座墓的时代为东吴时期。

415.江西南昌地区东汉墓

作　　者：江西省博物馆　唐昌朴、许智范
出　　处：《考古》1981 年第 5 期

南昌市郊京山、招贤、塘山等地在农田基本建设过程中，先后发现了 4 座东汉墓。按发掘整理的次序，分别编号为京山 M1、招贤 M2、塘山 M3 和塘山 M4。简报分为：一、京山 M1，二、招贤 M2，三、塘山 M3，四、塘山 M4，共四个部分。有照片、拓片。

据介绍，京山 M1、招贤 M2，均系单室券顶砖室墓。棺椁、尸骨已朽。出土有陶器、铜器、铁器等。塘山 M3 为券顶砖室墓，分为前、中、后 3 室。有铜罐、陶罐、玉器、金戒指等出土。塘山 M4 为竖穴土坑墓，已遭破坏，仅出土铜虎子、铜镜各 1 件及少许铜钱。塘山 M4 应系东汉早期墓葬，其他 3 座应为东汉中晚期墓葬。

416.南昌市京家山汉墓

作　　者：江西省文物工作队、南昌市博物馆　陈定荣
出　　处：《考古》1989 年第 8 期

1986 年 6 月，南昌市京家山市罐头啤酒厂基建工地在施工中发现 2 座汉墓，江西省文物工作队与南昌市博物馆同志一起作了发掘清理。简报分"出土遗物""结语"两部分予以介绍，有手绘图、照片。

据介绍，2 墓为土坑竖穴墓，骨架及葬具朽蚀无存。M1 遭施工扰乱，仅见部分陶罐等残件。M2 出土了一批青铜器、陶瓷器和玉器、铜钱等。由于积土重压和年久锈蚀，不少铜器已残损，纹饰漫漶，但器形尚可辨别。京家山汉墓虽未发现与墓主有关的文献记载，但从 M2 出土双矛、双戟、双斧、剑等大量铜兵器、铜鼎等礼器以及精致的酒器分析，墓主应是一位身份较高的军事长官。该墓出土大量"大泉五十"及"大布黄千"钱，应为当时最流行的钱币，简报推断其时代应为新莽时期。M1 也出土有部分残铜器、陶罐等器物，形制相类，且 2 墓形制亦相似，排列有序，很可能为家族墓葬，其时代亦应相当。

417.江西南昌蛟桥东汉墓发掘简报

作　　者：江西省文物考古研究所　张文江、樊昌生、徐长青、余江安等
出　　处：《文物》2011 年第 4 期

2003 年 8 月，江西省南昌市蛟桥镇昌北经济开发区北侧交通职业技术学院在基

建中发现古代墓葬，江西省文物考古研究所对其进行了发掘，共清理四座墓葬。简报分为：一、墓葬形制，二、出土器物，三、结语，共三个部分。有彩照、手绘图。

据介绍，4 座墓葬均为长方形券顶砖室墓，墓室两壁采用长方形砖叠砌，券顶用楔形砖砌成。墓葬皆分为前、后 2 室，后室高于前室。4 座墓葬排列有序，相互间隔 0.4～1.8 米，墓向基本一致。随葬品较丰富，有泥质陶器、印纹硬陶器、釉陶器、青釉瓷器、绿釉陶器、铜器、铁器、银器等。简报推断 M2、M4 的年代应为东汉中期偏晚，M1、M3 的年代应在东汉晚期。简报认为这应是 1 处家族墓地。

这批墓葬的随葬品中比较引人关注的有二：一是 M1 出土的铁如意柄烧烤架，器身呈长方体，底附 4 个蹄形足，一侧有如意状柄，可置火盆中直接烤熟食物，简报认为这与东汉时期江南人的生活饮食习俗有关。二是青釉瓷双系罐与附近的洪州窑东汉时的青釉同类器在形制、胎釉以及纹饰等方面相同，应是该窑的产品，这为探究洪州窑青釉瓷器的生产地与消费地的关系以及早期青釉瓷器的研究提供了实物资料。

景德镇市

萍乡市

九江市

418.江西修水西汉墓清理

作　者：刘　玲、关　节
出　处：《考古》1962 年第 4 期

1961 年 2 月 7 日，考古人员在修水县上奉公社复查山背古文化遗址时，发现并清理了 1 座土坑墓。简报配以照片予以介绍。

据介绍，这座土坑墓位于条形土墩的长离岭遗址上。因受到自然力的破坏，故少数器物口沿已暴露于地面。在清理过程中，没有发现明显的墓边，也未发现葬具及人骨架的迹象。但因墓中遗物的分布较为规整，呈平面长方形，因此可能是 1 座长方形土坑墓。这座土坑墓出土器物 19 件，其中有陶器 16 件、铁器 3 件。

据介绍，这座土坑墓中釉陶较多，硬陶与软陶同时出现，胎质大多数夹粗砂，壁厚，手制为主，部分轮制，陶壁施釉薄而不匀，呈鼻涕状，纹饰多波浪纹、弦纹、方格纹相组合，多实用器皿。这些特点在江西省东汉墓遗物中所不曾见过。

其次，Ⅱ式壶、盒及釉陶簋为邻省西汉墓遗物所习见。这座墓的出土物中硬陶的比重大，以壶和罐居多，硬陶外表多施深褐色薄釉，这与长沙西汉墓的特点一致。因此，简报推断这座土坑墓应是西汉时期的墓葬。

419.江西修水发现东汉墓

作　者：彭适凡

出　处：《考古》1962年第4期

1961年4月，考古人员在修水县山背复查新石器时代遗址时，于养鸭场遗址上清理了土坑墓1座（墓一）；同年8月，又在张家村背山墩的斜坡上，清理了一座土坑墓（墓二）。简报配以照片予以介绍。

据介绍，2座墓出土器物的数量和完损情况不同。墓一出土遗物11件，墓二5件。从器形看，有罐、壶、釜、钵和碗等，其中以罐居多，且大多是实用陶器；从陶质看，有泥质灰陶、夹砂灰陶以及夹砂红陶。纹饰多为方格纹、弦纹。此外，墓一中还出土有铁钮1件，侧面呈S形。

在这些出土遗物中，从器形看，以陶罐居多，而夹砂印纹硬陶罐、壶又为东汉墓所常见，与江西省清江樟树镇、南昌青云谱、长头垅等东汉墓中所出土的陶罐、陶壶大致相像；从陶质看，以泥质灰陶特别是印纹硬陶较多，不曾发现有红胎绿釉软陶以及青瓷，而泥质灰陶是江西省东汉早期墓葬中盛行的，红胎绿釉软陶是东汉中、晚期墓葬中所盛行的。据此，简报推断这2座土坑墓在时代上应属于东汉早期。

420.鄡阳城址初步考察

作　者：都昌县文物管理所　周振华

出　处：《考古》1983年第10期

鄡阳城，汉高祖时置，刘宋永初二年（421年）废，从建具到废置计600多年。1981年，考古人员在鄱阳湖退水时做了调查。简报配以拓片、手绘图予以介绍。

据介绍，考古人员证实古城遗址应在今都昌县城东南40公里的周溪公社泗山大队大屋场村以南60米的湖州上，采集有陶器、西汉钱币、汉镜，发现有大量陶片。

该城址坐落在延伸近鄱阳湖中心的陆地上，为古代交通要道，有极为方便的水运条件，无论从政治、经济、文化来看其地理位置皆重要，有良好的建城条件。历代县志的记载与城址地点均相吻合。简报认为大概是古鄡城的遗址。这对研究江西历史与鄱阳湖的地理变迁都有十分重要的意义。

421.江西瑞昌发现两座东汉墓

作　者：刘礼纯
出　处：《考古》1986 年第 8 期

20 世纪 80 年代，瑞昌横港赤岗岭、范镇何湾两地分别在埋电线杆和取砖土时，发现了 2 座东汉墓。根据群众的报告，考古人员前往调查，编号为赤岗岭 M1、何湾 M2，简报配以手绘图予以介绍。

据介绍，赤岗岭 M1 位于赤岗岭小山坡中段的一块地坎上。系长方形单室单层券顶，墓室两侧有 2 个耳室。随葬器物有青瓷罐 3 件、青瓷钵 1 件。此外，与该墓东西并列、相距 2 米处还发现一座券顶砖室墓，仅存墓室。在上述 2 座墓周围又捡到了有纪年的晋墓墓砖一块，砖铭为"元康□年"。何湾 M2 墓坐落在何湾村后一竹林内（现已败），系长方形土坑墓。该墓出土器物计 10 余件，完整者 5 件，其他均被农民打碎。根据上述出土文物资料的特点，简报推断两座墓葬的时代为东晋中期。

422.江西瑞昌县出土汉代铜器

作　者：刘礼纯
出　处：《考古与文物》1990 年第 1 期

1986 年 7 月，瑞昌县南阳乡大屋陈家村村旁河中出土 4 件汉代铜器。这批铜器是由于河水长年冲刷泥沙而暴露的，4 件铜器分别按大小顺序（大的在下，小的在上）叠埋在土内。器物出土时保存完好，其中较小的 3 件全部已上铜绿斑。简报配以照片予以介绍。

据介绍，4 件汉代铜器为铜洗、铜釜、铜碗（分二式）。出土铜洗的器形、装饰都具备东汉器物特点，尤其是器物内底饰的双鱼纹及"五铢"钱纹，简报认为更能说明问题。

新余市

鹰潭市

赣州市

423.江西赣州汉代画像砖墓

作　者：薛　翘、张嗣介

出　处：《文物》1982 年第 6 期

1980 年 10 月，赣州市南郊蟠龙公社武陵大队农民，在距市区约 10 公里的章江南岸狮子岭台地上发现 1 座画像砖墓。赣州市博物馆进行了清理。简报配以照片、拓片予以介绍。

据介绍，该墓为竖穴单室墓，平面呈长方形，墓顶早年已被铲平，室内填满淤泥。墓壁全部用画像砖横平错砌。墓底用同样画像砖作一横一竖铺设，其中嵌以少量同心圆纹小砖，画像在砖的侧面。此墓因早年被盗，随葬品中的大件陶器均被打碎，经修复有陶罐 4 件、陶壶 1 件、陶盘 1 件、铜镜 1 件、铁剑 2 件，其他尚有残铁匕首、铁钩和铁马钉。简报推断这座画像砖的年代当在东汉早期。

简报称，汉代画像砖在江西发现得很少，以往只有清江和宁都等县零星出土过简单的车马纹砖。这种以人物活动为主题、内容完整的画像砖在江西省却是首次发现。

424.江西于都发现汉画像砖墓

作　者：于都县博物馆　万幼楠

出　处：《文物》1988 年第 3 期

1983 年 4 月，江西省于都县岭背乡水头村农民在附近山头取土时，发现 2 座砖室墓。于都县博物馆派考古人员进行了清理。简报配以拓片予以介绍。

据介绍，2 墓均早年被盗，出土器物极少。1 号墓平面呈"凸"字形。墓顶早已塌陷。所出 3000 多块墓砖上均有纹饰或图案文字，部分为画像砖。另有铁矛 1 件。2 号墓也为竖穴砖室墓，也出土有铁矛、铁斧、铜釜等。两墓的年代，简报推断为东汉中晚期。

425.江西赣县出土汉代钱币

作　　者：赣县博物馆　赖斯清
出　　处：《考古》1992 年第 9 期

1986 年 7 月，赣县城东北约 44 公里的南圹乡澄藉村出土 2 罐汉代铜钱。陶罐为泥质灰陶，饰方格纹。罐内钱币部分锈蚀严重，经拣选共 1511 枚，重 4.4 公斤。

据介绍，"五铢"钱分三型。

A 型：1498 枚，分三式；B 型：5 枚；C 型：5 枚。简报称，此次出土钱币皆为西汉时期。"五铢"钱分布虽广，但在赣县还属首见。

426.江西南康县荒塘东汉墓

作　　者：赣州地区博物馆、南康县博物馆　朱思维、黄卫国
出　　处：《考古》1996 年第 9 期

1994 年 1 月，担任京九铁路江西南康段施工的铁十四局四处，在南康县三益乡荒塘村段作业时发现 1 座古代墓葬（M1），考古人员在该墓的附近又发现 2 座（M2、M3）同时期墓葬。墓葬位于今三益乡政府驻地附近的荒塘半山坡上，东距 105 国道 500 米，南距南康建材陶瓷厂 600 米。简报分为：一、1 号墓，二、2 号墓，三、3 号墓，四、结语，共四个部分。有手绘图等。

据介绍，3 墓均为"凸"字形长方形券顶砖室墓，3 墓葬具、人骨均腐朽无存。M1、M3 均曾被盗，2 号墓保存完好。出土有陶器 37 件、铁剑、铁刀等兵器及银手镯、银指环等，估计为夫妇合葬墓。3 墓的年代，简报推断为东汉后期。

427.江西赣县三溪发现两座东汉墓

作　　者：赣县博物馆　赖斯清
出　　处：《考古》1996 年第 12 期

1990 年 2 月，赣县三溪乡池圹村一村民在建房挖基时发现 2 座砖室墓，考古人员进行了清理。简报配以拓片、手绘图予以介绍。

据介绍，池圹村位于赣县县城东北 55 公里处，2 座墓葬（编号 M1、M2）坐落在池塘窑下山的西坡上，顺山势一高一低并列，间距 3.7 米。两墓墓室均呈凸字形，由前室、后室组成。墓葬早年被毁，顶被揭，现仅存墓壁下半部分。随葬品有陶器、瓷器、铁器等。简报推断年代为东汉晚期。

吉安市

428.江西永新清理一座东汉墓

作　　者：程应林、彭适凡
出　　处：《考古》1964 年第 8 期

1963 年 11 月，考古人员在永新县埠前公社粟湖大队古城村旁的古城岭上，清理了 1 座东汉墓。该墓虽曾遭破坏，但随葬器物大多尚保存完整。简报配以拓片、照片、手绘图予以介绍。

据介绍，从残存的墓室观察，其平面呈长方形。墓砖有长方形砖、带榫长条形砖和楔形砖 3 种。墓中出土的器物共 9 件，有陶器、铁刀等。简报推断年代为东汉晚期。

宜春市

429.江西清江武陵东汉墓

作　　者：黄颐寿
出　　处：《考古》1976 年第 5 期

清江樟树镇西南 4 公里的武陵，有 1 处高于耕地面 4 米的土堆，因修公路和开荒取土，暴露出砖室墓 2 座。1972 年 3 月，考古人员进行了清理。简报配以拓片、照片、手绘图予以介绍。

据介绍，2 墓并列，都是长方形券顶，墓门向东。葬具、葬式不明。M1 出土有青釉器、陶器、铁匕首、铜饰等 16 件。M2 出土有铜印、青瓷器、陶器等 18 件。简报推断，墓 2 的时代应为东汉晚期或稍晚；墓 1 与墓 2 比较，年限上要早一些。

430.清江发现东汉青盖神兽镜

作　　者：清江县博物馆　黄颐寿
出　　处：《文物》1985 年第 5 期

1963 年秋，江西清江洋湖发现 1 座仅存墓底的砖室残墓，出土铜镜 1 面，现藏清江县博物馆。简报配以照片予以介绍。

简报介绍，铜镜镜面微鼓。背面中心为半球状圆钮，周围浮雕花纹图案。内区主体花纹为夔龙纹，其外两道凸弦纹间铸汉隶铭文一周，再外饰栉齿纹一周。此镜纹饰清晰、布局严谨，铭文结尾缺铸"亲得天力"4字。

简报推断其时代当为东汉晚期。

431.一件大型长鼓舞人饰青瓷博山炉

作　者：吕遇春、熊友陵

出　处：《文博》1989 年第 3 期

1987 年 10 月 4 日，江西省丰城县荣塘乡前坊村农民挖房基时发现了 1 件博山炉，应是出自 1 座墓葬，其余出土文物均被打烂，仅保存此 1 件。简报配以照片予以介绍。

博山炉盛行于汉及魏晋时代。此炉饰有飞鸟，炉身部分饰有舞人，炉顶设有亭状建筑，此件应是洪州窑的早期产品。

简报称，这件博山炉结构复杂、组合匀称、造型别致、装饰奇特、设计精巧、做工细腻，可谓匠心别具，是洪州窑的代表之作。它的造型、装饰和工艺都可算得上已出土的博山炉中的佼佼者。

简报认为，这件博山炉的发现，为进一步研究洪州窑的制作工艺、烧造技术提供了一件实物资料。

432.江西高安市碧落山西汉墓葬

作　者：江西省文物考古研究所、高安市博物馆　张文江、金国庆等

出　处：《考古》2006 年第 7 期

1998 年 8 月，在江西省高安市的碧落山挖坑植树时发现了 3 座古代土坑墓葬。考古人员于 8 月 23 ～ 30 日进行了抢救性发掘。根据实际情况，对其中 2 座墓葬进行清理，分别编号为 98 高碧 M1、M2。

简报分为：一、M1，二、M2，三、结语，共三个部分。有手绘图。

据介绍，2 墓均为长方形土坑竖穴墓，M1 曾被盗。简报推断 M1 的年代为西汉中、晚期，M2 的年代为西汉晚期。

433.江西靖安老虎墩东汉墓发掘简报

作　者：江西省文物考古研究所、厦门大学历史系考古专业、靖安县博物馆
余江安、管　理、刘新宇等

出　处：《文物》2011 年第 10 期

2009 年 10 月至 2010 年 1 月，江西靖安老虎墩遗址联合发掘队对位于靖安县高湖镇中港邓家的老虎墩遗址进行发掘期间，在发掘区内清理东汉时期墓葬 2 座，编号简称 M0、M50。简报分为：一、合葬墓（M0），二、独葬墓（M50），三、结语，共三部分组成。有照片、手绘图。

据介绍，M0 为长方形竖穴土坑合葬墓，由墓道、前室（前堂）、后室（后寝）3 部分组成。因封土堆早年被破坏未见，部分墓壁、墓道也因此受损。该墓营建过程为：在新石器时代晚期堆积上直接挖建墓穴和棺穴，放置棺椁随葬品并撒入少许朱砂后再原土回填掩埋并封土。简报推断年代为东汉中期早段。M50 为带墓道的竖穴土坑墓，其年代简报推断为东汉中期晚段。

简报指出，江西以往发掘的东汉中晚期墓葬多为砖室墓，M0 和 M50 均为带墓道的竖穴土坑墓，此类墓葬形制以往多见于江西春秋至东汉早期墓葬，而在东汉中晚期墓葬中较为罕见。究其原因，当与此地埋葬习俗的流风余韵之延续存在有关。通过对上述两座墓葬的发掘，证实此类墓葬的年代下限可延伸至东汉中期，丰富了江西东汉墓葬考古的内涵。江西瓷窑考古资料显示，最早烧造成熟青瓷的窑址是洪州窑，肇始年代为东汉晚期。上述墓葬随葬的大量东汉中期成熟青瓷是本地生产还是从吴越等地输入？从墓内共存的大量陶瓷器外底可见方形垫烧痕的信息分析，墓中出土的陶器、瓷器应属同一窑场烧制的产品。简报认为洪州窑的烧造历史或可上溯至东汉中期，抑或在赣西北一带尚有未被发现的东汉中期的陶瓷窑址，这都有待日后进一步验证。

简报称，M0 后室内棺椁结构为 1 椁 2 棺。根据"夫妇生时同室，死同葬之"的观念（《白虎通义》），M0 当为夫妻同穴合葬墓。考虑到夫妻死有先后，埋葬亦有早晚之分，而在发掘过程中未见明显的早晚埋葬痕迹，简报推测可能是将先丧之尸骨二次迁葬，与后丧之人合葬的结果。

抚州市

上饶市

434.江西婺源县出土三件陶权

作　者：金邦杰

出　处：《考古与文物》1990 年第 3 期

3 件陶权，2 件是 1972 年秋出土于婺源县高砂村，另 1 件是 1975 年冬出土于婺源县思溪村。简报配以照片、拓片予以介绍。

据介绍，两处出土的陶权完全不同，当非一个时期遗物。思溪村出土的陶权上有"元兴元年中作"等陶文，简报认为其时代应为东汉元兴元年（105 年），应是东汉山越族之物。另两件的时代当较此为早。

山东省

435.山东鄄城、成武、金乡石刻调查

作　　者：山东石刻艺术博物馆　万　良
出　　处：《考古》1996 年第 6 期

1993 年 4 月中旬，山东石刻艺术博物馆为收集拓片资料，对鄄城、成武、金乡三县宋代以前的石刻进行了 1 次考古调查。简报分为：一、鄄城石刻，二、成武县的汉画像石和造像碑，三、金乡香城堌堆汉画像石；四、结语，共四个部分。有拓片。

据介绍，简报介绍了鄄城县 2 块造像碑：1 为 1980 年亿城寺遗址出土的皇建元年（560 年）造像碑，为北齐遗物；2 是 1982 年亿城寺遗址出土的孙家园村残造像碑，时代不详。成武县也出土有确切纪年的造像碑。成武、金乡两县出土的汉画像石的时代，简报推断为西汉晚期至东汉早期。

简报指出，《汉书·食货志》载："用耦犁，二牛三人。"对此，学者们有种种不同解释，皆因无汉代实物参证，难以服人。金乡县香城堌堆石椁画像为正确解答"二牛三人"的"耦犁"问题提供了实物资料。汉画像石告诉我们，所谓"耦犁"应当是 2 牛共挽 1 犁，1 人扶犁，1 人牵牛倒进，1 人执鞭赶牛。

436.汉碑新访录

作　　者：新乡市博物馆　吕名军
出　　处：《中原文物》2000 年第 5 期

为了筹备《汉碑全集》的出版，考古人员对一部分汉碑进行了重新走访，发现一些汉碑的文献记录与今天的实际情况已相去甚远。有必要对这次走访的情况加以整理，以利于今后对汉碑的深入研究。简报配以拓片介绍了走访情况。

简报称，山东是汉碑的一大集中地，济宁地区又有"天下汉碑半济宁"的美谈。因此，1998 年 9 月，考古人员首先到山东进行了走访，第一站是山东省石刻艺术馆，接着又到了山东省博物馆、诸城博物馆、沂水博物馆、曲阜汉魏石刻馆、济宁市博物馆、肥城文物保管所等，觉得以下几块汉代碑刻有必要重新介绍，计有孙仲阳为父建石阙、

莒州宋伯望等买田刻石、刘汉作狮子题字、张文思为父造石阙题字等 9 种，现存著录都或多或少有些问题。

河南省地处中原，是汉代的统治中心，遗留的汉代碑刻是相当丰富的。考古人员对滑县文物保管所、洛阳古代艺术馆（关林）、南阳汉画馆、南阳博物馆、河南博物院等处进行了走访，发现有些碑刻与著录有差异。简报重点介绍了安阳残石、嵩聚成奴作石狮子题字、许阿瞿画像墓志等 6 种。

西安碑林是汉代碑刻的一个集中地。四川的汉代石刻也相当丰富，尤其是汉代石阙，多半在四川。考古人员于 1999 年 1 月赴西安、四川进行了实地走访。在西安参观了碑林、茂陵博物馆，入川后参观了四川省博物馆、成都市博物馆、郫县博物馆、芦山县东汉石刻馆、简阳市文物保管所等，觉得以下诸石刻有必要重新介绍，计有苍颉庙碑、武都太守残碑、仙人唐公房碑、霍去病墓石刻题字等 10 种。现存著录均有误讹之处。

济南市

437.济南无影山发现西汉乐舞杂技俑群

作　者：不详

出　处：《文物》1972 年第 1 期

1969 年春，考古人员在济南市北郊无影山的南坡，清理并发掘了 14 座汉代土坑墓。从墓制和随葬品考查，知是同一时期的墓葬。其中第 14 号墓出土有四铢半两钱 2 枚，可以推测这批墓葬的时间在西汉武帝元狩五年（前 118 年）铸造五铢钱之前。

简报重点介绍了 1 号墓。1 号墓规模最大，墓坑长 3.76 米、宽 1.65 米。随葬陶器也最多，形制较别致的有墓坑前端放置的陶鸠，中部的陶车马和车后的乐舞杂技俑群。简报指出，杂技形象屡见于东汉画像石和东汉墓壁画，西汉成组的杂技形象，这是第一次发现。更值得注意的是，它的年代有可能追溯到公元前 2 世纪。

438.济南无影山发现陶棺葬

作　者：金禄安

出　处：《文物》1980 年第 12 期

1978 年春，济南市北园公社堤口大队农民在采砂时发现 3 座陶棺墓葬，墓葬位于村北元影山之西南麓。简报配以照片予以介绍。

据介绍，3座葬坑均呈直筒形，附近棺位于墓坑正中。陶棺由棺盖和棺体2部分构成，棺体的4壁与棺底为一整体。陶棺内各有人骨架1具，仰身直肢，尸骨腐朽严重。3座墓葬方向不一。3座墓棺内均未发现随葬品，仅在附近采集到陶器3件。

简报称，无影山古称黄岗，这里不久前曾发掘过1座明墓，出土墓志铭1方，上写墓主人"死而葬诸黄岗之麓"，可证，现在山之西侧有村即名黄岗。这里原是1处古代墓葬区，上自商周、下至明清的墓葬几乎都有，经常有商、周至汉时期的陶器、铜器出土，著名的西汉杂技陶俑即出土在这几座陶棺的东北侧。

简报从陶棺的葬式、纹式，结合采集的出土器物，推断这几座陶棺墓葬当不晚于汉代。

439.山东平阴新屯汉画像石墓

作　　者：济南市文化局文物处、平阴县博物馆筹建处　刘伯勤、刘善沂

出　　处：《考古》1988年第11期

新屯汉画像石墓位于山东省平阴县刁山坡镇新屯村南，地处二郎山北麓坡地上，东北距县城约12.5公里。1986年3月，村民刘万波盖房挖地槽时发现古墓2座。考古人员前往调查，确认这里是一墓葬区。新屯墓区东西长约370米、南北长约280米，面积较大，墓葬密集。在新屯、李塘两村南部的路旁和村民院内，掘出的椁板比比皆是，随处可见。因地貌变化较大，这些墓都不见封土，均为长方形竖穴石椁墓，一般都在土圹上挖壁龛，放置随葬品，也有直接在椁上土圹角落里放置随葬陶器的。考古人员对其中的两座墓进行了清理发掘，并依清理的顺序分别编号为M1、M2。简报分为四个部分予以介绍，有手绘图。

据介绍，M1在墓区中部偏西处。坐北朝南，方向184度。墓为"甲"字形，地面封土已不存。墓室为石结构，平面呈"回"字形，南北长8.6米、东西宽6.98米。有画像石。M1主室分西、东2室，为夫妻合葬墓。西室出铁剑，棺床上画像繁缛精致，可知此室葬男性，东室当葬女性。此墓的规制与河南唐河汉郁平大尹冯市人墓相当，在西汉晚期墓葬中属大型墓，墓主人的身份可能是中上层官员或大豪强地主。

M2是二次造夫妻合葬墓。西椁室出铁剑，椁室四壁皆刻画像，当葬男性。东椁室当葬女性。也有画像石。墓主人当为一般地主。

简报称，2墓出土有铁器、铅器、铜器、陶器、五铢钱等。时代当为西汉晚期。

440.山东济南青龙山汉画像石壁画墓

作　者：济南市文化局文物处　刘善沂、孙　亮
出　处：《考古》1989 年第 11 期

1986 年 11 月中旬，济南市青龙山南麓山东建筑材料工业学院家属宿舍东北角，民工在修筑挡土墙时发现 1 座汉墓，考古人员对此墓进行了清理，墓葬编号为JQM1。简报分为：一、墓葬形制，二、画像石，三、壁画，四、随葬品，五、结语，共五个部分。有手绘图、照片。

据介绍，此墓为砖石混合结构多室墓，由前、中、后 3 室和 2 个侧室构成。该墓虽已具备了一些魏晋以来砌筑的方法，但更多的是东汉砌筑的特点。随葬器物种类包括生活用具、禽畜两类。出土的五铢钱计 22 枚，货币制作粗糙，字迹不清，质差，有砂眼，较薄，还有不少的剪轮五铢。该墓的画像石的雕刻技法采用东汉后期普遍使用的剔地浅浮雕，画像内容日趋简单化，除了表达辟邪、祥瑞的羊头外，其余均为装饰性的几何图案。该墓的壁画，是济南地区首次发现的东汉壁画，现存的画面内容，都是当时社会封建士大夫、官僚地主现实生活的写照。简报认为，以上均表现出东汉晚期物质文化的特点，简报推断此墓的时期为东汉晚期。

441.山东章丘市黄土崖东汉画像石墓

作　者：章丘市博物馆　宁荫棠、牛祺安
出　处：《考古》1996 年第 10 期

黄土崖东汉画像石墓位于山东省章丘市圣井镇黄土崖村东砖厂内。地处济王公路北侧，东北距市政府驻地明水镇 18 公里。1992 年 9 月砖厂烧砖取土时发现，考古人员进行了清理，编号简称 M1。简报分为：一、墓葬形制，二、随葬器物，三、画像石，四、结语，共四个部分。有手绘图等。

据介绍，墓顶距地表 0.8 米，已大部坍塌，除中室墓顶结构不明外，其余为券顶。墓室系石、砖混筑而成。墓的平面结构由墓门、前室、中室、后室及东、西侧室六部分组成。前室西侧和中室东部各附有侧室。墓门前有墓道，已被破坏。东侧室大部及后室小部分被推土机毁掉，其余保存完好。该墓几经被盗，出土陶器、钱币等随葬品 30 余件。简报推断年代为东汉晚期。从画像内容看，墓主人高坐大厅，奴仆侍候，观看博戏，且气氛祥和、瑞鸟陪伴。按东汉墓葬分类，该墓应为乙类墓偏上。虽几经被盗，随葬品仍存 30 余件。墓主人身份应为 300 石左右的官吏或东平陵刘氏王室成员。

442.山东章丘市东平陵故城出土汉代铜器

作　者：宁荫棠、牛祺安

出　处：《文物》1997年第4期

章丘市东平陵故城位于济南市东郊30公里处，济青公路北侧。遗址长、宽各1900米，面积361万平方米。现为省级重点文物保护单位。近年来城内出土了一批铜器，简报配以照片予以介绍。

据介绍，这批青铜器有鉴、盘、洗、釜、熨斗、钫、镦等。东平陵在春秋时期就已知名，汉代为济南国都城所在。上述铜器大部分出土于城内俗称"殿基地"之处。1976年曾于此处挖出大批铺地砖、瓦当、柱础等建筑材料，并出土了首饰。从东平陵城内的地形和出土遗物来看，"殿基地"很可能为两汉济南王的宫室所在地。因此，出土的这批铜器很可能与王室有关。铜器铭文"延平元年"（106年）为东汉孝殇帝刘隆年号，其在位不到1年，因此，延平元年（106年）所造铜器较为少见。铜鉴口沿上线刻之"刘"字为这批铜器是济南王刘氏家族用器提供了证据。

443.双乳山一号汉墓一号马车的复原与研究

作　者：崔大庸

出　处：《考古》1997年第3期

长清双乳山一号汉墓中共发现马车5辆，其中大车3辆、小车2辆，出土各类铜、铁实用车马器和车马明器共计1734件（套）。其中大部分为铜质鎏金，另有部分纹饰精美的错金银器。这5辆车，虽因顶盖板坍塌和两侧石子的挤压、冲击，造成了较大程度的破坏，且朽蚀严重，但从揭露出来的遗迹看，基本结构尚较清楚，各种金属部件在车上的位置也大致可以确定，部分木构件的部位尚能辨识，因此是一批研究汉代车制的难得资料。由于目前大部分资料仍在整理中，仅就一号马车的情况，简报分为三个部分予以介绍，有手绘图、照片。

据介绍，一号车位于墓道的最南端，亦即外藏椁的南部，整辆车子恰在两"阙门"之间，似成一独立单元。一号车共出土金属遗物60余件，多为车器和马具。简报暂且将一号车复原成1辆总长约3米、宽2.4米的双辕带盖轺车。

简报称，一号车这种形制的双辕轺车在考古发现的同时期的马车中，是较少见的，虽然在汉画中多有所见，但那是较晚的事情了，看来这种形式的马车在西汉早期尚不太流行；由于在一号车的许多铜构件上都发现有严重的磨损痕迹，所以该车在死者生前一定被长期使用过。这对于研究汉代的马车陪葬制度有重要的参考价值。

444.双乳山一号汉墓墓主考略

作　者：任相宏

出　处：《考古》1997 年第 3 期

位于山东省长清县境内的双乳山汉墓，共计两座，均位于山之顶部，凿岩成穴，东西并列，依山为陵。1995 年 10 月下旬至 1996 年 7 月上旬，考古人员对东边的一号大墓进行了抢救性发掘。尽管遭到严重破坏但却未经盗掘，底部遗存保存完好，出土随葬品极为丰富、珍贵，简报认为这是我国汉代考古的又一重大发现和收获。简报分为三个部分，配以拓片予以介绍。

据介绍，到目前为止，由于尚未发现任何能够直接表明墓主情况的印章、封泥、铜器铭文等文字根据，通过对其墓葬年代、墓主身份、墓葬地域进行推断、分析、考辨的基础上来加以考证，简报推断：双乳山汉墓的年代大致在西汉武帝时期，即公元前 100 年前后；双乳山汉墓应是仅次于帝、后一级的王陵墓葬，墓主身份是仅次于汉代帝、后一级的诸侯王。

简报称，墓葬位于长清县城西南 15 公里，这里汉代为卢城，曾属泰山郡所辖，墓葬的年代为西汉武帝中晚期，时间上与济北国相吻合，所以墓葬当为济北王陵，现卢城洼就应是西汉济北国都的卢城。福禄山汉墓的发现，也为证明双乳山汉墓为西汉济北王陵提供了佐证。

445.山东长清县双乳山一号汉墓发掘简报

作　者：山东大学考古系、山东省文物局、长清县文化局　任相宏、崔大庸

出　处：《考古》1997 年第 3 期

汉墓位于山东省长清县城西南 15 公里处的双乳山顶部，西距黄河 1.5 公里，南距著名的孝堂山 6 公里，北距济南市约 35 公里，面积 3000 多平方米。墓葬共计两座，东大西小，东西排列，间距 42.3 米。经国家文物局批准，考古人员对其中破坏尤为严重的一号墓首先实施了抢救性的发掘。发掘工作自 1995 年 10 月下旬开始，截至1996 年 7 月上旬基本结束，历时 8 个多月。简报分为：一、位置与保存状况，二、形制结构，三、随葬品，四、结语，共四个部分。有手绘图、拓片。

据介绍，墓葬系 1 座大型"甲"字形石圹竖穴式木椁墓，主要由封土、墓道、墓室等几部分组成。目前能够识辨的器物就达 2000 余件，主要出土于椁室和外藏椁之内。由于墓葬中未发现有明确纪年的物品，也没有出土表明墓主身份的直接证据，通过对墓葬形制、随葬品的分析和地域沿革的考证，简报推断墓葬的年代为西汉武

帝末年，墓主是西汉济北国最后一代王刘宽。

简报称，墓葬虽遭破坏，但未被盗掘，底部随葬品、棺椁未经扰乱，位置迹象清晰，这是最大的收获。

446.山东平阴孟庄东汉画像石墓

作　者：济南市文化局文物处、平阴县博物馆　刘善沂、刘伯勤、乔修罡、
　　　　路永敏等

出　处：《文物》2002 年第 2 期

1967 年，在山东省平阴县东阿镇孟庄村南 100 米处，因平整土地而暴露出 1 座东汉画像石墓。该墓数遭盗掘，随葬品已所剩无几，惟墓室保存较好。1986 年 5 ~ 7 月，考古人员对该墓进行了清理，编号为 M1。简报分为：一、墓葬形制，二、随葬器物，三、画像石，四、结语，共四个部分。有照片、拓片。

据介绍，M1 地表原有高大的封土，已被夷平，高度和范围均不详。墓葬坐北朝南，由墓道、墓室 2 部分组成，墓室顶部高出地表 0.8 米。墓室由前、中、后室和 4 个侧室组成，内有画像石，内容主要是生活和风俗题材。室内 8 个圆柱上刻有民间歌舞祭祀场面，其中有展露性器官与性交的场面，为以前所罕见。鼓舞乐神画面中有虎豕相斗之场景。简报推断该墓年代为东汉晚期。从墓内铭文"韦君""韦君故吏"看，墓主或与汉灵帝时谷城韦姓家族有关。

447.山东济南洛庄汉墓发现大型动物陪葬坑

作　者：济南市考古所　房道国

出　处：《农业考古》2003 年第 1 期

山东济南洛庄汉墓，继 2000 年清理 33 座陪葬坑，发现编钟、编磬等惊世珍品，出土文物 3000 余件，获得重大学术成就，获得 2000 年度全国"十大考古新发现"后，2001 年度，又发现大型动物陪葬坑，取得新的学术成果。简报配以照片予以介绍。

据介绍，经过清理发掘，该坑发现动物骨骼 120 余具，动物种属有羊、猪、狗、兔四种。其中羊发现有 34 只，兔 45 只，猪共有 25 头，幼猪 10 头，狗 4 只。

简报称，洛庄汉墓第 34 号陪葬坑的发掘，不仅使洛庄汉王陵陪葬坑的数量上升到 34 个，而且它使陪葬坑的种类又多了一个新的类型——动物陪葬坑。此坑已出土动物骨骼 120 余具，种类之丰富，在以往汉王陵陪葬坑的发掘史上尚属首次。它的发现对于研究汉王陵陪葬制度和中国动物学发展史，均具有重要意义。

448.济南市腊山汉墓发掘简报

作　者：济南市考古研究所　郭俊峰、刘　剑、李　铭、房道国等
出　处：《考古》2004 年第 8 期

2001 年夏，在济南市西郊一施工工地发现大型汉墓，济南市考古研究所随即派人员进行了调查，经主管部门批准，于 7 月 4 日开始对汉墓进行抢救性发掘，9 月 21 日发掘结束。腊山汉墓（编号为 M1）位于济南市中区腊山产业科技园内腊山东面的山坡上，它北距经十西路约 3000 米，东距二环西路约 2900 米。墓葬周围此前未发现过其他古代墓葬，墓葬地表原有一个巨大的封土堆，后来由于大规模的取土已被破坏。简报分为：一、墓葬形制，二、出土遗物，三、结语，共三个部分。有照片、手绘图。

据介绍，墓葬平面为折尺形，由墓道、前庭、前室、后室四部分组成。墓室形制较特殊，大致分为前庭、前室、后室三部分。前庭南部与墓道相连，前庭东部与前室相连，前室东部与后室相连。三部分在宽度的变化上相差不大。共出土陶器、铜器、铁器、水晶、玛瑙等遗物 70 余件，其中以鼎、罐、壶为主要组合的陶器占多数。根据墓葬形制及出土遗物，再参考出土的封泥和印章，简报认为此墓为西汉早期墓葬。墓主人应是一位名叫"傅媙"的列侯夫人。

449.山东章丘市洛庄汉墓陪葬坑的清理

作　者：济南市考古研究所、山东大学考古系、山东省文物考古研究所、章丘市博物馆　崔大庸、房道国、孙　涛等
出　处：《考古》2004 年第 8 期

洛庄汉墓位于济南市东部的章丘市枣园镇洛庄村西约 1 公里处，南距 106 国道约 1.5 公里，正西距东平陵故城约 6 公里。根据早期文物普查资料及附近村民讲述，该墓的封土原有 20 余米高，呈方形覆斗状。1999 年 6 月 26 日，因取土在墓室的南侧暴露出一批铜器，考古人员进行了紧急清理，共出土各类铜器 90 余件（后被编为 5 号坑）。1999 年 7 月 8 日至 8 月 22 日，考古人员对洛庄汉墓外围所暴露出的陪葬坑进行了抢救性调查和清理，发现大型陪葬坑 9 座，出土各类遗物 400 余件。2000 年，对洛庄汉墓外围陪葬坑再次进行勘探与发掘。2001 年，继续对墓葬周围遗迹进行清理。简报分为：一、墓葬封土及平面形制，二、陪葬坑和祭祀坑等遗迹的分布与内涵，三、14 号陪葬坑，四、35 号祭祀坑，五、结语，共五个部分。有折页手绘图、彩照。

据介绍，1999～2000 年考古人员等对山东章丘市洛庄汉墓进行了调查和发掘，在墓室周围发现陪葬坑和祭祀坑共 36 座，出土各类遗物 3000 余件。这些陪葬坑和祭祀坑是分层挖掘的，这在汉墓诸侯王陵考古史上为首次发现。另外，出土的 100 余件铜器、140 余件乐器、3 辆实用马车及 40 余件纯金马饰品，都具有很高的研究价值。简报认为该墓年代是西汉早期吕国存在时期，即公元前 187 年至公元前 180 年之间，墓主有可能是诸侯国吕国第一任国君吕台。

简报指出，洛庄汉墓的主墓室虽然未发掘，但从已发掘的 36 座陪葬坑和祭祀坑来看，是目前已发现的 40 余座汉代诸侯王陵中陪葬坑数量最多的 1 座，也是遗迹现象最为复杂的 1 座。可以推测在这座王陵的埋葬过程中所进行的复杂的礼仪活动。另外，一些相对较小的发现，也颇有价值。比如：

例一，出土的封泥，不仅为判断洛庄汉墓的年代和墓主身份提供了直接证据，而且"吕大行印"的发现还纠正了史书中对"大行"的不确记载。"大行"一职以前普遍认为是汉景帝中元六年（前 144 年）设置的，这些封泥的发现则证明早在景帝之前的 30 年，"大行"一职就存在了。

例二，14 号陪葬坑中发现的 140 余件乐器，为研究先秦至汉代乐器的发展演变情况及汉初的礼乐制度提供了丰富的实物资料。编磬上的铭文还给我们提供了关于其悬挂方式和产地的直接证据。汉代诸侯墓葬中发现的编钟和编磬与先秦相比并不算太多，因为大部分诸侯王墓多遭盗掘，在一些保存完整的墓中也不多见，特别是武帝以后墓葬中更是少见。如满城汉墓和双乳山汉墓中均未发现，这使学者们长期以来对汉代编钟、编磬的使用情况不太清楚。洛庄汉墓 14 号陪葬坑中发现的 1 套 19 件编钟保存很好，经初步测音，各钟仍能发两个音，声音清脆。特别是 14 件钮钟，经初步测试就有四个八度，仅比曾侯乙墓少一个八度。另外 6 套 107 件编磬比以往汉代考古中所发现的编磬的总和还要多，其上刻有来自多个诸侯国的刻铭，给我们研究汉初编磬的制作、使用情况提供了依据。

例三，11 号陪葬坑的 1 号马车，其形制和结构几乎与秦陵 1 号铜车完全相同，这使我们第一次看到了秦陵 1 号铜车的实物。更为重要的是，由于秦陵 1 号铜车全部是金属制品，对其本来的质地有的还不能完全做出正确的判断。如秦陵铜车的马具中均有"胁驱"，如果根据文献记载，它是一种皮质的器具，《秦始皇陵铜车马发掘报告》认为这与实际功用不符，但由于没有实物资料作证难以肯定。而洛庄出土的 3 辆车上也都有此"胁驱"装置，是由木质与铜件组合而成的，且其形制与秦陵铜车上的几乎完全相同，从而证明了文献中的记载是不确的。

例四，5 号坑出土的 100 余件铜器，虽然器类不算繁多，但大部分器皿上均刻有铭文，铭文的内容不仅涉及齐国、菑城国等山东地区诸侯国，而且涉及众多的官署名称，这是继山东临淄大武汉墓后，山东地区出土的又一批汉初铜器群，这对于研究汉代诸侯国的官署设置和管理，以及度量衡制度均有重要意义。

简报指出，洛庄汉墓主墓室上部已发现多处盗洞，墓室中还遗留多少遗物，我们不得而知。结合洛庄汉墓外围的特殊情况，有理由相信，其主墓室中或墓道中或许还有我们未曾遇到的现象，因此，只有将主墓室发掘后这批资料才能成为完整的科学资料。

洛庄汉墓外围遗迹的清理发掘，不仅出土了各类遗物3000余件，而且更为重要的价值还在于发现了诸多遗迹现象的平面布局和先后关系，这无疑为汉代陵墓考古学的研究提出了一些新课题。

洛庄汉墓陪葬坑和祭祀坑的发现成果，被评为2000年度全国十大考古新发现之一。

450.济南市长清区大觉寺村一、二号汉墓清理简报

作 者：济南市考古研究所、长清区文物管理所 高继习、刘 剑、马前伟等
出 处：《考古》2004年第8期

2002年春和2003年初夏，济南市长清区归德镇大觉寺村村民在村子附近挖沙时发现2座汉代墓葬（编号分别为M1、M2），济南市考古研究所会同长清区文物管理所对其进行了抢救性发掘。

简报分为：一、M1，二、M2，三、结语，共三个部分。有彩照、手绘图。

据介绍，M1为砖石混筑结构，由墓道、前室、后室组成，墓中出土画像石、釉陶器、铜器、石案等。曾被盗。M2也为砖石混筑结构，由斜坡墓道、甬道、东西耳室、前后室组成，墓内出土陶器、石器、铜器、玉衣片等。根据墓葬形制和随葬遗物，简报推断2座墓的年代均为东汉晚期，墓主人可能是东汉晚期的嗣侯。

随葬品中除了玉衣片、画像石，还有中室中出土的石砚，上下子母相扣，整体呈猛兽载人形象。兽背上雕刻出相对而坐的四人一兽形象，人物形象较为特殊，高额深目，高鼻梁，高额骨，唇上留须，头戴小帽，盘膝而坐，应该是胡人形象。背上兽全身覆鳞，形象接近于龙或麒麟，像这样的动物和人并列的雕塑形象较为少见。

简报称，此2墓或为合葬墓。这一带以前曾零星出土过一些遗物，特别在大觉寺村村南曾出土过1件大型东汉石马，尤显重要。长清在东汉时期属于济北国范围。已经发掘的双乳山一号墓就被认为是1座西汉济北王墓。M1和M2相距仅1公里，其周围还有3座汉代大型封土墓，其中归南汉墓距M1仅500米，密集的大墓说明此地有可能是1处家族墓地。

451.济南市闵子骞祠堂东汉墓

作　者：济南市考古研究所　高继习、李　铭等

出　处：《考古》2004 年第 8 期

闵子骞祠堂位于济南市历城区区政府南侧，2000 年 9 月，济南市文物局在修复祠堂时，在院内发现 1 座东汉时期的画像石墓。同年，济南市考古研究所对其进行了抢救性发掘。简报分为：一、墓葬形制，二、出土遗物，三、结语，共三个部分。有照片、手绘图。

据介绍，该墓葬为砖石混筑结构，由前、中、后 3 室和 2 个耳室构成，平面为凸字形。墓内出土陶器、铜钱等遗物 60 多件，其中陶禽、陶畜的数量较多。另外，还出土了 4 块画像石。根据墓葬形制、出土遗物和画像石的特点，简报推断该墓为东汉晚期墓葬。墓主应姓田。该墓曾多次被盗，墓室中人骨凌乱，但可以确定有两人，初步鉴定为 1 位老年女性和 1 位青壮年男子。墓主的身份和地位在当地应该较高，应是地主或者士大夫阶层的官僚。

452.山东大学新校区发现一座东汉墓葬

作　者：山东大学东方考古研究中心　任相宏等

出　处：《考古》2005 年第 10 期

1999 年 5 月中旬，在山东大学新校区发现 1 座古墓葬（编号简称 M1），山东大学考古系对墓葬进行了抢救性清理。简报分为：一、出土位置及墓葬结构，二、随葬器物，三、结语，共三个部分。有手绘图等。

据介绍，此墓位于山东大学新校区内学生宿舍 5 号楼南面的空地上，西距校内供水站水塔 30 米，南距校供电站配电室 80 米。墓葬开口距现地表 0.8 米，已多次被盗，保存极差。这是 1 座带墓道的长方形砖砌单室墓，墓中葬具已朽，加之曾被盗扰，残存的人骨散乱，葬式不明。清理时在墓底北部、南部均较集中地发现零乱的棺木板灰，其上多数还遗留有漆绘残迹。在棺木板灰较集中的部位，各发现 1 个较为完整的人头骨，附近还清理出了一些肋骨、肢骨等。依据人骨的个体数量、大体位置以及棺木朽痕的分布情况可以推知，这是一座合葬墓。此墓已遭盗扰，随葬品多已损毁散失。仅在墓室底部中间偏南、偏北和偏东部发现 1 件琉璃饰件、5 枚铜钱和 2 件釉陶器，墓底各处还散见较多的漆器残片。此墓年代，简报推测为东汉晚期。

简报称，古人把不透明的琉璃称为料器，半透明的称为琉璃，透明的称为玻璃，实际上其原料、制作工艺、质地结构等大致相近，所以现在有些研究者统称作玻璃，墓

葬都有发现，但几乎都是料珠，琉璃器在山东汉墓中却极少发现，而此墓出土的制作精美的饰件更为罕见。此墓葬的随葬品数量不多，但时代比较清楚。尤其是琉璃饰件的发现，对认识我国琉璃器的起源，特别是研究山东古代琉璃制造业提供了重要实物资料。

453.山东平阴县实验中学出土汉画像石

作　者：平阴县博物馆　乔修罡、王丽芬
出　处：《华夏考古》2008 年第 3 期

1991 年，山东平阴县实验中学发现 1 座拆用汉画像石建造的晋墓，共出土汉画像石 12 块，现藏平阴县博物馆。由于原石在墓中的位置已不详，简报以编号为序（1～12 号）进行介绍，有拓片。

据介绍，这 12 块汉画像石当出自汉代不同时期，有的是东汉章、和时期，有的是东汉晚期桓、灵时期。画像内容中鱼拉船图、孔子见老子图、左丘明图等值得注意。

454.山东济南新发现汉代铁农具

作　者：山东大学历史文化学院　刘　剑、何　利
出　处：《农业考古》2009 年第 1 期

2004 年冬，山东省济南市泉城路东首黄河河务局院内施工中，发现了 1 处与冶铁有关的遗存，出土一批铁器及陶制铸范。铁器种类包括生产工具和日用杂器等，其中出土农具 6 件，器形包括直口锸、铧冠、锄板和竖銎镢。简报分为：一、出土农具介绍，二、战国汉代时期济南地区农业生产工具的普及与冶铁业的发展，三、关于农业考古方法的点滴思考，共三个部分。有手绘图。

简报介绍了济南地区汉代冶铁手工业的繁荣情况，《汉书·地理志》载，汉代在济南郡设有 2 处铁官，东平陵与历城各有 1 处。东平陵故城的调查证实了冶铁及与之配套的制陶遗址的存在，而且采集到近 300 件铁器。尤为重要的是，发现了大量铸造铁器的铁制范。简报提出应将一般考古与农业考古更紧密地结合起来。

455.山东济南华信路新莽时期墓葬发掘简报

作　者：济南市考古研究所　李　铭、全艳锋、常　祥等
出　处：《文物》2011 年第 3 期

2003 年 4 月 26 日，济南市东郊高新技术产业开发区内华信路北段发现 1 座古墓，

西距济南市二环东路约 1 公里，北距胶济铁路约 1.5 公里，编号 M1。考古人员于 4 月 27 ~ 30 日对该墓进行了抢救性清理发掘。简报分为：一、墓葬形制，二、随葬器物，三、墓葬年代，共三个部分。有照片、拓片、手绘图。

据介绍，墓葬为竖穴砖室墓，人骨已朽，身下铺有石灰，未见葬具。随葬器物有铜镜、铜钱、陶器等 18 件。简报推断年代为新莽时期。简报指出，这座墓葬保存的情况较好，墓葬的形制与结构比较独特。新莽时期的墓葬在本地区很少发现，该墓的发掘，为研究山东的地方史提供了新的资料。

456.济南市北毕村汉代画像石墓

作　者：山东大学历史文化学院、济南市考古研究所、章丘市博物馆　刘　剑、
　　　　李　铭、郭俊峰、何　利、宁述鹏
出　处：《考古》2012 年第 11 期

2008 年初，中国重汽集团在济南市高新区内施工时发现 1 座墓葬，考古人员现场确定是 1 座东汉时期砖石结构的墓葬。同年 5 ~ 9 月，对墓葬进行了抢救性发掘，共清理大型砖石结构墓 2 座，分别编号为 M1、M2，并在 M1、M2 南部发现并清理了一组地面建筑遗迹。墓葬位于济南市章丘枣园办事处北毕村南 100 米处，北距 102 省道约 2 公里，南距世纪大道 500 米。简报分为：一、M1，二、M2，三、地上建筑遗存，四、结语，共四个部分。有彩图、拓片、手绘图。

据介绍，章丘市北毕村发现的汉代遗迹包括 2 座带封土的东汉晚期墓葬，以及一组地面建筑遗迹。M1 为带斜坡墓道的画像石墓，包括墓道、墓门、前室、耳室、中室、后室。随葬品有陶器、铜器等，多在前室、中室出土。M2 形制等与 M1 基本相同。根据出土器物特征及画像石技法，简报推断，2 座墓葬年代应在东汉末年。

青岛市

457.山东莱西县汉木椁墓中出土的漆器

作　者：杨子范、王思礼
山　处：《文物》1959 年第 4 期

1958 年初夏，考古人员分赴各县征集在普查当中发现的文物，以便组织一个全省性的展览会，部分人员被分配到胶东一带进行征集工作。当考古人员到达莱西县

水沟头镇时，当地文化科王明芳先生取出一批漆器，以备运省参加展览，当时引起了考古人员的注意，因为这批漆器和山东近几年来所出的漆器不同，它们的最大特点是不但精美完整，而且坚固异常。简报配以照片予以介绍。

据介绍，这批漆器是百姓挖地瓜窖时挖出来的，据知情者讲，在距水沟头西北25公里的岱墅村西，有一段隆起的漫坡，面积有20余平方米，百姓便在这个漫坡上挖地窖，在坡西北角向下挖至约5米处，即发现了墓室，出土了这些漆器。除了漆器之外，还有一些木椁板和1件花纹极精美的铜镜、1个铜洗、数枚五铢钱。文化科得知调查后，立即停工并用土封堵。因此，据估计这仅是其中的一部分，可能还有一部分仍保存在墓中，尚待今后进行清理。从器物风格来判断，简报推断这批漆器的时代应为东汉。

458.山东莱西县岱墅西汉木椁墓

作　者：烟台地区文物管理组、莱西县文化馆　王明芳
出　处：《文物》1980 年第 12 期

岱墅西汉墓位于山东省莱西县小沽河东岸院里公社岱墅村东，当地人习称"点将台"的高地上，后面依山。1978 年 12 月，在深约 30 厘米的熟土层下，发现长方形土坑，考古人员进行了清理，清理了古墓 2 座（编为 M1、M2）。2 墓均为长方形土坑竖穴墓，南北并列，M1 在北，M2 在南，相距 1.5 米。2 墓的墓坑四壁挖凿整齐、规矩。在坑的东北角凿两行脚窝。椁室内积水深 40～80 厘米，随葬器物朽腐，原来陈设已不清楚。简报配以照片、手绘图予以介绍。

据介绍，2 墓应为异穴同葬的夫妻墓，墓主有可能是西汉中晚期胶东国统治者的亲属或近臣。随葬品 283 件，其中漆器占了 158 件。出土的钢剑、铁刀、铁削等兵器，工艺水平很高。还出土了一具与真人等高的大木偶，含义不明。

459.青岛市郊区发现汉墓

作　者：孙善德
出　处：《考古》1981 年第 6 期

1978 年 1 月中旬，青岛市北郊（距市区约有 35 公里）崂山县城阳公社古庙大队农民平整土地时，于地下 0.3 米处发现古代墓葬 1 座。考古人员进行了清理。简报分为：一、墓葬形制，二、随葬器物，共两个部分。有手绘图、拓片。

据介绍，古墓葬位于古庙大队村南 200 米处之台地上（当地人称为"龙王庙"，

至今庙迹瓦砾尚存）。这座长方形竖穴砖室墓，券顶已被破坏，只残存 4 壁。棺木已朽，人骨尚存，为 1 中年男性，仰身直肢葬。随葬品有陶罐 2 件、铜豆 1 件、铜镜 3 件（有铭文）、铜印 1 件（印文"出入大吉"）、铜刷 1 件，以及铜钱、铁镊等。该墓的年代，简报推断为西汉中晚期。这一带应是汉代城阳城的墓葬区。

460.山东平度市出土一批青铜器

作　者：李秀兰
出　处：《文物》1993 年第 4 期

1979 年秋，平度市麻兰镇岔道口村农民在挖土时发现 7 件青铜器，现藏于平度市博物馆。简报配以照片予以介绍。

据介绍，这批青铜器有铜纺、铜鼎、铜簋、铜钟等，简报推断为西汉后期的遗物。简报称，其中铜钟铭文为研究西汉后期的度量衡制提供了又 1 件实物资料。

461.山东平度出土七件青铜器

作　者：山东省平度市博物馆　李秀兰
出　处：《考古与文物》1994 年第 4 期

1976 年秋，山东省平度市麻兰镇岔道口村的农民在挖土时发现了一批青铜器，共 7 件，现存平度市博物馆。后经专家鉴定，这批青铜器系墓葬随葬品。简报配以照片、拓片予以介绍。

据介绍，青铜器有铜钫 2 件、铜簋 2 件、铜钟 2 件、铜鼎 1 件。简报推断这批铜器应属西汉后期。简报称，其中一件钟上有铭文，铭文中的计量与西汉后期度量衡制相符，为研究西汉后期的度量衡制，提供了又 1 件珍贵的实物资料。

462.山东平度市出土西汉铜钟

作　者：山东平度市博物馆　官云程
出　处：《考古与文物》1994 年第 4 期

1976 年秋，平度市麻兰镇岔道口村农民在村前田地挖沟时，挖到一批铜器，其中带铭文铜钟 1 件，现藏平度市博物馆。简报配以照片、拓片予以介绍。

据介绍，钟高 45 厘米、口径 16 厘米、腹径 36.5 厘米、圈足径 19 厘米。肩、腹部两道宽带纹之间竖刻铭文 3 行 12 字："淳于，容十斗，重一钧五斤八两。"铭文中的"淳于"当为地名或姓氏，"容十斗"为钟的容量，"重一钧五斤八两"为钟自身重量。

钟铭"容十斗"，经实测容小米 19950 毫升，1 升合今 199.5 毫升，接近于目前公认的西汉标准量值 1 升容 200 毫升。钟铭重量为一钧五斤八两，即三十五斤八两（汉时一钧三十斤），实测重 9450 克，一斤约合今 263.97 克，比目前公认的西汉标准量值一斤重 250 克差 13.97 克。

简报推断，此钟的造型风格、铭文笔画，当属西汉早、中期之物。这批铜器很可能是西汉胶东国康王的遗物。简报称，它为推断康王墓的准确位置提供了重要线索。迄今为止，传世和出土的汉代记容铜器中，重量记铭用"钧"者极为罕见。因此，这件铜钟对研究西汉历史、冶金工艺和度量衡制度有较高价值。

463.西汉金"诸国侯印"

作　者：山东省即墨市博物馆　姜保国
出　处：《文物》2000 年第 7 期

1997 年秋，山东省即墨市王村镇小桥村村民在农耕时发现 1 枚金印，现收藏于即墨市博物馆。简报配以照片予以介绍。

据介绍，该印呈扁正方体，有龟形纽。印面凿刻白文篆书，为"诸国侯印"四字。印文布局严谨，似为急就之作。龟纽背部隆起，龟首向前探出，四肢外伸呈站立状，龟尾内收。龟甲饰六角纹，甲缘饰一周圆圆纹。四肢均饰鱼子纹。

简报称，小桥村一带为汉代墓葬区，曾出土过西汉时期的彩绘陶壶和陶鼎。据《汉旧仪》记载，丞相、列侯、将军为金印紫绶，中二千石和二千石为银印青绶，皆龟纽。汉代设置诸县，其地隶属皋虞县。据《即墨县志》记载，西汉武帝元朔元年（前 128 年），册封胶东康王寄（文帝子）之子炀侯建为皋虞侯，其后递传稑侯定、节侯哀、厘侯勋、颂侯显至六世侯乐，凡 137 年。王莽篡位时被废。汉代王侯一般葬在其所封之地，这枚印与汉制相符，又出自皋虞故地，所以应为皋虞侯印。

简报称，该印的出土为研究西汉印制及地方史提供了实物资料。

464.山东青岛市平度界山汉墓的发掘

作　者：青岛市文物局、平度市博物馆　林玉海、荆展远、王　艳等
出　处：《考古》2005 年第 6 期

平度界山汉墓所在地位于青岛市平度灰埠镇潘家村东北的界山上，习称"花园

顶"，北距潍烟公路约4公里。2000年春，当地村民在此开山采石时发现2座汉墓（编号为 M1、M2），南北相距约9米。2000年5月8日至6月2日，考古人员对这两座墓葬进行了抢救性发掘。另在1997年春，村民采石时于 M1 东南约30米处还发现一座汉墓（编号 M3），墓室随即被砸毁，随葬品遭哄抢。据残存遗迹和追回的器物分析，M3 与上述两墓应属同一家族墓地。

简报将这三座墓葬的材料一并整理后加以介绍，分为：一、1号墓（M1），二、2号墓（M2），三、3号墓（M3），四、结语，共四个部分。有彩照、手绘图、拓片。

据介绍，在平度界山上发现的3座西汉中期的墓葬，均为岩坑竖穴墓葬。M1 和 M3 出土较为丰富的铜器、铁器、玉器、水晶器、漆器等随葬品，许多器物上还有文字。简报推测这里可能是西汉平度侯的家族墓地。这些发现，对研究西汉平度侯国的历史以及当时的墓葬形制和丧葬习俗等提供了重要资料。

简报指出，值得注意的是，M1 棺木周围出土了19面铜镜，这在我国的考古发现中尚不多见，究竟体现出何种文化意义还有待进一步研究。

465.山东即墨出土西汉钱范

作　者：山东省即墨市博物馆　王灵光、姜保国、王新夏
出　处：《考古与文物》2005年第6期

1990年9月，山东省即墨市蓝村镇鲁家埠村农民在村前捡拾到五铢钱范1件。该范为铜质，通体墨绿，残，重445克，形制规范，钱模为正面，两行，有4枚完整的五铢印模，另2枚残缺不全，简报推断为文帝时钱范，简报配有拓片。

2000年12月，蓝村镇古城村农民在取土时发现半两钱范2件，制作精致规范，简报推断为西汉初时半两钱范，简报配有拓片。

简报称，蓝村镇古城村为汉时胶东国壮武县城旧地，南北朝时废。古城址呈正方形，东西南北各500米。半两钱范出土于古城址内东南部墙基处。而鲁家埠距古城村亦只有里许。简报据《地记》等史料记载，认为这两次出土的半两、五铢钱范应是壮武侯宋昌治县时所遗，简报认为壮武县在当时具有一定的政治、经济地位。出土钱范已被即墨市博物馆征集收藏。

淄博市

466.西汉齐王墓随葬器物坑

作　者：山东省淄博市博物馆　贾振国等

出　处：《考古学报》1985 年第 2 期

西汉齐王墓位于山东省淄博市临淄区大武乡窝托村南，东北距齐故城遗址 23 公里，东距临淄区政府驻地辛店 6 公里，北距胶济铁路东风站约 1 公里。墓封土规模颇大，虽经历年侵蚀，仍高达 24 米，占地面积约 24 市亩。1978 年秋发掘前，先在封土外围进行普遍钻探。挖去墓室封土后，又对墓葬的形制进行了初步钻探。钻探资料表明，原来的封土范围远比现存封土大，底部略呈圆形，直径约 250 米。墓室位于封土中部，墓室南、北各有 1 条墓道。南墓道长约 63 米，北墓道长约 39 米。

在封土下面北墓道的西侧和南墓道的东西两侧发现 5 个随葬坑，依次编为一至五号坑。从 1978 年 11 月起至 1980 年 11 月止，考古人员先后对这 5 个随葬坑进行发掘，获得了一大批重要资料。简报分为：一、随葬坑的形制及遗物分布情况，二、出土遗物，三、结语，共三个方面。有彩照、手绘图。

据介绍，5 个随葬坑出土遗物达 12100 多件，包括陶器、铜器、铁器、银器、铅器、漆器、骨器等。其中比较珍贵的有带铭刻的铜器、银器 53 件。出土的兵器也不少，是研究中国古代军事史的宝贵资料。年代据简报推断为西汉初年。

简报指出，5 个随葬坑分布于墓室四周，可以预测，主墓中的随葬品将更加丰富。简报认为该墓墓主人是西汉诸侯王齐王刘襄。刘襄在位 10 年，死于汉文帝光和元年（前 179 年）。

467.山东淄博张庄东汉画像石墓

作　者：淄博市博物馆　张光明

出　处：《考古》1986 年第 8 期

张庄东汉画像石墓位于山东省淄博市张店区湖田镇张庄村东 1 公里处的高坡地上。1984 年 10 月，在张店热电厂工程建设中发现、发掘此画像石墓，编号 84ZZRMI。简报分为：一、墓葬形制，二、随葬器物，三、画像石，四、结语，共四个部分。有拓片、照片、手绘图。

据介绍，墓葬坐北朝南，墓的封土已夷为高坡地。因工程施工取土，今地面已挖去 2.5 米厚的表土。墓顶已坍塌，在墓室填土内挖出大量的砖块，据此推知，原应有砖砌墓顶。从墓的平面结构看，前、中室当为穹窿顶。墓由斜坡墓道、墓门、前室、中室、后室、右侧室、左前侧室和左后侧室八部分构成。全长 13.4 米，最宽处 5.42 米。曾被盗，随葬品中青釉瓷耳杯、彩绘陶器十分精美。有 7 幅画像石。该墓年代，简报推断为东汉后期，墓主人应为官秩 300 石左右的下层官吏或相当于此官爵的豪强地主。

468.山东临淄近年出土的汉代钱范

作　者：张龙海

出　处：《考古》1993 年第 11 期

1976 年至 1987 年，山东省临淄齐国故城内外先后 6 次出土汉代钱范。其中西汉"半两"钱范 4 次，共 14 件；"大布黄千"范母 1 件；五铢范 2 件。简报配以照片予以介绍。

据介绍，出土的 4 件半两范，钱模均无廓，模径为 2 ~ 2.5 厘米，钱文大小一致，文字比较工整，是为四铢半两范。"大布黄千"铜范母，1980 年齐故城出土。五铢范，1982 年废品采购站收购，出土于齐故城西部的永顺村。简报称，从近年临淄出土的汉代钱范看，既有在齐故城内的，也有在故城外的，还有在远郊的。这证明临淄作为汉王朝的郡国首府，当时铸钱规模大，范围广，时间长。

469.山东淄博市临淄区齐国故城发现汉代镜范

作　者：齐国历史博物馆　张爱云、杨淑香、刘琦飞

出　处：《考古》1998 年第 9 期

1997 年 9 月，山东淄博市临淄区齐国故城大城东南部刘家寨村民在挖菜畦时，发现 1 件汉代镜范。简报配以照片予以介绍。

据介绍，该镜范为陶质，已残，仅存约五分之一。从纹饰上看，简报推断应为西汉时期的草叶纹镜，有铭文。这枚镜范与齐国故城遗址博物馆收藏的草叶纹镜基本一致，大小基本相同。这枚镜范出土于齐故城东南部，该处是 1 处面积较大的居住及冶铜、炼铁遗址，周围还有铜渣、铁渣，简报认为这里兼铸铜镜。

简报称，铜镜范的出土在齐故城内尚属首次。相关研究可参见《山东省临淄齐国故城汉代镜范的考古学研究》（科学出版社 2007 年版）一书。

470.山东临淄金岭镇一号东汉墓

作　　者：山东省文物考古研究所　郑同修等

出　　处：《考古学报》1999 年第 1 期

金岭镇一号东汉墓位于山东省淄博市临淄区金岭镇以南乙烯厂区之内，东北距离临淄齐故城约 15 公里，北距胶济铁路 1 公里。1984 年，为配合齐鲁 30 万吨乙烯工程，考古人员对分布于该厂区范围内的 6 座大墓中的 5 座墓葬进行了发掘，依各墓葬排列分布情况，自东向西分别编为 1～6 号，其中一号墓位于厂区最东部，系 1 座大型东汉砖室墓葬。除二号墓未予发掘、时代不明外，其余各墓皆属战国时期。一号墓的发掘工作开始于 1984 年 10 月，至 1985 年 10 月结束，历时 1 年，其间因冬季、雨季停工一段时间。简报分为：一、墓葬形制，二、随葬器物，三、结语，共三个部分。有照片、拓片、手绘图。

据介绍，墓葬由封土、墓道、甬道、东西耳室、前室、主室（后室）及围绕主室的三面回廊诸部分构成，方向正南，封土残高达 10.75 米。墓葬的建筑程序是，先挖一"甲"字形土圹，墓圹南北长 23.6 米，东西宽 17.4 米（墓道未计入），然后于墓圹内以砖砌筑墓室，墓圹与土圹之间的空隙，下部填以木炭，上部用土夯实。墓室建筑顶部高出墓圹开口层面（即原地面）2.5 米，其上再夯筑封土。该墓多次被盗，但仍出土随葬器物 165 件。该墓的年代，简报推断为汉明帝或汉章帝时期。简报推测墓主人为齐王刘石。

471.山东临淄齐国故城内汉代铸镜作坊址的调查

作　　者：中国社会科学院考古研究所、山东省文物考古研究所　白云翔、魏成敏、
　　　　　王会田等

出　　处：《考古》2004 年第 4 期

临淄齐国故城，是西周至战国时期齐国的都城遗址，位于今山东淄博市临淄区齐都镇。自公元前 859 年齐献公迁都临淄，到公元前 221 年秦军灭齐，临淄作为齐国都城，历时 638 年之久，并且在战国中期的齐宣王时已发展成为全国最为繁华的大都市。秦汉时，临淄城作为齐郡和临淄郡郡治、汉代诸侯国齐国的都城所在，依然十分发达。魏晋以后，逐渐废弃，现被辟为农田并建有大量村舍。

早在 20 世纪 20 年代至 40 年代，日本学者就曾对齐国故城进行过多次地面踏查。1949 年后的 50 多年间，各级文物考古部门多次对齐国故城进行考古调查、勘探和发掘。1997 年 9 月，齐国故城内刘家寨村村民在挖建蔬菜大棚的过程中发现汉代铜镜

陶范残片，引起学界关注。汉代作为我国古代铜镜发展史上的第一个高峰时期，铜镜获得了前所未有的发展。迄今考古发现的汉代铜镜种类繁多，数量多达万枚。但是，与铜镜铸造相关的遗迹和遗物少有发现，而齐国故城内发现的汉代镜范，是迄今出土地点唯一可以确定的实物资料。2003 年，考古人员对临淄齐国故城铸镜作坊址进行了专项考古调查。简报分为：一、调查的缘起及其经过，二、调查的主要收获，三、结语，共三个部分。有手绘图等。

据介绍，此次调查的收获至少有以下几点：

其一，确认了临淄齐国故城内确是汉代铜镜陶范的一个集中出土地。近年来在蔬菜大棚挖建过程中出土的镜范至少数以十计，并且出土地点也有多处，说明汉代的临淄城是当时一个重要的铜镜铸造和生产中心。

其二，确认了石佛堂村东南和苏家庙村西这两处出土镜范的具体地点，并对其周围的地下遗迹分布有了大致的了解。

其三，这次的调查以及勘探结果都显示出，镜范出土地点附近往往有与冶铁、钱币铸造、制骨等有关的遗迹和遗物，说明当时铸镜与铸币、铁器冶铸、制骨等手工业作坊都相对集中于一地，抑或铜镜的铸造就是综合性冶铸作坊的一个生产部门。

其四，这次采集的镜范标本中，除了以往见于著录的临淄齐国故城所出"见日之光、天下大明"草叶纹镜的铸范之外，还新发现了匕形缘连弧蟠螭纹镜和博局草叶纹镜的铸范，极大地丰富了汉代镜范的类型，也说明汉代临淄城内铸镜作坊的产品类型之多样。尤其是在石佛堂和苏家庙采集到曾经使用过的铜镜镜面铸范标本共 7 件，虽为残片，但以实物资料证明了过去关于铜镜镜面铸范的推断，这对于深化汉代铜镜铸造研究具有重要意义。

简报指出，这次调查在齐国故城内确认了 2 处汉代镜范的出土地点，采集到镜范标本，进行了必要的勘探，应当说颇有收获。但是，汉代的铸镜作坊址直至简报发表之时尚未真正找到，尚有待以后的考古发掘的进展。

472.山东临淄出土一件汉代人物圆雕石像

作　者：齐国故城遗址博物馆　王新良
出　处：《文物》2005 年第 7 期

1996 年秋，山东省淄博市临淄区人民政府在基建时，出土 1 件汉代石人立体雕像，现藏于齐国故城遗址博物馆。此雕像出土地点位于淄博市临淄区人民路中段北侧 300 米处，在挖楼基地槽时，在离地面约 1.7 米处挖到 1 件石人雕像。该雕像横卧于土中，形体高大，被挖土机蹭破面部右侧局部。简报配以照片予以介绍。

据介绍，圆雕人物造像为青石质，高 2.9 米，身躯呈边长 0.58 米 ×0.7 米的方柱形。跪坐状，面呈菱形，头戴尖顶帽，在前额上方帽中间有浅浮雕四叶纹饰。面部高浮雕，为通天鼻，深目，阔嘴椭圆形，牙齿外露，嘴上下两边有阴刻胡须，C 形双耳，貌似胡人。帽上饰有网纹，其外饰三角形纹带。着交领左衽上衣，衣领用三道阴刻线条表示，肩部以下、腰带以上周身雕出浅扇形纹饰，弧面朝下，状似铁甲。胸前双乳突起，背部宽厚，腹部肥大。两臂自然下垂，屈肘，两手相交抱于腹前，腰间系带，宽 15 厘米。圈点纹。两腿跪坐于方形座上，赤脚，脚心朝外，脚趾相对，横置于臀下。基座分三层，上层与跪坐的石人雕为一体，四周饰连弧纹；中间一层为方形，比上层稍宽，周边同样饰连弧纹；下层为素面长方形。整个造像雕塑工艺十分简单，是在雏形打制的基础上将石面稍作修整，只有面部经过再加工处理。

简报指出，这件造像形制特殊，雕刻笨拙，其躯干部分的雕刻显得比较粗糙。年代应在东汉前期或稍晚。

473.山东淄博市临淄区齐国故城出土汉代封泥

作　者：齐文化研究社、齐国故城遗址博物馆　张龙海、张爱云等

出　处：《考古》2006 年第 9 期

山东省淄博市临淄区齐都镇齐国故城大城南部发现一批封泥，最初由农民种菜搭棚时发现，从 2002 年起，逐渐引起更多的人去寻找，后被文物部门禁止，封泥的出土数量和流向难以统计。齐国故城博物馆仅收集、征集到 42 枚汉代封泥，计汉朝官印 1 方，为"司空□□"；汉王国官印 4 方，包括"齐中厩丞""齐内史印""齐武库丞"等；汉县邑官印等 11 方，包括"东安平丞""吕丞之印""淳于丞印""临淄丞印""临淄丞印""狄丞""左市"等；汉乡亭印 14 方，包括"安平乡印""信安乡印""广文乡印""定乡之印""□望乡印""定陵邑印""安乡""高乡""台乡""广乡""正乡"等；邑道官印 1 方，为"琅槐"。

另外，还有残缺不清的官印 10 方，包括"军□□□"等。

简报称，临淄在清末及其以后曾出土过一大批封泥，实物流散各地。此次封泥的出土地点位于齐故城大城南部，西距齐故城小城 600 米左右，东距韶院村 700 多米，东北距刘家寨约 700 米，南距齐故城大城墙约 500 米。清末及其以后，出土封泥地点也在此地。西汉时期，临淄仍是 1 个有"户十万"的大都会。

简报认为，这一带很可能是汉齐王府所在地。

枣庄市

474.山东滕县发现铁范

作　　者：李步青

出　　处：《考古》1960 年第 7 期

薛故城在滕县境津浦铁路官桥车站近旁，铁路经故城东部南北穿过。城垣除铁路穿过部分被破坏外，大部保存完好，城墙高度一般尚存有 3 ~ 5 米，最高处可达 10 米。城门迹象尚历历可数，它是山东境内保存最完好的一座古城址。冶铁遗址位置在故城中央，以尤楼村与皇殿岗村之间遗物最为丰富。从现在暴露迹象看，遗迹范围南北约 300 米、东西约 200 米。地表暴露着丰富的铁矿石、铁渣、铸范、矿砂和残铁器等物，部分地区暴露有窑址及窑壁残块。简报配以拓片予以介绍。

据介绍，铸范发现于遗址北部，都已残损，似为 1 个遗弃的残范坑。可辨认的器形有犁、铲、斧等。上有字的颇多，如"山阳二""钜野二"等。简报推断此批铁范为东汉遗物。

475.山东滕县柴胡店汉墓

作　　者：山东省博物馆　张学海

出　　处：《考古》1963 年第 8 期

1957 年 11 月，在鲁南滕县柴胡店村的西南发现古墓群，考古人员前往清理，工作为期 11 天，共清理了古墓 66 座。简报分为：一、墓葬分布和墓室结构，二、随葬品，三、结语，共三个部分。有照片、手绘图。

据介绍，柴胡店在滕县县城以南 25 公里处，地势平坦，十字河由北而南绕村西流过，把墓地分为东西两半。在清理之前，全部墓葬的封土已被掘去，仅留一座座的墓室暴露地面之上，全部墓葬的墓室都由宽而长的石板砌成。就棺室而言，有单棺、双棺和三棺 3 种。单棺室都做成长方石匣形，一般用 6 块石板做成，即上下左右前后各置 1 块石板。双棺室墓的上下前后一般各用 2 块石板，左右和两室之间各用块石板。在双棺室墓中，有的还在棺室之外带有"横堂式"的前室。3 棺室的墓只有 5 座，也分为有前室和无前室两种，其中 3 座有前室。这批墓葬中出土的器物不很丰富，随葬 10 件器物以上的仅有几座，一般每墓只有一两件陶器，或再随葬几枚钱币，其中有 18 座墓完全没有随葬品。主要出土物有陶器、铜器、铁器三大类。这批墓葬的年代，简报推断为东汉时期。

476.枣庄市发现东汉纪年残碑

作　者：枣庄市文物管理站　李锦山、文　光
出　处：《文物》1983 年第 7 期

1980 年冬，普查文物过程中，在台儿庄区张山子公社官墓村发现残损的东汉纪年墓碑 1 块。简报配以照片予以介绍。

简报介绍，碑残长 86 厘米、宽 32 厘米、厚 13 厘米。碑文残存五行，自上而下，除第 2 行 13 字外，其余 4 行均 14 字，共计 69 字。书体属于汉隶，字行间有界格，简报录有部分碑文。第 6 行残损过甚，无法辨认。碑上方残留 2 字，也已无法辨认。

简报认为，此墓碑刻于东汉熹平三年（174 年），墓主是伯兴之妻。伯兴其人，《后汉书》无载。

477.山东枣庄画像石调查记

作　者：枣庄市文物管理站　李锦山
出　处：《考古与文物》1983 年第 3 期

枣庄市位于山东省最南部，是山东画像石的分布区之一。近几年，考古人员在台庄、峄城、薛城、齐区 4 区连续进行了几次田野调查。调查结果表明，枣庄画像石分布广泛，内容丰富，同与它接壤的徐海地区一样，是汉画像石的集中产地。简报分为：一、地理环境与画像石分布，二、题材内容，三、艺术风格及分期，共三个部分。有照片。

考古调查证明，峄城墓山、皇墓山都是面积颇大的汉画像石墓群。现枣庄市已经查明的画像石墓群 19 处，至于零星画像石，几乎每个公社都有出土。粗略统计，台庄、峄城、薛城、齐区 4 区散存各处的画像石 100 余块，都是未发表的新资料。题材内容广泛，雕刻手法有线刻、阴线与凹面结合、凸面线刻、弧面浅浮雕四种。

简报称，枣庄画像石可分两期：

早期：画面简单，雕工粗糙，线条欠娴熟，缺乏立体感。石料稍加凿打但不平整，在糙面上作画，主要采用阴线刻。早期的画像石墓，出现在西汉晚期，以石匣墓为主，多在石匣两个樟板上或两个堵头上作画，其内容或只刻铺首衔环，或只刻单体的十

字穿环，边饰斜线或直线。

晚期：内容趋于繁杂，讲究布局，立体效果强，边栏外装饰增多，有连续三角、卷云、半圆、菱形图案，雕刻技法以弧面浅浮雕为主。如果说早期的画像以阴线条的车马和铺首衔环为常见题材，那么到了晚期则车马人物、建筑、神话等无所不包。这一时期的画像石墓，除了小型的石匣墓有画像外，还出现了中型或大型的画像石墓。

478.山东枣庄南常汉画像石墓

作　者：枣庄市文物管理站　江　流、李锦山

出　处：《考古与文物》1986 年第 1 期

1983 年 7 月，枣庄市小城子大队农民犁地时发现画像石墓 1 座，考古人员赶往现场清理。小城子位于薛城区东南约 8 公里。当地人反映，这一带地下画像石墓颇多。这次发现的属于中小型墓。简报分为：一、墓室结构，二、随葬器物，三、画像石刻，四、结语，共四个部分。有手绘图、拓片。

据介绍，该墓结构完好，墓室平面呈长方形，全由石灰石料砌成，计 43 石，分前室、后（双）室两部分。葬具、骨架均朽。因曾被盗，仅出土陶器、铜钱、银丝等少量遗物。画像石计 7 石，上有图案 5 幅。有出行图等，保存不是很好。

简报推断此墓为东汉末年恒帝、灵帝之时的墓葬。

479.山东枣庄市出土一批古代铁农具

作　者：山东省枣庄市博物馆　石敬东

出　处：《农业考古》1990 年第 2 期

1989 年 2 月，山东省枣庄市峰城区金陵寺乡黄庄村村民张中标在村南黄山南坡开山采石时，在距地表 0.5 厘米处的石缝里发现一批古代铁器。简报配以手绘图予以介绍。

据介绍，农具有：一、"V"形铧冠共 4 件，均完整，形制相同，但大小有别。二、锄钩 1 件。长 22 厘米，前端弯曲，呈鸭嘴状，后部空心为 11 厘米长的圆銎，銎口直径 2.5 厘米，并残存一固定木柄的铆钉。三、铲 2 件，器形相同，唯大小之分。四、镰刀 4 件，形制相同。五、铁权 1 件，呈馒头状。通高 4.6 厘米、直径 6.4 厘米，重 1.1 斤。

以上这批铁农具和铁器的时代，简报推断应属汉代。

480.山东枣庄方庄汉画像石墓

作　者：石敬东

出　处：《考古与文物》1994年第3期

1991年11月22日，枣庄市市中区安城乡方庄村一农民，在村北排水沟内取石头时，发现画像石墓一座。考古人员赶赴现场进行了抢救性的清理。

方庄位于枣庄市东约15公里，西南距安城乡驻地2公里，南是枣（庄）临（沂）公路，西北1里许是汉代城址。据当地农民反映，这一带地下画像石墓颇多，这次发现的属于中小型墓，墓室之上原有封土。挖排水沟时被挖掉，发现时墓室盖板已被揭去。室内充满淤土。

简报分为：一、墓葬形制，二、随葬器物，三、画像石，四、结语，共四个部分。有手绘图、照片。

据介绍，该墓为双室石室墓，出土器物有陶器、铁器、钱币等。该画像石墓中的九头人面兽，应是古籍中所载的开明兽。这些异兽图像出现于墓石上，其作用无非是希冀保护墓主人的安宁，起到辟邪作用；而双龙升天画面，则反映了汉代十分流行的升天思想。

根据墓室结构和随葬品及画像石雕刻技术，简报推断方庄汉画像石墓的年代，应为东汉中晚期。

481.山东枣庄市清理两座汉画像石墓

作　者：肖　燕、徐加军、石敬东

出　处：《中原文物》1994年第4期

1991年秋天，考古人员在枣庄峰城区中桥村、薛城区兴仁乡小庄村清理了2座画像石墓。简报配图予以介绍。

据介绍，峰城区中桥村画像石墓平面呈"凸"字形。后室分为东西两椁室，其中西椁室保存完好，东椁室仅存底板2块。东、西椁室之间有两小门相通，石板均为阴线简单凿平。墓中出土画像石3块，分别是前室东、西侧板和立柱。刻有二人谒见女娲伏羲等内容。该墓的时代，简报推断为东汉中期。

薛城区兴仁乡小庄村画像石墓出土画像石共5块，计有前室墓门2块、立柱1块、后室挡板2块。石板系浅灰色石灰岩，表面未经打磨，较为粗糙。画像内容有男女性肖像、朱雀、持杖人物等。简报推断时代为不晚于东汉中期。

482.山东枣庄出土的铁农具

作　者： 山东省枣庄市博物馆　石敬东

出　处： 《农业考古》1996 年第 1 期

简报介绍了 1949 年以来枣庄地区出土的一批汉代铁农具，计有 20 世纪 50 年代滕县出土的铁农具 10 余件，1983、1984 年台儿庄出土的铁农具 30 余件，1987、1989 年峄城区出土的铁农具等。枣庄地区汉代铁农具出土普遍，其主要种类有犁铧、V 形铧冠、耧铧、锄、钁、铲、三齿耙、镰等。从农具使用情况看，当地应已普遍使用牛耕，并已改徒手撒播为耧播。

483.山东枣庄小山西汉画像石墓

作　者： 枣庄市文物管理委员会办公室、枣庄市博物馆　燕生东、徐加军等

出　处： 《文物》1997 年第 12 期

小山汉墓群位于枣庄市西南 6 公里处海拔 50 米左右的石山上，1988 年为当地农民采石时发现，后曾遭到盗掘。1990 年 11 月，考古人员清理了破坏较甚的 3 座画像石墓。简报分为：一、墓葬形制，二、随葬器物，三、画像石，四、结语，共四个部分。有照片。

据介绍，这 3 座墓葬位于小山东部，相隔约 15 米。均为长方形竖穴石圹并穴合葬墓。除 M3 北室外，均有石椁。墓被盗后石椁板仅存板灰痕迹。此墓早年被盗，仅出土陶器 42 件；画像石共 15 块。简报推断 M1 的年代可定在西汉中期，M2 的年代应在西汉晚期偏早阶段，M3 的年代为西汉早期。

简报称，M3、M1 出土的画像石图像简单、种类较少，仅以飞鸟、树木、璧纹和绶带为主，雕刻技法仅见阴线刻一种。这与后期的画像石相比，显得原始和粗糙。年代相对较晚的 M2，除简单的图像外，又出现了反映当时日常生活的庭院图、舞乐图和骑射图等，且人物、飞鸟等采用凹刻雕法，富有一定的立体感。这对我们研究汉画像石具有一定的意义。

484.山东滕州市官桥车站村汉墓

作　者： 山东省文物考古研究所鲁中南考古队、滕州市博物馆　李鲁滕、刘庆佳、张东峰、孙开玉

出　处： 《考古》1999 年第 4 期

车站村位于滕州市南部、京沪铁路官桥车站西侧。南距全国文物重点保护单位

薛国故城遗址约300米。1991年4月，为配合官桥火车站扩建工程，考古人员在铁路西侧、车站村东首南北长约150米、东西宽约40米的范围内钻探出汉代石椁墓37座，明、清墓4座。因部分墓葬延伸至铁路路基及村民住宅下面，故仅发掘了其中的19座汉墓，简报分为：一、墓葬形制，二、随葬器物，三、结语，共三个部分。有手绘图、拓片。

据介绍，在发掘的19座墓葬中，共出土陶器、铜器66件，钱币374枚。

简报依据各墓葬间出土随葬器物的共存关系将这批墓葬分为三组，并对各组的时代作出大致推测。

M22为第一组，以出土的陶器与其他同类陶器相比，简报推断M22的时代大致为西汉早期偏晚。第二组有M4、M7～M19等14座墓葬。据出土的昭明镜和螭乳四螭镜、新莽时期的"大泉五十"钱币及其他墓葬出土的陶器形制，简报推断第二组墓葬的时代大致在西汉晚期至王莽时期。第三组墓葬有M5、M6两座。M6出土的C型I式壶、M5出土的C型II式壶均与滕县柴胡店汉墓出土的II式壶、III式壶基本相同，简报推断第三组墓葬的年代在东汉早期。

485.山东滕州市羊庄镇对山西汉墓的清理

作　者：滕州市博物馆　陈庆峰、孙柱才
出　处：《考古》2003年第2期

1989年8月，滕州市羊庄镇民悦庄退休干部李行军在村东北1.5公里的对山顶部挖树坑时发现石室墓1座（M1），当即向镇政府汇报。考古人员前往调查清理。简报分为：一、地理环境，二、墓葬形制，三、随葬器物，共三个部分。有手绘图。

据介绍，该墓为天然石灰岩开凿而成，长方形竖穴，随葬品计8件，其中陶器7件、铁器1件。陶器均泥质灰陶，有轮制加工痕迹。简报推断，这座墓的年代应为西汉早期。

486.山东枣庄市临山汉墓发掘简报

作　者：枣庄市文物管理委员会、枣庄市博物馆　燕生东、徐加军、赵天文、
　　　　　张　云、孙思凡
出　处：《考古》2003年第11期

临山位于枣庄市薛城区东部，距区政府1.5公里，海拔约90米。有关部门曾多次进行考古调查，在临山南、西、北部及山顶发现了汉墓群。1990年以来，枣庄矿务局在临山西南坡进行基建工程，破坏了部分墓葬。1991年5～6月考古人员进行

了抢救性发掘。简报将此次工作的主要收获分为：一、墓葬结构，二、随葬品，三、分期与年代，共三个部分。有手绘图、拓片、照片。

据介绍，土坑竖穴墓和石椁墓这2种不同类型的墓葬，在墓葬形制、埋葬习俗及随葬品的组合和特征上，存在着明显的差异。土坑墓有简单的木棺，随葬器物为1件或数件小陶罐及1串铜钱。而石椁墓虽均被盗，但残存随葬品仍较丰富，可见土坑墓墓主身份要低于石椁墓墓主。至于M8，从壁画和精致的画像石来看，其墓主的身份可能略高一些。另外，石椁墓出土的陶鼎、陶盒、陶壶作为陶器的基本组合，一直延续到东汉早期，没有发现像其他地区流行的模型明器。

简报称，鲁南地区多画像石墓，少见壁画墓。尽管M8已遭破坏，壁画内容简单，但无疑为研究鲁南地区汉代壁画墓的形制和内容提供了重要的资料。

487.山东枣庄市桥上东汉画像石墓

作　者：山东省文物考古研究所、枣庄市文物管理办公室、台儿庄区文物管理站
　　　　郑同修、胡常春、牛瑞红、陈永刚等

出　处：《考古》2004年第6期

桥上汉墓位于山东省枣庄市台儿庄区涧头集镇桥上村西南，为市级文物保护单位，北距镇中心0.5公里，西距偪阳故城遗址约1公里。1999年，盗墓者炸开墓葬前室，墓内画像石暴露于外。为防止墓葬遭到进一步破坏，2000年10～11月，考古人员对该墓（编号为M1）进行了抢救性发掘。简报分为：一、墓葬形制，二、随葬品，三、结语，共三个部分。有彩照、手绘图。

据介绍，2000年10～11月，对枣庄市台儿庄区涧头集镇桥上村的1座汉墓进行了清理。发掘前，墓葬存有较大的封土。封土呈圆台状，顶径5米、底径约25米、残高4.5米。封土为堆筑而成，略加夯打，无明显夯层。封土除取用墓圹挖出的土外，还有取自周围的土，里面含有战国时期的陶片。

墓葬由墓道、前室、中室、后室、耳室、侧室诸部分组成，为砖石混合结构，方向275度。墓室东西全长9.66米，南北最宽处5.7米。墓葬除中、后室为砖筑结构外，前室、耳室、侧室全部为石构。墓葬的建筑程序是，先于原地面挖一土圹，然后于土圹内修筑墓室，墓室紧贴土圹的边缘而筑。由于土圹较浅，因此墓室的大部分高出原来地面，墓顶最高处高出原地面1.5米。该墓曾被盗，出土遗物有陶器、铜器、玉器、铁器和钱币等。该墓出土的画像石雕刻精细，多为瑞兽、凤鸟图案。简报认为该墓年代约为东汉晚期，墓主可能是汉代偪阳县的下层官吏。

488.山东滕州高庄发现汉画像石墓

作　者：滕州市博物馆　王元平、石　晶、孙柱才等
出　处：《考古》2006 年第 10 期

1997 年，在距滕州市区西约 9 公里的姜屯镇高庄村窑厂取土时，发现 1 座汉画像石墓，滕州市博物馆闻讯后即派人前往调查并作了抢救性清理，编号TZ97M1。

据介绍，该墓为长方形土坑竖穴单石椁墓。石椁由外盖板石 3 块、内盖板石 2 块覆盖。石椁的四壁均有阴刻的人物、房屋、动物、树等画像，铺底石上刻有十字穿壁纹。墓葬早期被盗，葬具、葬式不明。椁室内随葬品仅有在墓室的东北角发现铜钱"大泉五十" 1 枚。在石椁的东壁外北端发现有一石砌边厢。上有盖板石一块，无铺底石。内置陶鼎、陶盒、陶壶、陶盘、陶杯、陶勺等遗物，共计 12 件。简报推断年代为王莽时期或东汉初年。

简报指出，该墓的画像虽然比较简单，但人物造型准确，动物形象生动，雕刻技法较为成熟。高庄汉画像石墓的抢救性发掘，为汉画像石的研究提供了新的实物资料。

489.山东枣庄出土的汉代陶仓模型

作　者：枣庄市博物馆、薛城区文物管理站　石敬东、刘爱民、孙晋芬
出　处：《农业考古》2006 年第 1 期

历年来，枣庄市经过科学发掘的数以百计的汉墓中，出土了一批陶仓模型，其中以1985 年至1986 年间对市中区渴口镇砖厂汉墓群进行抢救性发掘时出土的数量最多，在清理的百余座墓葬中，出土陶仓模型53 件。最多的一墓（M28）出土了5 件。简报分为：一、陶仓模型的形制，二、陶仓模型反映的几个问题，共两个部分。有图。

据介绍，枣庄市汉墓中出土的陶仓模型，从其结构和形制，可以分为圆形建筑陶仓、高台建筑陶仓、长方形房屋建筑陶仓和楼形建筑陶仓等，注意到防潮、通风、防盗问题。陶仓模型在枣庄地区汉墓中经常发现，大、中、小型墓葬中均有出土，建筑形式也多种多样，反映了汉代小农经济的发展，说明粮仓在枣庄各地普遍使用，为汉代农业考古研究提供了珍贵的实物资料。

490.山东滕州市染山西汉画像石墓

作　者：滕州市汉画像石馆

出　处：《考古》2012 年第 1 期

染山汉墓位于滕州市大坞镇西北部的染山前半坡上。染山北邻邹城市，东靠济枣公路，西与滨湖镇接壤，向南大约 1 里处为于山村和伏姜庙，海拔高度 180 米。20 世纪 90 年代中期以后，墓葬曾遭 3 次盗掘。2008 年 4 月，该墓再遭盗掘，滕州市文物行政部门即决定对该墓进行抢救性发掘，并将该墓编号为 M1。

简报将发掘情况分为：一、墓葬形制，二、出土遗物，三、画像石及墓圹画像，四、结语，共四个部分。有彩照、拓片、手绘图。

据介绍，该墓系在山坡开凿的斜坡式墓道和长方形墓坑。在墓坑内用石材砌筑并排的 5 座椁室，椁室前部有前室和南、北侧室。出土遗物 500 余件，包括陶器、原始瓷器、玉器等。简报推断该墓的年代应为西汉中期，墓主应是郁郎侯刘骄。简报称，该墓的发掘为研究西汉葬制、葬俗、画像石艺术等提供了新资料。

491.山东滕州市山头村汉代画像石墓

作　者：滕州市汉画像石馆

出　处：《考古》2012 年第 4 期

2010 年 4 月，山东省滕州市春滕食品厂在滨湖镇山头村村东的平山前山坡上平整土地时，发现石椁墓 2 座（编号 TBSM1、TBSM2，简称 M1、M2）。考古人员前往调查，并进行了抢救性清理。简报将清理情况分为：一、地理环境，二、墓葬形制，三、出土遗物，四、结语，共四个部分。有拓片、手绘图。

据介绍，2 座墓为单室石椁墓。出土器物有陶罐、石蝉各 1 件，画像石 4 块。简报推断，M1 年代应在西汉早期，M2 年代在西汉晚期元帝至王莽时期（前 48 年至 20 年）。

东营市

烟台市

492.莱阳古城发现汉代铜钱范

作　者：孙善德
出　处：《文物》1977 年第 3 期

1967 年 8 月，山东省莱阳县东方红大队（古城大队）的农民将铜质五铢钱范 13 方送交青岛市博物馆。据说这批钱范是在 1965 年掘土时发现的。简报配以照片予以介绍。

据介绍，简报认为这批钱范的年代为西汉武帝时期。

493.烟台市区发现殉鹿汉墓

作　者：林仙庭
出　处：《考古》1985 年第 8 期

1983 年 11 月，烟台市区毓璜顶山东坡因建筑施工发现 1 处汉墓群，烟台市文管会、烟台市博物馆清理了其中 1 座，简报配以照片、拓片、手绘图予以介绍。

据介绍，墓为砖圹，平面近方形，墓壁外弧。南壁及墓上部为近代建筑破坏，墓顶情形不明。西面 1 具骨架已经扰动，可知此墓早期被盗。东面 1 具骨架保存完整，仰身直肢，双脚踝部以下被一鹿骨架所压。根据盆骨与头骨分析，属男性。鹿骨架头骨稍有破坏，鹿角与牙齿未动。其他部分保存完好，前后肢皆双双并拢伸直，安放规矩，应为处死后葬入的。墓中出土器物很少，且分布零散，其中有五铢钱 40 余枚，全为东汉晚期钱。此外还有银环 1 件、束腰小铜件 1 件、残铁器 1 件、纺织品 1 块。汉墓中以鹿殉葬，在国内还是首次发现。这座汉墓的发掘，对研究东汉晚期的社会和思想提供了新的资料。

494.山东海阳出土"大泉五十"钱范

作　者：海阳县博物馆　王洪明
出　处：《文物》1990 年第 5 期

1977 年 12 月，山东省海阳县赵疃乡庶村出土钱范 1 件。简报配以照片予以介绍。

据介绍，钱范为陶质，倒四棱台状，中空似漏斗。内底平面中心有一浇铸孔，铜水可经此孔流入各钱腔。从钱腔的分布推断，每范可铸币70枚左右。这种范能充分利用表面积，增加钱腔数量，设计合理。据钱文可以断定，此钱范属新莽时期。

简报指出，钱范出土地为汉代墓葬区，距庶村200米。该村建于汉代昌阳古城之上，早年曾暴露出西城门口，出土过大量的陶器、铜器。

495.山东荣成梁南庄汉墓发掘简报

作　者：烟台市文物管理委员会　林仙庭、于晓丽
出　处：《考古》1994 年第 12 期

墓葬位于荣成市埠柳镜梁南庄村南的山坡上。北距黄海 7 公里，地处沿海丘陵。1981 年 3 月，该村村民挖土整地时发现 2 座墓葬，其中 M1 的器物已被百姓挖出，M2 尚未破坏。同年 3 ～ 5 月，考古人员进行了清理发掘。简报分为：一、墓葬形制，二、随葬器物，三、结语，共三个部分。有手绘图、照片。

据介绍，2 墓南北并列，在质地较松软的风化岩上开挖成长方形竖穴石圹，无墓道。M1、M2 同处 1 座封土之下，当系异穴合葬墓，二墓的器物也颇多类同者，如百乳镜、二式熏炉及大铜盘。虽然 M1 的陶器已不存，但该墓的铜壶则与 M2 的 I 式陶壶也基本一致，可见 2 墓入葬时间相差并不很久。从随葬器物看，M1 中有长铁剑、铜弩机、铜戈等兵器，估计为男性；M2 则有较多漆奁，可能为女性。简报推断，这两座墓葬的时代为西汉中期，墓主为当地统治阶级中的人物。

简报称，这 2 座汉墓的材料，对研究不夜县乃至胶东半岛东部地区的历史，都有重要意义。M1 铜器上黏带的大量稻壳，证明汉代不夜县一带有着稻作农业。这次发现对当时农业的研究是一种富有意义的资料。

496.山东莱州市出土大量窖藏币——"大泉五十"

作　者：潘云广
出　处：《北方文物》1999 年第 3 期

1998 年，在莱州市区西北、市公安局以西居民居住地的筑路工地中发现古钱币。共挖出窖藏钱币"大泉五十"100 余公斤。

经初步清理，发现这批窖藏钱只有一个品种，全部都是西汉末年王莽时期铸造的"大泉五十"钱，无 1 枚别的钱币。这批钱币完好无损，字迹清新，应属没有流

通的窖藏铸币。尽管只有一个品种，但式样繁多，不论厚薄、大小及字体的书写，还是钱穿、外廓、内廓、额轮等，没有1枚是完全相同的。但从众多的钱中，还没有发现钱背有文字的，均为光背。从出土的这批"大泉五十"古币中还发现，大部分钱币在制作上铸工精美，文字隽秀，式样奇特；也有一小部分铸工制作粗糙，字迹模糊，有的钱身厚重，有的钱身轻小。

497.山东栖霞汉画像石墓

作　者：烟台市博物馆、栖霞县文物管理所　李元璋、王富强

出　处：《文物》2002年第7期

1987年7月，在山东省栖霞县城东60公里的峨山庄，一村民在村东南发现古墓1座，考古人员对该墓进行了抢救性清理。简报配以照片、拓片、手绘图予以介绍。

据介绍，该墓位于山坡顶部，其北是峨山河。由于农民平整土地，墓葬封土的南半部已被破坏，残存的北部封土呈平顶。封土残高4米，墓室为用花岗岩石板砌成的石棺。上有石刻画像，内容有车马人物图、车马出行图、妇人汲水图等。图案朴拙、粗犷。简报称，该墓既无随葬品，也未发现铭文；从石棺形制和画像石特征来看，其年代应属汉代。峨山庄汉画像石墓的封土高大，石棺的石料并非当地所出，乃是从峨山庄东北15公里的福山县运来的，墓主当非普通人物。峨山庄汉画像石墓为研究胶东地区的汉画像石提供了新材料。

498.山东蓬莱市大迟家两座西汉墓

作　者：烟台市文物管理委员会、蓬莱市文物局　王富强、闫　勇、罗世恒、
　　　　　袁晓春等

出　处：《考古》2006年第3期

大迟家汉墓群位于蓬莱市东南约30公里处，西距大辛店镇1公里，现为烟台市重点文物保护单位。墓地分布在大迟家村东400米和小迟家村西100米的两片丘岗上，牟黄公路从丘岗之间东西向穿过。该墓群地面上原有10余个土冢，在平整土地的过程中相继被破坏了。1963年和1974年，曾在此清理3座残墓（M1、M2、M3）。1985年和1995年，烟台市文物管理委员会与蓬莱市文物局又在墓地中共同清理了两座墓葬，编号为M4、M5。简报分为：一、墓葬形制，二、出土遗物，三、结语，共三个部分。有手绘图等。

简报介绍说，两墓均为长方形竖穴，随葬品相近且多为彩绘陶器，应为家族墓。简报推测具体年代当在西汉中期前后，M5比M4的年代略早。

简报指出，大迟家汉墓群东距福山区古现镇约25公里。现在古现镇三十里堡村仍存有故城址，周围分布着许多土冢。大迟家汉墓群的位置与之相近，当在其范围内。此次对大迟家汉墓的清理，为研究胶东地区汉墓的分期及其古国史提供了重要的实物资料。

499.山东海阳市开发区发现一座西汉墓

作　者：海阳市博物馆　高京平、张春明、孙晓英等
出　处：《考古》2007年第12期

2002年7月，山东海阳市开发区工业园在修路施工中发现了1座汉墓（M1）。随后，考古人员对其进行了抢救性发掘。M1位于工业园中，北距市区3公里，南距黄海海岸2公里，东临东村河，西近旋顶山。

简报分为：一、墓葬形制，二、出土遗物，三、结语，共三个部分。有手绘图。

据介绍，该墓受破坏较重，墓圹及葬具基本被挖掘机破坏，只剩下东西长1.5米、南北宽1.2米、深0.3米的部分墓底。清理中发现，该墓是在质地松软的风化岩上凿石为圹，圹壁修凿得非常整齐。墓内没有发现人骨。出土遗物共17件。有原始瓷器、釉陶器、陶器和青铜器，还有彩绘漆片和小件鎏金铜饰，可能是漆木器上的装饰物，因腐朽较重，器形已无法辨认。出土的一些大型器物表现表面朽土痕迹中有席纹，其间还发现有零星的稻壳和谷壳，这些器物入葬时应或以席子包裹，或装于盛具中，以谷物糠皮充塞。

简报推测该墓年代当为西汉晚期，指出此次出土的原始瓷壶在胶东半岛也非常罕见。它的胎为浅灰白，釉层厚重、滋润、光亮，胎釉结合紧密，以划戳工艺在胎坯上制作优美的变形龙纹图案，在西汉墓出土的同类器物中也是不可多得的精品。

简报称，据调查，20世纪六七十年代，此墓地所处的长约500米的丘陵上不等距地分布着9座较高的土墩，此墓是最南端的1个土墩。由此分析，该地还有其他墓葬。在墓地周围还发现5处战国至汉代古文化遗址，并多次发现秦汉时期墓葬，经常出土同时期的钱币、陶器等遗物。

简报最后说，此墓与周围遗迹的关系，还有待于今后进一步的调查和考证。

500.山东烟台牟平汉墓出土画像砖

作　者：山东烟台市牟平区博物馆　张凌波

出　处：《考古与文物》2010 年第 6 期

2007 年 4 月 6 日，在烟台市牟平区安德利花园施工工地上发现两座古墓葬，大部分已被破坏。考古人员随即对残存的墓葬进行了清理。简报配以拓片予以介绍。

据介绍，由于破坏严重，未出土任何随葬品，但采集到 4 块画像砖。这些画像砖的形制、内容较为罕见，计有"侍官图""解除图""飞鸟图"等，在目前已发表的考古材料中似不多见。

501.山东栖霞市观里汉墓清理简报

作　者：栖霞市牟氏庄园管理处　阎　虹、孙航卫

出　处：《华夏考古》2011 年第 4 期

1993 年春，考古人员在观里村抢救性清理了 1 座长方形土坑竖穴墓。简报分为：一、墓葬形制，二、随葬器物，三、小结，共三个部分。有手绘图。

据介绍，观里村位于山东省栖霞市观里镇，1993 年春，村民打井时发现古墓，考古人员进行了抢救性清理，编号简称 M1。M1 为长方形土坑石椁墓，人骨已朽。此墓因早年被盗，故随葬器物情况不详。经发掘出土的有青瓷壶、陶壶、漆器及木器共 9 件，另有五铢钱 70 余枚。其中青瓷壶 2 件，可能来自南方，十分珍贵。出土的青瓷壶，在胶东半岛是第 1 次发现，是研究我国早期青瓷的生产工艺与流通的重要资料。

根据出土器物的特征判断，这座墓的年代应不晚于东汉初年。

潍坊市

502.山东安丘牟山水库发现大型石刻汉墓

作　者：殷汝章

出　处：《文物》1960 年第 5 期

1959 年 10 月修建水库时，在山东省安丘县董家庄发现了 1 座大型汉代画像石墓。简报配以照片予以介绍。

据介绍，董家庄在安丘县城西南 9 公里处，墓南北长 14.3 米，东西宽 7.9 米，有 6 室，出土画像石刻 103 块。内容有深山老林、珍禽异兽、人群、猎犬、围猎、张网捕鱼、乐舞百戏、杂技表演、搏角、出行等。还有铜刀、陶器、铜钱等遗物。简报推断为东汉时期墓葬。

503.山东安丘汉画像石墓发掘简报

作　　者：山东省博物馆　张学海、蒋英炬、毕宝启
出　　处：《文物》1964 年第 4 期

1959 年 12 月，在安丘县城西南 9 公里处的董家庄，发现了 1 座大型画像石墓，清理工作到 1960 年 3 月结束。简报配以照片予以介绍。

据介绍，古墓的位置在县城西南 9 公里处汶河南岸的董家庄村后。该墓早期曾被盗掘，随葬品已寥寥无几，但墓室的画像石大体保存完好。在这批画像石中，刻画得最好最生动的是禽兽等动物。它们的比例匀称，刀法刚劲明快。如朱雀像，在墓的各主要位置上刻出的达 10 对以上，而各具姿态，大多振翼翘尾，俨然如飞。表现兽类也往往刻画传神，十几只交扭嬉戏，有的翻腾，有的窜跃，有的睨视，有的静立，形态极为生动逼真，不愧是当时精美的艺术作品。此外，在画面的安排上也恰到好处，在一些大幅画面中，虽然表现的对象十分多，但看来却主次分明，并不杂乱，说明了工匠们熟练的技巧。

简报称，该墓的年代，初步认为当属东汉晚期。

504.山东昌邑县发现窖藏十万枚汉半两钱

作　　者：潍坊地区文物管理委员会　曹元启
出　　处：《文物》1984 年第 1 期

1982 年 2 月，昌邑县双台公社东侯大队村民在村前挖土时，在距地表约 0.5 米的长方形砖池内发现一批古钱和 1 件铜钫。古钱原一串串并排放在砖池内，出土时已散乱，一部分已生锈黏结在一起。铜钫放在砖池的东南角，内盛 7 枚古钱。周围没有发现其他遗迹遗物。古钱及铜钫现藏昌邑县图书馆。简报配以照片予以介绍。

据介绍，这批古钱重 500 余斤，计 10 万余枚。铜质较差，每枚重量都不超过 2.5 克，直径 2.2～2.8 厘米。钱文均为篆文"半两"，这批半两钱属汉四铢半两。铜钫与满城汉墓一号墓出土的铜钫形制相似。

505.纪国故城附近出土一批汉代铜器

作　者：寿光县博物馆　贾郊孔
出　处：《考古》1984年第1期

1981年3～4月间，寿光县纪台公社吕家村农民制砖坯取土时，先后发现铜器13件。县文化部门闻讯后，派考古人员察看现场，访问了发现者。简报配以手绘图、照片予以介绍。

据介绍，吕家村在春秋纪国故城西北1公里处。铜器发现于村前高地的窑场东侧，距地表深45厘米。分2处放置，其中1处11件，铁链1条、10件铜器。10件铜器分别是：鼎一、三足盘一、镳斗四、灯一、熏炉一、铜鱼饰一、环一。灯和1件镳斗置于鼎东侧，灯倾斜，镳斗口向上，其余及铁链皆贮于鼎内，并用三足盘覆盖。另1处在其东北角，相距17.5米，为同一地层，出鼎一、镳斗一。鼎口向上立置，镳斗覆盖于鼎口之上。

简报称，出土的这批铜器，多为当时日常生活中的实用器皿，鼎、I式镳斗腹足部和灯盘内敷有较厚垢灰，证明使用已久。关于这批铜器的年代问题，参照各地汉代墓葬出土遗物，简报推断应属东汉初期。

成组、成批地出土汉代铜器，在寿光境内还是第1次，为研究这一地区的历史提供了一批重要的实物史料。

506.山东高密发现一批汉代铜镜、铜钱

作　者：潍坊市博物馆、高密县图书馆　李储森、曹元启
出　处：《文物》1985年第10期

后塔庄位于峡山水库南岸，东距县城24公里，西距潍河2公里。1982年9月，一农民在庄东南自留地取土，挖下约30厘米后，发现1件已锈蚀的铜洗，覆盖着一批铜钱和铜器。铜钱多串在一起，计有"大布黄千""货泉""大泉五十"数种。铜器有带钩、钟、奁形器等。继而又在附近发现1件残破的铜盒和大批铜镜。此后，考古人员赴现场进行调查。在长宽约250米的范围内，都是黄沙土平地，除上述铜器、铜钱外，没有发现其他遗迹，估计这里是一处窖藏。这批铜器现收藏在高密县图书馆，简报配以照片予以介绍。

简报指出，后塔庄发现的这批铜器，时代特征比较鲜明。一至三型的铜镜属西汉中期，四、五型属王莽时期。四种铜钱均属王莽时期。简报推测，这批铜器的入藏时间当在王莽时期或东汉初年。后塔庄这批铜镜、铜钱的发现，为研究潍坊地区的汉代历史增加了实物资料。

507.山东诸城出土一批五铢钱铜范

作　者：诸城县博物馆　凤　功、韩　岗
出　处：《文物》1987 年第 7 期

1979 年 3 月，山东省诸城县昌城镇辛庄村百姓在村西南 200 米处平地时，在距地表深 0.5 米处发现一批铜质五铢钱范。其中正面范 22 方，背面范 1 方。简报配以拓片予以介绍。

据介绍，正面范呈圆角长方形。22 方的形状、结构相同，重量、尺寸及钱形排列的间距略有差异。北面范亦呈圆角长方形，长 24 厘米、宽 7.9～8.3 厘米、厚 1.5 厘米，重 2650 克。窄端有注铜液的槽口，槽口宽 2.4 厘米、长 2 厘米。钱形的数量及排列形式与正面范相间。

简报指出，钱范出土地点位于汉置昌侯国故城内的北部。西汉时，此处曾两次为侯国封地。第一次是汉高祖八年（前199 年）六月封国侯卢卿为昌侯。第二次是汉武帝元狩元年（前122 年）四月封刘差为昌侯，元鼎五年（前112 年）国除。五铢钱始于汉武帝元狩五年（前118 年），当时各郡国可自行铸钱。据《史记·平准书》载，武帝元鼎四年（前113 年）专令上林三官铸五铢钱，郡国前所铸钱皆销之，这批钱范应是汉武帝所封昌侯刘差时期的遗物。使用时间约在元狩五年（前118 年）至元鼎四年（前113 年）之间，至迟不会超过元鼎五年（前112 年）。

简报称，这批钱范中有一方背面范，为我们研究当时的铸钱工艺提供了资料。可推知，铸钱时先将正面与背面两范扣合，利用正面范上的榫及两者背上的穿鼻固定捆牢，然后浇注铜液。这一工艺与西安附近发现的四铢半两范相似。值得注意的是，除正面范上钱型与主槽之间有支槽外，钱型与钱型之间均有支槽相通，并通过排头第一枚上通于范面顶端的支槽与外界相通。这样，在浇注铜液时，范内的气体可通过这一通道迅速排出。这一工艺在其他地方出土的同期钱范中是少见的。正面范中，各范钱形方孔四角的方向不尽相同，可推知正面范与背面范必须配对使用，不能互换。因这批钱范中有一部分锈蚀严重，范面不清，故无法断定其中有无与这批钱范中唯一的一方背面范配对者。

508.山东五莲张家仲崮汉墓

作　者：潍坊市博物馆、五莲县图书馆　曹元启、王学良等
出　处：《文物》1987 年第 9 期

张家仲崮村位于五莲县城西北 15 公里处。墓葬发现在村北仲崮山阳半坡上，南

临潍水，北面1公里是潍徐公路。1982年2月，张家仲崮村民在这里挖土盖房时，挖出一批铜器、陶器、玉器和漆器。当地文物主管部门到现场调查，发现这批器物出土于1座被破坏的古墓葬。在其周围还有3座古墓暴露出墓圹和墓道口。考古人员对4座古墓进行了发掘和清理。简报分为：一、墓葬形制，二、随葬器物，三、结语，共三个部分。有照片、手绘图。

据介绍，这4座墓（编号为M1、M2、M3、M4）都是斜坡墓道长方形竖穴土坑墓。地表已无封土。墓道、墓门均有不同程度的破坏。4墓均为单室墓，斜坡墓道在墓室南侧中部。随葬品多放置在墓室东侧和北端，有釉陶、铜器、玉器、铁器等。这4座墓的年代，简报推断为西汉中期偏晚。

此次发掘最引人注目的是M4出土的玉片和"刘祖私印"铜印。墓主刘祖，见于《汉书·王子侯表》，是"东昌趚侯刘成之曾孙，封为侯，后免去"。此墓出土的玉片仅150片，其数量不足编成全套玉衣。虽然刘祖为汉代宗室，并封为侯，但后因故被免。因此M4是小型墓葬，规格不高，未必用玉衣殓葬。玉片绝大多数出于墓主头部，可能原是玉面罩之类。

简报称，这批墓葬之南约1公里，有1处汉代古城址。现城墙遗迹尚存，曾出土西汉时期的文化遗物。城址符合史书记载的汉城方位。这4座汉墓很可能与此城址有关。

509.山东诸城县西汉木椁墓

作　者：诸城县博物馆　任日新
出　处：《考古》1987年第9期

1985年3月，诸城县城西郊杨家庄子窑厂挖土做砖坯时，在深4米多的地下发现了1座木椁墓。当时将该墓顶部、棺椁盖等部，进行了部分拆除，因墓内积水很多而暂停。4月12日，该厂有一工人向县博物馆反映了该墓发现情况，县博物馆立即派人前去调查现场，并组织人力对该墓进行了抢救性的清理。简报分为：一、墓葬形制，二、出土器物，三、小结，共三个部分。有手绘图、照片。

据介绍，木椁墓坑为长方形竖穴，无墓道，封土在发现清理时已平。椁室全用楸木料搭成，结构较复杂，由双椁（外椁、内椁）、双棺（东棺、西棺）组成。有铜器、陶器、毛刷、角发笄、蒲草垫、藤鞭须草、残毡垫片、彩绘版画出土。为西汉初期罕见的夫妻合葬墓。

简报怀疑，此墓主人是汉东武故城琅玡郡的统治者或其亲属。

510.山东省青州市发现东汉大型出廓玉璧

作　者：青州市文物管理所　魏振圣
出　处：《文物》1988 年第 1 期

青州市（原益都县）城东北约 30 公里处有 1 座古墓，俗称马家冢子。墓已被破坏。简报配以照片予以介绍。

简报称，1986 年，考古人员在当地经过调查，征集到墓中出土的一批遗物，包括铜镂玉衣片、鎏金小铜饰、玉璧等。玉璧共 5 件，其中最大 1 件出廓白玉璧通长 30 厘米、直径 20.7 厘米、厚 0.6 厘米，重 375 克。璧肉内区饰谷纹，外区饰蟠螭纹，出廓透雕"宜子孙" 3 字及蟠螭纹。经山东省和北京市文物专家鉴定，这是 1 件珍贵的东汉文物。

511.青州发现西汉鎏金铜镇

作　者：魏振圣
出　处：《文物》1988 年第 4 期

1985 年秋，山东省青州市城西区邵庄乡冷家村附近开山炸石时，发现鎏金铜镇 4 件。据市文物管理所人员现场调查，铜镇系出自已毁古墓。此山未炸之前，山中古墓不为人知。简报配以照片予以介绍。

据介绍，这 4 件铜镇两大两小，形制相同，呈圆墩状，通体鎏金。每件上雕一独角卧兽，做工精细，形象生动。大的一对圆座直径 6 厘米、器高 4 厘米，重 610 克；小的一对圆座直径 5.5 厘米、器高 4 厘米，重 425 克。4 件铜镇，简报推断为西汉时期器物。

简报称，这类器物随葬时如果放在死者衣服袖口内，称压袖；如果放在墓内帽帐四角，则称压帐。所刻独角兽有镇墓辟邪之意。

512.山东青州市发现汉画像石

作　者：青州博物馆　姜建成
出　处：《考古》1989 年第 2 期

1985 年春，益都火车站南侧的县社招待所拆迁房屋时，在两厢房的北墙上发现 1 方汉画像石。简报配以拓片予以介绍。

画像石石质为石灰岩。画像由正、反两面组成。面为铺首衔环，铺首为人面形。

两面画像四周均饰宽带纹或连弧纹。

此次发现的汉画像石，为墓门门扉石，根据画像的内容和雕刻工艺，简报推断应为东汉晚期的遗物。

513.山东安丘发现一处铜器窖藏

作　者：安丘县博物馆　贾德民、徐新华、郑　岩

出　处：《文物》1990 年第 8 期

1989 年 3 月，安丘县管公乡姜家庄子农民在筑路时发现一批青铜器，考古人员前往调查。据了解，在 1 处土穴中发现分层放置的铜鼎多件，鼎内存有铜币数十枚，另有 1 件铜洗覆盖在最上面。估计这是一处铜器窖藏。所出器物除 1 件铜鼎外，均已收集。简报配以照片和拓片予以介绍。

据介绍，铜器有鼎 18 件、洗 1 件，钱币为"大泉五十"。此窖藏的年代，简报大致推断为王莽时期。简报称，洗内文字"王□"当为作器工匠的姓名。

514.山东高密城阴城调查简报

作　者：李储森

出　处：《考古与文物》1991 年第 5 期

高密县田庄乡刘家庄村南有城阴城古城址，关于这座故城文献记载众说纷纭，无从证实。

考古人员多次进行过调查。以后，县图书馆的考古人员复查时，在城址的南部发现了大量的瓦当、古货币等遗物。1981 年冬，在城址的东南角发现了墓葬区，出土了部分遗物，更加引起了考古人员对这座古城址的重视。为了证实此城方 5 里之说，考古人员又多次去现场对城阴城进行了细致的实地测绘和详细调查，并对一些重要的遗迹进行了钻探，从而获得了一些重要的地层资料，初步查明了城阴城的大体建筑年代、形制和布局，为今后的科学发掘打下了基础。历次调查实测及钻探的结果，简报分为：一、地理位置，二、城址的现状与结构，三、文化遗物，四、结语，共四个部分并配以图片予以介绍。

据介绍，城阴城古城址位于高密县的西南部，距县城约 25 公里。城内布局也很有规律，就目前所知，在城内南部正中有规模宏大的宫室建筑基址。殿基高出地面 1 ~ 2 米，形成一大土台。从所钻探的资料和出土遗物分析，大都为西汉前期的。因此，这可能就是城阴城历代王侯的宫城。地面暴露的遗迹，有战国的陶片，其中也

有几块战国瓦当。说明该处在战国时期已有宫殿式建筑。城阴城出土的文化遗物，简报推断它们的时代为西汉早期。

515.山东昌乐县东圈汉墓

作　者：潍坊市博物馆、昌乐县文管所　迟延璋、曹元启、李学训
出　处：《考古》1993 年第 6 期

东圈汉墓位于山东省昌乐县朱留镇东圈村南的小山丘上，西距县城约 6 公里，北面不远处为胶济铁路。由于多年自然冲刷和当地村民取土，封土堆已遭局部破坏，现存封土高约 5 米，在封土堆北侧暴露出 2 个墓口，2 墓分别编号为 M1 和 M2，两者相距约 20 米。M2 破坏较轻，仅暴露出部分墓口。M1 破坏较为严重，不仅其上封土荡然无存，墓口完全暴露，而且墓道的封石也部分被取走。考古人员于 1987 年 11 月 5 日至 12 月 2 日对 M1 进行了抢救性发掘，并对 M2 采取了必要的保护措施。简报分为：一、墓葬形制，二、随葬器物，三、结语，共三个部分。介绍了 M1 的清理情况，有手绘图、拓片、照片。

据介绍，M1 为竖穴洞室墓，系在原生岩石上凿成，由墓道、甬道、南室、北室及 4 个耳室组成，总面积约计 86 平方米。该墓曾被盗，出土鎏金铜器、五铢钱等。M1 的年代，简报认为在宣、元之时的可能性很大。至于墓主人，M1 规模很大，凿制整齐，所发现的铜器虽多为饰件，但均鎏金。此墓具有王侯墓之特色。从 M1 和 M2 的位置看，两墓应为并穴合葬墓，从 M1 所出北宫灯和"淄川后府"封泥，可判断 M1 应属淄川国某一王后之墓。

516.山东青州市冢子庄汉画像石墓

作　者：姜建成、庄明军
出　处：《考古》1993 年第 8 期

1988 年秋，青州市东南部涨河镇冢子庄砖厂出土汉画像石，考古人员前往现场调查。通过调查得知，该墓已被砖厂取土破坏，村民张永明把汉画像石运至家中，保存尚好。简报配以照片予以介绍。

据介绍，该墓位于冢子庄南、砖厂中部偏西处。据当地人介绍，1987 年砖厂取土时发现此墓。该墓为砖结构多室，东西向，墓门向西，墓门由 8 方画像石排列而成，有门额、门楣、墓门、门框等。有一主室，南北各有一耳室，墓顶为砖砌而成。该墓没有发现其他随葬器物，仅见 8 方画像石。内容主要为人物、奇禽猛兽，边饰

有宽带纹和连弧纹、锯齿纹等。雕刻技法为浅浮雕、平面阴线雕。

简报称，青州市以前曾零星发现过汉画像石，但大都没有准确的出土地点。这次发现的汉画像石出土地点准确，资料也比较完整。此墓没有出土有确切纪年的器物，但从画像石的内容、风格看，其年代大致为东汉晚期。

517.山东安丘县出土一批西汉器物

作　者：贾德民、王秀德
出　处：《考古》1995 年第 2 期

1990 年 6 月，安丘县柘山乡王家沟村农民王夕荣在修渠取土时，发现 3 件陶器、2 件铁剑、1 件铜镜和一批铜钱，当即送交县博物馆。据发现者说，这批器物出自 1 座砖室墓中，墓室已被破坏，形制不明。简报配以照片、拓片、手绘图予以介绍。

据介绍，计绿釉陶壶 3 件、铁剑 2 件、铜镜 11 件、五铢钱 130 枚。这批器物的年代，简报推断为西汉中、晚期。

518.山东安丘发现汉代石磨

作　者：贾德民
出　处：《考古》1995 年第 11 期

1990 年 8 月，山东省安丘县白芬子乡探柳庄村民在村北整地时，于地表以下 0.8 米处发现汉代石磨 2 盘，现藏县博物馆。简报配以照片予以介绍。

据介绍，2 盘石磨均为白砂岩质，造型、纹饰基本相同。较大的 1 盘通高 18 厘米，直径 51 厘米，上扇厚 5.5 厘米，下扇厚 6.1 厘米。有明显的使用痕迹。从石磨的造型、纹饰等特征看，其年代亦应为西汉。在石磨的出土地，还发现大量的汉代陶盆、陶罐及筒瓦等残片，证明此地是 1 处汉代居住址。

519.山东潍坊市发现汉画像石墓

作　者：迟延璋、王天政
出　处：《考古》1995 年第 11 期

1991 年 4 月下旬，山东省潍坊市建筑公司在城区内施工时发现汉画像石墓 1 座。考古人员进行了调查。简报配以拓片予以介绍。

据介绍，此画像石墓位于潍坊市潍城区健康路中段北侧的市机电公司施工工地。

墓葬已因施工而遭破坏,砌石被全部移离原地,部分破碎严重,但墓圹轮廓尚存,长 7.8 米、宽 6 米,门向西南。此墓为石室墓,墓内底面也用石板铺砌,分前室及左、右 2 后室。前室横于墓门之后,左、右后室纵向并排于前室之后,2 后室有门与前室相通。3 室均为覆斗式顶。随葬品仅为 1 件铁斧。但 4 幅画像石保存尚好。

简报称,从山东汉画像石雕刻技法的发展来看,浅浮雕是东汉中叶以后才开始出现的。此墓画像石无论从构图还是雕刻都给人一蹴而就的感觉,似表明画像石的制作已具有商业化的特点,而商业化又与画像石的兴盛密不可分。简报推断此墓时代的上限不会早于东汉中叶。

520.山东青州市出土西汉铜镜

作　者：青州市文物管理所　李光林
出　处：《考古》1996 年第 10 期

1993 年 6 月,在青州市城区西环路立交桥施工中,出土西汉时期铜镜 3 面,其中 2 面为西汉昭明镜,1 面为日光镜。简报配图予以介绍。

日光镜圆形,圆钮,圆钮座外为八内向连弧纹,再外两周斜线纹之间为一周铭文。宽平素缘。直径 8.2 厘米,重 125 克。昭明镜共 2 件,1 件直径 9.6 厘米,重 250 克;1 件直径 8.8 厘米,重 100 克。均有铭文。

521.山东寿光县三元孙墓地发掘报告

作　者：山东省文物考古研究所　郑同修
出　处：《华夏考古》1996 年第 2 期

为配合济青公路建设,1989 年 11 月至 1990 年 1 月,考古人员在山东省寿光县三元孙村东南发掘了 1 座大型墓葬及 3 座中小型墓葬,1990 年 3 月底至 5 月底又继续发掘了 154 座中小型墓葬,累计共发掘古墓葬 158 座。简报分为:一、墓地概况,二、典型墓例,三、随葬器物,四、结语,共四个部分。有手绘图。

据介绍,三元孙墓地地处一高地,墓地南北长约 500 米,东西宽约 250 米,表土为黄沙土。钻探资料表明,该区域内分布古墓在 180 座以上。已发掘的 158 座墓葬中,M1 为一大型墓葬,尚有高大的封土,余者乃属中、小型墓葬。这次发掘的墓葬,绝大部分不见木质葬具痕迹。少数有木质葬具的墓,葬具亦均朽蚀。从残存板灰痕迹看,均只一棺,结构不明。个别的墓则以陶片叠砌为棺。墓主头向东者为多,北向者次之。葬式明确的都是仰身直肢葬,双手或贴放于躯干两侧,或交互叠压于腹前,下肢多并拢伸直。随葬品共计501件，出自158座墓中的54座，以陶器为主。凡出陶罐的墓都是每墓1件，出陶壶的墓多是每墓2件，罐、壶不同出。陶器一般置于足端二层台之上或置于壁龛内。随葬品中，铜器、铁器、石器数量较少，发现的器形有铜熏炉、铜镜、铜钱、车马明器诸类，且多出于大墓M1中。中小型墓葬中只出土铜镜、铜带钩、铜钱等遗物。三元孙墓地绝大多数墓葬被盗掘过。这批墓葬的时代，据简报推测有西汉早期（5座）、西汉中期（35座）、西汉晚期（5座）。M1也曾被盗，但仍出土有鎏金铜器等，墓主人应为大贵族或上层官员。

522.山东发现东汉墓志一方

作　者：李储森、张晓光、孙建华
出　处：《文物》1998年第6期

1973年，山东高密市田庄乡住王庄村南300米处发现东汉墓志1方，现归山东高密市博物馆收藏。简报配以拓片予以介绍。

据介绍，该志青石质，圭首，高6行，行9字，志文曰："青州从事，北海高密孙仲隐，故主簿，督邮，五官掾，功曹，守长。年卅，以熹平三年七月十二日被病卒，其四年二月廿戊午，葬于此。"该志出土地点，东距高密国城址3里，其西1里为淮河，其南3里为狼埠岭，为高密国王室家族墓地。据当地人说，该地原有大墓10余座，1958年整地时，被平去封土作为耕地。1973年，田庄乡住王庄村建场院屋，缺少砖石，打开其中1墓，发现有画像石门，门楣刻有羊头图案，皆浮雕。门内墓道亦垒砌画像石。此石平置于石门内约1.5米，圭首对向墓门，石后置半高的绛色陶马3匹。因乡民惑于迷信，未敢继续挖掘，陶马也未敢取出，即将墓又封平。仅移出画像石38块及此志，并作建屋之用。至1983年11月，始从墙上取下此石，由高密市博物馆保存。据此石文字内容及出土情况，确知此为埋幽墓志。孙仲隐的家世，史籍记载阙略。近年来，在发现孙仲隐墓志周围的地方相继发现了几处孙氏墓葬。高密孙氏，相传为殷纣王的叔父比干之后，为高密一带大族。

523.山东安丘市发现东汉石井栏

作　者：安丘市博物馆　辛保健、贾德民
出　处：《考古》1999年第10期

1995年11月，考古人员在省级重点文物保护单位"邶城遗址"进行调查时，发现1件东汉石井栏。简报配以手绘图予以介绍。

据介绍，该石井栏为青石质，平面呈正方形，圆井口，系由整块石头雕凿而成。口径62厘米、边长90厘米、高45厘米。口沿处已被汲水的绳索磨勒出条条印痕，约深1.5厘米。四面采用凿纹减地浅浮雕手法，雕刻出相同的复合花纹，花纹由上而下分别是连弧纹、三角纹、菱形纹和双曲线纹。简报推断其年代大体应为东汉时期。

简报称，石井栏的发现，在安丘市尚属首次，为研究本地区东汉时期的物质文化增添了新的实物资料。

524.寿光市博物馆收藏的一件神人神兽纹铜镜

作　者：蔡凤书、贾郊孔
出　处：《文物》2007年第4期

简报配以照片、拓片，介绍了出自寿光市纪台镇西常家庄子的1面铜镜。出土地点距纪国故城遗址1公里。此镜直径19.7厘米。半球形纽，直径3.8厘米。圆纽座，座外有六乳丁，间以铭文"宜子孙"和变形禽纹。主纹饰为二神人和四神兽。二神并坐，为东王公和西王母；四神兽为龙、虎、凤和鹿。神兽间有六乳丁纹。主纹饰外有铭文一周，共23字，为"张氏作竟（镜）真大好青龙在左白虎右□□□寿长宜孙□□"。铭文外依次饰有栉齿纹、锯齿纹、双线波纹和锯齿纹。斜缘。断面与正三角形十分接近。简报推断年代为东汉末年。

简报认为，这件东汉时期的神人神兽纹镜较为少见，弥足珍贵。现藏于山东省寿光市博物馆。

525.山东青州市马家冢子东汉墓的清理

作　者：山东省青州市博物馆　姜建成、刘华国等
出　处：《考古》2007年第6期

马家冢子汉墓位于青州市东部谭坊镇马家冢子村东150米处，西北距庄家庄800米，正北与寿光市为邻，南与董家庄相距1000米，东南与昌乐县相邻。20世纪60年代，该墓遭到严重破坏。1981年，当地百姓取土时出土"宜子孙"玉璧而引起有关部门的重视。青州市博物馆于1982年12月开始发掘，1983年1月结束。简报分为：一、墓葬结构，二、随葬遗物，三、结语，共三个部分。有照片、手绘图等。

据介绍，马家冢子汉墓为大型封土墓，封土内出土"千秋万岁"空心砖一块。该墓平面为"甲"字形，墓室南北长13.5米、宽11米。为砖室多室墓，由墓道、甬道、

前室、后室、回廊组成。由于多次被盗掘、破坏，墓顶塌陷，形制不明，仅从前室、东回廊看出有起券痕迹。墓门已被破坏无存。墓道不完整。虽多次被盗，但仍有劫余随葬遗物 298 件。但铜器、玉器、金器均已遗失。

简报推断该墓年代为东汉中晚期，并初步判断墓主人应为东汉中晚期北海国某位重要的王室成员。

威海市

526.山东文登县的汉木椁墓和漆器

作　者：山东省文物管理处　蒋宝庚、殷汝章等
出　处：《考古学报》1957 年第 1 期

1955 年 6 月，考古人员接到百姓来信，反映文登县三区石羊村挖毁 2 座古代木椁墓。考古人员立即前往调查。简报分为三个部分予以介绍，有照片。

据介绍，石羊村在文登县城西南 20 公里。遗址上原有 4 个大封土堆，据《县志》，清代时封土尚有 1 丈多高，现已夷为平地。共发现墓葬 5 座，已有两座遭到破坏。出土有陶器、漆器等遗物，简报推断年代为西汉晚期。

简报称，漆器在北方发现不多，保存好的更少，此次出土的漆器却保存完好，弥足珍贵。

527.山东乳山出土汉代铭文铜镜

作　者：姜书振
出　处：《考古》1990 年第 9 期

1988 年 4 月，考古人员在乳山寨乡崔家沟进行文物普查时，征集到一件带有铭文的铜镜。根据村民提供的线索进行了现场调查。简报配以拓片予以介绍。

据介绍，铜镜出土于该村的新房区。据调查，在建新房时，曾发现很多大小不等的灰色汉代陶罐和晚期墓的瓷碗，出土时都被打碎随土填入坑内。随葬品有灰色陶瓮 1 件、大小灰色陶罐 5 件、铜镜 1 件。陶器打碎后填入坑内，无法查找。铜镜为汉"昭明镜"，有铭文。

根据铜镜形制，简报推断应为西汉晚期至新莽时期的遗物。

528.山东乳山市大浩口村出土汉代铁器

作　者：乳山市文物管理所　姜书振

出　处：《考古》1997年第8期

1993年3月，乳山市大浩口村青年农民刘诗忠在村西南小学门前整地时发现1处铁器窖藏。考古人员随即到铁器出土地点进行调查。大浩口村属徐家乡，距市区22.5公里。北为炮顶山（也叫银顶山），窖藏发现于该山前坡脚下小学西南的高地上。据说出土铁器地点较周围高，窖藏在地表以下深1.5米处。这批铁器大部分完整、锈蚀较轻，部分锈蚀严重、器形难辨。简报配以手绘图予以介绍。

据介绍，这批铁器多是生产、生活用具，有锻制和铸制两种。一次性出土这么多的铁器，在乳山市内还是第一次，在胶东半岛也属罕见。简报将之与其他地方出土的同类器物类比，推断这一窖藏的年代约为东汉末年或稍晚。

简报称，这一窖藏的发现，为研究我国古代生活用具提供了较有价值的实物资料。

529.山东威海市发现一件汉代铁镬

作　者：威海市博物馆　刘晓燕

出　处：《考古》1997年第5期

1995年12月，威海市环翠区桥头镇黑石屯村村民宋显祥同志将其发现的1件铁镬送交市博物馆，简报配以拓片予以介绍。

据介绍，该铁镬保存较为完好，只是刃部稍有崩残。器身正面铸有阳文隶书"莱一"2字铭文。与其形制相同的铁器，炯台市博物馆收藏有1件，出自牟平县的1处汉代冶铁遗址。根据铁镬形制和铭文，简报推断它为汉代遗物。

简报称，据《汉书·地理志》记载，从汉武帝开始在全国设铁官40多处，其中山东境内就有12处。今威海市在汉代属东莱郡，这次发现的这件铁镬当是汉代东莱郡铁官所属第一号作坊的产品。它的发现，为研究汉代冶铁工业提供了重要的实物资料。

530.山东威海市蒿泊大天东村西汉墓

作　者：威海市博物馆　刘晓燕、张云涛、隋裕仁

出　处：《考古》1998年第2期

西汉墓位于威海市经济技术开发区蒿泊镇大天东村的东部，北距市区10公里，

东距青威公路 200 米，东北临海，西依北玉皇山。墓葬坐落在山海之间的高台地上。大天东村有 6 座尚保存封土的汉墓，每 2 座为一组。1994 年夏，为配合威海火车站工程，对位于墓群东部南北相邻的 M3、M4 进行了发掘。简报分为：一、M3，二、M4，三、结语，共三个部分。有手绘图、拓片。

据介绍，M3、M4 是大天东两成年男性相邻墓。M3 墓葬为长方形竖穴墓，出土遗物共计 31 件；M4 为长方形竖穴墓，出土遗物共计 30 件。简报推断两处发掘的墓葬同处在一个时期，即西汉中晚期。

简报称，大天东 M3 的两件彩绘盘，龙的形象生动凶猛，有倒海之势，不仅具有很高的艺术价值，也为研究西汉威海沿海一带人们的精神、文化提供了重要资料。

济宁市

531.山东曲阜纪庄发现汉代空心砖

作　者：孔次青

出　处：《考古》1964 年第 9 期

纪庄位于曲阜县城东 10 公里防山前坡的山沟西旁。考古人员在 1964 年 1 月到纪庄村生产大队联系工作时，在四小队发现带花纹的汉代空心砖 3 块，据说是在去冬于村东挖出来的。据了解，这座空心砖墓上无封土，距地面深 2.5 米处发现砖墓室。墓两壁各用 4 块空心砖，墓两头各用 2 块空心砖，全墓共用 12 块空心砖砌成。墓内原有人骨架、灰陶罐、铜钱、铁剑等物，惜多损毁。现存的空心砖共有大小两种，墓室两头用的较大，两壁的较小。砖的正面印有由回形纹和云纹组成的图案，背面平素。砖的两侧，一侧有图案，另一侧有圆孔。砖的两端，也是一端有图案花纹，另一端平素无纹。

532.山东梁山柏木山的一座东汉墓

作　者：苏文锦

出　处：《考古》1964 年第 9 期

1959 年 4 月，考古人员在山东梁山县柏木山发掘了 1 座石室墓。简报配以照片、拓片、手绘图予以介绍。

据介绍，墓由前室、后室、墓道和石龛 4 个部分组成。葬具仅有痕迹，葬式为仰身直肢。随葬品除放在前室与石龛内的 7 个陶壶外，尸体头部放有铜镜、印章等物，脚部有铁刀、铜印、玉石饰等，周身散置有五铢钱。另外，在主室扰土中还发现有玉羊、铜环和兽骨等。

此墓的年代，简报推断为东汉前期。

533.曲阜九龙山汉墓发掘简报

作　　者：山东省博物馆

出　　处：《文物》1972 年第 5 期

1970 年 5 月，考古人员发掘了曲阜县九龙山 4 座西汉大型崖墓。这里由东而西共有 5 座崖墓，清理了西边的 4 座，编号二至五号。简报分为"墓室形制与结构""随葬器物""结语"等几个部分予以介绍，有手绘图等。

据介绍，4 墓均位于半山腰，依山凿洞而成，属崖墓。简报推断其时代相当于西汉，地属鲁国（今曲阜县）。从三号墓中的"宫中行乐钱"、封门石上刻有"王陵塞石广四尺"的字样、银缕玉衣残片、"驷马安车"和"王未央"铜印等实物来判断，三号墓可能是鲁王之墓。《汉书》记载：自鲁恭王被分封统治鲁国，至鲁"国除"，共六王。三号墓虽不能判定是哪一个王的墓，但与鲁恭王一家关系，一定是非常密切的。

534.嘉祥发现的东汉范氏墓

作　　者：嘉祥县文化馆

出　　处：《文物》1972 年第 5 期

1963 年 3 月，嘉祥县城南里纸坊公社农民在大鼎山前发现 1 座古墓，考古人员随即进行了清理。

据介绍，该墓墓室全系青色石灰岩建成，分前室、后室，墓室上下四壁全用石条或石板构成，并用石灰密封。发现文物有陶器、铜器、玉器、铁器、石器等计 33 件。范式墓碑今存于济空铁塔寺院内，铭文"故庐江太守范府君之碑"尚可辨认。证明此墓确系范氏墓葬。范氏，东汉人，官"庐江太守"。

此墓系中小型墓，比较简单粗糙。

535.山东嘉祥宋山发现汉画像石

作　者：嘉祥县武氏祠文管所　朱锡禄
出　处：《文物》1979 年第 9 期

1978 年秋季，在离武氏祠 10 多公里的满硐公社宋山大队宋山村北的斜坡上，发现 1 座古墓。该墓平面呈长方形，墓内只发现两枚铁棺钉，没有其他随葬品及骨骼。墓室用石块砌成，两侧壁各竖砌方形画像石 4 块，画面都用石灰糊盖。墓的两横头，是 2 块素面方形石板，其中 1 块已倒在一旁，看来此墓曾被盗掘。东壁垫 1 块几何纹饰的长方形画像石，西壁垫 1 块刻着瓦珑的长条石。墓底铺 5 块板石。清理出的 9 块画像石，简报配以照片予以介绍。

简报指出，此古墓不是汉墓，这些画像石来自几个不同的东汉墓，是后人用来修墓的。

536.山东嘉祥宋山 1980 年出土的汉画像石

作　者：济宁地区文物组、嘉祥县文管所
出　处：《文物》1982 年第 5 期

1979 年冬，嘉祥县满硐公社宋山大队社员在村北山坡取土时，发现 2 座古代石室墓。1980 年春进行了清理。这 2 座墓距离前年发现的一号墓约 20 ~ 25 米之间，编为二号墓和三号墓（M2、M3）。清理时，墓顶均已揭开，墓壁石块亦已部分移动，室内积满淤土。简报分为四个部分予以介绍，有照片。

据介绍，2 墓结构相似，由墓道、墓门、前室、后室等部分组成。除墓道外，墓室平面呈凸形，全用石块砌成。两墓都被盗。M2 在前室底部发现 2 枚五铢钱、1 段长约 5 厘米的残铜簪、灰陶数片、一小片鲜红发亮的漆片。尚有残骨渣、残木板渣、残铁棺钉等。后室清理出 4 枚残铁棺钉和少量骨渣。M3 淤土中只清理出 1 件残的陶耳杯，还有 3 块极残的画像石。此两墓的墓底、墓壁、墓顶都嵌着汉画像石，表面又被抹上一层石灰，简报认为显然是从旧汉画像石墓（或祠堂）移来修建的。M3 所出永寿三年(157 年) 题刻，侧砌前室右壁，有铭文。简报称，据铭文知此石原是汉代石祠上的，而非 M3 原物。

简报推测此两墓的年代，下限也许要晚到三国或西晋，上限可能早到东汉末年。

简报称，此次清理出永寿三年(157 年) 长篇题刻，为研究汉代的社会思想意识、风俗习惯、书法艺术提供了实物资料。题刻中对"泰山有剧贼"的记录，即东汉桓帝时农民起义的记叙，可作为文献史料补充参考。

537.嘉祥五老洼发现一批汉画像石

作　者：嘉祥县文管所　朱锡禄
出　处：《文物》1982年第5期

1981年初，嘉祥城关公社五老洼大队满庄东队的农民拉山土时，发现1座古墓。简报配以拓片予以介绍。

据介绍，此墓坐落于横山北麓山坡上，由墓道、墓门、前室、后室组成。后室又隔为南、北2间，墓门西向，用大石封闭。墓顶已破坏，结构不明。墓室西南上方有一盗洞。遗物荡然无存，仅发现"大泉五十""货泉"钱币数枚。画像石大小共15块，分别垒在墓壁或铺在墓底，石面均用石灰涂抹。简报推断时代大约在三国或西晋。这批汉画像石中，3块采用阴线刻结合平面浅浮雕的刻法，刻有垂幛纹、菱形斜线纹、水波曲线纹、三角锯齿纹、瓦当、房檐的图案装饰。余12块均用凹入平面雕的刻法，阴阳线条组成的"地"高于画面，风格与武氏祠刻石迥异。

简报认为，这批画像石的雕刻技法，凹入平面雕占五分之四，这种雕法多在早期流行。因此，我们认为这批画像石大多属于早期。这批画像石既然属于早期风格，则属于孺子婴及汉明帝时期的可能性比较大；第9块之升鼎图与孝堂山石室之升鼎图相似，但是孝堂山的图中不见鼎内伸出龙头咬绳，只见鼎耳脱落；第10块下部方框内未刻画，上框石面已经基本处理好。李发林先生曾推断此种凹入平面雕的雕刻工序，是"先处理石面，磨光或刻出阴阳线条组合，再刻出物像轮廓，将轮廓内剔去一层使下凹，再在下凹的平面上加刻细部阴线"。从此石初步加工的石面来看，似如所说。

538.山东济宁发现一组汉画像石

作　者：济宁县文化馆　夏忠润
出　处：《文物》1983年第5期

1973年山东省济宁县文化馆进行文物普查，5月10日在喻屯公社发现13块画像石。

据当地群众反映，这组画像石似同出于1座古墓。此墓坐落在济宁市南约25公里处、济宁市至徐州公路东侧。因早年被盗掘，墓口暴露在距地面1米处，俗称为八角琉璃井。1968年为建排灌站，挖出墓石，其中带画像的刻石13块。因为水位较高，地下仍有部分墓石难以清出。简报配以照片、拓片、手绘图予以介绍。

据介绍，简报推断这组画像石为东汉遗物。出土这批汉画像石的墓地近"亢父故城"。"亢父故城"为战国时期齐魏交通要道。东有"汉画像石之乡"两城山，西有武氏祠汉画像石阙，此地居中，出土汉画像石并非偶然。这批汉画像石内容丰富多彩，刻画形象生动，为研究汉代的社会生活及文化艺术提供了新的资料。

539.山东微山县马陵山出土一批汉代文物

作　者：宫衍兴
出　处：《文物》1985 年第 5 期

1981 年 10 月，山东省微山县两城公社鲁村农民在村北马陵山折向西的峰顶上，发现 1 座古墓。山东省文物局干部会同济宁地区文物局和两城公社的同志，共同进行了现场清理。简报配以手绘图、拓片、照片予以介绍。

简报介绍，此墓残存封土东西长 40 米、南北宽 24 米、高 4 米。墓室内用石板隔成 4 个东西向平行的石匣。骨架已朽。最北的 1 个石匣内出土 10 件遗物。计有大铜洗、鎏金小铜洗、铜灯、铜熏炉各 1 件和彩绘陶罐 4 件。两城一带商周属古任国，汉属山阳郡。这一古墓的出土器物，从形制及铭文看具有汉代特点，简报推断这是 1 座汉代墓葬。

540.山东微山出土"宜秩高官"铜镜

作　者：杨建东
出　处：《考古》1988 年第 5 期

山东微山县文化馆藏有 1 面铜镜，1973 年在进行农田基本建设时出土于两城东山下，铜镜径 21 厘米、厚 0.5 厘米，纹饰清晰，局部光泽，中间铭文"宜秩高官"4字。简报配以照片予以介绍。

据介绍，此镜形制与洛阳烧沟汉墓中的"长宜子孙"连弧纹镜相似，出土地点两城山，昔日是战国、两汉时的战场，出土许多兵器、汉画像石。简报推断此镜时代约在东汉中期偏晚。

541.山东梁山东汉纪年墓

作　者：菏泽地区博物馆、梁山县文化馆　周元生
出　处：《考古》1988 年第 11 期

1983 年 12 月初，山东省梁山县城关镇馍馍台大队窑场在安装制砖机时，发现 1座古墓。考古人员予以清理，全部工作自 12 月 11 日始，至 19 日结束。该墓位于梁

山北坡山脚下，大队窑场的西侧，西距梁山油漆厂约200米。墓室内遍布淤泥，经调查和初步勘探，梁山东、北坡山脚为1处古代墓葬群，此墓编为馍馍台一号墓（馍M1）。简报分为四个部分予以介绍，有拓片、手绘图。

据介绍，馍M1为斜坡墓道石室墓，由墓道、前室、后室、侧室、侧后室组成。有画像石，该墓曾被盗，随葬品不多，但有墓表，上有"永康"年号。简报推断为东汉恒帝永康元年（167年）。此墓属中型多室墓，所用石料应从距梁山北24公里处的司里山运来。据统计，不算铺底石板，共有石材64块，约合4立方米，重达8吨，足可见在当时耗资之巨。墓主人应有一定身份，简报推测当为汉东平国的中级官吏，至少也是寿张县相当地位的官吏，非一般的地主豪强。

542.记山东嘉祥发现的一批汉画像石——兼谈有关问题

作　者：山东嘉祥县文物管理所　李士星
出　处：《考古与文物》1988年第3期

山东省嘉祥县文物管理所在文物普查中，分别在纸坊、熏山、城关、核桃园等乡镇发现一批汉画像石，共计11块。简报分为：一、汉画像石的内容，二、谈谈有关的若干问题，共两个部分。有照片、拓片。

简报逐步介绍了11块汉画像石的内容，有舞乐图、狩猎图、孔子见老子图、出行图等。简报认为这批汉画像石并非出自一墓，应有早期、晚期之分，晚期也应在东汉桓、灵帝前后。

今有《汉代武氏墓群石刻研究》（山东美术出版社1995年版）一书，可参阅。

543.山东嘉祥县出土东汉陶瓷器

作　者：贺福顺
出　处：《考古与文物》1988年第3期

1985年5月8日，在修建嘉祥至汶上公路过程中，发现了4件汉代陶瓷器。简报配以照片予以介绍。

据介绍，计有泥质素面红陶碗1件、夹砂褐陶瓶1件、白色软釉陶碗1件、白釉双系瓷罐1件。简报推断应为东汉早期遗存。

544.山东微山县汉代画像石调查报告

作　者：王思礼、赖　非、丁　冲、万　良
出　处：《考古》1989 年第 8 期

微山县位于鲁西南，始建县于 1953 年，为山东、江苏 2 省 8 县的接合部。这里是山东省汉画像石埋藏最为丰富而又独具风格的地区之一。为此，1987 年 5 月中旬，考古人员赴微山县文化馆、微山岛和两城，对所存汉画像石及出土地点进行了详细调查，并对新发现的部分汉画像石进行了传拓。简报分为：一、微山岛，二、两城镇，三、有关的几个问题，共三个部分。有照片。

据介绍，根据画像石材的形状和特点，墓室结构分为两大类：一种是以微山岛出土的石椁墓为代表，即所谓石匣墓，结构比较简单；一种是以两城为代表、以各种不同石材筑成的双室或多室墓，结构较前者复杂。简报推断前者的年代为西汉晚期或东汉早期，后者的年代为东汉早中期。

545.山东金乡县发现汉代画像砖墓

作　者：山东省济宁市文物处　傅方笙、顾承银
出　处：《考古》1989 年第 12 期

在 1980 年和 1981 年的文物普查工作中，山东金乡县城西南方向 17.5 公里的鸡黍镇徐庙村南约 300 米处，有一片高台地。该台地为 1 处汉代遗址。在台地上发现 1 座汉代空心画像砖残墓，并在该地陆续收集到了一批汉代空心画像砖。估计此地应是汉代空心砖墓地。简报配以手绘图、照片予以介绍。

据介绍，这批空心画像砖大部分已经残断和残缺不全，大小共 41 块。其中图像完整者 5 块，基本完整者 7 块，占二分之一以上者 12 块，其余 17 块不足二分之一。徐庙遗址 M1 中出土的泥质灰陶罐，与山东临沂金雀山周氏墓群出土的西汉 II 式陶罐基本相似；五铢钱与山东临沂金雀山周氏墓群发掘简报（《山东临沂金雀山周氏墓群发掘简报》，《文物》1984 年第 11 期）一文中图六三第一钱相同，又与临沂银雀山四座西汉墓葬（《临沂银雀山四座西汉墓葬》，《考古》1975 年第 6 期）出土的 I 式五铢钱相似。因此，简报推断 M1 出土的陶罐和五铢钱的时代应为西汉。此墓和这批空心画像砖的时代也应为西汉。

546.山东省微山县发现四座东汉墓

作　者：微山县文化馆　杨建东

出　处：《考古》1990 年第 10 期

1988 年 2 月至 5 月，考古人员在微山县夏镇王庄附近的一片洼地里清理了 2 座砖室墓，2 座土坑墓。这 4 座墓都由于砖窑用土遭到严重破坏。简报配以手绘图、拓片予以介绍。

据介绍，上述 4 座墓葬，无确切纪年可考；根据出土器物及墓葬形制，简报推断其时代：M1 为东汉晚期，M2 约在东汉中期偏晚或东汉晚期，M3 约在东汉早期，M4 约在王莽末年或东汉初期。

547.山东济宁郊区潘庙汉代墓地

作　者：国家文物局考古领队培训班　李　季、何德亮等

出　处：《文物》1991 年第 12 期

潘庙汉代墓地位于济宁市郊区（原济宁县）南张乡潘庙村西约 300 米处，东距济宁市区约 9 公里，基本分布在潘庙商代遗址范围内。共发掘 45 座墓。简报分为"墓葬结构""随葬品""分期与布局"三个部分并配以照片予以介绍。

据介绍，潘庙汉墓的结构主要分为砖室、石椁砖箱和土坑竖穴 3 种，此外还有 1 座瓦棺墓。已发掘的 45 座墓中，有随葬品的 32 座，约占总数的三分之二，随葬品有陶器、铜器、铁器、五铢钱、石玲等。墓葬年代，简报推断为西汉时期。

简报称，墓主人地位可粗略分为两个层次，砖室墓和石椁砖箱墓都有专门装随葬器物的头箱、脚箱、边箱，随葬陶器比较丰富，有的还有轻薄的铜器，墓主身份略高。而竖穴土坑，随葬品很少或没有。这两类墓的布局并无明显差别，有的从相对位置看似还有亲缘关系。

548.山东济宁师专西汉墓群清理简报

作　者：济宁市博物馆　赵春生、武　健等

出　处：《文物》1992 年第 9 期

1988 年 8 月，济宁师范专科学校兴建教学楼时发现石椁墓多座，考古人员前往清理。该墓区范围较广，东至建设路东，西至星湖河边，南至红星路青少年宫南墙，北至师专教学楼北。前几年该墓区东南隅不断发现零星墓葬。这次为配合施工，清

理了墓葬 25 座，计画像石墓 5 座、石椁墓 12 座、砖室墓 8 座（其中有 16 座被盗，4 座无器物）。简报分为：一、墓葬概述，二、随葬品，三、画像石棺，四、结语，共四个部分。并配以拓片予以介绍。

据介绍，这 25 座墓均为长方形竖穴式，其中 8 座为砖砌墓室，17 座为石椁墓。砖室墓四壁皆为单砖错缝平砌，上面用 3 块石板盖顶。石椁墓砌筑于生土竖穴中，均为长方形匣状，结构大致相同。25 座墓共出土随葬器物 100 余件，铜钱 500 余枚。简报推断墓群年代约在西汉武、昭帝至王莽时期，延续年代约 100 年。

简报称，出土的陶罐中 5 件有隶体划文，这在山东地区西汉中晚期墓中并不多见。从 M7、M10、M21 出土的 3 枚铜印及陶文上看，按墓号顺序墓主分别为郑元、郑广、郑翁孺。可推断这 3 座墓之间的地段当时是郑氏墓地。从墓葬布局分析，M21 主人郑翁孺应为长辈，南北向 M7、M10 的主人郑元、郑广可能是后辈中的同辈。

549.山东嘉祥清凉寺出土汉代陶俑

作　者：李卫星、吴征苏
出　处：《考古》1992 年第 10 期

1977 年春天，山东省嘉祥县仲山公社清凉寺村的农民取土时，在 1 座古墓中发现了 5 件陶俑。简报配以照片予以介绍。

据介绍，俑一：男性说唱俑。戴冠，着长袍，直身站立，右手前伸，持一彩绘鼗鼓，左手置于腹前。面带微笑，似在说唱。

俑二：男性说唱俑。唇下绘有一绺胡须。屈身跽坐，两手置于胸部近旁，且均有一小孔，可能为安装说唱道具之用。

俑三：男性立俑。戴冠，身着交领长袍，面部瘦削，双手拥于腹前。

俑四：男性立俑。服饰同俑三，面部略显丰满。

俑五：女性立俑。脑后束髻，身着拖地长裙，两手相拥，整体造型呈曲线状。

简报推断，这批陶俑可能为汉代遗物。

550.邹城出土东汉画像石

作　者：刘培桂、郑建芳、王　彦
出　处：《文物》1994 年第 6 期

1993 年 5 月，山东省邹城市面粉厂在扩建时，发现 1 座古墓葬。简报配以照片予以介绍。

据介绍，据现场调查，该墓位于市面粉厂东南部，距地表 1.55 米，为长方形单室石椁墓，南北向。墓顶北部已被挖开，墓室内有明显木棺痕迹，棺灰呈浅红色。墓内发现 2 个颅骨，均靠墓室南侧，中部残存骨骼数块，可辨为 1 男 1 女，可能是夫妇同穴合葬墓。墓顶用 3 块宽条石封顶。墓室四壁皆由石块砌垒，东壁上层石块为汉画像石。该墓因早年被盗，墓内仅出土赭釉陶罐 1 件、"政和通宝"铜钱 20 余枚。当为北宋末年墓。无甚可述，但其系用旧墓建筑材料二次利用所建。所用恰为汉代画像石。简报称，该画像石内外两面均有画像，有牛耕生产图等。简报推断年代为东汉中、晚期。

551.山东邹城高李村汉画像石墓

作　者：邹城市文物管理处　胡新立、王　军、郑建芳
出　处：《文物》1994 年第 6 期

1990 年 11 月 25 日，邹城市郭里乡高李村村民在挖排灌渠时，发现 1 座汉画像石墓。考古人员进行了清理。简报配以手绘图、拓片予以介绍。

据介绍，此处多次发现汉代画像石墓，应为家族墓地。此墓曾被盗，但画像石 11 块保存尚好。有的画像内容少见。特别是第四石的泗水捞鼎图和第六石的战争图，人物众多，场面宏阔，当为同类画像石之中的佼佼者。根据第四石的内容，表现的当为胡汉战争场面。第二石左上方刻 6 个光头的人物，身着肥大衣袍（或是僧侣袈裟），双手袖于胸前，盘腿而坐，观看乐舞。参照滕州市房庄牛车载僧侣骑象图、邹城市黄路屯僧侣骑象图等资料，这 6 个光头人物有可能就是僧侣。简报认为该图所表现的内容，或许与佛教有一定关系。该墓的时代，简报推断为东汉中期。

552.山东济宁发现一座东汉墓

作　者：济宁市博物馆　田立振、顾承银、苏延标、武　健
出　处：《考古》1994 年第 2 期

墓葬位于济宁市区越河北路北侧的普育小学院内，是该校于 1991 年 1 月上旬在校园内基建施工时发现的。济宁市博物馆闻讯后当即派人对其进行了清理。清理工作历时 7 天，获取了一批重要的资料。简报分为：一、墓葬形制，二、石刻及星相图，三、随葬器物，四、结语，共四个部分。有照片。

据介绍，该墓为石室墓，方向 100°，平面近"凸"字形，由前室、后室、回廊、耳室 4 部分组成。出土器物有铜器、玉器、石器、骨器、铜钱等。济宁普育小学汉

墓与东汉晚期（150 年）彭城相缪宇墓相似，二者皆为石室回廊式墓，室顶同为叠涩结构，但该墓只见后室藻井。2 墓皆位于石室墓流行的鲁南、苏北地区，形制结构大体一致，相对年代上当相距不远。该墓虽无明确的纪年物出土，但随葬陶器的组合以及器形特征均与洛阳烧沟汉墓第六期有许多相同之处。出土的Ⅲ式铜钱为洛阳烧沟汉墓的Ⅳ五铢。简报推断该墓的年代应在东汉晚期的桓、灵之时。该墓规模较大，且带有回廊，墓主人不会是一般的贵族，出土的铜缕玉衣散片更为这点提供了有力的证据。

简报推断，该墓墓主身份可能为任城王配偶，极有可能是刘博或刘佗之配偶。但先王刘崇之遗孀也有死在桓、灵时期的可能。

简报称，该墓回廊结构及墓顶、墓壁上的星相图在鲁南地区尚属首次发现，为研究汉代回廊葬制及星相图表现技法提供了重要的资料。

553.山东嘉祥县发现画像石墓

作　者：贺福顺
出　处：《考古》1994 年第 8 期

1968 年春，山东嘉祥县老僧堂公社贺庄大队农民在挖坑取土时，发现了 1 座画像石墓。由于当时的种种原因，此墓发现时没有通知文物主管部门，被人当作"四旧"破坏掉了。2 块未被砸烂的画像石被一群众砌院墙做了基石，得以保存下来。简报配以照片予以介绍。

据介绍，第一石高 100 厘米、宽 76 厘米。平面浅浮雕。画面分两层：
第一层刻 4 人站立，双双对面交谈。第二层刻铺首衔环。
第二石已残。高 100 厘米、残宽 94 厘米。平面浅浮雕。画面分两层。
上层右边 3 人端坐左视，作听人谈话状。另外 1 矮人已残。
下层是车马出行图，车盖下坐 2 人，1 个牵马人在车边站立，右边 1 人躬身迎接。
根据雕刻技法，简报推断此墓出土的画像石的雕刻年代应在东汉晚期。根据画像石的车马出行图等内容，墓主人应是有一定地位的官吏或富豪大商。

554.山东微山县出土铜洗、镳斗、铁犁铧

作　者：杨建东、赵明程
出　处：《考古与文物》1994 年第 4 期

1988 年 12 月，微山县夏镇洛房村几位农民将出土的铜洗、镳斗、铁犁铧上交给

文化馆。3 件器物是村民烧砖取土时在距地表 2 米下发现的，铜器下 1 米处发现的铁犁铧。次日，考古人员去现场调查，砖窑周围地面上散置着许多陶片，有绳纹筒瓦、罐沿、豆把，均为泥质灰陶。从陶片看，简报认为此处为汉代遗迹。

据介绍，铜洗、铁犁铧、镰斗 3 件器物从形制上看，简报推断皆为西汉之物。

555.山东泗水南陈东汉画像石墓

作　　者：泗水县文管所

出　　处：《考古》1995 年第 5 期

泗水县星村镇南陈村位于县城东 12.5 公里的泗河北岸。村西北紧靠一大土丘，俗名"照阳山"。山的东半部至南陈村之间是 1 大片汉代墓地。当地人取土时曾发现汉代的砖、石墓葬，墓地上面也经常有汉代遗物出土。1984 年春，该村一陈姓群众在自己新建的院落内挖猪圈时，发现了一座石室墓。经过清理，知道这是一座带有纪年题刻的东汉画像石墓。

简报分为：一、墓室形制，二、出土器物，三、结语，共三个部分。有照片。

据当地人反映，这一带地形原来较高，由于常年取土，地层已被挖去 1 米多深。这座画像石墓的顶部距现地表 0.7 米左右。这是 1 座"十"字形墓葬，共有前、中、后、左、右 5 室。墓呈南北向。南北（包括前、中、后 3 室）长 6.17 米，东西（包括左、中、右 3 室）宽 5.16 米。系用 104 块石料垒砌而成，应为夫妇合葬墓。出土有陶器、铜器等。出土的画像石主要是作为中室与前、后、右、右各室隔开的 4 条门楣和过梁，中室南面的一画像有题记 36 字（简报录有全文）。随葬品以陶器为主，并有少量的石器、铜器纹饰。

简报推测墓主人生前应为一位低级官吏或庄园地主。

556.山东金乡鱼山发现两座汉墓

作　　者：顾承银、卓先胜、李登科

出　　处：《考古》1995 年第 5 期

1980 年冬，考古人员在金乡县文物普查时，得知郭山口村村民开山采石发现 2 座汉墓，立即赶往现场进行调查。墓葬位于金乡县城北 15 公里的胡集乡郭山口村南 200 米的鱼山顶上。2 墓均为石室墓，墓门向东，编号 M1、M2，两墓相距仅 2 米，已被破坏，故形制、尺寸不详。据现场勘察，其中 M1 凿山而藏，M2 为竖穴墓，两墓皆由石板垒砌。墓中随葬品皆被百姓取走。简报分为"随葬品""刻石""几点认识"

等几个部分予以介绍，有拓片、手绘图。

据介绍，征集到的随葬品有陶鼎2件、陶瓮1件、铜盆1件及五铢钱等。刻石有4块，上有6幅画像。M1石上所刻文字中有东汉汉安元年（142年）纪年。从遗像看，该墓早年曾被盗。墓主人应为一位低级官吏或庄园地主。

557.山东微山县墓前村西汉墓

作　者：微山县文物管理所　杨建东

出　处：《考古》1995年第11期

1991年11月18日，山东微山县微山岛乡墓前村在开挖蓄水池时，发现8座墓葬，包括4座土坑墓、4座石室墓。其中1座石室墓已完全被破坏，陶器、银器等出土器物被哄抢隐匿。另1座石室墓出土的陶器则被取出散置一边。11月20日，考古人员前往抢救清理，并收集了部分散落的出土陶器。简报分为：一、墓葬形制，二、随葬器物，三、结语，共三个部分。有拓片、手绘图。

据介绍，清理的3座墓为：M2，长方形单室墓，只剩零星碎骨，随葬品被民工取出，追回陶器13件。M3，长方形单室墓，仅剩牙齿、肋骨。出土铁剑1把、铜带钩1件及200多枚五铢钱、8件陶器等。M4为长方形双室墓。出土有铜钱等。简报推断此4墓为西汉中期或稍晚的墓葬。出土的五铢钱，有的颇有研究价值。

558.山东兖州嵫山出土汉代刻字砖

作　者：樊英民

出　处：《文物》1996年第2期

20世纪80年代中期，兖州城西嵫山发现刻字砖1件。简报配以照片予以介绍。

据介绍，该砖已残，最高处15厘米、最宽处16厘米、厚3.5厘米。上有阴刻隶书9字，其中1字仅存上半，字径约4厘米。"永元十……日"应为纪年，"具享"为备祭祀之物，"作壁"应指营建，故该砖当是营造墓室或享堂的纪事之砖。简报推断此砖当为永元十年至十七年间，即公元98～105年年间之物。

简报称，值得注意的是，该砖非通常所见的范制，其刻文当是泥坯未干时锥划后烧固的，故其运笔的转折提按、笔顺先后，了然可辨。该刻字砖的发现，为研究汉代民间书法提供了又一例实物资料。

559.山东邹城发现两件汉代铜镜

作　者：程　明

出　处：《文物》1996 年第 4 期

1995 年 8 月，邹城市田黄乡东罗村村民在村东挖土时，发现 2 件汉代铜镜。简报配以拓片予以介绍。

据介绍，2 件铜镜的情况分别为：昭明镜。圆形，圆纽，连珠纹纽座，座外饰凸弦纹两周，间有铭文"见日之光，长毋相忘"。每字之间加有圆涡形符号。近缘处有铭文"内清则以昭明，光辉象夫日月，心忽扬而愿忠，然雍塞而不泄"。宽平缘。

画像镜。圆形，圆纽，连珠纹纽座，座外四乳钉将纹饰分为四组。

简报称，田黄乡出土的这 2 件铜镜，铸造精细，纹饰精美，是汉代铜镜中的佳品。

560.山东邹城市车路口东汉画像石墓

作　者：解华英

出　处：《考古》1996 年第 3 期

1990 年 5 月，在邹城市古路口乡车路口发现 1 座画像石墓。该墓位于车路口村北，地处长山南麓坡地上，东北距邹城市约 25 公里。考古人员对此墓进行了清理。简报分为：一、墓葬结构，二、画像石，三、结语，共三个部分。有照片、手绘图。

据介绍，该墓原有较大的封土堆及用大青石砌成的石垣，已不存。该墓为石室墓，由墓道、前室、中室、后室及中室所附两耳室组成，呈"十"字形。曾被盗，随葬品所剩无几，所幸画像石尚存。

该墓年代，简报推断为东汉晚期。

561.山东嘉祥出土东汉"南武阳大司农平斗"

作　者：曹建国、聂　萍

出　处：《考古与文物》1996 年第 1 期

1989 年冬，山东省嘉祥县新桃河乡周村铺村农民在挖房基时发掘 1 件青铜量器，经考古人员考证，认定其为东汉"南武阳大司农平斗"。简报配以照片、拓片予以介绍。

据介绍，南武阳大司农平斗呈圆形，直壁、素体、平底。实测容水量为 2000 毫升。斗壁有刻划铭文"南武阳大司农平斗永平五年闰月造"竖 3 行 15 字。书体介于隶篆之间，较规整简练。嘉祥出土的这1件铜斗，实测数据恰好每汉升合今200毫升，即为十汉升，容一斗，当为东汉前期的标准量器。铭文中的"南武阳"当为铸器的地名。永平五年（62年），为东汉明帝年号。

简报称，汉代铜斗出土及传世的不多见，嘉祥"南武阳大司农平斗"的出土，为研究两汉量器的制造发展及有关问题，提供了重要的实物资料。

562.山东济宁市发现汉代铜器

作　者：济宁市博物馆　武　健
出　处：《考古》1996年第3期

1986年3月，济宁市郊区李营建筑队送来瓿、盉、樽3件铜器。按其提供的线索，考古人员曾派人去出土地点——山东省激光研究所工地调查，发现地面有新挖出的汉代残陶片，3件铜器是在深1.5米处一起出土的，可能是窖藏遗物。另外，在回收公司拣选文物时，另发现几件与3件铜器年代接近的铜器，兹一并作介绍，简报配有照片。

据介绍，计有瓿1件、盉1件、樽1件、熨斗2件、洗1件、博山炉1件。简报推断为西汉晚期遗物。值得注意的是，像盉盖的套环、洗铺首的衔环、炉的枢轴等均是铁铸件，这在其他地区同类器物中尚属少见。

563.山东曲阜市出土汉代建武石刻

作　者：曲阜市文物管理委员会　孟继新
出　处：《考古》1996年第10期

1992年2月，在曲阜引泗调水工程施工中发现1块东汉石刻。简报配图予以介绍。

据介绍，这块石刻出土于曲阜城北原汉代城墙附近距地表3米深处。长方形，砂石质，发现时已断为两块。正面阴刻隶书"建武廿二年十月作渎新富里"，石长114厘米、宽39厘米、厚18.5厘米。建武应是东汉王朝的建立者刘秀的年号，建武二十二年，即公元46年。新富里应是聚居在汉代鲁城北部的1处居民区。为了有效地防水排涝，及时向城外排掉聚居区的生活污水，这里的居民修建了这条排水沟渠。"渎"即小沟渠之意。从露出的渠面看，为了便于顶部铺盖石板，渠的中间垒砌了2条宽42厘米的石梁，将沟渠分隔为3道，新富里刻石即是这条排水渠上的1块盖板用石。

564.山东济宁市张山发现三座东汉墓

作　者：济宁市文物局　李德渠

出　处：《考古》1997 年第 7 期

1993 年 2 月，文物局在配合张山水泥厂扩建厂房时在其厂房区内清理了 3 座汉墓（编号为 M1 ~ M3）。简报配以手绘图予以介绍清理情况。

据介绍，M1 为石室墓。由主室和耳室组成，随葬器物有壶、鼎、瓮、奁、案、盘、耳杯等共 15 件，皆为泥质灰陶。M2，竖穴土坑墓。骨架保存基本完好，仰身直肢。左臂外侧放一铁剑，墓底有板灰及 3 枚剪廓五铢。M3，双室砖室墓。青砖垒砌，两室东西并列。2 室底部发现朽骨、板灰及铁棺钉，东室内有陶罐 2 件、铜套饰 1 件及五铢钱 1 枚。3 座墓的墓葬形制在此地区东汉晚期时常见。简报推断，这 3 座墓葬的年代均应为东汉晚期。

565.山东嘉祥县十里铺 2 号汉墓的清理

作　者：嘉祥县文物管理局　贺幅顺、曾祥君、董兴凯、江继邓

出　处：《考古》1998 年第 1 期

十里铺村坐落在山东省嘉祥县城西卧龙山的两个山头之间，离县城 5 公里。1987 年，十里铺村砖厂取土时发现 1 座大型汉代画像石墓（编号为 1 号墓）和 20 余座石室、砖室和砖石构筑墓，大多被民工取土时无意毁掉，考古人员仅抢救性清理了少数几座墓葬。1 号墓出土的 10 块画像石已收入《嘉祥汉画像石》（山东美术出版社 1992 年版）一书，2 号墓清理情况则被简报配以手绘图予以介绍。

据介绍，此墓是石椁木棺墓，从墓的形制看应是夫妻合葬墓，出土器物有铜镜、泥质红陶碗、釉陶壶。根据 1 号墓画像石的题材内容、雕刻技法和排列顺序，简报推断 1 号墓的埋葬年代为东汉晚期。2 号墓与 1 号墓处于同一地层，应与 1 号墓同为东汉晚期墓葬。

566.山东微山县汉画像石墓的清理

作　者：微山县文物管理所　杨建东

出　处：《考古》1998 年第 3 期

山东微山县微山岛乡是微山湖中的 1 座小岛，位于微山县城东南 30 公里。该乡沟北村农民于 1993 年 12 月在山坡上栽果树时发现 1 座石室墓，考古人员抢救性地

清理了这座画像石墓（编号 M6）。同时，又清理了沟南村挖土时破坏的 1 座石室墓（编号 M7）。1994 年 2 月，又在沟南村清理 2 座石室墓（编号 M8、M9），在万庄清理 1 座石室墓（编号 M10）。墓葬的清理情况，简报分为：一、墓葬形制，二、随葬器物，三、画像石，四、结语，共四个部分。有手绘图、照片、拓片。

据介绍，微山岛四面环水，墓葬集中于岛西部，十分密集，是 1 处范围较大的汉代墓葬区。这一带多为小型墓，常见 3 种形制，即双室石室墓、单室石室墓和砖石结构墓。墓内画像石多为阴线刻，浅浮雕较少，这次发现的画像石有一些为浅浮雕。简报推断：M6 墓的时代约在东汉中期，M7 墓的时代约在王莽时期，M8 墓的时代约在东汉初期，M9 墓的时代约在西汉晚期，M10 墓的时代约在西汉晚期。

简报称，这次发掘工作的重要收获在于发现了一批画像石资料。

567.山东邹城市卧虎山汉画像石墓

作　者：邹城市文物管理局　胡新立
出　处：《考古》1999 年第 6 期

卧虎山位于邹城市郭里镇以西 3.5 公里处，海拔高度 126 米，属凫山山系余脉，其西南 6 公里是微山县两城山。近年来在此先后发现 2 座汉画像石墓。其中，1991 年 5 月在山岗东侧发现 1 座单室石椁墓，编号为 ZGM1（简称 M1）；1995 年 10 月在山岗西北侧发现 1 座多室石椁墓，编号为 ZGM2（简称 M2）。邹城市文物管理局及时派考古人员对墓葬进行了发掘。

清理情况简报分为：一、墓葬形制，二、随葬器物，三、画像石刻，四、结语，共四个部分。有手绘图、拓片。

据介绍，卧虎山墓群应当是 1 处汉代大型家族墓地。这两座墓葬所见的石刻画像内容丰富，镌刻精美，尤为重要的是，在此次发现的石刻画像中，考释出两幅反映历史故事的画像，为以前所罕见。

卧虎山这 2 座石椁墓的年代，简报推测当在西汉晚期或东汉早期。

568.邹城发现汉代石雕人像

作　者：山东省邹城市文物管理局　郑建芳
出　处：《文物》2000 年第 7 期

1972 年，山东省邹城市文物管理局在城关镇西关居委会院内，征集到石雕人像 1 尊，现藏于南关孟子庙内。简报配以照片予以介绍。

据介绍，这尊石人为全身立像，灰白色砂岩雕凿而成，表面粗糙。

简报称，邹城发现的这尊石雕人像与迄今所见汉代石雕人像的雕刻技法基本一致，均用整块岩石雕出轮廓，然后以浮雕和阴线表现人物的细部特征，形体表面粗糙，造型简略古拙。但不同之处是，以往所见汉代石的人形体多不合比例，这尊石人形体比较准确。

简报推断这尊石人的年代为东汉中晚期。

569.山东微山县近年出土的汉画像石

作　者：微山县文物管理所　杨建东等
出　处：《考古》2006 年第 2 期

微山县地处鲁西南，县境南北狭长 126 公里，南部与江苏省徐州市相邻，北部与山东省邹城市、滕州市接壤。这里是当年铁道游击队战斗过的地方，也是出土汉画像石的重要地区，历年来有众多发现。由于微山县位于山东省最南部，这里出土的汉代画像石兼具鲁南和苏北地区画像石的特点。其中，该县南部的微山岛乡、塘湖乡、彭口闸乡、付村乡、夏镇等地出土的画像石，与徐州地区的画像石风格相同；北部的两城乡、南阳镇所出画像石，与邹城市、滕州市发现的画像石风格相同。简报分为：一、两城乡出土的画像石，二、塘湖乡出土的画像石，三、夏镇出土的画像石，四、南阳镇出土的画像石，五、结语，共五个部分。有拓片、手绘图等。

简报指出，根据过去的研究，画像石分阴线刻、浅浮雕两种，阴线刻者属西汉晚期，浅浮雕者属东汉中、晚期。西汉晚期的阴线刻画像石，画面内容较复杂，包罗的人物、动物、景物较广泛；东汉时的浅浮雕画像石则内容相对简单，雕刻手法则比西汉的有所进步，艺术性更强。

简报称，微山县北部的两城乡是山区，盛产青石，具备刻制画像石的原料。这里分布有面积很大的汉墓群。自清代以来，在两城乡陆续出土了 400 余件汉代画像石，以浅浮雕居多，这里与邹城市、滕州市相邻，属鲁南画像石的大区域。中华人民共和国成立以来，山东出土画像石有 3000 余件，有纪年铭文的不足 20 件，而两城乡就发现了 4 件，分别题刻"永建五年""永和元年""永和二年""永和四年"等纪年铭文。可见此地应是汉代官僚及富豪的群居地。

塘湖乡郗山村与江苏徐州市接壤，出土的画像石的风格也基本相同。微山岛及郗山均不产画像石料，画像石似是在徐州一带刻制加工后运来的成品。

夏镇是微山县城驻地，属平原地带，离山较远。所出汉墓多为砖室墓，石室墓较少，画像石墓更少。夏镇所发现的画像石可能都是从外地运来的。与夏镇相邻的付村乡、塘湖乡、彭口闸乡、微山岛乡也都不出产画像石料，这几处的画像石应是从江苏徐州、铜山等地运来，应为西汉晚期作品。画面中的骖车、仓廪、烤肉串和宰羊场面以及风伯、神农、烛龙等形象，在微山县都是首次，为研究鲁南地区的西汉画像石增添了新材料。谢桥村出土的3件画像石，年代属东汉中、晚期。画像内容中星象图较为奇特。金乌负日的题材在河南南阳、江苏徐州等地的画像石上发现不少，但金乌皆为一头；而此次微山县出土的画像石中金乌为双头，非常罕见，其寓意还有待考证。

南阳镇出土画像石中，属浅浮雕者，风格与微山县两城山发现的画像石相同；属平面阴线刻画像石者，风格与山东嘉祥县武氏祠的画像石相同。据出土情况推断，这些画像石大概是从外地凑集运来，可能出自微山县两城山、嘉祥县武宅山等地。当时并不把画像石看作工艺品，而只将它们作为现成的建筑石料使用。其他同出的大型石料均为素面，光洁平滑，系加工而成。1件浅浮雕的长条形画像石在使用时还被石工截断。综合来看，这些包括画像石在内的石料，用于砌垒墓地的地上建筑物，似为享堂之类，年代约为东汉晚期。

570.山东济宁市玉皇顶西汉墓

作　者：济宁市文物考古研究室、任城区文物管理所　李德渠、夏义勇等

出　处：《考古》2006年第6期

为配合基建工程，1995年11月，济宁市文物考古研究室工作人员在济宁市玉皇顶遗址的中部偏北处进行了发掘，共清理西汉墓葬12座，并发掘出一批新石器时代及商代文化遗存。简报分为：一、墓葬概述，二、出土遗物，三、结语，共三个部分。先行介绍了西汉墓葬的清理情况。

据介绍，这次清理的12座西汉墓葬，有5座竖穴土坑墓、2座砖室墓、5座石椁墓，出土有陶器、钱币、铁刀、贝等。简报认为，砖室墓与石椁墓的年代在西汉中期偏早、偏晚，土坑墓的年代约在西汉早期。

571.山东嘉祥新发现的汉画像石

作　者：嘉祥县文物管理局　贺福阴、张朝杰、曾祥君、董兴凯等

出　处：《文物》2007年第1期

在山东省嘉祥县发现了一批汉代画像石，简报选择了其中3块重要的画像石，配以拓片予以介绍：

第一石，从嘉祥县法院征集。该石长 122 厘米、宽 78 厘米，为剔地浅浮雕。画面分为上、中、下 3 层，其中上层刻 2 层楼阁。第二层共 15 人，居中之人面左受礼。此人左边的第 1 人正在跪拜，第 2 人鞠躬，其余 4 人拱手而立。第三层中间刻双马驾车，正面前行，上坐 2 人。车的外侧各有一骑，也作正面前行状。

第二石，从大山头镇征集。该石纵 75 厘米、横 61 厘米。右上角残。画面分为上、中、下 3 层。第一层刻 1 辆单马拉的轺车，上坐 2 人，朝右侧行驶。车前方有 2 个肩扛戟的步卒。第二层刻 1 辆单马拉的轺车，左向行驶。车上坐 2 人，车后有一从骑，马作扬蹄嘶鸣状。第三层刻狩猎图。左方行走 3 个猎人，1 人肩扛竿，1 人扛棍，另 1 人徒手。画面中央刻 1 人骑马，弯弓搭箭，正欲射前面的兔子和鸟。右下方有一猎人，面朝左，右手牵 1 只猎犬，右手持弩机。

第三石，从大山头镇征集。原石纵 73 厘米、横 56 厘米，画面分为上、中、下 3 层。第一层上方有 5 个人正在演奏。第二层立一建鼓，鼓座呈卧兽形，鼓上有一横杆和两斜杆。杆顶端连接一条飘带。鼓旁有 2 人，正在击鼓起舞。建鼓左侧有一小人，赤裸上身，正在弄丸，丸有 6 个。此人左侧还有 1 人，在跳长袖舞。画面的空白处，还零散地刻有酒樽、耳杯、壶等。第三层刻庖厨图。中间站立 2 人，正在和面。右侧有 1 个人，跪坐在灶前烧火，灶上置一甗釜。左侧之人用绳牵羊，正欲杀之。羊上方仰面躺着 1 头猪，四蹄已被捆绑。

简报指出，嘉祥此次发现的汉画像石，为研究山东地区的汉画像石以及汉代的社会生活提供了新资料。

572.山东济宁市陆桥西汉墓

作　者：济宁市文物考古研究室、济宁市博物馆、济宁市任城区文物管理所
李德渠、傅吉峰、夏义勇等

出　处：《考古》2008 年第 6 期

陆桥墓地位于济宁市任城区石桥乡陆桥村北约 300 米，地势略高于周围农田，陆桥窑场正建于墓地之上。1993 年和 2001 年，考古人员在此清理墓葬 6 座，出土了一批陶器、铁器及画像石等遗物。简报分为三个部分予以介绍，有手绘图。

据介绍，这两次清理的 6 座墓葬均遭不同程度的破坏，皆为石室墓，其中有双室墓 2 座、单室墓 4 座。墓壁均用 4 块石板扣合，底与顶各用 3 块石板铺盖。双室墓的两室之间以一道石壁相隔。简报推断年代为西汉早期偏晚到西汉晚期。出土遗物较少，但 M1、M6 所出陶俑颇有特色，为研究西汉葬制、服饰、发型等提供了实物资料。

573.山东微山县微山岛汉代墓葬

作　者：微山县文物管理所　杨建东等

出　处：《考古》2009 年第 10 期

　　山东微山县的微山湖南部有座微山岛，位于县城东南 30 公里，四面环水，西高东低，面积 9.13 平方公里，最高点海拔 90.6 米，岛上有 14 个村庄。电影《铁道游击队》中一曲"微山湖上静悄悄"的歌词，让微山湖广为人知。但鲜为人知的是，微山岛中部、西部的汉墓十分密集。2003 年 12 月至 2005 年 12 月微山岛修路、学校整修操场、村民用土时发现大量墓葬，考古人员对暴露出来的墓葬进行抢救性清理。此次清理的墓葬位于微山岛中部的上庄、杨村及岛西部的万庄、沟南村。除被毁墓葬和被盗一空的墓葬外，共清理 44 座汉代墓葬。

　　简报分为：一、墓葬形制，二、出土遗物，三、结语，共三个部分。配有照片、拓片、手绘图。

　　微山岛为丘陵地形，表面土层厚约 50 厘米，土层下即为砂礓石，相当坚硬。墓葬分土坑墓、石椁墓、画像石椁墓 3 种，每处墓地都是土坑墓和石椁墓共存。其中土坑墓 15 座，有单人葬和双人葬之分；石椁墓 21 座，有单椁、双椁、三椁之分；画像石椁墓 8 座，有单椁和多椁之分。出土遗物以陶器为主，还有 38 块画像石。这批墓葬的年代为西汉早期至东汉早期。

　　简报称，微山湖本为陆地，湖泊迟至明代才形成。明代以前此地与徐州沛县、留县相邻。留县位于岛西南 5 公里处，西汉时期是县治。微山岛是留县境内的制高点，微山湖形成后将留县没于湖中。岛上有省文物保护单位商代微子墓、汉代张良墓。留县人在高地选择墓地；富人使用画像石椁墓，次之使用简陋石椁墓；平民葬入土坑墓。土坑墓多数保存完好，而石椁墓绝大多数被盗。根据墓中出土的遗物和铜钱，推断这批墓葬的年代分别为西汉早期、中期、晚期和新莽时期及东汉早期。汉墓的被盗均与东汉末年军阀纷争、大肆毁墓有关。

　　简报指出，关于西汉早期画像石墓，年代皆定为西汉早期，但墓中的铜钱被盗，缺少断代依据。此次发掘的微山岛汉墓大多出土铜钱。其中画像石上刻圆璧、柏树、三角几何纹的墓中出土半两钱，墓葬年代约为汉武帝元狩五年（前 118 年）废止半两钱之前，这是画像石的滥觞期。西汉晚期，画像趋于精致，至王莽时期画像技法更为高超，画像内容丰富。以前考古人员撰写发掘报告时多根据画像石上的车马规格、随行人员来判定墓主级别，实际上画面上的车马、随吏多是画工思想意识的反映，有夸张、想象成分。M25 出土 1 枚较大的五铢钱，直径达 3.3 厘米，为目前仅见。M18、M51 石椁扣合严密，未遭盗掘，保存较好，但石椁内无人骨痕迹，似未葬人，或许是汉代的民间葬俗。

简报认为，近 20 多年来在微山岛进行过几次发掘，此次发掘在墓葬形制、出土遗物、丧葬习俗和汉画上有许多新的重要收获，尤其是 M20 内并列五椁的现象在山东尚属首见，具有重要的学术价值。

泰安市

574.山东宁阳县发现精美车饰

作　　者：山东省文管处

出　　处：《考古》1959 年第 11 期

车饰是宁阳县潘家黄茂村百姓打井时发现的。出土于 1 个长方形坑内，除车器 5 件外，尚有铁马衔、马牙、铜环及木质轮子等。显然，这是 1 个车马坑。在坑西 15 米处，有 1 个高约 5 米的古冢，未知是否为车马坑的主墓。车饰很精美，有细金线，嵌以金、银。简报认为这几件车饰应属汉代遗物。

575.山东东平王陵山汉墓清理简报

作　　者：山东省博物馆　蒋英炬、唐士和

出　　处：《考古》1966 年第 4 期

1958 年冬，考古人员在东平县城北 2.5 公里的大清河北岸王陵山的南坡，清理了 1 座汉墓。简报分为：一、墓葬形制，二、随葬器物，三、结语，共三个部分。有照片、手绘图。

据介绍，墓上原有高大的封土堆，因不断取土，墓室已暴露出来。墓室为砖石合建，由墓道、墓门、前室、后室、侧室、甬道等组成。出土遗物中较重要的有玉片 1647 片。简报推断年代为东汉中、晚期之间。简报怀疑墓主人与东平宪王有关。

576.泰安县大汶口发现一座汉画像石墓

作　　者：泰安地区文物局　程继林等

出　　处：《文物》1982 年第 6 期

1978 年 10 月，泰安县大汶口火车站西南 180 米处发现 1 座砖砌汉画像石墓。简报配以照片、手绘图予以介绍。

据介绍，墓室分前、后室和东、西耳室。墓顶已塌，墓底铺砖。此墓共有 33 块阳刻画像石，一般浅雕 2～3 毫米，此墓曾被盗，棺椁焚毁，前后室中，人骨散乱，陶器破碎。陶器多为泥质灰陶，个别夹细砂。陶器有壶、耳杯、器座、罐、尊、井、屋顶、勺等。另有铜饰、五铢钱和铁器。

简报推断此墓的年代大体相当于烧沟分期的第四期末和第五期初，定在东汉前期比较合适。

577.肥城县发现一座东汉画像石墓

作　者：泰安地区文物局

出　处：《文物》1986 年第 5 期

1978 年 12 月，山东肥城县石横公社北大留村社员发现 1 座画像石墓，泰安地区文物局与肥城县文化馆对此墓进行了清理发掘。简报配以照片、手绘图予以介绍。

据介绍，这座画像石墓在北大留村北 600 米，凤凰山地 3 公里的坡地上。墓门朝北，墓室全用石材砌筑。分前室、耳室、后室 3 部分。此墓早期被盗，随葬器物多置于前室，均已破碎。后室壁仅见漆盒、漆耳杯各 1 件，墓内随葬陶器 9 件，漆器 2 件，五铢钱 12 枚，铜、银耳环各 2 个；存画像石 4 块。此墓年代，简报推断为东汉中期。

简报称，墓内画像石上伏羲、羊头浮雕及后室后壁的神兽图，有一定的艺术价值。

578.山东泰安县旧县村汉画像石墓

作　者：泰安市文物管理局　程继林

出　处：《考古》1988 年第 4 期

1965 年 1 月，泰安县旧县村农民取土时，发现 1 座汉画像石墓。考古人员前往现场查看，墓顶早已塌毁，部分画像石已经露出。清理工作从 2 月 11 日开始到 18 日结束，关于清理情况简报分为：一、墓葬结构，二、随葬物品，三、画像石，四、结语，共四个部分。有手绘图、照片。

据介绍，墓葬位于泰安东南 12.5 公里的旧县村西 300 米处的 1 块高出地面近 3 米的台地上，墓葬由墓门、前后室及耳室组成。随葬品共 77 件，其中陶器 46 件、畜陶俑 5 件、铜器 1 件、古钱 20 件、石床 1 件。简报推断，此墓的时代当在东汉中期。

简报称，画像石内容有车马出行图、乐舞、侍卫、祥瑞等，参照汉代舆服制可知墓主人为官吏，主车题榜"王君车"。此墓的"王君"也可能是指姓王的墓主人。

雕刻技法是浅浮雕和减地平雕。画像石雕刻作风的发展变化，是由阴刻到减地平雕，再转为浅浮雕进而浮雕的。减地平雕产生于西汉后期，流行于东汉初中期；浅浮雕产生于东汉初期，流行于东汉中后期。此墓两种技法并用，减地平雕精致，浅浮雕很粗糙，正反映出雕刻技法上由前者向后者过渡的时代特点。特别是随葬品中的石床与画像石中男性墓主人坐的床一模一样，对研究汉代床的形式和使用的方法有重要价值。

579.山东肥城发现"永平"纪年画像石

作　者：肥城县文化馆　程少奎

出　处：《文物》1990 年第 2 期

1982 年文物普查时，考古人员在山东肥城县桃源区西里村发现 1 块有"永平十六年"纪年的画像石。据当地农民叙述，此石在民国初年出土，后垒砌于墙壁中，得以保存至今。简报配以照片予以介绍。

据介绍，画像石横长 1.34 米、纵高 0.73 米。由于风化及磨损，部分画面已不甚清楚。中间为一座三层楼房。两旁立重檐双阙，阙顶立长尾鸟，第一层檐上伏小兽。楼房顶部立珍禽瑞兽，两立柱上均刻铭。简报录有柱上刻铭的一部分铭文，这块画像石题刻有"永平十六年"纪年。

简报推断，画像石年代为东汉明帝时期的可能性较大。

580.泰安旧县村发现汉魏窖藏

作　者：程继林

出　处：《文物》1991 年第 9 期

1983 年 11 月 14 日，山东泰安市旧县村农民在院中掘土时发现铁器。经考古人员勘察，认为这里是 1 处窖藏。清理后出土一批铁器、陶瓷器。简报配以照片予以介绍。

据介绍，墓葬窖穴内堆积分为两层。上层厚 1.02 米，黄灰色土，结构较松，包含很多战国至汉代的陶片。下层厚 0.6 米，土色黄绿，土质细腻疏松，纯净无任何包含物。当地群众认为此种土与离泰安东 40 多公里的莱芜县的土相同。铁器等物出土于上层底部，紧靠下层窖穴内。西部出土完整的铁器 16 件，中部出大陶瓮 1 件、瓷罐 1 件，东部有大量战国至汉代的残陶器碎片。

简报介绍说，器物有铁鼎 10 件、铁樵 1 件、铁铲 3 件、瓷罐和陶瓮各 1 件。此窖藏年代，简报推断当在东汉，最迟不晚于曹魏。

581.山东泰安出土的一块汉画像石

作　者：泰安市博物馆　赵　鹏
出　处：《文物》2007 年第 1 期

　　泰山一带是山东省四大画像石出土地之一，其中以肥城、大汶口两地出土的画像石最多。1965 年 1 月，在泰安市郊区的旧县村发现 1 座东汉墓，墓内出土了一组画像石。石刻内容包括拜谒、乐舞、车马出行、珍禽瑞兽等，雕刻技法分为减地平面线刻和浅浮雕两种。简报配以拓片，介绍其中 1 块比较重要的画像石。

　　据介绍，该画像石位于墓葬门楣内面，纵 0.46 米、横 1.8 米，画像为浅浮雕。画面中部为 1 只老虎的正面形象。虎口大张，双目圆睁。从虎耳两侧各伸出一爪，作伏地欲扑状。虎的两侧各有 1 车，均向左行。左边刻 1 辆卷篷车，上坐 1 人，高发髻，车前有 1 名导骑。右侧为 1 辆轺车，上坐 2 人。前为御者，后面之人头戴斜顶冠，手持便面。轺车前面还有 1 个导引，头戴圆顶冠，肩扛兵器。在篷车与虎之间，还有 1 猿、1 鱼，其中猿在上、鱼在下，均面向虎。画像石上部浮雕垂幢纹。

　　简报指出，汉代尚虎，借虎威以驱鬼魅，所以，汉画像石上常见虎纹。此图选取虎的面部和爪子，以夸张的艺术形式再现出来。该画像石在车马出行队伍中，还刻有正面虎、兽、鱼等图案，为出土的画像石中所罕见。

日照市

582.山东日照石臼港出土一批古代货币

作　者：杨深富、李玉华
出　处：《考古》1986 年第 7 期

　　1983 年 8 月，位于石臼镇东南方向的石臼咀，在兴建新港平整地面时，发现一批窖藏"大泉五十"新莽铜钱，钱重 9.5 公斤，计 1375 枚，置于距地表深 3 米处。简报配以拓片予以介绍。

　　据介绍，这批铜钱钱文绝大多数为"大泉五十"，也有少量的"大泉十五"。"大泉五十"是王莽居摄二年（7 年）开始铸造的。据汉书记载这种钱"径二寸，重十二铢"。石臼港出土的这批钱币重量、大小、厚薄及钱文的书写均有所不同，因此简报认为这批钱有私铸的可能。

583.山东莒县沈刘庄汉画像石墓

作　者：苏兆庆、张安礼

出　处：《考古》1988 年第 9 期

1985 年 12 月，考古人员在龙王庙乡沈刘庄西 1.5 公里处的西岭上，清理了 1 座汉画像石墓。该墓早年已遭破坏，部分画像石被群众移出做桥板石，1980 年全省文物大普查时发现，立即将桥面上的 4 块画像石运回县博物馆。为搞清画像石出土位置，与该庄群众举行座谈，得知墓在庄西的西岭上，残墓依然存在，门楣石及横额石的上部已露出地面，墓道已经破坏殆尽。考古人员对残墓进行了清理，并将墓石全部运到县博物馆复原展出。简报分为：一、墓葬形制，二、随葬器物，三、画像石的分布和内容，四、结语，共四个部分。有照片、拓片。

据介绍，墓室为砖石结构，墓门南向。墓有 3 门，墓室由前、后 2 室组成。前室面阔 3 间，进深 2 间，共有 6 个开间。后室为棺室，面阔亦为 3 间，当为合葬墓。随葬器物有部分五铢钱和经修复的陶器共 34 件，现存画像石共 21 石、画像 29 幅，分布在门楣、方立柱及前室四壁的过梁和方立柱上。

简报据画像石雕刻风格和墓中出土的绿釉红陶器皿及 16 枚五铢钱的 3 种式样分析，推断该墓的时代为东汉晚期。

584.山东莒县出土榆荚钱范

作　者：张安礼、曹　立

出　处：《考古》1990 年第 5 期

1985 年 11 月，东距莒城 30 公里的柏崖乡孙家庄子村百姓在挖苹果窝子时，发现 4 块榆荚钱范，现已由吉县博物馆收藏。简报配以拓本予以介绍。

据介绍，榆荚钱范可分两种类型。A 型："半两"钱范。所铸榆荚钱的特点是小而轻。简报认为从钱范的磨损程度可以看出，汉人用此范铸钱行之甚久。B 型：形状比 A 型窄而厚，一范有钱模 55 枚。史载西汉前期榆荚钱曾大量流通。简报称，这批榆荚钱范的出土，丰富了对榆荚钱的认识。

585.山东莒县双合村汉墓

作　者：莒县博物馆　刘云涛

出　处：《文物》1999 年第 12 期

1992 年 8 月，莒县水利局在城北双合村建楼房时发现了一组金器，考古人员前往现场进行了调查。这是 1 座砖室墓，墓内出土鎏金铜器、金器等。

简报分为：一、墓葬形制，二、随葬器物，三、结语，共三个部分。有彩照、拓片、手绘图。

据介绍，墓葬位于县城北部，南距莒国故城二城垣约 200 米。墓葬封土早年被夷平，为土圹竖穴砖室墓，墓口距地表 0.46 米。该墓平面呈长方形。墓底由边长 0.43 米、厚 0.06 米的方形陶板铺成，墓室四壁用长 0.46 米、宽 0.22 米、厚 0.12 米的长方形砖错缝顺砌而成，墓顶用方形陶板覆盖。由于随葬品已被村民取出，故而墓室内器物及人骨架的摆放情况不详。据村民讲述，在挖掘时墓室内有一层厚约 0.3 米的细泥，人头骨在墓室东部，中部人骨架零散且较小，西部置一陶罐，金器、玉器、铜器放置在人骨架周围。随葬品较为丰富，有陶器、鎏金铜器、铜造像、水晶器、玉器、绿松石器、金器等，计 12 件。

简报称，该墓的形制较为简单，规模亦不大。随葬品虽然数量不多，但种类较为丰富、特殊，为山东乃至周边地区所少见。除陶器外，墓内的随葬品都特别小，而且金器、绿松石兽、水晶器、玉羊等都有一对穿小孔，它们应是孩童随身佩戴和玩耍之物。由此分析，这座墓的墓主可能是地方官宦家的孩童。

该墓的年代，简报推断为汉代。

586.山东莒县东莞出土汉画像石

作　者：莒县博物馆　刘云涛
出　处：《文物》2005 年第 3 期

东莞镇位于莒县城北 55 公里。1993 年 5 月底，东莞镇文化站站长李永英在东莞村西南约 1.5 公里处发现石刻 1 块。考古人员前往察看，发现是 1 座古代墓葬，随即对该墓进行了抢救性清理发掘。简报配以手绘图予以介绍。

据介绍，该墓早年被严重破坏，墓上无封土，墓圹已残。该墓为 1 座长方形土圹竖穴砖石合建墓。填土中夹杂着大量的残砖块。墓内的画像石表面全部用白灰涂抹，而且未发现随葬品。该墓共出土画像石 10 块。简报逐石予以介绍，1 号石原有题记，惜被后世造墓者凿残。简报录有全文，中有许多空字。

简报指出，从 1 号石的题记看，该画像石原本是石阙，2 号石与 1 号石为一对，3 号石和 4 号石是其基座。该石阙原为墓主孙熹墓前的阙门，立于东汉灵帝光和元年（178 年），后被他人筑墓利用，所以阙铭被破坏，画面被抹上石灰。这种利用前人石料造墓的现象很普遍。

简报称，1 号石正面第四、五层不仅增加了禹妻、汤王、汤妃等人物，尧、舜、禹等形象与嘉祥武梁祠所见的也不尽相同。此外，在 2 号石正面第二层的胡汉战争画面中，楼阁柱上刻有"隶胡" 2 字，这在山东地区的汉代画像石中尚属首次发现。1 号石和 2 号石为研究汉代石阙的建筑形制提供了新的实物资料。

587.山东日照海曲西汉墓（M106）发掘简报

作　　者：山东省文物考古研究所　郑同修、何德亮、崔圣宽、刘红军等
出　　处：《文物》2010 年第 1 期

海曲墓地位于山东省日照市西郊西十里堡村西南约1.5 公里处，其西北约1 公里处为汉代海曲县故城所在地，城址犹存。为配合高速公路建设工程，2002 年3 ～6 月山东省文物考古研究所对该墓地进行了抢救性发掘，在3 座封土之中共发掘墓葬86 座，其中M106 的规模较大，保存较完整，出土器物丰富。简报分为：一、墓葬形制，二、随葬器物，三、结语，共三个部分。先行介绍了M106 的发掘情况，有彩照、手绘图。

据介绍，M106 位于一号封土的东南角，为长方形竖穴土坑墓，其下部深入岩石层，直壁，平底。墓圹长5.7 米、宽3 米、深6.5 米，墓内填土为黄褐色花土，夹杂大量粗砂粒、碎石块。该墓曾被盗掘，盗洞已挖至椁盖板之上并将椁盖板凿了个浅坑，但盗墓者并未进入墓室，因此墓葬保存完整。木椁四周及木椁上部封填青膏泥。葬具为1 棺1 椁，椁外北侧又用木板砌筑一边椁。木椁呈"井"字形，长4.04米、宽1.2 米、高0.86 米。椁顶部周围又有一木质"井"字形框，从平面看如同椁有两重，但仅为顶部一周木框，腐朽严重。椁盖板有2 层，第1 层椁盖板为横向排列，均为修整好的方木，保存基本完好。第1 层椁盖板由20 块方木构成，压在椁框之上，保存较完整，出土器物丰富。该墓出土的漆器精美，部分漆器嵌金，另外还出土有陶器、铜器、木器、竹器、玉器、石器等。根据墓葬形制、出土器物及竹简纪年文字推断，该墓的年代约在汉武帝末年或昭帝时期。墓主人或与城阳国有一定关系，但身份不会太高，或许是汉代海曲县的统治者。

简报指出，M106 的发掘对于研究汉代山东东南沿海一带的埋葬制度具有重要的意义，为研究与楚文化的关系以及手工业生产水平提供了珍贵的实物资料，同时也为研究城阳国的历史提供了年代证据。

588.山东日照市海曲 2 号墩式封土墓

作　　者：山东省文物考古研究所　郑同修、何德亮、崔圣宽
出　　处：《考古》2014 年第 1 期

2002 年，考古人员在日照市西郊十里堡村西南进行了抢救性发掘。共发掘 3 座

残存封土的墓葬，在3座封土中共发现墓葬86座。该发掘成果被评为2002年度全国"十大考古新发现"之一，其中1号封土中M106的资料已经发表于《文物》2010年第1期，此次再将2号封土墓葬的发掘予以介绍。简报分为：一、封土和墓葬发掘概况，二、木椁墓，三、砖室墓，四、结语，共四个部分。有彩照、手绘图。

据介绍，2号墩内有木椁墓27座、砖室墓11座，高规格墓及保存状况均不好于1号墩。年代从西汉中期至东汉晚期（甚至魏晋时期）不等。

莱芜市

589.山东省莱芜县西汉农具铁范

作　者：山东省博物馆　朱　活、毕宝启
出　处：《文物》1977年第7期

山东地区自古以来是产铁的地方。近年在临淄齐国故城勘探中，发现战国时期齐国冶铁遗址的面积已达4万～5万平方米的规模。据《汉书·地理志》注，西汉武帝实行"笼盐铁"（即盐铁官营）以后，在全国设立40多处铁官，而山东地区就占有12处：济南郡的东平陵、历城，齐郡的临淄，东莱郡的东牟，千乘郡的千乘，泰山郡的嬴，胶东国的郁秩，成阳国的宫，鲁国的鲁，以及山阳（新莽时改为钜野）郡、琅琊郡、东平国。1972年9月，莱芜县牛泉公社开省庄大队农民深翻土地时发现一批汉代农具铁范。今莱芜城就是汉代的嬴县，开省庄东、北距莱芜城约25公里。简报分为：一、铁范的种类及形制，二、铁范的化学分析和金相检查，三、铁范的断代，四、西汉前期冶铁发展史的一份实物证据，共四个部分。有照片等。

据介绍，共发现铁范24件，上面往往有工匠姓氏、籍贯或私营作坊所在地铭文。汉武帝时，将冶铁收归中央，产品上不见有这类铭文。简报称，莱芜铁范是西汉前期冶铁事业由私营走向官营的一段过程中的产物，是标志西汉前期冶铁发展史的一份有力的实物证据。

590.山东莱芜东泉河村出土一批西汉文物

作　者：刘卫东
出　处：《文物》1993年第12期

1987年3月，山东省莱芜市牛泉镇东泉河村农民在修建房屋时挖出一批文物，并送交泰安市博物馆。考古人员随即前往调查，因文物出土处已盖房屋，无法再进行清理。据发现人介绍，这批文物出土于距地面深1.5米处，并有砖砌通道。简报配以拓片、照片予以介绍。

据介绍，收集的器物有铜器、陶器、五铢钱、鎏金铺首纹饰等117件。除雀虎纹铜戈外，简报推断其余器物的年代应属西汉中晚期。

简报称，雀虎纹铜戈的造型及纹饰十分少见，戈上一般没有銎，而此戈出土时雀形銎内还残存有朽木，其使用方式还有待于研究。

临沂市

591.山东莒南发现汉代石阙

作　　者：刘心健、张鸣雪

出　　处：《文物》1965年第5期

莒南县延边区小山前公社东兰墩村生产三队在村东南深翻地时，发现有带字的石碑。考古人员于1965年2月10日下午5时从地表层以下0.5～1.5米处，清理出石阙阙身1件（编号1），石阙顶2件（大的半残，编号2；小的较完整，编号3），其他不规则的乱石4块（未编号）。11日清理完毕，由县文化馆运回保存。简报配以照片予以介绍。

据介绍，汉阙出土地点位于东兰墩村东偏南约315米处，周边发现3座带封土的古墓。石阙于地表层0.5米以下发现，阙身南北方向，正面朝东，左侧向上，有铭文。上半面朝东倾斜。阙身西侧有阙顶两件，在3号阙顶西侧有半截乱石顶着它，北端不远处还有两块乱石。阙身以东约20厘米处，有1块长条石。从石阙铭文及发现情形看，为孙氏墓前的墓道阙，是倾倒后有意识埋藏起来的。可能就是孙仲阳为其父所建的墓道双阙之西阙。此阙建立于元和二年（85年），基本完整，为研究我国汉代早期阙身形状提供了新的资料。

592.山东临沂西汉墓发现《孙子兵法》和《孙膑兵法》等竹简的简报

作　　者：山东省博物馆、临沂文物组　吴九龙、毕宝石

出　　处：《文物》1974年第2期

1972年4月间，考古人员在临沂银雀山发掘的一号和二号汉墓里，发现了《孙

子兵法》《孙膑兵法》等大批竹简和竹简残片。同竹简一起出土的，还有漆木器、陶器、铜器和钱币等随葬器物。经鉴定，这是两座西汉前期的墓葬，出土的竹简和其他器物，也都是当时的殉葬品。

简报分为"墓葬的位置和结构""竹简的内容和出土经过""其他出土器物和墓葬的年代""结束语"四个部分予以介绍，有手绘图。

据介绍，临沂北屏蒙山，向南是一片平坦的田野，沂河由北而南在这里经过，临沂县因东临沂水而得名。在旧临沂城南约1公里处，有2座隆起的小山岗，东岗名为金雀山，西岗名为银雀山。据最近文物考古工作证明，这里是1处规模较大的汉代墓地，这次发掘的2座墓葬，也坐落在这里。一号和二号两墓墓室都是长方形竖穴，在岩石上开凿而成的。一号墓出土竹简4942枚，二号墓出土竹简32枚。还伴出有陶器、漆木器、铜镜、钱币等95件。一号墓墓主人应为西汉建元五年（前136年）至元狩元年（前122年）之间一位关心军事或兵法的人。二号墓的年代上限应在汉武帝元光元年（前134年）。

简报称，我国曾多次出土竹木简牍，最早的记载见于汉代。据不完全的统计，到现在已在30次以上。1949年以来，各地发现竹木简也已有20次之多，但大部分为"遣策"，古代的书籍只有1959年9月在甘肃武威磨咀子东汉墓出土的《仪礼》，和1972年11月在武威旱滩坡东汉墓出土的医药简，像这次在2座汉墓中1次出土种数、字数这么多的古籍，还是第1次，特别是其中大部分为兵书，更值得重视。二号墓出土的《汉武帝元光元年历谱》，是现在发现的我国最早、也是最完整的古代历谱，较"流沙坠简"著录的汉元康三年（前63年）历谱早70余年。这份历谱不仅对研究古代历法很有价值，还可以帮助我们校正《资治通鉴目录》《历代长术辑要》《二十二史朔闰表》等的遗误。

593.山东苍山发现东汉永初纪年铁刀

作　者：临沂文物组、苍山文化馆　刘心健、陈自经
出　处：《文物》1974年第12期

1974年7月，山东省临沂地区苍山县进行文物调查，在卞庄公社纸坊大队收集到社员在农田水利建设中发现的东汉永初六年（112年）铁刀1件。简报配以照片予以介绍。

据介绍，刀全长111.5厘米，刀身宽3厘米，刀背厚1厘米。环首呈椭圆形，环内径2～3.5厘米，刀身有金错火焰纹和隶书铭文"永初六年五月丙午造卅涷大刀吉羊"15字。其中永、五、丙三字笔画略有残缺，其余字体完整。

简报称，在我国历史上，永初年号凡二见：一为东汉安帝刘祜，共 7 年；一为南朝宋武帝刘裕，共 3 年。此刀为永初六年铸造，简报推断当为东汉安帝时。永初六年，即公元 112 年。

594.临沂银雀山四座西汉墓葬

作　者：山东省博物馆、临沂文物组　蒋英炬、吴文棋
出　处：《考古》1975 年第 6 期

临沂县位于山东省的东南部，在临沂县城的南面有 2 个东西对峙的小山丘，当地称为金雀山、银雀山。近年来 2 处不断发现古墓葬，其中以汉墓居多。银雀山靠近城区，由于市政建设的发展，高地已逐渐削平。1972 年 4 月曾在该处发掘了 2 座西汉木椁墓，出土了重要的《孙子兵法》《孙膑兵法》等竹简。1973 年 3 月间，配合该地建筑工程，又发掘了 4 座西汉墓葬，依次编为 3 ~ 6 号。这 4 座墓位于上次发掘的 1、2 号墓南边 10 余米。简报分为"墓葬形制""随葬器物""结语"，共三个部分。有拓片、手绘图。

据介绍，4 墓似为长方竖穴墓，无墓道，其中保存最好的是 4 号墓。随葬品中以 M4 出土的一批漆衣陶器和漆器最为珍贵。这批漆衣陶器和漆器的出土，尤其是带"管市"等戳记的耳杯，为研究汉代漆器手工业增添了资料，说明此一地区在西汉时期有相当发达的漆器手工业。4 墓的年代，3、4 号墓的年代下限应在武帝以前，可能属文、景时期；5、6 号墓略晚于 1、2 号墓，是武帝以后的西汉晚期。墓主人的身份，可能是小地主、地方官吏及其眷属，属于统治阶级的下层。

595.山东临沂金雀山九号汉墓发掘简报

作　者：临沂金雀山汉墓发掘组
出　处：《文物》1977 年第 11 期

金雀山位于旧临沂城东南，东靠沂河，紧连银雀山，是 1 个古墓葬区。1976 年 5 月，考古人员对金雀山已暴露的几处墓葬进行了发掘。在临岚公路南侧的九号墓，便是其中的 1 座。简报配以彩照、手绘图予以介绍。

据介绍，金雀山九号墓，为长方形竖井穴木椁墓，四壁是风化石杂鹅卵石的沉积岩层。由地表至墓底深处达 8.7 米。椁室周围均以 10 ~ 20 厘米厚的灰膏泥封闭，椁盖板以上的灰膏泥则厚达 1.2 米。再上，则填以黄褐色夯土。葬具 1 椁 1 棺，套合较紧密。棺内外均髹漆，仅棺底漆色尚存，为丹红色。棺内人骨架 1 具，仰身直肢，

头向南。由于棺内曾积水，小块骨骼位置有变动。棺盖及四周裹以麻布，棺的两端各用三股麻绳绕三匝，将棺和麻布捆紧，绳头用环形结扣。1幅彩色帛画平展于棺盖麻布之上。出土有木枕、铜镜、陶鼎等。简报推断年代为西汉前期。从帛画推断，墓主人应为1位老年女性。

596.山东苍山柞城遗址出土东汉铜器

作　者：刘心健、刘自强
出　处：《文物》1983 年第 10 期

1980 年冬，山东省苍山县柞城古城遗址东南角发现一批东汉铜器，计 14 件，总重 80 多斤，当即由考古人员负责收集。简报配以拓片予以介绍。

据介绍，共出土铜洗 11 件、铜壶 3 件。简报称，铜壶的造型为出土东汉铜器中所少见，其年代推断为东汉时期。

597.苍山县出土东汉延熹纪年铜洗

作　者：刘心健、刘自强
出　处：《考古》1983 年第 1 期

1981 年 5 月，在山东省苍山县磨山公社西町大队村前枯井崖发现 1 件东汉铜洗，当即送交文物部门。简报配以拓片予以介绍。

铜洗重 6.75 公斤，口径 42.5 厘米，左右有两兽形铺首。腹部饰凸弦纹四道。内底铸有鹤、鱼纹饰，头向一致。鹤和鱼的上下又各饰五铢钱纹。鹤、鱼之间铸有"延熹元年造作工" 7 字。

延熹元年是东汉桓帝的年号，即公元 158 年。

598.山东临沂金雀山周氏墓群发掘简报

作　者：临沂市博物馆　沈　毅
出　处：《文物》1984 年第 11 期

金雀山位于山东省临沂市城区东南隅，东濒沂河，西北与银雀山对望。1978 年考古人员在此发掘了 6 座墓，共出土遗物 200 余件，五铢钱 168 枚。

简报分为"葬制与葬具""出土遗物""小结"，共三个部分。有照片、拓片、手绘图。

简报称，6 座墓均为长方形土坑竖穴墓，其年代简报推断为西汉。12 号墓为夫妇合葬墓，10、11 号墓为夫妇异穴合葬墓，13、14 号墓也为夫妇异穴合葬墓。据出土印等考证，5 座墓墓主为夫妻，又都姓周，此处当为周氏墓群。

599.山东沂水县荆山西汉墓

作　者：沂水县文物管理站　马玺伦
出　处：《文物》1985 年第 5 期

荆山位于沂水县城西南 2 公里。沂河由北流来，绕过山的西侧；东南连（山巴）山，东北是一片小平原。海拔 214 米。1974 年 1 月，后（山巴）山村社员在荆山东坡挖掘石料时，发现 1 座古墓葬。县文化馆作了现场勘察，并对残墓进行了清理。简报配以手绘图、拓片、照片予以介绍。

据介绍，此墓为长方形竖穴墓，由墓道、墓室两部分组成。出土器物有壶、甑、灶、豆、钵、耳杯等陶器，鼎、镲斗、镲、盉、提梁盉、洗、舟、弩机、带钩、镜等铜器，以及铅铸兽饰、玉石饰等。另外，据调查，在随葬器物中有两柄铁剑，由于腐烂严重，取出时已残碎，未能保存。简报推断这座墓的年代当在西汉。

600.山东沂水县发现一件西汉铜熏炉

作　者：马玺伦
出　处：《考古》1985 年第 12 期

1984 年 3 月，山东沂水县姚店子公社西水旺庄青年在村北岭推土时，发现 1 件铜熏炉，并马上送交到县文物管理站。简报配以照片予以介绍。

据介绍，考古人员到出土地点进行了调查，发现这件铜熏炉原来是从 1 座早年被群众推土破坏的残墓中出土的。墓底为自然山石平铺，铜熏炉就埋在墓底西南角仅剩的一小堆填土里，墓底有少许板灰。据在该墓处推土的群众说，早年还挖出 2 件灰陶罐和 1 把折断的铁剑，陶罐内还装有 3 枚"五铢"和 2 枚"大泉五十"钱币，均残碎，未发现人的骨架。简报推断这可能是一座西汉晚期墓。

简报称，西汉时期，沂水县地域属琅琊郡所辖，《汉书·地理志》所载"琅琊郡东莞县"即今沂水县。故境内汉代文物较多，但在汉墓中豆形盘托熏炉很少见。从熏炉的形制特征看，简报认为应是西汉时期的 1 件明器。

601.山东沂水县发现"军假司马"印

作　者：马玺伦

出　处：《考古》1986年第1期

1974年春，山东沂水县姚店子公社后城子大队农民在村北田间取土时，在离地表30厘米处发现1方铜印。该印为正方形，鼻纽，重54克，印文阴刻"军假司马"4字。简报配以照片、拓片予以介绍。

简报称，"军假司马"为东汉武职。后城子村北是1片汉代墓群，"文革"中大都被挖掘破坏，铜印可能自墓葬中出土。墓群多数是画像石墓，少数为砖室墓。从1座被破坏的砖石墓中采集到的1块纪年砖看，砖的上面刻有"武元"和"建武元年三[月]二日制作"的文字。从砖上刻字看，不像有意刻写，而是做砖工匠趁砖坯未干时用柴草类随意记写的。"建武"是东汉光武帝刘秀的年号，"武元"可能是建武元年的意思。说明该墓群的时代为东汉时期，"军假司马"印即属东汉时期的遗物。墓群南500米有一故城址，"军假司马"印和纪年砖在故城址北的墓群出土，不但为考证沂水县境内汉代故城址分布情况和历史地域划分提供了实物资料，而且对研究汉代军事编制和武官配备也有一定的参考价值。

602.山东临沭县出土汉代石羊

作　者：王　亮

出　处：《考古》1986年第1期

1974年，临沭县图书馆从该县东盘乡后利城村西桥头运回1对石羊，1尊用当地青石料、1尊用水成岩石料做成。2羊造型基本相似，皆昂头、挺胸、屈膝卧地。仅有些细小的差别，如白石羊背部平阔，各部位的轮廓雕凿得细致、清晰，体面光滑；而青石羊耳、角皆不清楚。这两尊羊的姿势自然，结构比例准确，雕刻比较粗放，造型大方丰满。简报配以照片予以介绍。

简报称，据当地人介绍，后利城村西原有1座用3块条石搭成的石桥（年代不详），白石羊就立在桥头南边，面向东，当地人称此桥为"石羊桥"。青石羊则是50多年前在桥东北约200余米处的菜园内挖出的，泥土中包含大量汉代陶片，地面上有1块直径约40厘米的石柱础。该村村西有大片汉代遗址，村外1公里的东岭、西南岭上均有汉代墓葬，汉代的砖头、瓦片到处可见。根据两尊石羊的造型特点及所在地周围的情况，简报推测这两尊石羊应为东汉时遗物。

603.山东沂水县出土汉代铁器窖藏

作　　者：马玺伦

出　　处：《考古与文物》1987年第6期

1980年5月，沂水县城子乡黄堆头村村民发现1座铁器窖藏。铁器是装在1件灰陶缸里面的。陶缸早年破碎，铁器锈蚀严重。除有釜、犁、铧、剪、刀等外，伴随出土了陶釉罐1件。简报配以照片予以介绍。

《沂水县志》记载，汉代城阳国东安县故城址就在这一带，常有汉代货币、陶器出土。汉代的城阳国国都在莒，《汉书》载"莒有铁官"。这批铁器出土于汉代故城址，形制也具有汉代铁器的特点，时代不会晚于东汉。这为研究汉代铁器铸造、应用范围，提供了实物资料。

604.临沂的西汉瓮棺、砖棺、石棺墓

作　　者：临沂市博物馆　沈　毅、冯　沂等

出　　处：《文物》1988年第10期

山东临沂在西汉时已相当繁荣。这里近年曾发现过大批土坑竖穴木椁墓，其中有著名的银雀山竹简汉墓和金雀山帛画墓，也发现过有金缕玉衣的石椁墓和大小不等的画像石墓。简报分为：一、陈白庄瓮棺墓，二、青峰岭砖棺墓，三、庆云山石棺墓，共三个部分，配以照片、手绘图。介绍另外三种墓葬形制，即瓮棺墓、砖棺墓和石棺墓。

据介绍，陈白庄位于临沂城南6公里处。该村因烧窑取土发现一批瓮棺墓葬，计有8座以上，其中大部分已被破坏。1981年1月，考古人员在此清理了2座瓮棺墓。墓圹已被破坏，M1葬具为1罐1瓮对口套接，M2为2个长筒形瓮对口相接。M1未见骨架和随葬品。M2有2岁左右儿童的骨架及牙齿。仅有半两钱1枚，未见其他随葬品。简报认为瓮棺墓应为西汉平民埋藏儿童的方式。青峰岭位于临沂城东南15公里处，该处发现墓葬为长方形土坑竖穴砖棺墓，砖棺长2.3米，宽1.08米，高0.92米。用24块砖组成。棺盖、底各6块，两帮各4块，头、足挡各2块。尸骨已朽，出土有陶器4件、半两钱5枚。简报推断此墓应属西汉早期。庆云山位于临沂城南15公里处。当地人于1984年5月取土烧砖时挖掘两具石棺墓，未见骨架，两墓均为土坑竖穴墓，石棺上有雕刻。出土有陶器、石质六博棋子等。庆云山石棺墓属西汉早期墓。

605.山东沂水县发现汉代铁器窖藏

作　者：沂水县文物管理站　马玺伦
出　处：《考古》1988年第6期

1984年9月，沂水县何家庄子青年农民在村西南崮子顶刨地瓜时，在离地表25厘米处发现1座铁器窖藏。县文管站派员到铁器出土地点进行勘察，并将出土铁器全部收运站内珍藏。这批铁器保存完整，锈蚀较轻，有釜、鼎、镢、锸、铧、盂等15件。简报配以手绘图、照片予以介绍。

据介绍，窖穴挖在1处龙山文化遗址上面，长110厘米、宽50～55厘米、深55厘米，呈椭圆形。出土的铁锸、犁铧，形制与陕西省渭南市田市镇出土的汉代铁器犁形支架和铁犁基本相同（郭德发《渭南市田市镇出土汉代铁器》，《考古与文物》1986年第3期）。这批窖藏铁器，简报推断应为东汉时期遗物。

606.山东临沂金雀山九座汉代墓葬

作　者：临沂市博物馆　冯　沂等
出　处：《文物》1989年第1期

1983年12月，临沂金雀山西北侧的南坛百货楼工地，在施工中发现古墓葬。考古人员前往调查。经勘察，在楼基范围内共有墓葬9座（编号为M26～M34）。简报分为：一、墓葬形制，二、随葬器物，三、结语，共三个部分。有照片、拓片、手绘图。

据介绍，南坛百货楼工地位于金雀山和银雀山之间，地处金雀山古墓群范围内。南坛原为明清祭祀风云雷雨山川诸神之所，因坛在城南，故名。由于历年来削高填洼，加之近几年市政建设的发展，坛已被削平。清理的这9座墓葬，墓底距现地表深2～5米，部分墓葬有完整的棺椁。出土陶器、铜器、铁器、漆器、木器、竹器、玉器等器物380余件，还有半两、五铢钱共234枚。9座墓葬皆为长方形竖穴土坑木棺椁墓，其中1棺1椁墓5座（M28、M31～M34）、单棺无椁墓4座（M26、M27、M29、M30）。关于这批墓葬的年代，简报推断M27、M31、M34为战国晚期至西汉早期，其他6墓应为西汉中期或晚期。墓主大多为中小地主或低级官吏。

简报称，出土漆器达100余件之多，说明汉代时临沂一带应有较发达的漆器手工业。M31出土的木俎，M33出土的铁矛、腰带，也值得重视。

607.山东沂水出土窖藏铁器

作　者：马玺伦

出　处：《考古》1989 年第 11 期

1980 年 5 月,沂水县城西南 17.5 公里的黄挨头村百姓,在翻地时发现 1 个破碎瓮,里面装满了铁器。铁器锈蚀较严重,有鼎、镞斗、镞、熨斗、釜、斧、犁铧、车辖、权、剪刀、刀、钻头、篷钉等 18 件,伴随出土了褐色釉罐、黄色釉碗各 1 件。简报配以照片予以介绍。

据介绍,这些出土的器物,简报推断为汉代遗存。这些器物的出土,为研究汉代沂蒙山区冶铁业的发展和铁器的使用情况提供了丰富的实物资料。

608.山东平邑东埠阴汉代画像石墓

作　者：平邑县文物管理站　李常松、魏有礼、唐守元

出　处：《考古》1990 年第 9 期

山东省平邑县保太乡东埠阴村村民于 1981 年 2 月翻地整土时发现 2 座汉代画像石残墓,出土一批汉画像石。考古人员赶往现场时墓室已毁。

简报分为：一、一号墓画像石,二、二号墓画像石,三、永西庄画像石,四、几点认识,共四个部分。有手绘图。

据介绍,平邑东埠阴村汉画像石雕刻技法有凹入平面雕、平面浅浮雕、弧面浅浮雕、高浮雕等多种,技法比较齐全。另外据都有立柱石的情况,简报推断 2 墓葬均应为多室墓,两墓的年代为东汉。

简报称,东埠阴汉画像石内容,以反映现实生活为主,立柱上多为奇禽异兽,也有胡人和汉人力士。永西庄一石,画面基本由阳线条构成。它们为研究汉画像石雕刻技法提供了有用的实物资料。

609.山东沂水县西水旺庄汉墓

作　者：马玺伦、刘一俊、孔繁刚

出　处：《考古》1990 年第 9 期

1985 年 3 月,西水旺庄百姓在村西岭挖土时发现了一些陶器和 2 件铜镜。考古人员闻讯后即赴现场调查,并将出土器物运回馆内收存。经过整理,陶器有鼎、壶、罐、灶、樽、钵等 21 件,铜镜 2 件,铜镜刷柄（？）1 件。简报分为：一、墓葬结构,

二、随葬器物，共两个部分。有手绘图、照片。

据介绍，此为并排的 2 座墓葬，南北相距 5 米。都是东西向，两墓东端在一条直线上。位于北边的墓编号 M1，位于南边的墓编号 M2。M1 形制已不清，M2 为长方形竖穴墓，M1 出土铜镜、铜镜刷柄（？）各 1 件。M2 出土铜镜 1 件、陶器 21 件。根据 2 座墓葬墓室结构、随葬器物形制，简报推断其时代为西汉中晚期。

610.山东苍山县发现汉代石棺墓

作　者：林茂法、金爱民

出　处：《考古》1992 年第 6 期

1984 年春，苍山县小北山砖厂在扩建晒坯场施工中发现一批墓葬。这批墓葬有石棺墓和土坑墓 2 种，大部分已被破坏，仅 4 座石棺墓（M1 ~ M4）基本完好。临沂地区文管会派人协同苍山县文管所进行了清理。简报分为：一、墓葬形制，二、随葬器物，三、小结，共三个部分。有拓片。

据介绍，4 座石棺墓皆为长方形竖穴墓圹，石棺均用几块比较规整的石板拼合而成。整个墓室内壁平整，外壁不平。以上 4 座墓共出土陶器 29 件，钱币 55 枚，铜镜 1 枚，铜饰 2 件，环首铁刀 1 把，环首铁削 3 把。

以上 4 座墓的墓葬形制与随葬器物的形制都具有西汉中、晚期到东汉早期的特点。随葬器物以陶器为主，以鼎、壶、樽、甑为组合，与《考古》1975 年第 6 期《临沂银雀山四座西汉墓葬》相似，其时代亦应相近。简报据此推断 M1 出土的"大泉五十"和八乳规矩纹铜镜，时代应属王莽时期或稍后，其余为西汉中、晚期墓葬。

611.山东沂水县出土一批青铜器

作　者：孔繁刚

出　处：《考古与文物》1992 年第 2 期

山东沂水县博物馆征集一批古代青铜，原为沂水县杨庄镇李家坡村出土。1988 年春，考古人员对这批青铜器出土地点作了调查。据查，青铜器先后出土于李家坡村东 1 处古遗址附近。其中鼎、鬲、盘、罍、剑为同一墓葬出土，伴随出土有陶罐、陶豆等，已碎被弃，另外还有一些人的碎骨。铜洗为分别出土，均是村民在取土时发现。简报配以照片、拓片予以介绍。

据介绍，计有鼎 1 件、甗 1 件、罍 1 件、盘 1 件、剑 1 件等，未见铭文。简报推断为春秋早期遗物。铜洗 5 件似出自 1 处窖藏，当为东汉遗物。

612.山东沂水县牛岭埠发现一座东汉墓

作　者：马玺伦
出　处：《考古》1993 年第 10 期

1987 年 11 月，在沂水县北郊 1 公里的牛岭埠村西菜地里，村民在挖菜窖时发现 1 座古墓葬，并将随葬的 6 件陶器、瓷器送交了县博物馆。这是 1 座早年挖去封土和墓口、今又因挖菜窖被毁坏的砖室墓。简报配以拓片、手绘图予以介绍。

据介绍，墓室为长方形，东西向，用青灰砖平砌而成，发现残存的板灰、碎漆片及扰乱的人骨架。从残留人骨架辨认，为单人仰身直肢葬，头向东。在颈部、肩部、腰部散放着 5 枚五铢钱，头部有残漆片和铜饰件，在器物坑内又清出了 3 件灰陶罐，包括村民交来的器物，计有陶壶 5 件、陶罐 1 件、瓷壶 2 件、五铢钱 5 枚。该墓的年代，简报推断为东汉早期。

613.沂水县发现古井和古墓

作　者：孔繁刚、杨华洲
出　处：《考古与文物》1995 年第 5 期

1991 年 11 月中旬，山东沂水县武家洼乡南张庄村村民在挖大口井时，发现古井和古墓。县博物馆闻讯后即派人员作了调查清理，并将出土文物收集入馆。简报配以照片予以介绍。

据介绍，古井和古墓位于沂水县城北约 15 公里处的南张庄村东高台地上，东临小河，西、南、北 3 侧为农田。井口用石块砌筑约 30 厘米高，下部叠四层陶制井筒。井内清理出陶罐、铁锄、铁锛等。附近还有墓葬，主要分布于井东侧，其中 6 座全部遭破坏，均为土坑墓。其中两墓残存有红、白彩绘棺木。据查墓中出土有陶鼎、陶壶、陶罐、陶耳杯、陶豆、陶钵及铜剑、铜削等，其大部分陶器毁失，仅存有陶罐、陶豆、陶钵等。

简报称，此次发现的铁锄、铁锛为该具首次发现。因墓葬被毁，大部分出土器物残失，也未发现有纪年遗物，据调查情况和出土文物的形制特征及古井的形制，简报推断它们的时代可能在西汉时期。

614.临沂金雀山 1997 年发现的四座西汉墓

作　者：金雀山考古发掘队　徐淑彬等

出　处：《文物》1998 年第 12 期

1997 年 4 月，在山东省临沂市东南部华东烈士陵园东邻的民安开发住宅小区工地上发现旧石器时代文化遗存。考古人员在发掘旧石器时又发现 4 座墓葬，于 4 月至 5 月对民安工地 4 座汉墓进行为期 1 个月的抢救性清理。简报分为：一、墓葬形制，二、随葬器物，三、结语，共三个部分。有照片、拓片、手绘图。

据介绍，4 座墓均为长方形竖穴墓，无墓道。编号金民 M1 ～ M4 号（M1 ～ M4）。该地系旧房改造，发现时墓口已见于楼房基槽中，从地层断面可见 20 世纪 60 年代建民房时挖出的墓口。故墓葬原封土及埋深情况不详。出土遗物中，以 M4 出土的帛画和小罐底部刻划的人物比较重要。4 墓的年代，简报推断均为西汉武帝前后，认为此 4 座墓与邻近 300 米的金雀山 9 号西汉墓或许同属一个家族。

615.山东沂南县近年来发现的汉画像石

作　者：山东省沂南县、沂南县文管所　赵文俊、于秋伟

出　处：《考古》1998 年第 4 期

沂南地处山东省东南部、沂蒙山区腹地。境内河流纵横，丘陵低山广泛分布，沿河两岸谷地早在新石器时代就已经有先民在此繁衍生息。此地在春秋时期是城阳国的疆域，阳都故城即位于今县城南 18 公里处。战国时属齐地，两汉时则分属城阳国和琅琊郡，并且一直是经济、文化比较发达的地区。境内发现汉代遗址超过 200 处，其中尤以画像石墓最具特色。继 1954 年沂南北寨汉画像石墓发现并发掘之后，近年来又陆续在县境内的砖埠乡双凤庄、任家庄、大汪家庄，界湖镇西独树村等地发现了多座汉墓，出土一批汉画像石，现将画像石内容介绍如下。

这批画像石共计 21 块，30 幅画像。其中双凤庄 15 块 24 幅（编号 YS1 ～ YS15），任家庄 2 块 2 幅（编号 YY1、YY2），大汪家庄 1 块 1 幅（编号 YW1），西独树村 3 块 3 幅（编号 YX1 ～ YX3）。简报配以照片予以介绍。

据介绍，这批汉画像石均非科学发掘所得，缺乏可用来判定时代的伴出物。但结合周边县市出土的年代确定的画像石，再从这批画像石的题材及雕刻技法等各方面分析，简报推断其年代应属东汉晚期。

简报称，这批汉画像石的出土地点全部分布在沂河西岸，而且除西独树村外，又集中分布在砖埠乡。因此，这批画像石的出土既为将来阳都故城的调查研究提供

了线索，也为沂南县境内汉画像石墓的调查发掘提供了有益的启示，又为沂南画像石乃至山东的汉画像石研究提供了新资料。

616.山东临沂市银雀山的七座西汉墓

作　者：银雀山考古发掘队　徐淑彬、高本同、苏建军
出　处：《考古》1999年第5期

1997年4月下旬，山东省临沂市内银雀山中段的市畜牧局在旧址改建中，在新建的楼基地槽内发现有古墓葬。考古人员实地调查，发现1座汉墓（后编号为银·畜M2）已被掘至墓底，棺椁被毁，随葬品也全部被挖出，即实施抢救性清理。清理工作时间自5月6日持续至5月25日，清理地槽内及可以见到的汉墓7座（暂编号银·畜M1～M7）。另有几座墓葬因压在建筑物下，无法清理。

在发掘汉墓的同时，于地槽壁和墓圹壁之原生地层中发现旧石器时代中期的文化层，还在墓葬的填土中采集到部分旧石器标本，共计300余件。鉴于汉代墓葬与旧石器在文化内涵上差异较大，故将另文发表。

关于上述墓葬清理工作的情况，简报分为：一、墓葬形制，二、随葬器物，三、结语，共三个部分。有手绘图、拓片。

据介绍，临沂市畜牧局旧址清理的7座汉代墓葬，从墓葬形制看，多为土圹竖穴1椁1棺墓，墓主的身份以士级居多，出土器物有陶器、漆器、木器、竹器、铜器、玉器、铁器。这7座墓葬的年代，简报推断大致应在西汉武帝或稍后的时期，是西汉琅琊郡开阳县在银雀山上氏族墓地的一部分。

简报称，随葬器物中绘人物漆卮的出土为临沂金雀山、银雀山汉墓群中首见，鎏金五铢钱和鎏金铜剑格以及鎏金铜盆、铜釜也是第1次发现，兽形描金木罐亦是仅见的异形器，而竹剑用带有绘画的帛来包裹的习俗也是以前未曾发现的。这次发掘的新收获，丰富了金雀山、银雀山汉墓出土文物的种类。

617.山东沂水县龙泉站西汉墓

作　者：山东省文物考古研究所、沂水县博物馆　马玺伦
出　处：《考古》1999年第8期

1982年5月，山东省沂水县许家湖乡龙泉站农民在村东岭推土时，发现古墓1座（M1）。考古人员即赶赴现场察看。发现墓口已被挖开，大部分随葬品被取出并毁坏严重，经汇报省、地区文物主管部门后，对墓葬进行了抢救性清理。经过对墓

葬进一步清理，发现这是一座双人合葬墓。

清理结果简报分为：一、墓葬形制；二、随葬器物；三、结语，共三个部分予以介绍，有手绘图、拓片。

据介绍，墓葬为方形土坑竖穴墓，有椁、有棺，随葬器物多数放在边箱里，陶器有陶鼎、壶、豆等；漆器有盘、碗、奁、盒等，棺内有昭明连弧纹铜镜1件、铜灯1件。此墓无明确的纪年，但从墓葬结构和随葬器物看，其时代特征却十分明显，简报推断墓葬的年代为西汉中后期。

618.山东平邑县皇圣卿阙、功曹阙

作　者：王相臣、唐仕英
出　处：《华夏考古》2003年第3期

皇圣卿阙、功曹阙是建于东汉初期的墓前石建筑，由阙基、阙身、斗拱、阙顶4部分组成。本文对2阙的地理位置、建筑形制和画像内容进行了阐述，认为2阙是研究古代历史，特别是建筑史、美术史的珍贵实物资料。简报分为：一、地理位置及建筑形制；二、阙身画像；三、结语，共三个部分予以介绍，有照片。

据介绍，皇圣卿阙、功曹阙位于平邑城北八埠顶，今平邑县通用机械厂东南角。原为墓前建筑，是1932年迁至此地的。均由阙基、阙身、斗拱、阙顶组成。皇圣卿阙、功曹阙四面画像，计56幅。内容涉及日常生活、农业生产、文化艺术、历史故事等。根据阙身铭文记载，皇圣卿阙建于元和三年（86年），功曹阙建于章和元年（87年），墓主人分别为"南武阳平邑皇圣卿"和"南武阳功曹"。南武阳，县名，治所在今平邑县城北约10公里，仲村镇南、北昌乐庄之间。皇圣卿为人名，其事迹无可考。功曹，汉代官名，当时郡设功曹史，县设功曹，"南武阳功曹"即南武阳县吏，可惜无具体姓名。

德州市

聊城市

619.山东阳谷县吴楼一号汉墓的发掘

作　者：聊城市文物管理委员会　陈昆麟、孙淮生、吴明新、杨　燕
出　处：《考古》1999 年第 11 期

吴楼汉墓位于山东省阳谷县定水镇吴楼村西北 0.5 公里，西距聊（城）莘（县）公路 1.5 公里。1997 年吴楼砖窑厂取土时发现汉墓 1 座，考古人员赶赴现场进行了调查勘探，又发现砖室墓葬 4 座，并对其中较大的 1 座（编号为 M1）进行了抢救性发掘，获得陶器、铜器及石器、铅质器等文物。另外，在墓葬地表发现许多圆形瓦当，直径 16 厘米，由十字凸棱分成四区，上有篆书"长乐未央"4 字。众多"长乐未央"瓦当的发现，说明当时地面曾有陵园建筑，但现在已成窑场取土坑，建筑遗迹无考。简报分为：一、墓葬结构，二、出土遗物，三、结语，共三个部分。有手绘图、拓片。

据介绍，吴楼一号汉墓结构形制在山东省尚属首例。墓室起券三层，特别是前回廊更为高大宽阔，说明墓主人身份非同一般；该墓虽经盗掘，但仍出土了陶器、铜器、铁器、铅器及石器、骨器、钱币等种类较多的遗物，计 98 件。从墓葬结构和出土遗物分析，简报推测吴楼一号汉墓主人应属阳平侯王禁家族成员之一。简报指出，河南唐河清理的石椁墓、江苏邗江甘泉二号汉墓的时代分属西汉末年与东汉初年，吴楼一号墓的结构形制与以上 2 墓基本相同，因而其时代也应相近。

620.山东东阿县邓庙汉画像石墓

作　者：聊城市文物管理委员会　陈昆麟、孙淮生、刘玉新、杨　燕、李付兴、
　　　　吴明新等
出　处：《考古》2007 年第 3 期

1998 年秋，山东省东阿县姜楼乡邓庙村的村民在挖建鱼塘时，发现 1 座汉代画像石墓，聊城市文物管理委员会随即派员进行了抢救性发掘。墓葬位于邓庙村东部的鱼塘中。鱼塘东西长约 55 米、南北宽约 40 米，南、西、北 3 面为村民住宅，东侧为农田。该墓曾遭到破坏，早在 1938 年，村民在此处打井，在距地表约 3 米处打至墓室东侧中室顶板，打井者揭开顶板，将墓室作为井身，并将取出的顶板雕刻成碑，

立于井旁。

简报分为：一、墓葬形制，二、石刻画像，三、随葬器物，四、结语，共四个部分。有拓片、手绘图等。

据介绍，该墓由两组形制相同且对称的"中"字形墓室组成，各有独立墓道，包括墓门、前室、中室、左右耳室和后室等部分。应为夫妻合葬墓。墓中发现大量石刻画像，内容主要有祥瑞辟邪题材、车骑出行及生活场景、装饰图案等。根据墓葬形制、画像风格、雕刻技法等，简报推断该墓葬年代为东汉晚期。

简报指出，此墓的画像内容与以往山东地区发现的汉代画像题材基本相同，大致可分为四类：一是祥瑞辟邪题材，二是反映墓主生前活动的车马出行、渔猎等生活场景，三是历史故事题材，四是神话故事。

第一类画像的数量占有一定比例，其中羊头位于墓门门额上，人面铺首分布在门扉及耳室、后室后壁上，青龙、白虎分布于 M2 中室北壁两侧。

第二类画像包括前室和中室横梁上的车骑出行图，与以武氏祠为代表的鲁西南地区风格相同，这是山东汉画像石中最常见并已程式化了的题材。画面都呈条带状，从侧面来展示出行队列，而过梁又是表现这类内容的最佳位置，用来显示墓主人生前地位的显赫。与车骑出行互相呼应的还有一些小幅画像，如门生、故吏的参见，渔猎、百戏等生活场景。

第三类画像表现孔子见老子的历史故事，长长的队列分布在窄长的横梁上，显示孔子众多的门生弟子，颇具匠心。这幅孔子见老子画像，是目前已发表资料中的最长的 1 幅。

第四类画像为神话传说故事，内容包括天上的日月和各种代表自然力量的神明，有受人尊崇的人类始祖伏羲、女娲，以及有二足乌、九尾狐的太阳，有玉兔、蟾蜍的月亮等。这些内容大多出现在墓室的顶板上，至高无上，反映了汉代人的世界观。其中以 M2 中室顶板的画像最为精彩。

在图案装饰方面，此墓采用两种方式：第一种多是用宽边图案来装饰梁壁上的车骑出行场面，这类图案多作鸟、兽头卷云等，装饰手法与平阴孟庄汉墓相同。第二种除在中、后室地袱立面运用双菱纹、连弧纹等简单装饰带之外，还将此类的复合花纹带大量搭配在墓壁及顶板的画面周边。这些纹样既富于装饰性，又很生动活泼。

简报最后推测，该墓墓主似为俸禄在 600 石至 1000 石之间的中高级官员，也可能是当地的豪强地主。

滨州市

621.山东博兴发现石兽

作　者：李少南

出　处：《考古》1985 年第 7 期

1982 年秋，在博兴县兴福村东南 50 米的博兴通辛店公路旁的沟内发现 1 尊石兽，现已收藏在县博物馆。简报配以照片予以介绍。

据介绍，该石兽是 1973 年修公路时出土的。兽形似虎，但嘴巴略长，头上有一角，已残，两耳、四肢及尾巴亦残缺。简报推断该石兽可能是魏晋以前的遗物。

简报称，从石兽出土地点观察，离汉博昌城址 6 公里（见《博兴县志》），东面有俗称"驸马冢"的东汉墓，北面有传为"惠王冢"的汉墓，在石兽出土的地方伴有汉代器物残片出土。许多迹象表明该处也为汉代墓葬所在。石兽可能是汉代陵墓前之石刻。

622.山东博兴出土西汉"榆荚"钱石范

作　者：李少南

出　处：《文物》1987 年第 7 期

1986 年 5 月，山东省博兴县贤城村农民在村西南挖鱼塘时，于距地表 1.2 米深处发现 1 件带盖灰陶罐。陶罐已碎，内盛 3 件钱范。简报配以拓片予以介绍。

据介绍，钱范皆为滑石质，呈青色。钱范正面都是"榆荚"钱模。这批钱范出土后，考古人员现场进行调查，从与钱范同深度所翻出的泥土看，里面伴有大量汉代器物残片，可以断定此处为 1 处汉代遗址。根据钱范出土的环境、数量，以及刻制工艺等方面分析，这次出土的钱范应属民间私铸、偷铸所用。钱模虽刻有"半两"2 字，但 3 范钱径大小差别极大，大者 1.2 厘米，小者仅 0.4 厘米，充分反映了西汉初期"钱益多而轻"的货币铸行混乱情况。

623.山东博兴县出土汉代骑马俑灯

作　者：博兴县文物管理所　李少南
出　处：《考古》1987年第2期

1984年5月30日，山东省博兴县顾家村农民张树京在村东南150米处取土时，于距地表0.5米深的地下发掘了6件青铜器。计饰品5件，骑马俑灯1件。立即送交县文物主管部门，受到了表扬和奖励。简报配以手绘图予以介绍。

据介绍，这次出土的铜器中，以骑马俑灯尤为玲珑精巧，造型别致生动。另有4件透雕兽面饰品、1件浮雕兽面饰品。5件饰品在出土时背面都粘有黑色腐朽物。估计这些腐朽器物是漆器，诸饰品为漆器上的装饰物。

简报称，这批器物出土以后，考古人员当即赴出土地点进行了调查。现场已遭破坏，遍地尽瓦砾、陶片，有的地方还伴有人骨。从暴露的遗迹情况看，确为1处古遗址无疑。根据遗址采集的标本瓦当、板瓦、筒瓦等建材的纹饰和造型特点分析，该遗址为1处汉代遗址。这批青铜器当为汉代器物，属汉代小型墓葬中的随葬品。

624.山东滨州市汲家湾发现汉墓

作　者：郭世云、吴鸿禧、李功业
出　处：《文物》1990年第2期

1982年冬，滨州市堡集镇汲家湾农民在村南挖土时发现汉墓1座。滨州市图书馆于1983年5月对墓葬进行了清理。简报配以照片、拓片予以介绍。

据介绍，此墓墓室的顶部已被拆毁，仅存残高1米多的墓壁，遗物多已取出。分为甬道、前室、后室3部分。随葬器物均置于前室，后室只发现少量残碎骨骸。出土器物多是陶器，共17件，分为釉陶、白陶和红陶。其中釉陶10件、灰陶3件、白陶1件、红陶3件。另有铜钱2枚等。

该墓的年代，简报推断为西汉末年或东汉前期。

625.山东博兴发现西汉钱范

作　者：李少南
出　处：《文物》1991年第11期

1982年冬，山东博兴县辛张村窑厂工人在窑厂附近取土时，于距地表0.4米深处发现一批西汉石、陶钱范。文物管理部门收集到13件。简报配以拓片予以介绍。

简报介绍，石范有 8 件、陶范 5 件。石钱范均为青色滑石质；钱范大多为"四铢半两"，少量为"榆荚"钱。钱范所出地点位于汉置利县、博昌县以及齐胡公时国都蒲姑城三者之间，分别距这些古城址约 4 公里。简报推测这里可能是西汉时 1 处较大的铸钱作坊。

626.山东无棣清理一座东汉墓

作　者：郭世云

出　处：《考古》1992 年第 9 期

1977 年，山东省无棣县文化馆在配合农田水利基本建设工程时，经上级文物主管部门批准，清理了 1 座东汉时期墓葬。简报分为：一、墓葬概况及墓室结构，二、出土遗物，共两个部分。有照片、拓片、手绘图。

据介绍，墓葬位于无棣县城东北 17 公里的车镇村北约 500 米处，西南距马颊河故道约 500 米，东距惠呈公路约 700 米。墓葬南 8 公里有山东省重点文物保护单位"郭莱仪古墓"和无棣县重点文物保护单位"汉阳信故城"——今信阳城。墓室为砖结构多室墓，整个墓葬由墓道、前甬道、前室、横室、中室、两后室、耳室、东甬道、侧室组成，墓葬破坏极为严重。由于墓葬破坏严重，遗物盗掘一空，只出土灰陶罐 1 件、白陶罐 2 件和铜钱 100 余枚。另有部分五铢铤钱和剪轮钱。简报推断此墓时代为东汉，墓主人应系当时的豪门望族。

627.山东博兴县辛张村出土西汉钱范

作　者：李少南

出　处：《考古》1996 年第 4 期

1982 年冬，在山东博兴县辛张村西南 1 公里的村窑厂附近，工人取土烧砖时于距地表下 0.4 米深处发现了大批西汉钱范，现场已遭破坏。出土的钱范多已散失，仅收集到了 13 件，其中石钱范 8 件、陶背范 5 件。简报配以拓片予以介绍。

据介绍，石钱范 8 件，皆为青色滑石质。计"榆荚"钱范 1 件、"四铢半两"钱范 5 件、"榆荚"和"四铢半两"合体范 2 件。陶背范 5 件，长方体，形如条砖，以红土加砂烧制而成，坚固耐高温，是铸钱时作背范用。钱范大多见有刻文，这在以往著录中尚不多见。所收集的 13 件钱范中，5 件陶范均刻 1 字；石范中有 5 件刻有文字，最多的 4 字，最少者 1 字。共计见刻字 16 个，其中重字 3 个。"天干""地支""五行"在我国古代常用为计数符号，其见于范上应是当时钱范编号。这也表明当时所用钱范数量应是较大的。

简报认为，钱范出土的地点，正好位于汉代利县、博昌县治所在地，这批钱范或许为西汉官府铸钱用具。

628.惠民县徒骇河汉代墓葬

作　者：滨州市博物馆
出　处：不详

早在1965年，惠民县清河镇杜桥村西侧徒骇河河床下，就曾发现过汉代墓葬。近年来，在徒骇河施工过程中，又发现了10多座汉代墓葬，应都是普通百姓的墓葬，其中几座带有器物坑，墓主人地位应该高些。出土器物有陶器，以壶、罐居多，其中汉代陶鼎、博山炉为惠民县首次发现。

专家推断此处应是徒骇河沿岸某一村落的家族墓地，年代应是西汉末年至东汉早期。

菏泽市

629.巨野红土山西汉墓

作　者：山东省菏泽地区汉墓发掘小组　郅田夫等
出　处：《考古学报》1983年第4期

红土山在山东巨野县东南，距离巨野县城22.5公里。山为石灰岩，高30～40米。这座西汉墓是1968年农民在开采石料时发现的，墓道被破坏，墓道中的木车、车马饰和马骨被挖出（据说有木车1辆，生马4匹）。1971年秋至1972年春，山东省博物馆曾进行发掘，挖至墓门处，因故停工。1977年继续发掘，发掘工作从3月底开始至6月底结束，历时3个月。简报分为：一、墓葬形制，二、随葬器物，三、结语，共三个部分。有照片、手绘图。后附关于出土丸状物和粉状物的专家鉴定。

据介绍，红土山西汉墓是1座崖墓，由封土、墓道、墓坑和墓室4部分构成。先在山腰上凿出平面呈长方形的竖穴石圹，圹全长70米、宽4.7～7.1米、深6～11.9米，圹壁基本陡直，但壁面不平整，面上留有不规则的凿痕。石圹挖成后，再在圹穴内垒砌石墙，隔出墓道、墓室。出土遗物1056件。简报推测墓主人为昌邑哀王刘髆，此人为武帝与李夫人所生。

630.山东曹县江海村发现西汉墓

作　者：孙　明

出　处：《考古》1992年第2期

1986年11月8日，曹县青岗集乡江海村农民在燕陵堌堆遗址东侧挖地瓜窖时，发现1座古墓。闻讯后，县图书馆派专业人员到现场考察，并进行了抢救性清理。江海村位于县城正北方约20公里，东距菏（泽）商（丘）公路约0.5公里，北距红卫河约0.8公里。墓在村西北角30米处。简报配以手绘图予以介绍。

据介绍，墓为砖石结构单室墓，葬具、人骨架均已腐朽。随葬品置于墓室西端及北壁下，共计18件，皆陶器，其中盛器8件、陶俑10件。

据介绍，这座墓葬的形制与洛阳烧沟第一期墓（《洛阳烧沟汉墓》，科学出版社1959年版）极为相近，在中原地区较为常见。出土器物以鼎、壶、盆、盘为组合，与烧沟第二期的陶器组合大体相似。简报推断，该墓的年代当为西汉中期。简报称，值得注意的是，这些随葬器物除壶以外，鼎、盒、盘的形制均具有明显的地方性特征。陶器上的彩绘图案色彩绚丽，纹样繁缛，多用曲线，线条流畅。陶俑的形态逼真，栩栩如生，反映出较高的陶塑艺术水平。

631.山东定陶县灵圣湖汉墓

作　者：山东省文物考古研究所、菏泽市文物管理处、定陶县文管处　崔圣宽、蔡友振、李胜利、吴双成、贾崇魁、丁献军等

出　处：《考古》2012年第7期

灵圣湖墓葬位于山东定陶县马集镇大李家村西北约2公里，原是灵圣湖遗址的一部分。2010年10月，经国家文物局批准，由山东省文物考古研究所、菏泽市文物管理处、定陶县文管处联合组队对该墓进行抢救性发掘。简报分为：一、概述，二、墓葬形制，三、遗物，四、结语。共四个部分。有彩照、拓片、手绘图。

据介绍，灵圣湖汉墓（M2）整体呈"甲"字形，地上墓室为人工夯筑。墓圹近方形，四壁用木板贴护。木椁周围有大量积砂，顶部及周边用青砖封护。椁室为大型"黄肠题凑"建筑，由前、中、后3墓室和侧室、门道、回廊、外藏室、题凑墙组成。

简报称，该墓是目前发现的保存最为完整的大型"黄肠题凑"墓葬，是研究汉代"黄肠题凑"葬制的珍贵资料。

河南省

郑州市

632.巩县铁生沟发现汉代炼铁遗址一处

作　者：金　槐

出　处：《文物》1959 年第 2 期

铁生沟村位于巩县西南的山区中，西距夹津口镇约 15 公里。村附近埋藏着丰富的铁、煤和其他矿藏。1958 年 9 月，巩县群众在夹津口一带探寻矿石时，在铁生沟村南发现了这处古代炼铁遗址。河南文物工作队得悉后随即派考古人员前往进行了详细调查。

简报介绍，炼铁遗址位于铁生沟村南，紧靠河岸。遗址范围有十亩余，在该处路沟、地沿的断面上，显露着成层的铁砂、铁矿石和已经炼成的铁块等物。百姓为了找寻铁矿，在遗址的中间开了几条小沟，并发现不少已经炼成的小铁块。铁的质料，除部分为铁外，有一部分已炼成了钢。当文物工作队调查时，还有 1 块约 7 吨重的铁和钢块保留在原地。铁矿石和铁矿遍地皆是，但看来还相当集中。似乎与当时放矿石的地方、砸矿石的地方和炼的地方有关。同时，还发现一部分镢、臿、斧、锤等铁制生产工具和陶片等物。简报称，值得注意的是在断壁上有成片的红烧土地面和烧成青灰色的地面，可能与炼炉有关，另外还发现有当时作为耐火材料的耐火砖。根据出土的铁制生产工具和陶片，简报推断遗址的时代最晚应属于西汉。

633.河南密县打虎亭发现大型汉代壁画墓和画像石墓

作　者：河南省文化局文物工作队　赵世纲

出　处：《文物》1960 年第 4 期

1959 年 12 月，密县打虎亭人民公社在修筑养猪场工程中，发现大型汉代壁画墓和画像石墓各 1 座。简报配以照片予以介绍。

据介绍，2 墓皆为高有 10 余米的大冢，位于密县打虎亭村西约 250 米处。从地面上看，两冢相连，东边的较小。为了叙述方便，暂将西边大冢编为 1 号墓，东边小冢编为 2 号墓。1 号墓封土高达 15 米，由 1 中室、2 前室、2 后室、2 侧室、2 耳室组成，有彩绘和雕刻。2 号墓封土高约 10 米，由前室、中室、2 后室、侧室、耳室组成，有壁画。2 墓的年代，简报推断为东汉。

简报称，当地地方志有所谓"常十冢"的记载："密人世传，汉光武遭王莽之难，常氏兄弟十人匿之，莽围之急，兄弟谋代死，其最少者为常十，曰：'我貌颇类，斩我首献之，可免也。'如言，围解。光武即位，为立报恩寺，并营其墓。后九人皆列其旁。"或云："牛店东北有补君十代之墓，迤逦相及，各成一尊之势，今其地仍名补坡，疑为补君墓云。"这些记载不见正史，不一定完全可靠，但从这 2 个墓的规模来说却很大，不亚于望都汉墓。如无相当高的官职，似不可能有如此规模的墓葬。

634.河南荥阳河王水库汉墓

作　者：河南省文化局文物工作队　贾　峨
出　处：《文物》1960 年第 5 期

1958 年春季，河南省荥阳县百姓在县北 6 公里的河王村溧河中游兴建水库，在取土中发现了一批汉墓，共清理 6 座古墓，出土遗物 148 件。简报配以手绘图予以介绍。

据介绍，这批汉墓位于河王水库拦河坝的西北，南临溧河，西连苏岩村，北为广阔的黄土平原，东邻河王村。出土有陶器、铜器、铜钱等。1 号墓、3 号墓、6 号墓的年代，简报推断为东汉中期。2 号墓、4 号墓、5 号墓比 1 号墓稍晚。

635.郑州南关 159 号汉墓的发掘

作　者：河南省文化局文物工作队　王与刚
出　处：《文物》1960 年第 8、9 期合刊

1959 年 11 月 24 日，考古人员在郑州南关陇海路东段路北地区，配合基建工程时发掘了一部分古代墓葬。其中有 1 座保存比较完好的汉代空心砖墓，编号是 C9 墓 159。由于这座墓葬的砖室结构、砖表纹饰和随葬器物都较少见，简报特将这座墓分为：一、墓葬形制与结构，二、墓内情况，三、出土遗物，共三个部分予以介绍。

据介绍，此墓是在发掘陇海路东段商代冶铜遗址北部的探沟 131 时发现的，为 1 座长方形的土洞空心砖室墓。墓底距地表 4 米，其结构分土洞、空心砖室、耳室和

墓道 4 部分，墓道为长方竖穴。此墓随葬器物共有 22 件，以陶器最多，铜器、骨器的数量颇少。在陶器中有房、灶、仓、壶、瓮、猪、狗等，铜器有甑、洗、釜、钱。从该墓所出土的 17 件陶器看，多数为青灰和深灰色细泥陶质。简报推断这座墓的年代应属西汉晚期。

从这座墓的规模和随葬器物的数量来看，这座墓可能是西汉晚期一般的中小地主的墓葬，墓内随葬的 1 座地主庄园住宅模型，也正提示了中小地主家庭经济生活的面貌。

636.河南巩县铁生沟汉代冶铁遗址的发掘

作　者：河南省文化局文物工作队　赵国璧
出　处：《考古》1960 年第 5 期

从河南省巩县孝义镇车站乘汽车向南行约 20 公里，就到达了铁生沟村。村的四周为群山环抱，形成一个小小的山间盆地，村南是我国著名的五岳之一——嵩山。1958 年 9 月，河南巩县人民在铁生沟附近大炼钢铁时，发现了这处遗址，并且在遗址中发现了大量铁块。这些铁块经过化验证明：部分已被炼成钢，并可直锻成铁器。考古人员前往调查，并初步判断该遗址属于汉代（见《文物》1959 年第 2 期）。1958 年 12 月 7 日开始第 1 次发掘，于 5 月 25 日顺利完成。简报分为：一、总的情况，二、遗迹和遗物，共两个部分。有手绘图、照片。

据介绍，先后共发现 17 座炼炉和建炉建材，遗址中也发现汉代五铢钱。

简报称，根据遗址的情况看来，这处冶铁工场的规模是相当大的，冶炼程序及技术也是相当复杂的，它充分证明我国劳动人民在距今 2000 年左右的西汉时期已经掌握了相当完备的冶铁技术，从选矿、开采、冶炼一直到制成铁器。汉代用煤、木炭和木材进行冶炼，已为这里的出土遗物所证实。铁工具的发现，也说明了汉代由于冶铁业的发达，在农业和手工业中大量地使用着铁制生产工具，这对当时社会生产力的发展起着巨大的促进作用。

637.郑州二里岗汉画像空心砖墓

作　者：河南省文化局文物工作队　赵世纲
出　处：《考古》1963 年第 11 期

1954 年 4 月 6 日，郑州二里岗发现 2 座古墓。考古人员于同年 6 月进行了清理。简报分为：一、墓 32；二、墓 33；三、结语；共三个部分。有手绘图。

据介绍，2 墓形制相近，东西并列，墓门朝东。出土有陶器、铜器、铜钱等。出土的空心砖上有乐舞图、击刺图、车马图等图案。2 墓年代应为西汉晚期至东汉初期。

638.郑州二里冈的一座汉代小砖墓

作　者：河南省文化局文物工作队　安金槐
出　处：《考古》1964 年第 4 期

1953 年秋，考古人员在二里冈清理了 1 座汉代的小砖墓，编号为墓 2。该墓墓室平面为长方形，分墓道、墓门、前室和后室 4 部分。简报配以拓片、手绘图予以介绍。

据介绍，此墓为砖砌墓，顶部已塌。后室有散乱的人骨，应为 2 人合葬墓。出土有陶器、白料珠、残玉器等 20 余件遗物。简报推断年代为东汉晚期。

639.河南郑州市碧沙岗公园东汉墓

作　者：郑州市博物馆　陈立信
出　处：《考古》1966 年第 5 期

1965 年 6 月初，郑州市西郊碧沙岗公园挖建儿童游泳池，在池南岸发现 1 座古墓，考古人员前往清理。简报分为：一、墓葬形制及葬式，二、随葬器物，三、结语，共三个部分予以介绍，有手绘图等。

据介绍，该墓为砖室墓，编号 65M13。墓室平面近长方形，两侧壁中部略向外凸，南北长 2.74 米、东西宽 1.6 米，墓底距地表 1.75 米。墓室四壁多已坍毁，北壁仅存墙基，其他三壁还残存壁砖五至七层，有棺，内葬 1 人，仰身直肢。此墓虽然残毁较重，但随葬器物尚保存较好，多放置在墓室南部及甬道中，共有铁器、铜器和陶器等 90 余件。墓中出土了铁钺、铁戟，为研究铁兵器的发展提供了实物资料。简报认为这墓的年代应属东汉晚期。

640.密县打虎亭汉代画像石墓和壁画墓

作　者：安金槐、王与刚
出　处：《文物》1972 年第 10 期

1959 年 12 月，河南省密县牛店公社打虎亭生产大队在农业生产中发现了 2 座大型汉墓，考古人员自 1960 年 2 月至 1961 年 1 月，对这 2 座汉墓进行了发掘。

简报分为：一、庞大的墓室建筑，二、丰富多彩的画像石和彩绘壁画，三、东汉统治阶级骄奢生活的真实写照，四、关于墓的年代和墓主的推测，共四个部分。有照片、手绘图。

据介绍，这2座汉墓位于密县城西约6公里的绥水南岸的打虎亭（村）西。地表上还残存着东西并列的2个土冢。西冢（墓1）大于东冢（墓2），东冢高7.5米，西冢高15米。据当地的老人说，原来土冢周围的石垣较高，垣在1949年前被人损毁。西冢南面的农田里曾发现石碑座和石头建筑物的基础。2座墓室都采用砖石混合结构，并用白灰砌缝筑成。墓内有雕刻的画像石（墓1）并绘有壁画（墓2）。从这2座墓葬规模之大，画像石、壁画所描绘的墓主人的生活形象来看，显然是地主阶级中显贵人物的墓葬。

2座墓在1949年前都遭受过多次盗掘，因此，除在积土中发现极少的残破陶器和碎铁块外，墓内随葬器物早被洗劫一空。不过，墓内的画像石保存得较为完好，墓2尚残存有部分壁画，都是一批弥足珍贵的艺术史料。

这2座汉墓南向并列，间距30米，墓门前皆挖有长而宽的斜坡形墓道。墓室的形制和结构基本相同，分墓门、甬道、前室、中室、后室、南耳室、东耳室和北耳室，墓1的墓室略大于墓2。

简报推断这2座墓葬的年代应属东汉晚期，下限不会晚于曹魏。据《水经注》提供的线索，简报初步认为密县打虎亭汉墓墓1应是汉弘农太守、密县人张伯雅的墓。墓2与张伯雅墓并列，不但冢土相连，而且墓室结构大体相同，所以墓主当与张伯雅有着一定的亲属关系。

641.河南巩县发现一批汉代铜器

作　者：巩县文化馆

出　处：《考古》1974年第2期

河南省巩县芝田公社寨沟大队于1972年11月间，在村东南挖蓄水池时发现圆形地窖1座。地窖距地表2米，中间放置大型陶瓮1件，瓮内满盛红、绿石珠100余斤。瓮周围叠放铜器71件，重80余公斤；另外有2件铁器，重50余公斤。简报配以手绘图予以介绍。

据介绍，计有镶金铜甑、铜釜、铜壶、铜双耳罐、铜樽、圜底铜鉴、平底铜鉴、铜洗、铜三足盘、铜镂孔熏炉、铜龙首灯、铜树形座、铜插座、铜塔形器、铜铃、铜熨斗等。简报推断为汉代遗物。

642.河南巩县叶岭村发现一座西汉墓

作　　者：巩县文化馆　傅永魁

出　　处：《文物》1974年第2期

河南省巩县位于嵩、邙（山）间黄河南岸，西去洛阳40余公里。1972年11月初，康店公社叶岭大队第五生产队的农民发现1座古墓，考古人员进行了发掘。简报配以照片、拓片、手绘图予以介绍。

据介绍，该墓坐南向北，为"中"字形砖筑结构，前、后室通长5.7米、宽2.24米、高2.2米，东、西耳室通长6.8米、宽1.14米、高1.38米。墓室为小砖砌成，仅见棺痕。出土遗物有釉陶器、陶器、铁器等24件及铜钱。该墓的时代，简报推断为西汉末至新莽时期。

643.郑州古荥镇发现大面积汉代冶铁遗址

作　　者：郑州市博物馆

出　　处：《河南文博通讯》1977年第1期

简报配以手绘图等，介绍了这一汉代冶铁遗址。

据介绍，汉代古荥阳城西门外有面积约为12万平方米的冶铁遗址。发现有2座东西并列的炼铁炉，并发现煤饼和犁铧、铲的铸模及铁器，其上有"河一"铭文。简报认为这应是汉代河南官营的第1冶铸作坊。同刊1977年第2期有荆三林先生《荥阳故城沿革与古荥镇冶铁遗址的年代问题》一文，可参阅。

644.郑州古荥镇汉代冶铁遗址发掘简报

作　　者：郑州市博物馆

出　　处：《文物》1978年第2期

1975年，郑州博物馆配合市郊古荥镇农业学大寨运动，对该处的汉代冶铁遗址进行了发掘。

简报分为：一、冶炼遗迹，二、铸造遗迹，三、窑，四、其他遗迹，五、出土文物，六、结语，共六个部分。有照片。

据介绍，古荥镇位于郑州西北20多公里的汉代荥阳城旧址上，北依邙山，山北临黄河。冶铁遗址在汉荥阳城西墙外。经初步钻探，遗址南北长400米，东西宽300米，面积12万平方米。1965年和1966年曾对遗址作过调查试掘。这次主要在遗址的东北部（I区）发掘。遗址中主要遗迹原已暴露于地面。在发掘范围内，发现炼铁炉炉基2座。在炉基周围清理出大面积铁块、矿石堆、炉渣堆积区以及与冶炼有关的重要遗迹——水井1口、水池1个、船形坑1个、四角柱坑1个、窑13座等。出土一批耐火砖和铸造铁范用的陶模，还有铁器318件、陶器380余件、石器8件。简报附有"遗址出土铁块统计表"和"一、五号积铁化验结果表"。

简报初步推断，古荥镇汉代冶铁遗址当是西汉中晚期至东汉时期河南郡铁官的第1个冶铸遗址。

简报称，古荥镇汉代冶铁遗址的规模和技术水平都是不多见的，它充分反映了我国古代劳动人民的伟大创造精神，为研究汉代生产力和生产关系提供了重要的实物资料。2000年前冶铁工匠们的劳动业绩，对今天我国钢铁事业的发展，无疑可以起到鼓舞激励的作用。

645.介绍几方汉代县级官印

作　者：赵新来
出　处：《河南文博通讯》1978年第4期

简报配以拓片等，介绍了西汉"归德尉印"、东汉"白马令印""梁令之印""召陵左尉印"等汉代县级官印。

646.荥阳京襄城发现汉代金币

作　者：于晓兴
出　处：《河南文博通讯》1980年第3期

最近，荥阳县廿里铺公社京襄城大队朱润村农民朱景新在村北割草时，于断崖上发现金饼1个。事后由荥阳县银行收回。

据介绍，金饼为圆形、金黄色，上面圆鼓，边有麻点，重222克。约合市制4两6钱。金饼为圆坑模铸成，底部凹坑是浇铸冷缩凹陷，麻点是铸造的缺陷，据银行鉴定含金量93%。

金饼，是汉代金币的一种。始行于汉武帝太始二年（前95年），当时发行一种黄金货币，叫麟趾金或马蹄金，形如圆饼，所以通称金饼，1个重1斤，值万钱。朱润村发现的金饼就其形状和重量与此略同，也应是汉代金币——金饼。说明当时也有用简单方法铸造的。

647.郑州市郊发现汉代铁刑具

作　者：谢遂莲

出　处：《中原文物》1981 年第 1 期

1975 年，郑州西北 20 多公里处的古荥镇和桐树村，当地农民在平整土地中分别发现 2 处窖藏文物，其中出土有铁刑具。从共存遗物断定，均属东汉末年。简报配以照片予以介绍。

据介绍，桐树村窖藏出土的刑具是铁项钳、铁脚镣两种，与之同时出土的有：铁斧、铁锤、铁凿、铁锥、铁悬钩、铁灯、铜洗、铜熏炉、铜熨斗、五铢钱、綖环钱等 40 余件。从古荥镇出土的成套铁镣可知，东汉时的铁镣是镣圈与铁链相连组成，戴在人身上时，用铆钉把连接镣圈的那节铁链的小扣环铆死，使之成为死锁。桐树村出土的铁项钳、铁脚镣上虽没有铁链，但和古荥镇出土的形制一样，也应是用铁链铆钉锁死的。这就和侯马出土的铁颈锁不同，与汉阳陵附近出土的铁钳也不同，使用时比"横档"或"翘"方便得多。这与当时冶铁铸造业的发展是分不开的。

古荥镇窖藏出土的遗物以农业生产工具为主，简报认为像是小庄园主的藏品。

648.邓县长冢店汉画像石墓

作　者：《南阳汉画像石》编委会　长　山、仁　华

出　处：《中原文物》1982 年第 1 期

1973 年 5 月，考古人员发掘了 1 座汉代画像石墓。该墓位于邓县城西 6 公里的长冢店村北 200 米处，地表留有封土堆，南北并列 3 个墓冢连在一起，使封土形成 1 个两头高、中间稍低的枕形长冢，村名因之而得。在发掘时，北面的 2 座墓葬早已损坏。

简报分为：一、墓室结构与随葬品，二、画像位置及内容，三、墓葬时代及其他，共三个部分。有手绘图、照片。

据介绍，墓室系用 63 块石灰岩条石与大量小砖混合砌筑而成，分墓门、前室、2 主室及 4 侧室八个部分。平面呈"品"字形。墓室内全长 5.88 米、宽 8.2 米、高 3.56 米。该墓曾被盗，仅出土陶瓮 3 件、鎏金铜饰 1 件、五铢钱 8 枚及残存木漆器等。有画像 73 幅。内容有侍者、虎鸡辟邪图、百戏图等。

此墓的时代，简报推断为东汉中期。

649.巩县出土的汉画像石和汉画像砖

作　者：傅永魁

出　处：《中原文物》1983 年第 3 期

巩县境内有许多汉墓，出土有汉画像石、汉空心画像砖。简报配以照片予以介绍。

据介绍，计有芝田公社稍柴村采集的汉画像石 12 块、夹津口汉空心砖 160 块等。图案中较少见的有人物、马匹、神人阙楼等。简报称，汉代画像石和空心画像砖，是随着当时社会风气的变化而产生和发展的。这些画像石和画像砖对研究汉代的文化艺术及社会生活，具有重要意义。

650.珍奇钱币——重笔"货泉"

作　者：徐达元

出　处：《中原文物》1984 年第 3 期

新莽时期的"货泉"钱出土和传世种类很多。钱径有大有小，钱郭有厚有薄；内郭或有或无，或单或双，外郭或宽或狭，或平或斜，并且有重文、传形、合背、合面、上星点、下星点、面星点、背星点、孔决文、背四出等很多类型。但是，考古人员在清理 1000 余枚窖藏"货泉"时，发现了 1 枚重笔"货泉"，尚未见于史书记载。简报配以照片予以介绍。

据介绍，这枚重笔"货泉"形状与一般"货泉"相同，有内外郭，钱径 2.3 厘米，郭厚 0.11 厘米，穿宽 0.6 厘米，重 2.6 克，"货泉" 2 字皆为篆书，"泉"字也是中直断为二。与一般"货泉"不同者，乃是"货泉" 2 字笔法均为重笔，笔法虽很纤细，却极为清晰。这种现象在"货泉"中很少见到，在各种古代铸币中也很罕见，可谓古代钱币中的珍品。

简报称，钱文出现重笔现象，根据对实物的观察分析，重笔应是轻重错范所致。由于钱文笔法纤细，微微错范，便能形成钱文双线现象。

651.郑州市乾元北街空心画像砖墓

作　者：郑州市博物馆　张松林

出　处：《中原文物》1985 年第 1 期

1981 年 12 月，郑州市公安局交通处在乾元北街 7 号院施工时发现 1 座汉代空心砖墓，考古人员进行了清理。简报分为：一、墓室结构和画像砖，二、出土遗物，三、几点认识，共三个部分。有照片、手绘图。

据介绍，该墓位于郑州商代城址西南角外侧100米左右。墓道被1所民房所压，墓室东南角有1个盗洞，室内已被沙土淤实。清理出一些随葬器物和1套完整的陶院落模型，未见骨骼。墓室为长方形土洞空心砖筑，空心砖图案有虎、鸟、持械格斗、山中狩猎等。随葬品计27件，以陶器为主。其中1陶院模型值得注意。该墓的时代，简报推断为西汉中期。简报称，从墓葬的规模、形制、随葬品情况看，墓主人生前应是1个无爵位的一般中小庶族地主，这反映了当时一般庶族地主阶层的家庭经济和生活状况。

652.郑州又发现一批汉画像砖

作　　者：张秀清
出　　处：《中原文物》1985年第2期

1984年以来，在郑州市郊及附近的新郑、荥阳等县又发现一批汉代空心画像砖。这些砖有的用于墓室门扉，有的用于墙壁和墓顶，可分长方形砖和窄条砖等几种形制。砖面上的画像装饰图案有上下竖排的，也有横幅展开的，还有装饰在砖的一端或两端的，也有的装饰在边框上。这些画像和图案，均是在砖坯半干时用特制的小印模压印出来的。制砖人用一模一主题的压印方法，根据砖面的需要或连续或交替地组合成大幅画面。在技法上采用了浅浮雕、阳线刻、阴刻施阳线等形式。线条洗练，遒劲有力，古拙纯朴。简报配图予以介绍。

据介绍，比较精美的有六博、楼阁、铺首、轺车竖长条空心画像砖，仙鹤拉车、铺首横长方形大砖，门阙、轺车、铺首横幅长方形扣榫大砖，孔子问童子横长方形砖等。有些局部画像及装饰图案也很精美。

653.河南新郑出土的汉代画像砖

作　　者：张秀清、刘松根、薛文灿、寇玉每
出　　处：《中原文物》1986年第1期

汉代空心画像砖墓在新郑不断发现，出土了一大批雕刻有画像和装饰图案的空心大砖和实心小砖。有些画像和图案是罕见的，具有一定的历史研究价值和艺术价值。简报配以拓片予以介绍。

据介绍，该县画像砖的形制多样，概括起来有：竖长方形和横长方形空心画像砖、方柱形空心画像砖、矩形空心画像砖、多边形空心画像砖及抹角形空心画像

砖等。砖的大小尺寸，是根据墓室结构的需要设计的，空心大砖一般长 100 ~ 140 厘米、宽 20 ~ 45 厘米、厚 20 厘米左右，小砖长 40 厘米、宽 5.5 厘米。空心砖的画像多在两面刻印，其画像内容与该砖在墓中的部位有一定关系。比较少见的画面内容有：四重式楼阁、阙门、"六百石中谒者"画像、双凤戏鱼、鸮鸟与玄武、持斧神人等。

654.郑州市向阳肥料社汉代画像砖墓

作　者： 河南省文物研究所　孙新民、李青峰
出　处：《中原文物》1986 年第 4 期

郑州市向阳肥料社位于郑州市南关外陇海路南侧，东距烟厂街约 120 米。1985 年 3 月，该社在基建施工中发现 2 座画像空心砖墓。考古人员进行了清理。简报分为：一、墓葬形制和结构，二、空心砖画像，三、出土器物，四、结语，共四个部分。有照片、手绘图。

据介绍，2 墓南北并列，M2（南侧）依 M1（北侧）而建，M2 耳室的北壁借用了 M1 墓室的南壁。两墓皆墓门东向，墓室为长方形土洞空心砖筑，前端前侧设有 1 个耳室。所不同的是，M1 全用空心砖砌筑，M2 除用空心砖外，还在砌壁和封门时兼用了小条砖。M1 棺木、人骨已朽，墓主人应为男性。M2 棺木、人骨已朽，墓主人应为女性。2 墓或为夫妻异穴共葬墓。画像砖图案有建筑、侍吏、乐舞、车骑、禽兽、羽化升仙等。随葬品有陶器、铜器、铁刀、铜钱等。两墓的时代，简报推断为西汉晚期。

655.郑州市郊区刘胡垌发现窖藏铜铁器

作　者： 郑州市文物工作队　郭书营
出　处：《中原文物》1986 年第 4 期

郑州市郊区刘胡垌，位于郑州市西南 15 公里处。1984 年，刘胡垌窑厂在用土中发现一批窖藏铜铁器，考古人员前往清理、征集，获铜器、铁器百余件。简报配以照片、手绘图予以介绍。

据介绍，铜器共 29 件，计有铜镜、镳斗、盘、盆、钵、罐、釜等；铁器共 103 件，生活用具有釜、钵、熏炉等，生产工具有凿、铲、刀、锯条、耑等。这批铜铁器的年代，简报推断为东汉至北魏时期，为研究汉代至北魏时期农业和手工业以及冶铁技术，提供了实物资料。另外，刘胡垌出土铜器中运用的修补技术，在其他地方尚属少见。

用铜片和铆钉对已损坏的器物进行修补，为研究汉代普通生产、生活用具的制作与修理，提供了宝贵的资料。

656.介绍几件馆藏汉代陶建筑模型

作　者：郑州市博物馆　陈尽忠、梁郑民
出　处：《中原文物》1986 年第 4 期

简报配以照片、拓片，介绍了郑州博物馆收集的陶建筑模型，计有：陶井房、陶灶房、陶猪圈房等。这些陶建筑模型多为汉代墓葬的明器，大多有明确出土地点。

据介绍，计有陶仓楼 1 件、陶磨房 1 件、陶井 1 件、陶灶 2 件、长方形陶猪圈房 1 件等。这批汉代建筑模型，对研究汉代建筑有一定参考价值。

657.新郑山水寨汉墓发掘简报

作　者：河南省文物研究所　王蔚波
出　处：《中原文物》1987 年第 1 期

山水寨汉墓位于新郑县辛店乡北靳楼村，东距县城 13 公里。1983 年 11 月，该村农民在村东南台地旁取土时发现。1984 年 11 月 8 日，河南省文物研究所新郑工作站在新郑县文物保管所的协助下，对这座墓葬进行了清理，共出土文物 20 余件。发掘情况，简报配以手绘图、照片予以介绍。

据介绍，山水寨汉墓为砖券单室夫妇合葬墓，方向正北，由墓道、墓门和墓室 3 个部分组成。墓中随葬品均集中放置在墓室东北部。出土器物 20 件，其中陶器 9 件、铜镜 1 面、铜钱 10 枚。从陶器的组合形式、铜镜的纹饰特征以及结构单一的墓葬形制看，皆与东汉早期的墓葬近似。此墓的年代，简报推断当在东汉早期。

658.密县后士郭汉画像石墓发掘报告

作　者：河南省文物研究所　赵世纲、欧正文
出　处：《华夏考古》1987 年第 2 期

河南省密县后士郭村位于密县县城西北 3.5 公里处，这里有大型土冢 2 座，东西相邻。东冢高 6.5 米，西冢高 6.4 米。由于农民历年取土积肥，冢土体积逐渐缩小。今两冢相距仅 32 米。1963 年 7 月 29 日，农民在后士郭西取土时在东冢下面发现墓砖及石门。同年 8 月 9 日进行发掘。简报分为：一、发掘经过，二、

第一号墓（M1），三、第二号墓（M2），四、关于两墓的年代，共四个部分。有照片、手绘图、拓片。

据介绍，墓室结构可分为墓道、墓门、甬道、中室（主室）、后室、北耳室、南耳室、东耳室和西耳室8部分，各室均有门和中室相通。墓内南北长12.46米、东西宽15.34米、高3.88米。墓室底部距地表深7.2米。二号墓与一号墓大体相同，但因曾被盗，破坏严重。出土遗物大体相同，均有壁画。出土有8件带文字的陶罐、石榻、铁镜、陶器、石案等，可惜均被打破，上面文字也难以识别。简报推断两墓年代下限，不会晚于汉献帝初平元年（190年），即东汉晚期。

659.巩县里沟铸钱作坊遗址试掘简报

作　者：郑州市文物工作队　陈立信、郭书营
出　处：《中原文物》1988年第1期

巩县里沟铸钱遗址，是1处专铸"大泉五十"的作坊遗址，位于县城南3公里许。里沟和外沟相接，人称"十里长沟"。1984年3月，里沟居民李健康在沟底住宅院内栽树时发现1块"大泉五十"泥范，送交县文物保管所。考古人员经过调查，发现这是1处新莽时期的铸钱作坊遗址。后经申报批准，郑州市文物工作队派人前往试掘，至4月2日结束，历时5天。简报分为：一、地理形势及地层堆积，二、出土遗物，共两个部分。有照片、拓片。

据介绍，发现有范块、耐火砖、炼渣、陶片、筒瓦等。简报称，里沟铸钱遗址是1处专门铸造"大泉五十"的作坊遗址。从出土的遗物看，均不晚于西汉末新莽时期。里沟钱范的发现，为研究新莽时期的泥范铸造工艺提供了实物资料。

660.新郑县东城路古墓群发掘报告

作　者：河南省文物研究所新郑工作站　王蔚波
出　处：《中原文物》1988年第3期

新郑县东城路古墓群，位于河南省新郑县城南关。1985年2月，新郑县城建局在此修建东城路时，发现了一些古墓。考古人员于1985年2月上旬和4月下旬分两次在这里清理了9座古墓。其中战国墓1座，西汉墓6座，新莽、东汉墓2座。共出土文物264件。简报分为：一、战国墓葬，二、西汉墓葬，三、新莽和东汉墓葬，四、结语，共四个部分。有照片、拓片、手绘图。

据介绍，计有战国长方形土坑竖穴墓1座（M8），为战国晚期墓。西汉土圹竖穴墓、

砖室墓、平顶空心砖墓共 6 座，时代为西汉晚期、西汉中期偏晚。其中 M6 的墓葬形制较为特殊，为平顶带盖空心砖墓，南端挖有一土洞壁龛。它没有墓道，盖是用一排空心砖横铺而成。墓内的 2 具骨架头顶头一顺而葬，为汉代墓中所罕见。过去人们都认为这种形制的墓葬是战国时期的，但此墓出土有西汉钱币，应为西汉晚期墓。新莽、东汉墓 2 座。M5 的时代，应在新莽时期或东汉早期；M11 的上限年代在新莽初年，下限在东汉早期。

661.河南新郑县发现汉半两钱范

作　者：乔志敏、赵丙焕
出　处：《考古》1989 年第 7 期

1975 年 12 月 15 日，在新郑县新村乡东岭村五队出土 1 件钱范。简报配以拓片予以介绍。

据介绍，考古人员用蜡对范做了模拟翻铸试验，证明用本范铸造的钱无内、外郭。根据范模钱模的直径、穿宽和文字风格分析，对照丁福保《古钱大辞典》图谱著录，此物应为西汉高后六年（前 182 年）铸行的五分半两钱（荚钱）钱范。

662.新郑山水寨沟汉画像砖墓

作　者：新郑县文物保管所　乔志敏、刘松根
出　处：《中原文物》1990 年第 1 期

山水寨沟汉画像砖墓，位于新郑县城西约 10 公里的辛店乡山水寨沟村东岗上。1989 年 1 月，该村农民在建房时发现。考古人员前往调查，发现墓口已被挖开，墓顶填土被起走。3 月，对该墓进行了清理。

简报分为：一、墓葬概况，二、随葬物品，三、画像内容。

据介绍，该墓为单室子母砖券墓，由于填土已被农民盖房时挖去，所以地层情况不太清楚。墓门南向，墓道残存 1 米多，斜坡式，前窄后宽。墓室呈长方形，埋藏外圹长 3.95 米、宽 1.93 米、高 1.68 米。未见人骨，可能是衣冠冢。出土器物有陶器、铜器、铁匕、兽骨等 18 件。画像砖 2 块，上有执戟吏、铺首衔环等内容。

该墓的时代，简报推断为西汉晚期到东汉早期。

663.河南新郑河赵一号墓的发掘

作　者：河南省文物研究所、新郑县文物保管所　王蔚波
出　处：《华夏考古》1991年第1期

河赵一号墓，位于河南省新郑县车站乡河赵村东南的土岗上，西北距县城约6公里。1985年9月，该村农民在此取土时发现该墓。同年6月，考古人员开始对此墓进行发掘，并将其编号为河赵M1，同月11日清理完毕，共出土文物50件。简报分为：一、墓葬形制与结构，二、随葬器物，三、结语，共三个部分。有手绘图、照片、拓片。

据介绍，河赵一号墓为刀把砖券单室墓，由墓道、墓门及墓室3个部分构成。随葬器物50件，以陶器为主，也有铜器、铁器。根据河赵一号墓的种种特点，简报推断其时代为新莽时期。

简报称，河赵M1的发掘，对研究郑州地区新莽时期的埋葬习俗及相关问题具有重要的意义。

664.登封发现一方汉代官印

作　者：登封县文物局　宫嵩涛
出　处：《中原文物》1992年第2期

1991年3月，登封县君召乡农民在挖林沟时发现1枚铜印，方形，边长2.3厘米，体厚0.9厘米，通高2厘米，带孔半圆纽，印文阴刻隶书"别部司马"四字，该印现收藏县文物局。简报配以拓片予以介绍。

据介绍，"别部司马"为汉代武官名，属副将。此印应为东汉之物。该印的发现，为研究古颍阳县和汉代军职的设置提供了重要的旁证资料。

665.河南密县密新商场汉墓和陶窑的发掘

作　者：郑州市文物工作队　陈立信
出　处：《华夏考古》1992年第2期

1988年11月为配合密新商场建设，郑州市文物工作队发掘了汉代画像空心砖室墓、小砖室墓各1座及1座汉代陶窑。简报分为：一、墓葬，二、出土遗物，三、陶窑（Y2），四、小结，共四个部分。有拓片、手绘图。

据介绍，两墓位于商场中部，道路东侧的断崖下。南侧为空心砖墓，北侧为小

砖室墓。因 2 墓道向东伸入断崖，所以未进行发掘。两墓原编号为 M3，为了叙述方便，根据建材和形制的不同，将南侧空心砖墓编号为 M3，北侧小砖室墓编号为 M4。画像砖图案有龙凤图、虎猪相斗图、斗鸡图等。陶窑为东汉遗存。2 墓应为西汉晚期夫妇并穴合葬墓。

666.河南密县后士郭三号汉墓调查记

作　者：安金槐

出　处：《华夏考古》1994 年第 3 期

1963 年秋，考古人员在密县城西约 3.5 公里的后士郭村西地，发现了 2 座东汉晚期画像石墓（M1、M2）。1970 年，又发现了 1 座汉画像石兼壁画墓（M3）。M3 和 M1 与 M2 的形制结构大体相同，也是由墓门、甬道、中室、西室、后室（主室）、南耳室、东耳室（看不出北耳室）等部分组成。简报配以照片、手绘图予以介绍。

据介绍，发掘此 3 座汉墓的最大收获就是画像石、壁画。墓制形制也有其特殊之处。

667.河南密县周岗汉画像砖墓

作　者：赵　清

出　处：《华夏考古》1995 年第 4 期

1985 年 8 月，密县超化乡周岗村村民在砖窑场取土时发现 1 座空心砖墓，考古人员于当月 18 ～ 22 日对该墓进行了发掘。墓室早年被盗，人骨与随葬品无存。简报分为：一、墓室结构，二、空心砖画像，三、结语，共三个部分。有拓片、手绘图。

据介绍，该墓编号 85MZM1。墓道在墓室北部，为南北长方形竖井式，长 2.4 米、宽 1.1 米、深 4.27 米。墓门朝北，墓室平面为南北长方形。墓室顶部呈拱脊状。墓室铺地砖下部与墓道底平。画像内容有踞坐官吏、执盾小吏、轺车出行、人逐鸟、虎猪斗等。简报推断该画像砖墓为西汉晚期墓。

668.河南荥阳苌村汉代壁画墓调查

作　者：郑州市文物考古研究所、荥阳市文物保护管理所　李昌韬、王彦民、陈万卿等

出　处：《文物》1996 年第 3 期

苌村壁画墓位于荥阳城西北 15 公里的王村乡苌村村西约 100 米处。当地传说此

墓为晋国的胡毛家。1995 年 10 月份，荥阳市公安局在破获一起盗掘古墓案中发现壁画。考古人员到现场进行了调查。该墓现存封土高出地表约 10 米，直径约 57 米。周围地势平坦，北距邙山岭约 3 公里，西北距黄河约 2.5 公里。墓葬早年曾多次被盗，墓顶的部分砌砖已坍落。墓葬墓向正北，为砖石结构，分别由甬道、前室、东侧室和 3 个后室组成，全为拱顶。甬道两侧和前室四壁及顶部满绘彩色壁画，色彩鲜艳。总面积达 300 平方米，壁画保存较好的约 100 平方米。其内容分别为：楼阙庭院、车马出行、人物故事、珍禽异兽、乐舞百戏。拱券顶上藻井绘菱形图案和莲花图案。墓内前室东壁画面因墓顶盗洞进水而被淤泥冲盖，墓内下层壁画不少被盗掘翻动的淤土覆盖而受潮遭损，所以该墓亟待尽快发掘清理和对壁画采取适当的保护措施。从墓葬规模、壁画内容及隶书题榜等推断，该墓为东汉晚期一位官职较高之人的墓葬。经钻探，封土下有 3 处石板覆查区，有可能是同冢异穴墓。

669.河南荥阳县康寨汉代空心砖墓

作　者：赵　清
出　处：《华夏考古》1996 年第 2 期

康寨汉墓位于荥阳县东南 2 公里的康寨村西北涧沟内。20 世纪 80 年代初，康寨百姓在涧沟内取土时，挖出 1 座空心砖墓。沟南北方向，东、西两壁陡峭，深 4 米左右，汉墓位于沟西壁内。据说墓内出土有陶罐等遗物，已被打碎，已无迹可寻。简报分为：一、墓葬结构，二、墓门空心砖，三、画像，四、结语，共四个部分。有拓片、手绘图。

据介绍，墓道在墓室东部，基本被涧沟破坏殆尽，墓门下部竖立门扉砖 2 块，门框砖 2 块，墓室内空无一物。画像内容有轺车出行、双骑出行等。简报推测，康寨汉墓已是空心砖椁室墓发展的后期阶段，它的时代大概为西汉晚期，下限可能到东汉初期。

670.河南巩义市发现汉代五铢钱纹空心砖

作　者：刘洪淼、孙角云
出　处：《华夏考古》1996 年第 3 期

1994 年 6 月 2 日，考古人员到西村镇坞罗村进行考古调查，在建筑队村民魏长然家，发现有汉代五铢钱纹空心砖。征得同意，将这些钱纹空心砖运回市钱币学会妥善收藏。简报分为：一、五铢钱纹空心砖出土情况，二、钱纹空心砖的形制，三、五铢钱纹空心砖的时代等问题，共三个部分。有手绘图。

据介绍，这批空心砖是 1986 年 10 月在村边修建大型水利工程——陆浑灌渠时发现的，出土时共有带钱纹的空心砖 32 块。这段渠灌工程当时由坞罗村村民负责承包，在施工中曾不止 1 处出土空心砖。此次发现计 10 多块，除门砖较完整外，大多残缺。简报推断为西汉中晚期遗物。简报称，汉代经济发达，社会安定。汉武帝元狩五年（前 118 年）统一币制，以五铢钱制通行全国，经济发展活跃，空心砖上的五铢钱纹制作规整精细，似乎表现出当时人们对金钱的崇拜意识。

671.郑州市南关外汉代画像空心砖墓

作　　者：郑州市文物考古研究所　张文霞、郝红星、张松林
出　　处：《中原文物》1997 年第 3 期

随着郑州市旧城改造建设的不断发展，考古人员多次配合南关外的基本建设，发掘了一批汉代墓葬。其中布厂街 M1 和北二街 M4、M5 等均为画像空心砖墓。这些墓葬的结构及画像空心砖具有较高艺术和研究价值，简报配以拓片、手绘图予以介绍。

据介绍，布厂街画像空心砖墓是 1994 年 10 月，郑州市旧城改造拆迁办公室在布厂街建居民安置楼，在其基础内发现的 1 座汉墓，编号为 M1。为长方形土洞画像空心砖室墓，由墓道、土洞、空心砖墓室和耳室四部分组成。出土陶器、五铢钱共 20 件。墓室与耳室四壁的空心砖主要纹饰为同心圆百乳纹、米字纹、菱字纹、常青树纹、麟趾纹等。但封门砖与门框空心砖的正面和背面除上述装饰图案外，还用小印模印出骑马回射图、斗虎图、鸿雁图等。北二街汉墓位于新郑路附近，共 2 座（M4、M5），由墓道、墓门、墓室、耳室组成。各有几十块画像空心砖出土。布厂街 M1 与北二街 M5 应为西汉武帝或稍晚时墓，北二街 M4 为西汉中晚期墓。

672.郑州市九洲城西汉墓的发掘

作　　者：郑州市文物考古研究所　张建华、刘彦锋
出　　处：《中原文物》1997 年第 3 期

1995 年 8 月，为配合郑州市九洲房地产公司基建项目，考古人员在郑州市西太康路与铭功路交叉口东北隅（人民公园西南角外侧）发掘清理了 3 座汉墓，编号 M1、M2、M3，并出土了一批随葬器物和画像空心砖。简报分为：一、墓葬形制，二、随葬器物，三、结语，共三个部分。有照片、拓片、手绘图。

据介绍，M1 为空心砖洞室墓，由墓道、墓室两部分组成。M2 为竖穴空心砖墓。

M3 为长方形竖穴土坑墓。M2 因被盗未见随葬器物，M1、M3 共出土陶器 12 件，其中 M1 出土陶釜、陶罐各 1 件。M3 虽也曾被盗，但出土有彩绘陶器 9 件等。简报推断 M1、M2、M3 均为西汉早期墓葬，其中 M1 应晚于 M2、M3。从墓葬形制来分析，M2、M3 在时间上较为接近。

简报称，这 3 座墓的发掘，为我们研究郑州地区汉早期墓葬提供了较好的资料。尤其是 M3 出土的彩绘陶器和 M2 出土的画像砖，一方面反映了汉代的厚葬之风，另一方面也反映了古代匠人的艺术成就。M2 的画像均采用阴刻线条来表现，更是郑州、洛阳地区画像砖所少见，且最长空心砖达 2.61 米，为现出土空心砖所仅见。

673.郑纺机油库发现的一座汉墓

作　者：郑州市文物考古研究所
出　处：《中原文物》1997 年第 3 期

1989 年 4 月，郑州纺织机械厂在其油库区施工中，发现 1 座古墓葬。考古人员进行了抢救性发掘。墓葬虽已被严重盗扰，仍出土了一批成组器物。发掘情况简报分为：一、墓葬形制，二、随葬器物，三、结语，共三个部分。有拓片、手绘图。

该墓葬为单穹窿顶砖室墓，由墓道、甬道、前堂、耳室和后室五部分组成。随葬品的分布似有规律。圈、鸡、狗放置在前堂西北角，甬道内发现 2 件车马器和 1 件绿釉陶壶，其余分布在前堂和耳室。器物种类有陶器、铅器、铁器、铜器等，计 24 件，另有铜钱 112 枚。该墓的时代，简报推断为东汉中期稍早。

674.河南新密市李堂画像砖墓的发掘

作　者：河南省文物考古研究所、新密市博物馆　樊温泉
出　处：《华夏考古》1998 年第 3 期

李堂村位于河南省新密市市区东南约 6 公里，东北距来集乡 4 公里，属来集乡管辖。1993 年 8 月，李堂村十三组村民在自己家院内挖蓄水池时，发现了这座画像砖墓。考古人员对该墓进行了抢救性发掘（编号为 LM1，简称 M1）。简报分为：一、墓葬，二、随葬器物，三、结语，共三个部分。有拓片、手绘图。

这座画像砖墓为 1 座单室仿拱券式梯形顶墓，平面呈"凸"字形，墓道在南。由于墓道部分已深入到墙外的一住房下，从安全角度考虑，没对墓道进行发掘。室

为长方形，长约 5.4 米，宽约 2 米。其建筑方法是，东西两侧用竖立的空心砖垒起高 1.1 米的墓壁，底横铺两块空心砖，其上用一楔形砖结合两块空心砖砌成斜坡形，呈仿拱券式梯形墓顶。墓门门楣、门柱、立柱上均有画像砖，图案有山峦禽兽、猛犬逐鹿、虎猪相斗、力士、单龙、鱼、两鸟争食等。随葬器物中以陶器为主，共 26 件。其中 23 件为瓮，1 件灶，1 件甑。以上陶器均为泥质灰陶，制法多为轮制，火候较高。另有 1 件为釉陶盆。另有铜器、铁器等。该墓的时代，简报推断为西汉晚期。

675.新郑出土的一件汉代铜甗

作　者：杜平安

出　处：《中原文物》2001 年第 3 期

1992 年 6 月，在新郑市城关周庄出土 1 件汉代铜甗。通高 53.5 厘米，自下而上由釜、连接器、甑与盖 4 部分组成。

简报称，青铜甗在商代早期已有铸造，在商末至战国时期较为盛行。早期的铜甗多为合铸，且多甑高体。春秋以后基本上是分体式。新郑出土的这件铜甗，为甑、釜、连接器和盖 4 件组合，它为我们研究汉代的铜器铸造提供了珍贵的实物资料。

676.河南巩义市新华小区汉墓发掘简报

作　者：郑州市文物考古研究所、巩义市文物保护管理所　郝红星、刘洪淼、
　　　　李　祺

出　处：《华夏考古》2001 年第 4 期

2001 年 6 月，考古人员在河南省巩义市物资局所建新华小区 2 号楼基础内探得 1 座汉墓并进行了发掘。简报分为：一、墓葬形制及随葬品位置，二、随葬器物，三、结语，共三个部分。有照片、手绘图。

据介绍，该墓（编号 0106ZGXHM1）为双室砖券墓，距地表深 8.2 米，由墓道、前甬道、前室、后甬道、后室组成。各种迹象表明，前室尚未建成，墓主即已入葬。顶塌后，盗墓者由前甬道进入，沿墓壁绕行一周（宽度 1 米），将墓室东壁、西壁附近的随葬陶器尽数毁坏，墓室东部碎陶片中见有几枚棺钉。第二次被盗时，盗墓者由前室西北角墓顶进入，穿过塌顶土，行至墓室中部，未触及墓底。两次盗墓，盗墓者均未发现后室。前后室共出土随葬器物 163 件（编号到 116，同类器编有小号），可分为生活用具类、祭祀类、化妆与首饰类、笔砚类，按质地可分为陶器、石器、金器、银器、漆器等。M1 中出土的汉代文具，即铜灯、松墨、白膏泥书卷，

为同时期河南所少见，铜鸟车也很珍贵。M1 的年代简报推断宜定在公元 100 年至 120 年之间。

677.介绍一件"新郑"文字瓦当

作　者：宋山梅、赵丙焕
出　处：《中原文物》2002 年第 6 期

2001 年 6 月，新郑博物馆职工石凤岭于郑韩故城西城宫殿遗址西南隅地表瓦砾堆中采集到 1 枚瓦当，圆形，当面直径 15 厘米，压印阳文篆书"新郑瓦当"4 字，上下右左对读。每字两边以乳钉纹作装饰。

简报称，"新郑"地名的由来，据《新郑县志》载：周平王二年（前 769 年），郑武公灭郐，东迁，都新郑；周烈王元年（前 375 年），韩哀侯灭郑，国都由阳霍（今河南禹州市）迁至新郑。秦始皇帝二十六年（前 221 年）秦统一六国，置新郑县，属颍川郡。汉承秦制，仍为新郑县。此瓦当出土于叠压在战国时期韩国宫殿遗址地层之上的汉代瓦砾废墟中，应为西汉晚期至东汉时期的遗物。

678.河南巩义市新华小区二号墓发掘简报

作　者：于宏伟、郝红星、李　扬
出　处：《华夏考古》2003 年第 3 期

简报配以手绘图，介绍了巩义市新华小区二号墓的发掘情况。

据介绍，该墓由甬道、墓室组成。已被盗过。M2 共出土随葬品 73 件，可分为生活用具类、祭祀类、化妆类（漆棺内应有首饰类，可惜已无存）。按质地可分为陶、铜、铁及其他。其中彩绘陶器占一半以上，十分精美。M2 墓主可能是 M1 墓主的晚辈，新华小区一带应为一家族墓地。M2 的下葬时间，应在东汉公元 120 年至 140 年之间。

679.河南登封市发现一批王莽铸币

作　者：登封市文物局　杨　远、张德卿
出　处：《华夏考古》2003 年第 4 期

2000 年 6 月，登封市文物局在配合登封市武装部住宅楼基建中发掘 1 座竖穴土坑墓（M0），在墓底清理出了一批两汉之交时期的王莽铸币。该币种系首次发现于这一地区，尤为珍贵。简报配以照片、拓片予以介绍。

据介绍，该墓为长方形竖穴土坑墓，长 3.5 米，宽 2 米，深 2.5 米，出土汉代陶罐 3 件，在墓底清理出土王莽铸币 18 枚。此批钱币系王莽托古改制时所铸钱币，因其流通时间极短，故存世不多。此批钱币的发现，对研究两汉之交的社会、经济及货币历史提供了重要实物资料。

680.河南巩义西汉墓

作　者：郑州市文物考古研究所、巩义市文物保护管理所　汪　旭、黄　俊、
　　　　张　倩、韩军锋等
出　处：《文物》2004 年第 11 期

为了配合巩义市市政工程，考古人员于 1999 年 9 ～ 10 月对市政局垃圾中转站工程区域内的古墓葬进行了考古发掘，共清理西汉墓葬 5 座，出土了一批具有研究价值的器物。简报分为：一、墓葬形制，二、随葬器物，三、结语，共三个部分。有照片。

据介绍，5 座墓葬编号为 M1 ～ M5，其中 M1、M4 为砖室墓，M2、M3、M5 为土洞墓。所有墓葬均由墓道和墓室组成，墓道在北，墓室在南。由于墓室封闭较好，墓内仅有少量淤土；葬具、骨架腐朽严重，仅见灰屑。从现场情况看，M1 ～ M3 的葬具为木棺，M4、M5 的葬具不明。5 座墓葬均为单棺墓，除 M3 墓主人的头向南外，余均头向北。除 M1 的葬式不明外，余均为仰身直肢葬。限于篇幅，简报重点介绍了 M1 和 M4。这 5 座墓的年代，简报推断为西汉早期。

681.巩义万宝苑昱盈阁公寓汉墓群发掘报告

作　者：郑州市文物考古研究所、巩义市文物保护管理所　汪　旭、赵海星、
　　　　王振杰
出　处：《中原文物》2004 年第 1 期

2003 年 2 月，在配合基建时，考古人员在巩义万宝苑昱盈阁公寓清理汉代墓葬 25 座，出土文物较为丰富，特别是出土陶仓数量之多、形制之大、陶仓上文字之多，在郑州地区已发掘的同类墓葬中较为少见。简报分为：一、地理概况，二、墓葬形制，三、出土遗物，四、结语，共四个部分。有手绘图。

据介绍，已发掘的 25 座墓葬，保存基本完好，葬具为木棺，但多已朽，人骨朽蚀严重，多呈骨粉。墓葬时代不同，可分为四个时期，即西汉中期、西汉晚期、新

莽时期、东汉时期。出土陶器、铜器、铁器等上百件。其中新莽时墓 M15 一墓即出土陶仓 20 余件。部分陶仓内盛贮有农作物，虽已风化，但颗粒饱满透明，皆为当时的主要农作物。陶仓上的文字均为隶书，字迹工整，色彩鲜艳，用笔精细，文字多为粮食名称，种类繁多，与仓内所盛实物大致相同。这批陶仓的出土，为研究隶书的演变与发展提供了重要依据，可谓是汉代的"原始字帖"。同时，也为我们研究当时的农业发展提供了珍贵的实物资料。

682.河南巩义市康店叶岭砖厂汉墓发掘简报

作　者：郑州市文物考古研究所、巩义市文物保护管理所　汪　旭、张　倩、
　　　　陈　新
出　处：《华夏考古》2005 年第 3 期

巩义康店叶岭砖厂位于巩义市区西 6 公里处，东临伊洛河，东距康店镇 3 公里，西南接叶岭村。早年文物普查、农民耕地时，曾多次发现汉代墓葬。2001 年 9 月，砖厂在叶岭村北取土时，发现汉墓 1 座。后经钻探，在南北约 150 米、东西约 170 米的范围内，发现有古墓葬 14 座。墓葬均位于村北的岗上，发掘工作自 9 月开始，至 10 月底结束。共清理发掘了汉代墓葬 15 座，出土了一批较为珍贵的实物资料。简报分为：一、墓葬形制，二、随葬器物，三、结语，共三个部分。有拓片、手绘图。

据介绍，15 座墓葬全部分布在叶岭村北台地上，排列比较整齐，没有打破关系。按照年代的先后，可将 15 座墓葬分为两类。第一类墓室顶均为平顶，室壁由空心砖构成，当为西汉中期偏晚时墓。第二类墓室顶均为弧形顶，室壁由空心砖或小砖构成，当为西汉晚期墓。15 座墓葬共计出土器物 271 件（包括铜饰件、车饰件、器盖不计）。随葬品较为丰富，为研究西汉时期郑州地区社会、经济等提供了实物资料。

683.河南新密市汽车站汉墓发掘简报

作　者：河南省文物考古研究所、新密市博物馆
出　处：《华夏考古》2005 年第 3 期

1993 年 8 月，在密县（今新密市）新县城汽车站的建设施工过程中，发现了 2 座墓葬，考古人员进行了抢救性发掘。简报分为：一、一号墓（M1），二、二号墓（M2），三、结语，共三个部分。有手绘图。

据介绍，M1 为 1 座双穹窿顶砖室墓，由墓道、甬道、前室、耳室及后室等几部分组成。长达 12 米的斜坡墓道和高达 3 米的双穹窿顶墓室，在以往都是很少见的。前室有棺 2 具，后室有棺 1 具，耳室内还有 1 人，葬具、人骨已朽。M1 内没有随葬 1 件陶器，发现的铁环及铁钉等乃棺上构件，所以随葬器物不多。若细分，可大致分为铜质、铁质、琉璃及泥质类等几种。该墓的年代，简报推断为东汉中期或稍晚。

简报称，由于施工取土，该墓的墓顶部分已遭破坏。从现存情况看，M2 为 1 座"同穴异室墓"，即在一竖井式墓道的南北两侧，各凿成一个弧顶土洞墓。墓道为长方形竖井。墓内有两具人骨，已朽，未见葬具。随葬品仅见铜镜 1 件及铜钱 26 枚。简报推断为东汉晚期墓。

684.荥阳苜蓿洼墓地出土新莽布币

作　者：郑州市文物考古研究院、荥阳市文物保护管理所　于宏伟、刘良超、
　　　　乔艳丽

出　处：《中原文物》2008 年第 5 期

苜蓿洼墓地位于荥阳市豫龙镇苜蓿洼自然村东部台地上，该地古称檀山。2007 年 5 月，为配合中原国际小商品城二期工程建设，在占地面积约 1.5 万平方米的范围内，经文物钻探，发现古墓葬 300 余座。考古发掘工作队对苜蓿洼墓地进行抢救性考古发掘。出土各类器物 1000 多件。在对该墓地中部其中的 3 座墓葬清理中，出土有 6 枚新莽时期布币，另有五铢钱及"大泉五十"钱伴出。简报配以拓片予以介绍。

据介绍，苜蓿洼墓地出土的这批莽钱，简报认为堪称是王莽币制改革的代表作，尤其是"壮布七百""中布六百""幺布二百""小布一百"，是王莽钱中极为珍贵的币种，在郑州地区尚不多见，具有较高的历史研究价值和收藏价值。

685.河南新郑市文化路汉墓发掘简报

作　者：河南省文物考古研究所　韩　越

出　处：《华夏考古》2010 年第 2 期

2004 年，为配合新郑市天然气管道施工工程，考古人员抢救性发掘了位于市区文化路中段的 2 座汉墓。简报分为：一、一号墓，二、二号墓，三、结语，共三个部分。有拓片、手绘图。

据介绍，M1 为长方形土坑竖穴砖室墓，已遭破坏，葬具、人骨、随葬品均荡然无存。M2 为带耳室的长方形砖室墓。人骨架保存不好，可以看出为单人仰身直肢葬。除铜镜置于主室北端外，其他随葬品均放置于耳室内，有陶鼎、壶、奁、罐、杯、盆、灶、釜、勺及铜镜等计 17 件。2 墓的年代，简报推断为东汉早期。

686.河南荥阳后真村汉代遗存发掘简报

作　者：郑州大学历史学院考古系、河南省文物局南水北调文物保护办公室
靳松安、孙　凯、王富国、杨　剑、郑龙龙、王洪领、张　建等

出　处：《华夏考古》2013 年第 2 期

后真村遗址位于荥阳市高村乡后真村与前真村之间的两处岗地上，地势较高，属黄淮平原的西部边缘地带。墓地以北约 12 公里为黄河河道，向西约 13 公里进入浅山区，向南约 16 公里为丘陵地带。枯河自西南流向东北，从墓地中东部穿过。2010 年 10 月至 2011 年 1 月，考古人员对该遗址进行了考古勘探与发掘。发现了汉、唐、宋以及清代的各类遗迹 92 个，出土了一批多种质地的遗物。简报分为：一、遗迹，二、遗物，三、结语。共三个部分进行了介绍，有手绘图和彩照。

据介绍，汉代遗迹主要有墓葬、陶窑、灰坑、水井、沟等。墓葬 2 座（M4、M5），均为带台阶的长斜坡墓道砖券单室墓，被盗严重。遗物主要以陶器为主，另有少量铁器和铜镜等。

简报认为，M4、M5 的年代应在东汉晚期，甚至可能晚至魏晋时期。

后真村墓地发现的 6 座汉代陶窑，分布较为集中，形制相似，除 1 座因近年取土破坏而保存较差之外，其余均保存较好。陶窑周围分布有同时期的灰坑、水井，水井应为烧窑供水之用，灰坑多为陶窑处理垃圾所用的垃圾坑。简报认为，这里应该是集生活、生产为一体的陶窑作坊。

687.河南郑州中原区新莽 M26 发掘简报

作　者：郑州市文物考古研究院

出　处：《文物》2014 年第 3 期

2011 年 11 月至 2012 年 1 月，为配合小区建设，考古人员在郑州市中原区三官庙镇（秦岭路以西、工农路东侧、建设路北部）进行了发掘清理。此次发掘共清理墓葬 150 座，其中汉代墓葬 146 座、唐代墓葬 1 座、清代墓葬 3 座。关于新莽时期墓葬 M26 发掘情况，简报分为：一、墓葬形制，二、随葬器物，三、结语，共三个

部分。有照片、拓片。

据介绍，M26 为单室小砖券顶墓，随葬器物 12 件（组）。简报推断 M26 的时代上限不早于公元 7 年，很可能是新莽时期墓葬。

简报称，M26 时代较明确，可以作为判定该墓群其他墓葬时代的标尺。墓内出土的 2 枚 "一刀平五千" 制作精美，为研究中国古代钱币提供了实物资料。

开封市

688.河南杞县许村岗一号汉墓发掘简报

作　者：开封市文物管理处　丘　刚、刘顺安、李合群、张武军
出　处：《考古》2000 年第 1 期

1996 年 11 月至 1997 年 5 月，考古人员对杞县竹林乡许村岗村的 1 座汉代大型木椁墓（编号 M1）进行了科学发掘，出土了一批玉器、铁器、青铜器及精美的漆画。简报分为：一、墓葬位置及保存状况，二、墓葬形制，三、随葬器物，四、结语，共四个部分。有手绘图、照片、拓片。

据介绍，许村岗村位于杞县辖区的最南端，与太康县相邻，南距涡河 4 公里，这里在汉代属淮阳国的阳夏县（旧治在今太康县）。许村岗 M1 系 1 座 "甲" 字形土坑竖穴木椁墓，墓上有封土，带一条墓道。该墓被盗严重，残存的随葬品有玉器、青铜器、铁器、漆器、木梳、鹿纹金属牌饰等及 300 余枚五铢钱。简报推断，许村岗 M1 的时代应为西汉晚期；该墓主人生前地位极其显赫，可能属诸侯一级。

689.开封市文物商店收藏的一件半两钱石范

作　者：开封市文物商店　王　琳
出　处：《文物》2003 年第 12 期

开封市文物商店收藏有 1 件属西汉早期的半两钱石范。该石范是 1989 年上半年，开封市沿黄渔业技术开发公司在柘城县西关鱼塘施工时，由民工从地下挖出，后送交开封市文物商店。简报介绍了相关情况，有照片、拓片。

据介绍，石范呈长方形，长 27.6 ~ 27.9 厘米、宽 13.5 厘米、厚 2 ~ 2.35 厘米，重 2.4 公斤。上端中部为漏斗状浇口，斜下分为两道浇槽，槽上端宽 1.2 厘米、下端宽 0.7 厘米，每道浇槽的左右各一行钱模，共 4 行，从左至右每行钱模分别是 10

枚、9 枚、10 枚、11 枚，共 40 枚。钱模均有槽与浇槽相通。钱模径 2 厘米、穿宽 1.1 厘米、肉深约 0.05 厘米，阴文篆书"半两"2 字，字体狭长，笔道浅而细，"半"字两横等宽，上横不上折，"两"字上横与下部等齐，中间竖笔不出头，两"人"字省作短横，线文长度短于穿宽。经鉴定，应为西汉早期半两钱的石范，较为少见。简报指出，这件钱范的出土，为我们研究半两钱的发展、演变，以及钱币的铸造工艺和流通区域等，提供了珍贵的实物资料。

洛阳市

690.一九五五年洛阳涧西区小型汉墓发掘报告

作　者：河南省文化局文物工作队　赵青云、刘东亚等
出　处：《考古学报》1955 年第 2 期

1955 年洛阳考古人员发掘了历朝墓葬近千座，以汉墓、宋墓最多，周墓、北朝墓次之，隋唐墓最少。汉墓成果已编为《洛阳烧沟汉墓》一书，但 70 座"小型"汉墓资料，为该书未收。

简报分为：一、前言，二、墓葬形制，三、葬具，四、随葬品，五、结语，共五个部分。有照片。

据介绍，洛阳涧西区汉代小型墓葬 70 座。计有陶、瓮棺葬 14 座，瓦棺葬 10 座，小型"砖棺"墓 13 座，土圹墓 23 座。随葬品有陶器、铜器、铁器等，鸠车出自儿童墓，铜镜多出自成年人墓，未知是否为一种汉代风俗。

简报推断此处墓葬从西汉到东汉晚期都有，墓主应为当时的贫苦百姓。

691.一九五四年春洛阳西郊发掘报告

作　者：中国科学院考古研究所　郭宝钧、马得志、张云鹏、周永珍等
出　处：《考古学报》1956 年第 2 期

1954 年春，考古人员在洛阳西郊展开发掘。简报分为：一、前言，二、工作进行，三、发掘结束，四、结语，共四个部分。有照片。

据介绍，此次发掘发现了 1 座汉代县城，此县城虽说是汉代兴建的，但城垣似与周代遗存有关，有望以此为线索来寻找周代"王城"。此汉代县城从西汉初一直至东汉，大约存在了 400 年。

692.一九五五年春洛阳汉河南县城东区发掘报告

作　者： 中国科学院考古研究所　黄展岳

出　处：《考古学报》1956 年第 4 期

东区，指洛阳电厂以南、旧军营马路以西、洛潼公路以北地区。1954 年春，考古人员在这一带开展考古发掘，发现不少汉代遗址。简报配以照片予以介绍，目次如下：

一、引言

二、遗迹

（一）南段遗迹

东汉房基；东汉石子路、水井、水道；

（二）中段遗迹

西汉房基；东汉房基；西汉粮仓；东汉粮仓；

（三）北段遗迹

东汉粮仓；战国制石场所；

三、遗迹

（一）砖瓦

（二）陶片

（三）石具

（四）铁器

（五）钱币

（六）其他

四、结语

据介绍，发现战国制石遗址 1 处，应为战国早、中期 1 处制石场所。发现汉代河南县城应持续了 400 年，住宅遗址一般只有 1 间或 2 间，分散、独立、互不连接，排列也没有一定次序。应是农民、手工业者为主的居住区。有煤和煤渣出土，说明至迟到东汉末年，已知道用煤作燃料了。

693.洛阳烧沟清理西汉墓葬

作　者： 李宗道

出　处：《文物》1959 年第 9 期

1959 年春，河南省文化局文物工作队在配合洛阳市基建工程中，共清理出各个时代墓葬 120 座，绝大部分是汉墓，烧沟附近清理出 1 座西汉墓葬。简报配以照片予以介绍。

据介绍，该墓位于洛阳市烧沟西侧陇海铁路以北的平坦地带，墓为坐南向北，长方竖井墓。墓室全部用空心砖砌成，墓门也用空心砖封闭，墓室中间用空心砖相隔成两室。室西侧挖有不规则长方形土洞构成耳室，室内骨架已朽。耳室内有随葬物 17 件，有壶、罐、瓮、铁剑、五铢钱等。陶壶共 8 件、陶瓮 2 件、陶罐 5 件、五铢钱 7 枚、残铁剑 1 件。

将该墓葬形制结构和同地屡现的墓葬比较，简报推断其时代应属西汉。

694.洛阳一座东汉墓

作　者：米士诚

出　处：《考古》1959 年第 6 期

考古人员为配合建设，在西东萧街东约半公里处发现东汉砖室墓 1 座。据介绍，该墓由墓道、前室、后室组成。墓道因工程关系未发掘。此墓曾被盗，出土有劫余的陶器、骨饰、五铢钱等。最大收获是发现 1 把使用过的骨尺，残长 11.5 厘米。依此尺，每寸为 0.023 米。

695.河南新安铁门镇西汉墓葬发掘报告

作　者：河南省文化局文物工作队　贺宫保等

出　处：《考古学报》1959 年第 2 期

铁门镇位于河南省新安县西 15 公里，为陇海铁路线上的一个站，镇西为一片起伏的丘陵，当地人称"凤凰山"。1957 年 7 月，建设陇海铁路复线时发现了这处汉代墓葬，考古人员进行了抢救性发掘，共清理汉墓 35 座、唐墓 2 座。另在渑池县以东姚礼台村修铁路时，也发掘出汉墓 4 座。共计汉墓 41 座。

简报分为：一、墓葬形制及随葬品，二、年代推断，共两个部分予以介绍，其中 2 座唐墓及 3 座因被盗已空空无物的汉墓未列入。有照片。

据介绍，这次所发掘的墓葬形制，计有土圹洞室墓、空心砖椁墓和小砖室墓等。就葬制而言：有单人葬、双人葬和三棺葬三类。墓内随葬器物，由于时间先后的不同而有差异。根据墓葬形制和随葬品的不同，可以分为三期：第一期的年代是西汉初期，第二期的年代是西汉中叶，第三期的年代是西汉晚期或东汉初期。

696.洛阳西郊汉墓发掘报告

作　者：中国科学院考古研究所洛阳发掘队　陈久恒、叶小燕
出　处：《考古学报》1963 年第 2 期

1957～1958 年，考古人员在洛阳市西郊先后清理了西周、战国、汉、晋、唐、宋各时期的墓葬 400 余座。这些墓葬主要集中在金谷园村和七里河村两处。金谷园村距洛阳旧城约 8 公里，墓地在村西，北临陇海铁路，南距汉河南县城北墙 1.5 公里，东北 1 公里许即为烧沟墓地。七里河村距洛阳旧城约 5 公里，村东临近涧河，墓地在涧河西岸台地上，隔河即为汉河南县城西墙。400 余座墓葬中，两汉墓葬即占半数以上，时间包括西汉中叶至东汉晚期这一阶段。西汉墓比较集中在金谷园葬区（代号为 LS），东汉墓比较集中在七里河葬区（代号为 LGS），而以七里河区墓葬保存较好，金谷园区墓葬则多有破坏。这批墓葬的墓道，因时间关系均未发掘，但有的进行了钻探。

这篇简报包括的材料，只限于保存较好的 217 座汉代墓葬，其中金谷园 126 座、七里河 91 座。编写工作是在《洛阳烧沟汉墓》的基础上进行的，有关墓葬形制及随葬器物的分型分式，尽量做到与《洛阳烧沟汉墓》统一，只是部分作了一些改动和调整。目的在于略同详异，以求重点突出，为洛阳地区两汉墓葬材料作一些补充说明。简报分为：一、墓葬形制，二、随葬器物，三、年代与分期四，四、结语，共四个部分。

据介绍，217 座汉墓包括空心砖墓、土圹墓及小砖墓 3 类。各类墓葬的主要结构分别由墓道、甬道、墓室（包括前堂、后室）、耳室等部分组成。可分五类：第一类墓葬当属西汉中期，第二类墓葬相当于西汉晚期，第三类墓葬为新莽时期或稍后，第四类墓葬为东汉早期，第五类墓葬为东汉中期。此外，317 墓出土陶器不多，但从随葬的灵帝"四出五铢"钱及"位至三公"镜等特征观察，则该墓应属东汉晚期墓。随葬器中，随葬陶器、铜镜、鎏金铜饼、铁器、钱币等均极大地丰富了洛阳汉墓的出土资料。

697.洛阳老城西北郊 81 号汉墓

作　者：贺官保
出　处：《考古》1964 年第 8 期

1957～1958 年间，考古人员发掘了 120 多座汉代的墓葬，其中 81 号墓比较特殊。简报配以照片予以介绍。

据介绍，此墓由墓道、甬道、主室、双丁字形耳室组成。墓道未发掘，根据钻

探知为长方竖井式。在墓道底部的南端有甬道和墓室。主室内葬 2 人，西侧 1 人仰身直肢，东侧 1 人葬式不详。出土遗物有铜器、陶器、石器等。东侧墓主应先于西侧墓主下葬。

简报推断年代为西汉元帝至王莽之间（前 33 年至 9 年）。

698.洛阳西汉壁画墓发掘报告

作　者：河南省文化局文物工作队　李京华等
出　处：《考古学报》1964 年第 2 期

1957 年下半年，考古人员在洛阳市老城西北角 1 公里的城墙外与烧沟之间地带，发掘古墓葬 180 余座，其中以汉墓为最多。这 1 座西汉壁画墓（编号为 M61），位于汉墓群的中部偏西地区，即烧沟村和坛角村之间十字沟的西南断崖上。发掘后，已将此墓移至洛阳市"王城公园"内复原保存。简报分为：一、墓葬形制，二、壁画，三、随葬器物，四、结语，共四个部分。有彩照、手绘图。

据介绍，这是 1 座用空心砖和小砖混合建筑的砖室墓。墓门向东，墓道为长方竖井形，在墓道东南角壁上，挖有供人上下用的脚窝。墓道的西端即为墓门。墓门前有封门，用小砖叠砌而成。小砖为蓝灰色。墓门为空心砖结构。门框、门额共用 3 块特制的带榫空心砖砌成。门扇用二块空心砖竖立封堵。随葬器物多为明器，计 456 件，包括陶器 43 件、铜器 374 件、铁器 34 件等。

该墓年代，简报推断为西汉元帝至成帝之间，约公元前 48 年至公元前 7 年。

699.河南新安古路沟汉墓

作　者：河南省文化局文物工作队　郭建邦
出　处：《考古》1966 年第 3 期

1964 年 8 月中旬，距新安县城北 6 公里的古路沟村的村民在该村西北发现 1 座古墓。考古人员前往调查。发现墓室已经倒塌，大部分遗物已被取出保存，但北耳室保存尚好，经清理共得随葬器物 32 件。简报配以手绘图等予以介绍。

据介绍，该墓为长方形砖室墓。墓底距地表约 3 米。据村民说：室内有人骨架 3 具，其中 2 具放在墓室之后半部，1 具放在进门的南侧。头均向东。墓室两侧各筑一长方形耳室。南耳室为小砖筑砌，北耳室为土洞，已倒塌。从出土遗物看，南耳室多为泥质灰陶，北耳室多为带釉红陶。随葬器物有陶俑、陶器、铜器、银环及铜钱 104 枚。

简报推断年代为东汉中期。

700.东汉洛阳城南郊的刑徒墓地

作　者：中国科学院考古研究所洛阳工作队
出　处：《考古》1972 年第 4 期

东汉洛阳城南郊刑徒墓地，是中国科学院考古研究所洛阳工作队在 1964 年春天发掘的。共发现刑徒墓 522 座。简报分为四个部分予以介绍，有手绘图、照片、拓片。

据介绍，刑徒墓地在今河南省洛阳地区偃师县佃庄人民公社西大郊村西南的一片高地上，这片高地被称作"岗上"。有一条路沟穿过这片高地，路沟的两侧往往发现刑徒的骨骼，因而这条路沟就被称为"骷髅沟"（后讹称为"古路沟"）。墓葬均为长方形竖穴土坑墓，绝大多数为仰身直肢葬，男性约占 96%，女性约占 4%，绝大多数为青壮年。绝大多数无随葬品，仅 1 座墓有 1 只釉陶碗，有的有少许五铢钱等。1 位女性墓中有 1 件银圈。此次发掘的重要收获是出土了 820 余块墓砖，砖上所刻文字记录了刑徒的狱所名称、刑名、姓名、残废日期等。其中刻有死亡日期的 229 块，始自永元十五年（103 年），终于延光四年（125 年），但简报认为这不能反映这批墓葬的真实年代。这批墓的年代，简报认为应自永初元年（107 年）底至永宁二年（即建光元年，121 年）年初，共十三四年时间。曹魏以后，此处应已完全废弃。

701.洛阳东关东汉殉人墓

作　者：余扶危、贺官保
出　处：《文物》1973 年第 2 期

1971 年 1 月 16 日，洛阳市东关旭升大队在平整土地时发现了 1 座东汉砖券墓，考古人员前往发掘。简报分为"墓葬的形制结构""结束语"等几个部分予以介绍，有照片等。

据介绍，这座墓在 1949 年以前曾多次被盗掘，墓室遭到严重破坏，墓内的随葬器物也残留较少。但是在墓的甬道上部夯土层中，却发现有殉人的重要现象。这是 1 座前有土坑墓道并残存封土的墓葬，全墓分墓道、墓门、甬道、前室、后室、南耳室和车马室等部分，通长 43.9 米。殉人达 10 人之多，发现的狗骨架证明狗也是活埋的。

该墓的年代，简报推断为东汉晚期，但不会晚于献帝。从劫余的鎏金铜器片、铅器、玉器片等看，墓主人身份应相当高。

702.洛阳涧西七里河东汉墓发掘简报

作　　者：洛阳博物馆　余扶危
出　　处：《考古》1975 年第 2 期

1972 年 6 月，在七里河西北 1 公里的基建工程中，考古人员配合发掘了 1 座东汉墓，墓葬不大，但保存完整，随葬品比较丰富。简报配以手绘图等予以介绍。

据介绍，墓由墓道、甬道、前后室、北耳室等 5 个部分组成，除北耳室为土洞外，其余各室均用小砖砌筑。墓全长 9.18 米，方向正北。墓道未发掘。随葬品有陶模型、铁器、釉陶器、铜镜等计 90 余件。其中 13 具陶俑及俑舞蹈、杂技和乐队，都是为墓主人饮宴而设的。在华灯高照下的乐队，是为舞蹈和杂技伴奏的，以往不多见。

703.洛阳西汉卜千秋壁画墓发掘简报

作　　者：洛阳博物馆　黄明兰等
出　　处：《文物》1977 年第 6 期

1976 年 6 月，洛阳博物馆在配合基本建设工程中，于邙山南麓、烧沟村之西，陇海铁路北侧约 100 米，东距 1957 年发现的 1 座西汉壁画墓约 1 公里地段，又发现了 1 座西汉壁画墓。因为在墓中清理出铜质印章 1 枚，阴刻篆书"卜千秋印"4 字，便把此墓称为卜千秋墓。

简报分为：一、墓葬形制与结构，二、随葬器物，三、壁画，四、墓葬年代，共四个部分。有彩照。

据介绍，此墓为洞穴砖室墓，除墓道外，分主室和耳室。主室用特制空心大砖装配而成，耳室则用小砖和楔形小砖并列券成。此壁画墓的内容，以"升仙"为主题，采用长卷式展开法，自东向西，一目了然，不需在布局上费思考。卜千秋壁画墓的时代，简报推断为西汉中期稍后，即昭帝、宣帝之间（前 86～前 49 年）。此墓为夫妇合葬墓。

简报称，卜千秋壁画墓"升仙图"的出土，可以对马王堆汉墓的"非衣"帛画作参照补充，还能在一定程度上对楚先王庙壁画和《山海图》作印证。这类"升仙图"题材，兴起于春秋、战国，盛于两汉。无论从马王堆帛画还是洛阳升仙图壁画来看，其内容、构图特点、艺术风格和表现手法，都是同战国时期的民族美术传统一脉相承的。

704.孟津送庄汉黄肠石墓

作　者：郭建邦

出　处：《河南文博通讯》1978 年第 4 期

简报配以手绘图，介绍了该墓的清理情况。

据介绍，该墓为砖石混作结构，其中墓室四壁砌石为椁室，故名"黄肠石"。墓多次被盗，仅清理出零碎遗物 46 件，包括"铜缕玉衣"的构件。墓主人应为贵族，但具体是何人不详。

705.洛阳东汉光和二年王当墓发掘简报

作　者：洛阳博物馆　朱　亮、余扶危

出　处：《文物》1980 年第 6 期

1974 年 7 月，考古人员在洛阳东方红拖拉机厂 40 分厂清理了 1 座东汉墓（编号 M1），墓内出土"王当、当弟伎伦及父元兴"买地铅券 1 件。简报分为：一、墓葬形制，二、出土遗物，三、结束语，共三个部分。有照片、手绘图。

据介绍，墓葬为土圹前堂横列墓，由墓道（未发掘）、甬道、前室、后室、耳室 5 个部分组成。出土遗物有陶器、铜器、铁器、银器、铜钱等。有买地券出土，计 250 余字，简报录有全文，中有缺字。由券文知此墓的确切纪年为东汉光和二年（179 年）。简报称，此墓的收获不止是券文，还有很多，如铆与焊接，在现代工业生产中使用极为普遍。我国何时使用焊接技术，尚无记载。王当墓出土的铁戟上有钢，铆钉经化验系铜锡合金。

706.洛阳出土西汉金银错铜鼎

作　者：叶万松、赵振华

出　处：《文物》1982 年第 2 期

1979 年 4 月，在洛阳汉河南县城西北角，洞滨小屯村东北距地表深约 1 米的灰土中，发现一批铜器。简报配以照片予以介绍。

简报介绍，这批铜器共 28 件，计铜器盆 23 件、铜洗 4 件、金银错带流铜鼎 1 件。出土时铜盆重叠横放，最后的铜盆内置 1 铜鼎，鼎旁有 1 铜洗，简报认为当为 1 处窖藏。简报推断这批铜器可能是西汉前期的遗物。

简报称，洛阳出土的金银错铜器，见于著录的有传金村出土的战国时期器和洛阳中州路战国车马坑出土的战国中期器。这次出土的西汉金银错带流鼎，无疑是 1 件珍贵的历史文物。至今它仍给人们以造型优美、精巧玲珑、纹饰华丽、光耀夺目的艺术感染力。

707.河南偃师县发现汉代买田约束石券

作　者：洛阳地区行署文物处　黄士斌

出　处：《文物》1982 年第 12 期

1977 年 12 月间，洛阳地区进行文物普查时，在偃师县缑氏公社郑堎大队南村第六生产队的仓库院内，清理出 1 块汉代侍廷里父老僤买田约束石券。简报配以手绘图予以介绍。

据介绍，这块石券是农民于 1973 年平整土地时在西北约 0.5 公里处发现的。当时石券埋在地表以下约 0.7 米，以后运到南村第六生产队仓库院内。1977 年 12 月，考古人员对此石券进行清洗摹拓，将它运至偃师县文物管理委员会保存。石券略呈长方形，全石未经打磨，正面阴刻隶书 12 行 213 字，简报录有券文全文。

简报介绍，券文记叙的大意为汉代侍廷里父老僤的 25 人，集钱 6.15 万，买了 82 亩田。这些田归 25 人集体所有，并规定了使用办法。为使大家共同遵守，立此约束石券。据券文，平均每亩价钱为 750。这样的丘陵地，每亩 750 钱，应是当时土地买卖的真实价格。

708.汉魏洛阳故城太学遗址新出土的汉石经残石

作　者：中国社会科学院考古研究所洛阳工作队　段鹏琦

出　处：《考古》1982 年第 4 期

河南省偃师县佃庄公社东大郊大队太学村，地当汉魏洛阳故城开阳门外御道东，是汉魏时期太学所在地。1973 年以来，经多次考古调查和发掘，终于在该村西北约 35 米处，找到了魏晋以降的太学旧址。1980 年 4 月，在太学村围墙北边探到数处瓦砾堆积。考古人员选择 1 处挖至 0.8 米深时，于瓦砾层中发现 7 块石经残石，其中 3 块有字。随后扩大发掘范围，发掘面积共约 38.5 平方米，清理瓦砾堆积两处，出土石经残石 600 余块。简报配以手绘图等予以介绍。

据介绍，太学村一带老人讲，1922 年冬当地老乡挖药材，偶于野地得魏三体石经一大块，获利甚巨。消息传出，"刨字风"席卷而起。每值农隙，人们便从四面八方会集太学遗址，挖坑寻找经石。这种情况一直延续到 20 世纪 30 年代初。所得残石多已卖出，流散各地。出土残石究竟有多少，无从详知，仅为各家收藏者数量已相当可观。详见《汉石经集存》等专著。此次最大发现是发现出土残石经与《碑图》相左之处甚多，尤以《仪礼》最为典型。可以肯定，《碑图》对《仪礼》碑数和每碑行数的复原都是不恰当的。造成这种结果的根本原因，一方面是由于所据经本本身的缺陷，另一方面是由于在缺乏实证的情况下，复原工作中产生了重大技术性失误。

709.洛阳吉利发现西汉冶铁工匠墓葬

作　者：洛阳市文物工作队　叶万松、余扶危、曹意得

出　处：《考古与文物》1982 年第 3 期

1979 年，原洛阳博物馆在黄河北岸的洛阳市吉利工区，发掘清理了一批两汉时期的墓葬，其中 1 座（C9M19）出土有炼铁坩埚。简报配以照片、手绘图、拓片予以介绍。

据介绍，该墓为长方形竖穴墓，人架仰身直肢。随葬器物简单，只有坩埚和五铢钱两种。根据墓葬出土遗物，简报初步判断该墓的年代大约是西汉中晚期。根据墓葬情况分析，该墓主的生前身份应在吏、卒或佣工的范畴之内，而更大的可能是冶铸铁的佣工。

简报称，洛阳吉利工区冶铁工匠墓葬的发现，为西汉时期冶铸铁直接以煤为加热燃料这一史实提供了重要的实证。

710.洛阳西工东汉壁画墓

作　者：洛阳市文物工作队　李德芳、宋云涛、余扶危、叶万松

出　处：《中原文物》1982 年第 3 期

1981 年考古人员在洛阳市西工区塘沽路南侧发现并清理了 2 座东汉砖室壁画墓（编号 C1M120、C1M121），两墓东西排列，C1M120 居东，C1M121 居西，相距约 15 米。墓葬西去约 1.5 公里为汉河南县城遗址。2 墓均遭盗掘而被破坏，其中 C1M121 破坏严重，壁画已全部损坏。简报分为：一、墓葬结构，二、壁画，三、遗物，四、结语，共四个部分。介绍了 C1M120 的发掘情况，有手绘图、拓片。

据介绍，该墓为横堂墓，从墓道南端开凿洞室，墓室砖券，距地表深 9 米。墓道在墓的北端，未发掘，钻探长度约 20 米，为斜坡状。甬道紧接墓道，平面呈方形，顶为拱形。底部用长方形砖横列平铺一层，然后两侧亦用长方形砖平铺错缝横砌作壁。

墓内有骨架 2 具，因被盗已紊乱不堪。壁画保存也不太好，保存尚好的内容有宴饮、出行等内容。布局合理，色彩鲜艳。由于被盗，大量随葬品遗失。经清理，共出土遗物 277 件，计有陶器 23 件，铜器、铁器、铅器 222 件，骨器、石器 29 件，带字砖 3 块。其中骨尺 1 件，十分珍贵。

该墓的时代，简报推断为东汉晚期。

711.介绍一件彩陶壶

作　者：李德方、张长森
出　处：《中原文物》1982 年第 3 期

1980 年 6 月，考古人员在洛阳市北郊的洛阳木工厂发掘西汉砖室墓 1 座（属烧沟汉墓区），墓内出土 1 件较为珍贵的彩绘陶壶（编号：道北 M10:46）。简报配以照片予以介绍。

据介绍，该壶的形制为直领、束颈、圆腹、假圈足，腹上部两侧有对称铺首，盖作覆盘形。口径和底径均为 17 厘米，高 47 厘米。器表粉绘后又用墨线分作 7 组纹带，朱绘纹饰有三角纹、弧形三角纹和齿状纹。其主题纹带在腹之中上部，为墨绘的"四神"形象。简报认为该壶是西汉晚期遗存。

712.洛阳金谷园车站 11 号汉墓发掘简报

作　者：洛阳市文物工作队　余扶危、张　剑
出　处：《文物》1983 年第 4 期

1972 年，考古人员为配合金谷园车站修建宿舍，发掘清理了一批汉墓，其中的 11 号墓尤为突出。简报分为：一、墓葬形制，二、随葬遗物，三、结语，共三个部分。有照片。

据介绍，11 号墓是用小砖和空心砖混合修建的多室墓，由墓道、主室、2 个侧室和 3 个耳室组成。随葬遗物 200 多件，其中陶器 190 多件。还有铜镜、兵器、车马器等。其中陶房似为印染手工业作坊的模型，彩绘陶器也十分精美。尤其重要的是，有 20 多件陶容器上带有粉书铭文，写明粮食或食品品种，其中有些十分少见，是研究汉代主副食的珍贵材料。

此墓的年代，简报推断为西汉武帝以后、新莽以前。

713.洛阳烧沟西 14 号汉墓发掘简报

作　者：洛阳市文物工作队　张　剑、李献奇

出　处：《文物》1983 年第 4 期

1965 年冬，考古人员在洛阳老城西北的烧沟汉墓区西，发掘 1 座东汉墓葬（编号 M14），出土 100 余件随葬器物。简报分为：一、墓葬形制，二、随葬遗物，三、结语，共三个部分。

据介绍，此墓为小砖结构的洞室墓，由墓道、甬道、前堂、后室、2 个耳室 5 部分组成。墓室内有并列 2 棺，棺内 1 具尸骨保存完好，为仰身直肢葬。另一棺内死者尸骨已朽。随葬品中，一套完整的陶舞乐俑十分珍贵。该墓的年代，简报推断为东汉早期。

714.洛阳西汉墓发掘简报

作　者：洛阳市文物工作队　朱　亮

出　处：《考古》1983 年第 1 期

1974 年 12 月，考古人员在洛阳地区食品购销站院内清理了 1 座西汉墓（编号 C1M35）。该墓位于已发表的 M61 和卜千秋两座西汉壁画墓之间，西距卜千秋墓约 400 米。其东北约 1 公里处即为烧沟汉墓区。简报分为：一、墓葬形制，二、随葬器物，三、结语，共三个部分。有照片、拓片。

据介绍，全墓由墓道、墓室和东耳室、西耳室四部分组成。墓底距地表深 11 米。墓道为长方形竖穴，未清理。随葬品有陶器、铜器、五铢钱 80 余件，其中 3 件彩绘陶壶十分珍贵。该墓的时代，简报推断为西汉。

715.汉魏洛阳故城发现六十余枚汉代官印

作　者：洛阳地区行署文物处　赵安杰

出　处：《文物》1984 年第 5 期

1981 年 1 月，河南省孟津县平乐公社金村大队农民在平整土地时，在汉魏洛阳故城东北隅挖出汉代铜铸官印 63 枚。简报配图予以介绍。

据介绍，这批铜印堆放在距地表深 1 米处，印文为"部曲将印" 4 字。为汉代军印。简报称，这批铜印同出于 1 个印模，没有使用痕迹，应为官方统一铸造，未曾颁发启用，就被埋入地下。

716.洛阳西汉石椁墓

作　者：洛阳市文物工作队　朱　亮

出　处：《考古》1984 年第 9 期

1981 年 8 月，考古人员配合铁道部隧道工程局的基建工程，在洛阳火车站（金谷园）北 1.5 公里处的邙山坡上清理了 1 座西汉墓（编号 C8M15）。内置石椁 1 具。简报配以照片予以介绍。

据介绍，该墓由竖穴墓道、土洞墓室和石椁室组成。出土遗物有陶器、铜镜（有铭文）、铜钱等。另外有漆器若干件。此墓的主要特点是，有 1 具白板构筑的石椁。石椁设计精确，结构严谨。其构筑方法与烧沟Ⅰ型Ⅰ式空心砖墓相同。墓中所出陶器器形均属烧沟Ⅰ型Ⅰ式。因此，简报推断该墓的时代为西汉中期。同一时期的墓葬洛阳虽已发掘很多，但像这样的石构形制的墓葬尚无先例。这座石椁墓的发掘，为洛阳的古代墓葬增加了新的类型。留在椁室石板上的朱书文字，形体俊秀，笔法流畅，是研究古代书法的重要资料。从耳室门上的"彭咸户"3 字来看，"彭咸"可能就是墓主的名字。

墓中出土的集"规矩镜"花纹和"日光镜"铭文于一体的铜镜，也是较为少见的。

717.宜阳出土的汉代压胜钱

作　者：陈　娟

出　处：《中原文物》1984 年第 3 期

1963 年，宜阳县三乡后院大队农民在洛河岸发现窖藏货币，共出土古钱币 300 多斤。其中有西汉半两、西汉五铢、大泉五十、货泉，三国蜀、吴的直百五铢、大平百钱、大泉当千和北魏的永安五铢等。其中还有一枚画像钱。简报配以拓片予以介绍。

据介绍，这枚画像钱，两面均有画像。正面左右共 2 人，为 1 主 1 仆，皆戴峨冠、着长衣。主人在右方，正面跽坐。奴仆在左方，拱手持 1 奁（或灯），面对主人，跪在垫子上。背面与正面大致相似，亦有 1 主 1 仆 2 人，分居方孔左右。主人在右方，正面跽坐，而仆人侧面对主人垂手肃立。在方孔的上下两端也有图像，上端为一刀，下端有一条鱼。刀、鱼皆横置。该画像结构严谨，铸法古朴，布局匀称，形象生动。人物刻画与南阳地区出土的汉画像石极为相似。这种画像钱世上少见。压胜钱，据以往文献记载和实物资料得知，北宋以后才开始出现。这枚西汉晚期钱的出土，将时间提前了 1000 余年，对于研究我国压胜钱的起源具有重要价值。

718.洛阳唐寺门两座汉墓发掘简报

作　者：洛阳市文物工作队　张　剑、余扶危
出　处：《中原文物》1984 年第 3 期

1970 年 8 ～ 9 月份，考古人员在洛阳唐寺门发掘清理了 2 座汉墓（编号 M1 和 M2）。这 2 座汉墓的建筑材料和建筑方法基本相同，唯墓葬形制和结构稍有差异，随葬品较为丰富，M1 出土的筒瓦上还有明确的纪年。简报分为：一、墓葬形制，二、随葬器物，三、结语，共三个部分。有手绘图等。

据介绍，M1 为"干"字形砖砌多室墓，由墓道、甬道、前室、过道、后室 5 个部分组成。M2 为"十"字形，也由墓道、甬道、前室、后室和过道 5 个部分组成。随葬品以陶器为大宗。两座墓随葬陶器共 121 件，其种类有罐、壶、灶、井、猪圈、鼎、盒、奁、盆、案、博山炉、镳斗、豆、盘、碗、耳杯、勺、筒瓦、瓦当、鸡、猪、狗等。陶质松软，陶色为灰色或灰褐色。还有铜器 26 件、铁器 14 件及石猪、蚌贝、骨尺、漆器等。总计有 168 件。其中骨尺 4 件十分珍贵。M1 出土的筒瓦上纪年为永康元年（167 年），M2 与 M1 应同时，均为东汉晚期墓。

719.洛阳东关夹马营路东汉墓

作　者：洛阳市文物工作队　朱　亮
出　处：《中原文物》1984 年第 3 期

1983 年夏秋，考古人员在洛阳市瀍河区夹马营路西侧洛阳地区商业学校院内发掘了 1 座颇具规模的东汉墓（C3M15）。简报分为：一、墓葬形制，二、出土器物，三、结语，三个部分。有手绘图、照片。

据介绍，此墓系砖砌多洞室墓。由墓道、甬道、前室及 4 个耳室、3 个后室组成，墓底距地表约 6.5 米。该墓共发现盗洞 5 个，葬具、尸骨均不存。劫余随葬品有玉器、琥珀、琉璃、金箔、铜短剑、陶饼、陶俑、陶器等。简报推断该墓的时代为东汉晚期，墓主人应有一定身份。

720.河南偃师杏园村东汉壁画墓

作　者：中国社会科学院考古研究所河南第二工作队　徐殿魁
出　处：《考古》1985 年第 1 期

1984 年春季，在配合洛阳首阳山电厂基建工程中，考古队清理了 1 座东汉壁画

墓，编号为84YDT29M17。墓葬在杏园村两座唐墓东北数十米处。简报分为：一、墓葬形制，二、壁画，三、随葬器物，四、结语，共四个部分。有手绘图、拓片。

据介绍，墓葬南北向，方向100度。可分为墓道、墓门、前甬道、前堂、后甬道、后室6部分。在横前堂的南壁、西壁、北壁均发现了保存较好的壁画，简报重点介绍了车骑出行图。由于墓室遭严重盗掘，随葬器物扰乱甚剧，除横前堂的几件陶器外，墓道堆放有很多陶器碎片，经粘对，有瓮、盒、案、盘等器物，简报推断此墓时代为东汉晚期。

简报称，杏园东汉壁画墓的发现，不但为汉墓墓葬形制的研究和汉代舆服制度的考证提供了新的实物史料，而且为我国古代绘画艺术宝库又增添了1件不可多得的艺术珍品。

721.宜阳县牌窑西汉画像砖墓清理简报

作　者：洛阳地区文管会　黄士斌、赵安杰、张怀银、蔡大宏
出　处：《中原文物》1985年第4期

宜阳县牌窑村，位于洛阳市西南22.5公里的洛阳市和宜阳县交界处的洛河北岸。1985年3月，该村农民在村北约300米处的台地上挖土建砖窑时，发现西汉画像砖墓1座。考古人员进行了清理。简报分为：一、墓葬形制，二、空心砖，三、出土器物，四、结语，共四个部分。有照片、手绘图。

据介绍，该墓由墓道、甬道、墓室3部分组成。墓道已被破坏。全墓用89块空心砖砌成，其中17块绘有彩色画像，其余72块不带彩。随葬品有铜鼎1件、陶鼎4件、陶罐2件、铺首衔环4件、铜勺1件等。简报推断该墓为西汉中期稍后墓。

简报称，该墓出土画像，内容丰富，构图合理，笔法精练，线条流畅，形象逼真，达到了庄重肃穆、真实脱俗的艺术境界。该墓的发现，为研究我国的建筑史、美术史及葬俗提供了极其珍贵的实物资料。

722.洛阳市东郊东汉"对开式"砖瓦窑的清理

作　者：洛阳市文物工作队　李德方
出　处：《中原文物》1985年第4期

1985年4～5月，考古人员在洛阳老城东北约2公里、瀍水以东0.5公里处（隋唐东都城里坊区），清理了2座东汉砖瓦窑。简报分为：一、地层堆积情况，二、砖瓦窑的布局与结构，三、结语，共三个部分。有手绘图。

2座砖瓦窑南北相对，南为Y1，北为Y2，共用1个操作坑。Y1和Y2的结构基本相同，均由操作坑、火门、火膛、窑室、排烟系统五部分组成。这2座砖瓦窑属于半地穴对开式，地面以下凿有操作坑、火门、火膛、窑室和排烟系统，地面以上用砖结顶。简报推断，此处为东汉末年建造的窑址。简报称，此次发现为研究两汉窑的嬗变关系，以及汉窑向南北朝乃至隋唐窑发展的情况，提供了新的考古资料。

723.河南洛宁东汉墓清理简报

作　　者：洛阳地区文化局文物工作队　张怀银等
出　　处：《文物》1987年第1期

1980年春，为配合故县水库工程，考古人员在洛宁县西南50公里的故县乡黄沟湾村南水库淹没区内，清理了1座东汉墓（M4），出土塔式陶楼等文物。简报分为"墓葬形制""出土器物""结语"，共三个部分予以介绍，有照片、拓片、手绘图。

据介绍，此墓为1座砖室墓，由墓道、甬道、主室及左、右耳室组成。全墓均用长32厘米、宽12厘米、厚6厘米的青砖砌筑，墓底距地表深5.5米。墓室内积满淤土，棺木位置已乱，骨架腐朽，仅存3个头骨。根据头骨位置，推知主室内置棺两具，头向南，南耳室置棺1具。此墓由于早期进水，遗物多残损，位置较乱，仅能识别大概。墓室西北角有塔式陶楼模型1座。在楼的第一层和第二层内放置陶俑5个。陶楼的顶盖出于墓室东北角。在墓室近东壁处清理出陶鸟及陶俑各1件。经修复，陶鸟属楼顶的饰物，陶俑原也应在陶楼内，但位置不详。墓室内管架附近有铜镜两面，铁剑1把，以及大量五铢钱。南耳室骨架旁边有铜镜1面，小铁刀1把。其他大部分器物多放在墓室和南北耳室门口附近。该墓的年代，简报推断为东汉中晚期。

简报称，此墓出土器物较为丰富，有的器物具有较高的工艺水平。特别是塔式陶楼模型，共分5层，通高1.05米。各层大小依次递减，呈宝塔状。造型典雅别致，设计精巧合理，说明早在我国东汉时期，斗拱术结构式高层建筑已普遍使用，而且达到了相当高的水平。陶楼的出土，为研究我国的建筑史、雕塑史，以及中国古塔的起源等方面提供了实物资料。

724.洛阳市南昌路东汉墓发掘简报

作　　者：洛阳市第二文物工作队　史家珍
出　　处：《中原文物》1987年第3期

1986年10～12月，为了配合洛阳市房屋开发公司兴隆新村的基本建设，考古人员在洛阳市南旱路发掘了一批汉墓，摘其 BM3，简报配以手绘图、拓片予以介绍。

据介绍，该墓为 1 座横列前堂双后室的砖室墓。由甬道、前堂、西后室、东后室 4 部分组成。此墓共出土各类器物 348 件，其中陶器 97 件、铁器 6 件，另有铜镜 2 件、铜钱 243 枚。简报指出，值得一提的是，在前堂东半部发现有一长方形白灰面痕迹，内有较规整的放置器物的凹槽，放置器物已被盗去，为何物尚不清楚。BM3 与洛阳烧沟汉墓 1035 号有类似之处，但与之相比，BM3 显得规范、整齐。另外，从出土器物来看，简报推断此墓为东汉晚期墓葬。

725.洛阳金谷园西汉墓发掘简报

作　者：洛阳市第二文物工作队　梁晓景
出　处：《中原文物》1987 年第 3 期

1986 年 10 月，考古人员在配合洛阳金谷西路 24 号招待所的基建工程中，发掘清理了 1 座西汉时期的空心砖室墓，编号为 HM1。此墓北临陇海铁路，东距金谷园车站约 800 米，出土遗物较为重要。简报分为：一、墓葬形制，二、随葬器物，三、结语，共三个部分。有手绘图、拓片。

据介绍，HM1 是 1 座平顶砌空心砖墓，由墓道、墓室和耳室 3 部分组成。这是 1 座夫妇合葬墓。随葬器物除漆器、兽骨皆朽为粉灰外，墓内出土器物共 26 件。此墓的年代，简报推断为西汉中期或者稍后。

简报称，这座墓中新发现的蛙形铜镇和铜温酒炉，为研究汉代的青铜器提供了重要的新资料。

726.洛阳近年出土的汉石经

作　者：王竹林、许景元
出　处：《中原文物》1988 年第 2 期

自 20 世纪 80 年代以来，汉魏洛阳故城南郊的太学遗址内陆续发现汉魏石经残石多起。1984 年冬，东大郊村电工韩德朝在晋太学遗址范围的北侧、即距 1 口老井的北侧取土时，发现汉石经一石两面，为《春秋》经；又第二年冬，村民张松照家在洛河南堤北侧、原棉专队的东南方向、今南北大路的东侧、依着河堤北侧挖墓坑时，离地约四尺深的灰土层中，发现汉石经及其后记残石 5 块，计有《诗经》一石两面、《仪礼》一石一面、《公羊传》一石两面、后记颂碑二石三面。韩德朝、张松照已将汉石经捐献给偃师县文管会收藏。简报配以照片予以介绍。

据介绍，出土的汉石经计六石十面，有《春秋》《鲁诗》等，共计 200 多字。碑的年限，下限应在光和二年（179 年）十月以前，上限是熹平四年（175 年）以后，介于熹平末年至光和初年的三四年之间。

简报称，这批汉石经的出土，丰富和充实了汉石经研究的资料，也为每块经碑的复原提供了难得的实物资料。尤其是新出土的二石三面的后记碑文，尽管字数不多，但它记述了几个年号和社会人物，这些都是极有价值的。

727.河南新安县上孤灯汉代铸铁遗址调查简报

作　者：河南省文物研究所　黄克映、党恩庆
出　处：《华夏考古》1988 年第 2 期

1987 年 7 月 9 日，新安县石寺乡上孤灯（村）振华耐火材料厂的工人在厂区西北部平整土地时，发现了一批窖藏铁范。这批铁范出土于地表下深 1 米处，杂乱地堆放在一起，共 83 件（块），重约 175 公斤。由于其中某些铁铲上、下范和范芯套合在一起，说明它们是有意窖藏的。铁渣、炉壁残块和陶片到处可见，考古人员确认这里应是 1 处铸铁作坊遗址。简报配以照片、拓片、手绘图予以介绍。

据介绍，这处铸铁遗址位于新安县城西北 15 公里的上孤灯村东地。洛阳铝厂建厂房时曾在遗址的北部发现有铁渣和陶片，上孤灯村村民在遗址西部挖房屋地基时也发现有铁渣，东部被通往洛阳铝矿生活区的公路所占用，振华耐火材料厂就坐落在遗址南边偏中的地方。因此，可知遗址原来规模颇大，现存遗址南北长 200 米、东西宽 300 米，总面积有 6 万多平方米。1986 年冬季，在振华耐火材料厂出土铁器处东约 10 米的地方，也曾出土过 1 罐铜钱。此次窖藏坑内出土的主要器物有铁范、泥范，还有熔炉耐火砖、范托、陶盆、陶罐、筒瓦和板瓦等。简报据以推断，这批铁范的年代约当西汉晚期至新莽时期，绝对不会晚于东汉后期。从铁铲范上"弘一"等铭文看，应出自官冶作坊。

728.河南洛阳北郊东汉壁画墓

作　者：洛阳市文物工作队　赵振华、邢建兵
出　处：《考古》1991 年第 8 期

1987 年 6 月，在洛阳市北郊石油站家属院内发掘了 1 座汉代壁画墓（编号 C1M689）。该墓位于邙山南麓，史家屯、金谷园二村之间，纱厂北路立交桥北西侧。这里沿陇海铁路一带几公里范围内是汉代壁画墓比较集中的区域。简报分为：一、

墓葬形制，二、随葬器物，三、壁画，四、几点认识，共四个部分。有照片、手绘图。

据介绍，该墓为小砖砌多洞室墓。由墓道、前室与西耳室、中室与东西耳室、后室组成，墓底距地表 10.3 米。出土有陶器 60 余件及铜镜 2 件、铜钱等。壁画中多反映祭祀、成仙等场面，其中女娲为男性形象，值得注意。

729.洛阳机车工厂东汉壁画墓

作　者：洛阳市文物工作队

出　处：《文物》1992 年第 3 期

洛阳机车工厂东汉壁画墓（编号 C5M483）位于洛阳市东郊机车工厂厂区东南角，西距焦枝铁路约 1 公里。1990 年秋至 1991 年春，考古人员对此墓进行了发掘清理。简报分为：一、墓葬形制，二、随葬遗物，三、壁画，四、结语，共四个部分。有照片、手绘图。

据介绍，地表现存椭圆形封土堆，在封土南部发现两个盗洞。墓为砖石结构多室券顶墓。由墓道、墓门、甬道、前室（附东、西耳室）、中门、中甬道、中室（附西侧室及南耳室）、后甬道和后室构成。各室及甬道平面均呈长方形。其营建方式是先挖出土圹，然后用预制的砖石材料砌筑而成。墓门、前室、中甬道及中室壁上残存壁画。墓南北通长 19.12 米、东西通宽 6.65 米，自圹口至墓底深 6.54 米。此墓因被盗扰，随葬遗物多已不存。现存遗物已失原位，有陶器、石器、铁器和铜器等。

简报称，此墓为东汉晚期较高规格的墓葬，墓主人身份不详。从一些迹象看，应有二次葬现象。

730.偃师县南蔡庄乡汉肥致墓发掘简报

作　者：河南省偃师县文物管理委员会　樊有升等

出　处：《文物》1992 年第 9 期

1991 年 7 月，河南省偃师县文管会为配合南蔡庄乡南蔡庄村砖厂用土，在砖厂西部推土区发现了 1 座东汉建宁二年（169 年）的墓葬，编号 91Y 南蔡庄村砖厂 M3，考古人员对其进行了发掘。简报分为：一、墓葬位置及形制，二、随葬器物，三、结语，共三个部分。有照片、拓片、手绘图。

据介绍，南蔡庄村位于偃师县城西 6 公里左右，西距汉魏洛阳故城约 5 公里，北依邙山，南临洛河，陇海铁路在村北穿过，邙岭乡至蔡庄的南北向公路在村北交于 310 国道。砖厂位于村北邙山阳坡的冲积扇地带，近年来这里多次发现历代墓葬，

M3 就坐落在砖厂的西部。此墓为长斜坡墓道砖室结构，全部用青灰和红褐色条形砖垒砌。墓葬由墓道、甬道、前室、2 侧室和后室组成。墓底距地表深 6.8 米。由于早期盗扰和洪水浸蚀，墓顶早已坍塌，葬具的形制、数量和位置不详。清理前，封土和墓室的上半部已被砖厂取土时损坏。出土遗物仅 12 件。此墓面积达 52 平方米，由碑文知墓主叫肥致，卒于东汉灵帝建宁二年（169 年），应为一方士，同葬的应还有许幼、田伛等人，都是"食石脂而仙去"的。

出土墓碑隶书，是研究汉代书法、汉代道教的珍贵史料。简报录有全文。

由碑文可知，墓主肥致，字苌华，河南梁县（今临汝县东）人，卒于东汉灵帝建宁二年（169 年），生年不详。从碑首内容看，它不仅记载了章、和二帝的元年时间，更重要的是表达了对他们的纪念和恭敬之情。但从灵帝建宁二年（169 年）上溯到章帝建初元年（76 年），不仅时隔 93 年，且间有 6 位皇帝。碑首只恭敬章、和二帝，应当与肥致因擅方术而被章帝召入宫中，并"拜掖庭待诏"有关。到和帝时期，肥致继续得到了任用。和帝以后，肥致当不在宫中任职。由上推算，肥致的生年应在汉光武帝建武三十年（54 年）左右，其寿龄应为 115 岁上下。到章帝时，肥致正好处于青壮年，与碑文"其少体自然之怒，长有殊俗之操"，年轻时就"行成名立，声布海内"相符。

731.洛阳偃师县新莽壁画墓清理简报

作　　者：洛阳市第二文物工作队　史家珍、樊有升、王万杰等
出　　处：《文物》1992 年第 12 期

1991 年 7 月，河南偃师县高龙乡辛村农民在村西南浇地时发现 1 座壁画墓（M1），考古人员闻讯后即会同偃师县文管会对该墓进行了抢救性清理。简报分为：一、地理位置及墓葬形制，二、壁画，三、随葬器物，四、结语，共四个部分。有手绘图等。

此墓位于县城西南约 20 公里，207 国道和顾龙公路交界辛村西南 500 米处。此墓为套榫结构的空心砖壁画墓，由竖井墓道、墓门、墓室及耳室组成。墓道内靠近封门处有一不规则壁龛，内置陶罐 2 件。龛内掏出的土就堆在龛外的壁下，并平出一人小台面，高同龛底平，上用一块空心砖和数块小砖封堵壁龛。简报推测，2 个陶罐在下葬时没放进墓室，墓门被封堵后才挖此龛。墓室内有壁画，保存尚好。出土遗物仅有 13 件陶器。简报推断此墓的年代为新莽时期。

此次发掘最大收获就在壁画。简报称，此墓壁画内容丰富，画法细腻，特别是宴饮对舞图，整个画面形象生动。在目前发现的汉代画像石、画像砖上多有盘舞、独舞、2 女对舞等场面，但男女对舞的壁画比较少见，这为我们研究当时的舞蹈艺术提供了

新的实物资料。同时，壁画中所表现的人们的服饰、用具和生活习俗，也为我们研究当时统治阶层的物质生活、精神追求诸方面提供了参考资料。

732.洛阳市朱村东汉壁画墓发掘简报

作　者：洛阳市第二文物工作队　史家珍等
出　处：《文物》1992 年第 12 期

1991 年 8 月，洛阳市郊区公安分局缉私队在打击盗掘古墓活动中，于市东北郊朱村发现 1 座壁画墓（编号 BM2），考古人员闻讯后即调查、发掘。简报分为：一、墓葬位置及其形制，二、墓室壁画，三、出土器物，四、结语，共四个部分。有彩照、手绘图。

据介绍，墓葬北靠邙山，南临洛河，西南距洛阳市区 6.5 公里，东距汉魏故城 6.5 公里。这一带古墓葬分布密集。墓葬为砖石结构，由墓道、墓门、甬道、墓室及耳室组成。墓室券顶距地表约 3.1 米。据调查，地面原有封土已被夷平。因曾被盗，葬具及尸体未见，仅出土陶器等 11 件，且多不能修复。此墓年代，简报推断为东汉晚期，也可能晚至曹魏时期。此次发掘收获最大的就是壁画。该墓壁画颜色鲜艳，布局严谨，线条流畅，马昂首嘶鸣，形象生动，人物栩栩如生，充分表现了当时绘画者较高的绘画水准。

733.洛阳金谷园东汉墓（IM337）发掘简报

作　者：洛阳市第二文物工作队　桑永夫等
出　处：《文物》1992 年第 12 期

1992 年 3 月，考古队在配合洛阳市饮食服务公司住宅楼基建工程中，发掘清理了 1 座东汉墓，编号 IM337。简报分为：一、墓葬形制，二、随葬器物，三、结语，共三个部分，配以照片予以介绍。

据介绍，墓葬正东西向，平面近"丰"字形，由墓道、甬道、墓室、南主耳室、2 附耳室和北主耳室、2 附耳室 9 部分组成。共出土随葬器物 70 余件，大部分出于南主耳室的西附耳室，包括铁器、铜器、陶器、彩绘陶器和釉陶器等。除个别严重残损或锈蚀外，大部分保存完好。简报推断该墓的时代为东汉中期至晚期。

简报称，此墓出土的彩绘陶器，虽然出土时破损较严重，但据复原后的图案仍反映出当时陶器的彩绘艺术水平。釉陶器釉色明亮，器胎薄而均匀，击之声音清脆悦耳，布局合理，线条清晰，反映当时较高的制陶水平。

734.河南偃师东汉姚孝经墓

作　　者：偃师商城博物馆
出　　处：《考古》1992年第3期

1990年元月上旬，偃师县城关镇北圫村东砖厂在取土过程中发现1座古墓。经上级有关单位批准，考古人员进行了抢救性发掘，墓葬编号为简称M1。简报分为：一、墓葬形制，二、随葬器物，三、结语，共三个部分。有拓片。

据介绍，该墓位于邙山南麓，南距洛河2.5公里，西距唐张思忠墓约1公里。墓道向南，方向1900度，由墓道、墓门、甬道、前室、后室5部分组成。

该墓随葬器物有百余件，除大部分漆器腐朽无法采集外，共取回随葬器物45件，其中陶器44件、五铢钱1枚。中华人民共和国成立以后，河南范围内发掘的汉墓将近万座，但保存有纪年文字或纪年铭刻的东汉墓，简报认为见到的资料约有8座。偃师姚孝经墓的刻字砖，第1行刻"永平十六年"，即公元73年，在东汉纪年墓中排列最早，它的形制和器物群保存得也比较完整，对东汉墓分期断代来说，无疑是1座很值得我们重视的纪年墓资料。

简报称，姚孝经墓出土刻字方砖，契刻内容包括纪年月日、墓主姓名、墓主身份和生平事迹等，简报认为这方字砖，已初具墓志特征，或可作为墓志的初期代表。

简报指出，如果判断不谬的话，姚孝经刻字方砖的出土，可以将墓志的产生时期推前到东汉早期。

735.河南偃师寇店发现东汉铜器窖藏

作　　者：偃师商城博物馆　郭洪涛
出　　处：《考古》1992年第9期

1974年3月，偃师县寇店乡李家村农民在挖树坑时，偶然发现了1处古代窖藏。考古人员赶赴现场处理。窖坑长、宽、深均为0.5米左右，在窖藏中先发现1件鎏金带盖铜尊，打开盖之后，尊腹内密集盛放小件鎏金铜器、铜器及铜模型器等48件。其中小方壶6件，象、牛、椭圆形小壶、鹿各4件，铜鼎、铜灯、铜盘、器盖各3件，小圆壶、小马各2件，奔羊、鸠车、铜洗、镳斗、圆案、熏炉、甗、兽形水注、耳杯、镂空器盖各1件。简报配以照片予以介绍。

据介绍，据观察窖藏出土的铜灯、铜甗等器物，简报推断这处窖藏埋藏于东汉末至西晋初期的战乱时代。窖藏中的一批动物模型器，造型逼真，錾刻精细，鎏金工艺又十分娴熟，实为模型器中之佳品。窖藏中出土的铜质鸠车，小巧而精致，为东汉墓中十分罕见的模型器。此次发现实物，保存基本完好，实属不易。它是否与鸠杖的性质相同，属于皇室赏赐臣下的一种礼仪纪念物，尚待研究。

736.洛阳涧滨东汉黄肠石墓

作　者：洛阳市第二文物工作队　李　虹等
出　处：《文物》1993年第5期

1986年12月至1987年3月，考古人员在配合洛阳铜加工厂技术改造工程中，发掘了1座大型东汉黄肠石壁画墓（编号AM19）。此墓规模较大，结构复杂，为洛阳涧滨一带汉代墓葬中少见。简报配以照片、手绘图予以介绍。

据介绍，AM19为砖石结构。由墓道、天井、前横室和后室组成。该墓共发现大小盗洞达9个之多，墓室全部坍塌，除发现"黄肠"遗物外，壁画及随葬品几乎全部破坏，没有价值。只出土1只永和五年（140年）石羊尚有价值。系以一整块青石雕刻而成，在雕刻技法上与西汉霍去病墓前石雕相似，造型古朴。简报推测该墓年代最晚不过东汉中期。

737.洛阳浅井头西汉壁画墓发掘简报

作　者：洛阳市第二文物工作队　吕劲松等
出　处：《文物》1993年第5期

1992年8月，洛阳轴承厂特精分厂在挖污水处理池时发现1座西汉空心砖壁画墓（编号CM1231）。此墓位于洛阳市郊浅井头村南，南为158厂、632厂，北为744厂，正处于汉代大型墓葬区。同年10月，考古人员前往发掘清理，并会同洛阳古墓博物馆将此墓搬迁。简报分为：一、墓葬形制，二、随葬器物，三、壁画，四、结语，共四个部分。有彩照、拓片、手绘图。

据介绍，该墓为洞穴空心砖壁画墓，由墓道、墓门、墓室及耳室组成。墓室内有壁画，保存尚好，出土遗物327件。该墓的年代简报推断在西汉成帝至王莽之间（前32～6年）。

简报称，此墓只有东边一个"T"字形土洞耳室，西边尚无挖凿，仅留西耳室门，在主室内只发现一处木棺痕迹，应为男墓主，简报推测，尚待配偶死后，再挖凿西侧耳室合葬。另外，此墓壁画中二龙交尾于上苍、月亮中同见蟾蜍和玉兔等内容均罕见。壁画采用墨线勾勒，填以色彩，线条流畅简练，布局紧凑，又并不凌乱，多变的流云将整幅画面统一在一起，表现出了高超、纯熟的绘画技巧，为研究古代绘画提供了新的材料。

738.洛阳又发现一批西汉空心画像砖

作　　者：李献奇、杨海钦
出　　处：《文物》1993 年第 5 期

近年来，洛阳市第二文物工作队在河南伊川、宜阳、洛宁、孟津县新发现一批西汉空心画像砖，计有 16 种。这批空心画像砖的内容较新颖，地域分布较广。简报配以拓片予以介绍。

据介绍，画像砖有横幅、竖幅两种。多为阳模模印，少量用阴模模印。在画像手法表现及内容上，具有郑州和洛阳地区共有的特点。

简报称，洛阳市所属的伊川、洛宁、宜阳发现的这批西汉空心画像砖，证明洛阳西汉空心砖画像分布地域已超过"东西不超过 30 里，南北不超过 15 里"，以及"南北约 20 公里"的范围。伊川王庄空心画像砖发现众多女子长袖对舞画面，在中原地区为首次发现，为研究洛阳西汉空心画像砖提供了新的资料。

739.汉魏洛阳城西东汉墓园遗址

作　　者：中国社会科学院考古研究所洛阳汉魏城队　段鹏琦、杜玉生、肖淮雁、
　　　　　钱国祥等
出　　处：《考古学报》1993 年第 3 期

1985 年，考古人员在河南省洛阳市东郊白马寺镇配合基建工程，于铁道部十五工程局电务处院内发现古代建筑遗址 1 处，面积 5000 余平方米。1987 年 8 ~ 9 月进行全面清理，确认其为东汉时期的建筑遗迹。同年 10 月下旬，国家文物局组织的全国文物检查团到洛，亲临现场视察，对这一发现给予充分肯定。同年 11 ~ 12 月，开始大规模发掘。查明此遗址实为一较大型墓园，墓园主人墓就在遗址的西部。1988 年 3 月下旬至 4 月底发掘了这座墓葬。简报分为：一、地层堆积，二、墓园形制、布局及各部结构，三、出土遗物，四、结语。共四个部分。有照片等。

简报指出，东汉 200 年间，厚葬之风炽盛，到东汉中晚期，愈演愈烈。不仅埋葬帝后、诸王、列侯要按制度修筑墓冢陵园，就是具有 2000 石官秩的地方豪右，也要广辟茔域，建造高冢大坟、石室祠堂、石阙、石柱、石兽以至池沼、石楼。此类事例，记载甚多。然而伴随岁月的流逝，昔日的帝后陵墓以及遍布各地的诸王列侯、地方豪右墓葬俱已沦毁殆尽，而今能见者，唯有孤立于旷野的累累土冢和个别石祠、石阙。1949 年以来，除帝陵外，各地发掘东汉墓葬甚众，其中包含不少的王侯墓，但无一处清理出封土以外与墓葬相关的地面建筑遗迹，给全面深入地研究东汉陵墓

制度造成严重困难。汉魏洛阳城西首次发现东汉墓园遗址，实是我国汉代考古的可喜收获之一，对东汉陵墓制度研究自然具有十分重要的学术意义。

据介绍，此东汉墓园整体呈长方形，东西长 190 米、南北宽 135 米，四周有夯筑土垣。周垣四隅，垣体增高并附建房舍类设施。墓园之内，分为东、西 2 区。西区修造墓园主人墓，东区营建墓侧建筑群。西区十分空旷，似乎只有墓园主人墓。东区发掘面积不足，难窥全貌，但应是由三进院落组成，殿堂、廊房、天井错落其间，规模恢宏。尽管目前地表已无建筑可寻，但由出土文物可知，周边曾安装青石栏杆。由此可以推断，其上原应建有面阔 5 间、进深 3 间的殿堂，环绕殿堂有一间宽的廊道。十分独特。

该东汉墓园的年代，简报推断约为公元 147～160 年，即汉桓帝、汉献帝时期。墓主人至少是 2000 石以上的地方豪强。简报怀疑此墓园或与当地传说的汉皇女埋于城西有关。

740.洛阳北邙 45 号空心砖汉墓

作　者：洛阳市第二文物工作队　乔　栋、慕建中等
出　处：《文物》1994 年第 7 期

1987 年 4 月，考古队为配合基建，在洛阳陇海铁路以北、陵园路西侧清理了 1 座空心砖墓（编号 IM45）。简报分为：一、墓葬形制，二、随葬器物，三、结语，共三个部分并配以照片予以介绍。

据介绍，IM45 为竖穴土圹墓，椁内有木棺 1 具，已朽。棺内 1 骨架已成粉状，头向北，直肢。在棺外东侧还有 1 儿童骨架，粉状，判断亦向北，直肢。随葬器物有铜器 9 件、玉饰 1 件、铁条 1 件，共 11 件。简报推断，此墓年代应在西汉早期，墓主人在生前应有一定的地位。

简报称，此墓应为秦人墓。铜蒜头壶中有少量液体，虽然还不能确定为酒，但为蒜头壶的研究提供了新的资料。

741.洛阳邮电局 372 号西汉墓

作　者：洛阳市第二文物工作队　吕劲松、桑永夫等
出　处：《文物》1994 年第 7 期

1992 年 8 月，考古队在配合洛阳邮电局邮件处理中心二期工程的考古发掘中，清理了一批汉代墓葬。其中 IM372 保存完好，出土文物丰富。简报分为：一、墓葬形制，

二、随葬器物，三、结语，共三个部分并配以彩照予以介绍。

据介绍，IM372 位于洛阳金谷园，西临洛阳火车站，北距陇海铁路仅 20 米。墓为长方形小砖券顶墓，由墓道、墓门、墓室、东耳室、西耳室 5 部分组成。墓道为长方形竖井，位于墓室南端。靠墓道南端的东、西两壁各有一排脚窝。墓室内并列两棺，棺木均已腐朽，仅有部分棺灰和棺底白灰、棺钉，人骨已成粉状，头向、葬式不明。此墓出土陶器 64 件，铜器 25 件，铁器 8 件，五铢钱 125 枚。简报推断时代约在汉成帝至王莽之间（前 32～9 年）。

简报称，陶仓上朱书"钱万石"，尚属少见。还有一些文字与彩绘纹饰的主题一致，表达了祈求美好生活、长生不死的愿望。这也正是汉代初年崇尚黄老，提倡神仙思想的充分体现。

742.洛阳苗南新村 528 号汉墓发掘简报

作　　者：洛阳市第二文物工作队　李献奇、司马俊堂等
出　　处：《文物》1994 年第 7 期

1993 年 3 月，考古队为配合苗南新村基建工程，发掘了 1 座东汉墓（编号 IM528），出土随葬器物近 60 件。简报分为：一、墓葬形制，二、随葬器物，三、结语，共三个部分并配以彩照予以介绍。

据介绍，IM528 位于邙山南麓，北距陇海铁路 20 米，东距隋唐故城宫城西墙 130 米。墓道为长方形竖井式，墓顶上部被扰，墓道口尺寸不详。墓葬曾被盗扰，随葬器物分别放置在南、北部。在墓室东北和东南角分别有东西长 1.8 米、南北宽 1.1 米的生土棺床台，棺及尸骨已无痕迹。出土的 60 件器物中，陶器就有 51 件。简报推断 IM528 的年代应为东汉中期。

简报称，此墓出土的一组乐舞杂技俑，有男女对舞、杂伎等内容，并有伴唱及乐队演奏，形象生动，为研究东汉乐舞杂技增添了新的资料。

743.洛阳孟津汉墓发掘简报

作　　者：310 国道孟津考古队　郭木森、廖子中、刘海旺、王　炬
出　　处：《华夏考古》1994 年第 2 期

1991 年下半年，为配合 310 国道建设工程，考古人员在孟津县境内发掘汉、魏、晋、唐等时期墓葬数 10 座，其中汉墓被盗掘严重，保存比较完整的有 3 座汉墓（编号 M8、M38、M55）。简报分为：一、M8，二、M55，三、M38，共三个部分。有

拓片、手绘图。

据介绍，随葬品有陶器、铁器、铜器、玉器、铜钱等。时代为东汉晚期等。

744.洛阳五女冢新莽墓发掘简报

作　者：洛阳市第二文物工作队　李　虹等

出　处：《文物》1995 年第 11 期

1992 年 12 月至 1993 年 4 月，考古队在配合西工区玻璃纤维厂宿舍楼基建中，发掘了 1 座新莽时期墓葬（编号 IM461）。此墓西距涧河约 600 米，南距五女冢约 500 米。墓葬随葬器物摆放位置未被扰动，保存完好。简报分为：一、墓葬形制，二、随葬器物，三、结语，共三个部分并配以照片予以介绍。

据介绍，IM461 由墓道、甬道、前室、后室和 2 耳室组成，为单穹窿顶小砖券墓；出土陶器、铜器、铁器、石器和铜钱共 76 件（组）。墓葬年代，简报推断为公元 7 年至公元 14 年之间。

简报称，IM461 保存完整，器物摆放位置未被扰动，这在洛阳地区较少见到。此墓所出陶瓮上书"酒一石"，壶上书"水"字，是较特殊的现象。在墓前室西侧耳室门口的北壁下，用砖砌 1 灶，有炉堂、火门，上置 1 铁釜，釜上坐 1 陶 1 甑，灶台西北角上扣置 1 洗，洗的底上放置铁刀、铁锯各 1 件。墓中的井是将 1 瓮埋入地下，瓮口与墓室底平，将模制井架放在瓮口上，井栏上置 1 卧羊水槽，3 个小水斗放在瓮内，这在汉墓中也不多见。出土多件铁质生产工具和水稻、粟等粮食作物，为研究汉代的冶铁手工业和农业生产提供了新的资料。

745.洛阳市西南郊东汉墓发掘简报

作　者：洛阳市第二文物工作队　史家珍、石战军、周　立

出　处：《中原文物》1995 年第 4 期

1994 年 8 月，考古人员在配合洛阳市高新技术开发区二期工程建设过程中，发掘清理了 1 座东汉时期的砖室墓，墓葬编号为 94GM241。该墓葬保存完好，出土物丰富，为近年来所少见。简报分为：一、地理位置和墓葬形制，二、随葬器物，三、结语，共三个部分。有照片、手绘图。

据介绍，该墓葬位于洛阳市西南郊张庄村北，距市区约 2.5 公里，背依三山，南临洛河，地理位置十分优越，该处古墓葬分布密集。墓葬为竖井墓道横前堂砖室墓，由墓道、甬道、前堂、后室、耳室等组成。该墓葬保存完整，出土物丰富，器

物摆放位置明确，且部分器物内贮有粮食，这些均为近年来所少见。出土器物有陶器、铁器、铜器、玉石器等，计有65件。其中以陶器为大宗，计有瓮、壶、仓、鼎、罐、敦、井、奁、耳杯等50件，均为泥质灰陶。该墓的时代，简报推断为东汉中期。

746.洛阳轴承厂汉代砖瓦窑场遗址

作　者：洛阳市第二文物工作队　隋裕仁、宋云涛
出　处：《中原文物》1995年第4期

1988年4～9月，考古人员为配合洛阳轴承厂大型滚子车间扩建工程，发掘1处汉代砖瓦窑场遗址。该遗址位于涧河西岸的洛阳轴承厂厂区东部，距中国社会科学院考古研究所洛阳工作队所测的汉河南县城西约1.5公里。揭露面积600多平方米，清理出一些重要遗迹和大量遗物。简报分为：一、地层堆积，二、遗迹结构与布局，三、遗物，四、结语，共四个部分。有照片、手绘图。

据介绍，共发掘烧窑两座及坯棚、排水设施、砖垛、瓦堆、蓄水坑及葬坑等。葬坑内有1成年男性，无随葬品。出土遗物除建材外，主要有陶器、铁器、铜器。其中铁犁、铁锼、铁锅等为首见，特别是由犁镜和铧冠组成的铁犁及铁炼锅的出土，不仅丰富了汉代铁具的种类，而且更为研究汉代洛阳的手工业和农业状况提供了较完整的实物资料。简报推断，此处为汉代一官办窑场。

747.洛阳市南昌路东汉墓发掘简报

作　者：洛阳市第二文物工作队
出　处：《中原文物》1995年第4期

近几年洛阳市南昌路兴隆新村附近发现了大量东汉晚期的砖室墓，1992年1月，为配合洛阳市房屋开发公司南昌路小区的建设，考古人员又在该地区处理了1座东汉晚期的砖室墓，墓葬编号为92CM1151，其规模巨大，出土物丰富，为近年来所少见。简报分为：一、墓葬形制，二、出土器物，三、结语，共三个部分。有手绘图。

据介绍，该墓葬为穹窿顶中、后室带横列前堂的砖室墓，从前至后由墓道、甬道、横堂、耳室、中室、后室等几部分组成。该墓属几代同穴墓。随葬器物十分丰富。但是，由于多次埋葬，加之长期雨水淤积，墓中随葬品已失去原来的位置，且已破碎不堪。在前堂、中室、后室及耳室内均发现有大量的随葬器物，出土有陶器、铜器、铁器及其他共计146件，铜钱44枚。其中以陶器为大宗，计101件。包括

壶、瓮、盆、罐、灶、磨、奁、杯、勺、案、耳杯、伎乐俑、瓦当、筒瓦、仓楼、水桶、鸡、狗、鸭等种类，器物制作以手制为主，兼以轮制。墓葬中发现的仓楼和实用的大瓮及刀、矛、剑、戟、斧、钺等实用兵器，说明墓主人绝非当时一般平民，该墓墓主应为1个大量土地的拥有者，且家中养有家兵。简报认为该墓墓主应为东汉晚期的1个庄园地主。

748.洛阳周山路石椁墓

作　者：洛阳市第二文物工作队　史家珍、石战军、李　宏
出　处：《中原文物》1995年第4期

1994年1月，考古人员为配合世大房地产开发公司周山小区基建工程，在周山东麓清理了1座西汉石椁墓（编号CM1766）。简报配以照片、手绘图予以介绍。

据介绍，该墓由竖穴墓道、土洞耳室、土洞墓室和石椁室组成，平面呈"T"形。计出土器物10件，其中灰陶8件，另有铜盆、铜钱等。该墓的时代，简报推断为西汉昭帝时期。

749.洛阳五女冢267号新莽墓发掘简报

作　者：洛阳市第二文物工作队　史家珍、王遵义、周　立
出　处：《文物》1996年第7期

1996年1月，考古人员在配合洛阳市车站公安分局宿舍楼建设中，在五女冢村附近发掘了1座保存完整的新莽时期墓葬（编号96HM267）。简报分为：一、墓葬位置和形制，二、出土器物，三、结语，共三个部分。有照片、手绘图。

据介绍，96HM267位于市区纱厂西路北侧，其南距东周王城西北角约500米，西距五女冢村约600米，西南临近涧河，北部遥望邙山。此处新莽时期墓葬集中。此墓为竖井墓道小砖券墓，由墓道、甬道、墓室、耳室等部分组成。随葬品有陶器、石器、铁器、铜镜、铜钱等。有壁画，惜已脱落。

简报指出，96HM267墓葬保存完整，随葬器物摆放位置明确，特别是棺前的隔墙和祭坛的设置，在洛阳地区少见。此墓的发掘，为研究洛阳地区新莽时期的葬俗提供了资料。另外，随葬陶器器表大多有朱书隶字，标明器内所盛食物或农作物等，也为研究新莽时期的农业及人们的饮食结构，以及当时的书法艺术提供了有用的资料。

750.汉魏洛阳城发现的东汉烧煤瓦窑遗址

作　　者：中国社会科学院考古研究所洛阳汉魏城队　钱国祥

出　　处：《考古》1997 年第 2 期

1988 年冬至 1989 年春，考古队在配合 207 国道建设工程时，在偃师市翟镇乡西罗洼村西北部发现 1 处汉魏时期的烧瓦窑遗址。遗址位于东汉洛阳城遗址东南郊、汉魏时期洛河故道北岸与改道后的今洛河南岸之间。为进一步了解该窑址区的情况，对配合区域内的窑址分布做了全面的勘察，并对一些遗迹进行了重点发掘。简报分为：一、窑址概述，二、窑址形制与结构，三、出土遗物，四、结语，共四个部分。有手绘图。

据介绍，通过此次勘探与发掘，并结合以往勘察的情况得知，今西罗洼村以北、以南地区是 1 个面积较大的汉代砖瓦窑场。据发掘资料，这批窑址大多数属于东汉时期，也有少量属北魏时期。以往发现的汉魏时期窑址很多，但这些窑址或顶部为掏挖而成的生土顶，或窑顶不存，有确切迹象为砖砌券顶的窑址则较少。这批窑址的发掘为研究这种结构的窑址提供了一些较完整的资料。根据该窑址地层堆积中出土的砖、瓦残件，及窑内所烧制的筒瓦等遗物特征，简报推断：窑址的使用时代为东汉时期；这批窑址应为官窑无疑；该手工业遗址或为南甄官管辖下的作坊区。

简报称，汉魏洛阳城发现的这处东汉烧煤瓦窑遗址在目前无疑应是将煤用于烧制砖瓦较早的一个实例，而且据观察这些燃煤似直接使用散煤，这种做法显然与大规模使用煤做燃料是相适应的。

751.河南洛阳市东汉孝女黄晨、黄芍合葬墓

作　　者：洛阳市文物工作队　赵振华

出　　处：《考古》1997 年第 7 期

1992 年 8 月，考古人员在配合洛阳市三乐食品总厂住宅楼建设工程中，发掘 1 座汉墓（编号 C3M226），该墓位于民族路北侧，东临夹马营路。简报分为：一、墓葬形制，二、出土器物，三、结语，共三个部分予以介绍。

据介绍，此墓是 1 座横前堂砖室墓，附一形如壁龛的假耳室。比照《洛阳烧沟汉墓》所分的墓葬形制，此墓相当于五型二式，年代属于第六期即东汉晚期。该墓出土的罐、仓、猪圈等陶器是烧沟汉墓第六期墓葬常见的器型，剪轮五铢（磨廓钱）在东汉晚期也比较多见，铁镜更为此期所独有。简报认为这是 1 座东汉晚期的墓葬。

简报指出，洛阳东汉墓出土的少量瓦当，一般不带瓦身，用于衬垫棺木。该墓

瓦当上有模印阳文篆字"津门",字体略扁平,书法隽雅,是本地区颇为稀见的带字瓦当之一。据砖铭,因两姊妹皆夭亡,故1座墓随葬了2块内容相同、文辞简略的刻铭砖。

752.河南洛阳市第3850号东汉墓

作　者：洛阳市文物工作队　李德方
出　处：《考古》1997年第8期

1992年秋,为配合河南省第三建筑工程公司施工,考古人员在基建区内清理了1座东汉壁画墓,编号C1M3850。该墓东距洛阳市西工区光华路30米,南距唐宫路100米,其东南240米处为1981年发掘清理的第120号东汉壁画墓。清理情况,简报配以手绘图予以介绍。

据介绍,此墓为单室横列砖券墓,由墓道、墓门、甬道、墓室4部分组成,在甬道内壁和墓室四壁上绘有彩画。由于该墓被盗,大量随葬品遗失。现存遗物经清理,共出土遗物77件。该墓的形制属于《洛阳烧沟汉墓》中所分的第五型,即东汉晚期的横室墓。由此简报推断,该墓是1座东汉晚期墓葬。

简报称,此墓的发掘,不仅丰富了汉代壁画的内容,而且为系统探讨洛阳两汉时期的绘画艺术,提供了可资对比的资料。

753.洛阳李屯东汉元嘉二年墓发掘简报

作　者：洛阳市文物工作队　张　剑
出　处：《考古与文物》1997年第2期

1974年3月,考古人员为配合洛阳石化公司实验厂百货楼的基建工程,在洛阳郊区李屯乡发掘了1座东汉元嘉二年(152年)纪年墓。简报分为：一、墓葬形制,二、随葬器物,三、结语,共三个部分。有拓片、手绘图。

据介绍,该墓编号为M1,墓门朝南。由墓道、甬道、主室、耳室4部分组成。墓道未发掘。有木棺痕迹2具,东边1具中有女性骨架1具,西边1具中骨架已朽成灰。墓中随葬品共有60多件,其中大量是陶器,有少量铜铁器等。

洛阳李屯汉墓是一座中等规模的东汉墓。墓中出土神瓶文字,记载了此墓死者埋葬的准确年代。元嘉是汉桓帝的年号,元嘉二年即为公元152年,神瓶文字中还提到以5种矿物质和人参合会神药,用以镇墓。这对于研究东汉的道巫活动具有重要的价值。

754.洛阳北邙飞机场903号汉墓

作　者：洛阳市文物工作队　俞凉亘
出　处：《考古与文物》1997年第5期

1992年5月，考古人员为配合中国民航飞行学院洛阳分院的基建工程，清理了1座汉墓（编号C8M903）。此墓位于洛阳北郊邙岭的飞机场区。

简报分为：一、墓葬形制与结构，二、出土器物，三、结语，共三个部分。有拓片、手绘图。

据介绍，此墓为洞室砖券墓。由墓道、墓门、墓室3部分组成，葬具为陶棺，泥质灰陶，内外壁均斜饰粗绳纹。棺用4块方形陶板封盖，人骨已朽，棺内北部仅存3颗牙齿。从牙齿看，墓主人为1小孩。此墓出土遗物52件，其中陶质器皿21件、釉陶俑3个、骨俑1件、水晶器1件、铁器1件、铜器2件、铜钱23枚。

简报推断该墓为西汉晚期墓。墓主人当为有一定家庭地位的男孩。陶制俑十分小巧，当为儿童玩具。

755.洛阳道北西汉墓出土一件博局纹铜镜

作　者：洛阳市第二文物工作队　刁淑琴
出　处：《文物》1999年第9期

1983年春，洛阳市文物工作队在洛阳道北石油化工厂家属院内发掘1座西汉晚期墓葬，出土博局纹铜镜1件。该镜不仅制作精良，纹饰华美，而且还有内容罕见的铭文，为研究西汉晚期的物质文化生活等提供了珍贵资料。简报配以拓片予以说明。

据介绍，此镜为圆形，圆纽，圆纽座，座外双线大方框，内饰12乳丁，间有篆字"子、丑、寅、卯、辰、巳、午、未、申、酉、戌、亥"。其外为主纹饰，由博局纹将其分为四区，每区各饰内向连弧乳丁纹2枚，其间分别饰青龙、朱雀、白虎、玄武四神，并分别配制羽人、神兽、独角长尾兽、麒麟等。主纹外为铭文一周，铭文为："目［哉］□□思也，嶷毙哉毛□俋也，莒哉□此字也，大哉孔子志也，美哉宣易负也，乐哉居毋事也，奸哉洣人异也，急哉下□记也。"铭文外饰栉齿纹、锯齿纹及弦纹各一周。近缘部饰云气纹　周，窄平缘。直径20.3厘米。

简报指出：这件铜镜铭文中每句均有韵，思、子、志、负、事、记，古音在之部；俋、异，古音职部，与之部对转，对于古音韵学研究亦有价值。

756.洛阳金谷园小学 IM1254 西汉墓发掘简报

作　者：洛阳市第二文物工作队　褚卫红等

出　处：《文物》1999 年第 9 期

1998 年 5～6 月，考古人员在配合洛阳金谷园小学住宅楼建设工程中，发掘清理了一批战国、两汉墓葬，其中 IM1254 西汉墓出土的器物精美独特。简报分为：一、墓葬形制，二、随葬器物，三、结语，共三个部分。有彩照、拓片、手绘图。

据介绍，IM1254 墓口距地表 2.6 米、总深 7.6 米。由墓道、墓室、南北耳室组成，整体平面略呈十字形。出土有铜器、铁剑、铁刀、空首布、五铢钱等。另有陶壶、彩陶壶、陶仓、陶罐。简报推断年代为西汉中晚期。

757.洛阳发掘的四座东汉玉衣墓

作　者：洛阳市文物工作队　程永建

出　处：《考古与文物》1999 年第 1 期

20 世纪 50 年代以来，随着洛阳地区田野考古工作的开展，先后发掘了几座东汉玉衣墓。依据洛阳主干线商业局 M4904、洛阳机车工厂 M1、M346 以及洛阳杨文铁路编组站 M575 四座玉衣墓的发掘情况，简报分为：一、主干线商业局 M4904，二、机车工厂 M1，三、机车工厂 M346，四、杨文铁路编组站 M575；五、结语，共五个部分。

据介绍，这 4 座墓葬均无任何纪年方面的资料发现，故无法确定其绝对年代。但通过对墓葬形制及随葬器物所具特征的认识，简报推断这 4 座墓葬的年代应为东汉晚期，4 座墓的墓主可能是王侯或大贵人一类身份的人物。

简报称，这些东汉玉衣墓的发掘，为研究东汉丧葬制度、墓葬形制等提供了重要的研究资料。

758.洛阳邙山战国西汉墓发掘报告

作　者：洛阳市第二文物工作队　桑永夫、史家珍、褚卫红

出　处：《中原文物》1999 年第 1 期

1997 年 5～9 月，考古人员为配合建设工程，在墓葬众多、一直以"无卧牛之地"著称的邙山脚下发掘了 210 座战国、西汉墓葬，出土陶器、铜器等 300 多件。这批墓葬的多种形制、不同葬式以及随葬品组合为研究洛阳地区战国、秦汉之际的丧葬

习俗等提供了新的实物资料。简报分为：一、墓葬形制，二、出土器物，三、结语，共三个部分。有照片、拓片、手绘图。

据介绍，共发掘古墓222座，除6座东汉墓、2座宋墓、2座元墓、2座明墓（本简报不涉及）外，其余210座均为战国、西汉时期墓葬。时代可分为战国中期、战国晚期、西汉初期、西汉中期不等。即带壁龛和二层台的竖穴墓→纯竖穴墓（以出土陶罐为主）→Ⅰ型、Ⅱ型、Ⅳ型洞室墓→Ⅲ型洞室墓→空心砖椁室墓，时代大致对应为战国中期→战国晚期→秦及西汉初期→西汉中期。简报认为，从战国中、晚期到西汉初、中期百余年间，是我国古代丧葬制度日益完善定型的一个关键时期。

759.洛阳吉利区东汉墓发掘简报

作　者：洛阳市文物工作队　程永建、侯秀敏等
出　处：《文物》2001 年第 10 期

1991 年 4 月，考古人员在黄河北岸吉利区炼油厂配合基建时，发掘出一批古墓。其中，编号为 C9M445 的墓葬出土了一批精美的彩绘陶器。简报分为：一、墓葬形制，二、随葬器物，三、结语，共三个部分。有彩照、手绘图。

据介绍，此墓为长方形土洞墓，由墓道、甬道和墓室组成。葬具和骨架已朽，情况不明。随葬品多置于墓室，耳室较少。有陶器、石器、铁剑、铜钱、铜镜、铜盆等。出土的彩绘陶器，有陶瓮、陶罐、陶仓、陶壶、陶盒、陶奁、陶樽、陶灶、陶井、陶猪圈、陶博山炉、陶盆、陶魁、陶碗、陶耳杯、陶案等。简报推断年代为东汉中期晚段。

760.洛阳涧西西汉钱币窖藏

作　者：洛阳市文物工作队　程永建
出　处：《考古与文物》2001 年第 2 期

20 世纪50 年代，在洛阳涧西柴油机厂发掘工地发现1 处钱币窖藏坑，坑呈不规则圆形，直径40 厘米左右，深约100 厘米。坑底放置1 灰色陶罐，已碎残。陶罐内放有钱币等物，共重21.8 公斤。经清理，有钱币、铸钱残枝、铜渣和铁渣等。简报配以图片予以介绍。

简报称，数百枚郡国五铢钱币的出土，为了解汉河南郡郡国五铢的形制特点、钱文风格、轻重大小等诸方面提供了不可多得的实物资料。

761.洛阳新安县铁塔山汉墓发掘报告

作　　者：洛阳市文物工作队　黄吉博、王　炬、余扶危等
出　　处：《文物》2002 年第 5 期

1984 年夏，考古队为配合陇海铁路电气化工程，在新安县城西的铁塔山发掘了 4 座汉墓。其中 M4 为壁画墓，出土遗物较丰富。

关于 M4 的发掘情况，简报分为：一、墓葬形制，二、随葬器物，三、壁画，四、结语，共四个部分。有照片。

据介绍，此墓为小砖券单室墓，坐西朝东，由墓道和墓室组成。墓道由斜坡和台阶两部分组成，墓室内有骨架 3 具，保存不好，均为头西足东。M4 无任何纪年资料。从墓葬形制看，它属于《洛阳烧沟汉墓》Ⅱ型Ⅰ式墓；从随葬陶器看，其特征与《洛阳烧沟汉墓》第Ⅲ期前期近同；从出土铜钱看，M4 出土有大泉五十和货泉。简报推断 M4 的时代应在王莽时期。

简报称，M4 随葬的陶器匀施绿釉。其中，釉陶博山炉的山林和狩猎场面生动逼真，想象力丰富，堪称西汉末年釉陶器的代表作。

762.洛阳北郊 C8M574 西汉墓发掘简报

作　　者：洛阳市文物工作队　程永建
出　　处：《考古与文物》2002 年第 5 期

1996 年夏，为配合市邮电局宿舍楼建设，考古人员在洛阳市北郊清理 1 座编号为 C8M574 的西汉墓。该墓为带长方形竖穴墓道的洞室墓，由墓道和墓室组成。墓道西壁近墓门处有 1 个长方形土洞耳室，墓室亦作长方形，平顶，整个墓室用空心砖砌成。墓室内不见骨架和棺痕，只在西北处有黑色灰迹。简报配以手绘图、照片予以介绍。

据介绍，墓内随葬器物有陶器和铜器，共 27 件。除 1 件陶碗放在耳室门外墓道内，其余放在耳室和墓室内。

洛阳东郊 C8M574 的墓葬形制，为带竖穴墓平顶空心砖洞室墓。这种形制的墓葬在洛阳流行于西汉早、中期。该墓随葬品的器物组合为西汉早期组合，器形特征也明显具有从战国晚期向西汉中期过渡的痕迹。墓中出土的陶俑头、陶马头，也为西汉早期的特征。

简报认为，C8M574 出土较多的精美彩绘陶器，特别是出土 10 余件形式多样的俑头、马头，是十分少见的。因此，简报推断 C8M574 的年代应为西汉早期。

763.洛阳新发现一件西汉有铭铜鼎

作　　者：洛阳市第二文物工作队　刁淑琴
出　　处：《文物》2003 年第 9 期

2002 年 8 月，洛阳市孟津县南麻屯乡薄姬岭村农民打窑洞时，在距地表约 8 米处发现 1 座西汉墓葬，出土铜鼎、铜盆、铜壶、陶俑和五铢钱等遗物 20 余件。可惜这批器物出土后多被打碎或散失，只有 1 件刻有铭文的铜鼎得以保存。简报配以照片予以介绍。

据介绍，在鼎盖和腹部有 3 处篆刻铭文。鼎盖接近口沿处横刻"赵夫人二斗、王夫人"8 字。鼎腹前部近口沿处竖刻"王夫人二斗"5 字，后部横刻"赵夫人"3 字。刻铭笔道清晰，带有浓厚的隶书笔意，颇具西汉早期的篆书风格。简报推断为西汉早期遗物。经实测，此鼎正好可容 4000 毫升水，合西汉"二斗"。此件铜鼎的发现，为研究西汉度量衡史提供了 1 件实物。

相关研究，可参阅赵振华先生《洛阳古代铭刻文献研究》（三秦出版社 2009 年版）一书。

764.洛阳辛店东汉墓发现"匈奴归汉君"铜印

作　　者：洛阳市第二文物工作队、中国科学技术大学科技史与科技考古系　赵
　　　　　晓军、褚卫红等
出　　处：《文物》2003 年第 9 期

2001 年 4 月，洛阳市洛龙区辛店乡后营村农民在建房时发现东汉墓 1 座，考古人员进行了抢救性发掘。此墓除残存少量器物外，还发现 1 枚罕见的驼纽铜印。简报配以拓片、手绘图予以介绍。

据介绍，此墓为小型砖券单室墓，坐北朝南。由墓道和墓室组成，墓道为长方形竖穴，与墓室之间用小砖封门。墓室平面为长方形，长 5.5 米、宽 2.1 米。四壁均用小砖错缝平砌，顶从 1.05 米起券，墓底小砖错缝平铺。砖长 26 厘米、宽 14 厘米、厚 6 厘米。墓室内骨架已朽。该墓扰乱严重，大部分器物无存，仅出土陶壶、陶仓、铜镜、铜印各 1 件和铜钱 3 枚。简报推断为东汉早中期墓。

简报称，这座东汉墓因扰乱严重，随葬器物多已无存。但出土的"匈奴归汉君"铜印却异常珍贵，对于研究东汉王朝与匈奴的关系等问题，提供了珍贵的实物资料。

765.洛阳吉利区汉墓（C9M2365）发掘简报

作　者：洛阳市文物工作队　徐昭峰、邢富华等

出　处：《文物》2003年第12期

2000年4月，考古人员为配合黄河北岸吉利区炼油厂基建工程，发掘清理了一批古代墓葬，其中编号C9M2365的汉代墓葬中出土了一批釉陶器。简报分为：一、墓葬形制，二、随葬器物，三、结语，共三个部分。有照片、手绘图。

据介绍，C9M2365为长方形空心砖室墓，由墓道、墓室和耳室组成。出土遗物有釉陶器12件。器形有壶、仓、盆、罐、奁等。釉上绘彩，图案简练，线条流畅，色彩美观，艺术价值较高。以往在中原地区西汉中期墓葬中较为少见。该墓的年代，简报推断为西汉中期偏晚。

766.洛阳吉利区汉墓（C9M2367）发掘简报

作　者：洛阳市文物工作队　邢富华、徐昭峰等

出　处：《文物》2003年第12期

2000年4月，考古人员为配合黄河北岸吉利区炼油厂基建工程，发掘清理了一批古代墓葬，其中编号C9M2367的汉代墓葬中出土了一批陶器、陶俑及铁器等器物。简报分为：一、墓葬形制，二、随葬器物，共两个部分。配以照片、手绘图，先行介绍该墓的发掘情况。

据介绍，C9M2367为长方形土洞墓，由墓道、甬道、墓室和耳室组成。葬具与骨架已朽，情况不明。随葬器物有陶器18件、铁器1件。该墓的年代，简报推断为东汉中期晚段。该墓出土的1套伎乐俑及俳优俑，为研究中原地区汉代的民间宴乐、服饰等提供了新的材料。铁制钩镶的发现，为汉代兵器研究提供了珍贵的实物资料。

767.洛阳火车站西汉墓（IM1779）发掘简报

作　者：洛阳市第二文物工作队　黄吉军等

出　处：《文物》2004年第9期

洛阳铁路分局在扩建洛阳火车站售票厅的基建工程中发现6座西汉墓葬。考古人员于2002年9月对这批墓葬进行了发掘，其中IM1779未被盗扰，保存完好。简报分为：一、墓葬形制，二、随葬器物，三、结语，共三个部分。有彩照、拓片、手绘图。

据介绍，该墓为 1 座空心砖结构的平顶洞穴墓。由墓道、墓室、耳室 3 部分组成。墓室内葬具已朽无存，从痕迹看为单棺。尸骨已朽，只留有少许黄褐色粉末。墓内随葬器物 31 件，包括陶器 11 件、铁器 4 件、铜器 16 件。另出土有五铢钱 120 枚等。该墓的年代，简报推断为西汉武帝之后，昭帝、宣帝之间。

简报称，此墓随葬器物位置基本未被扰动，根据随葬器物中有 2 剑 2 刀的情况推测，墓主人应为男性。大部分铜器残留鎏金痕迹，特别是铜镜和铜灯，在同时期洛阳地区汉墓中极为罕见。这些随葬器物反映出墓主人生前应是具有一定身份的贵族。

768.洛阳出土一批汉代壁画空心砖

作　者：洛阳博物馆　沈天鹰
出　处：《文物》2005 年第 3 期

新安县磁涧镇里河村位于洛阳市区以西约 1.5 公里。2000 年 2 月 1 日，在该村砖厂发现 1 座已遭盗掘、毁坏的汉代砖室墓。考古人员赶赴该村，从民工那里收回了一批属于该墓的壁画空心砖。简报分为：一、空心砖形制，二、壁画，三、结语，共三个部分。有彩照、手绘图。

据介绍，壁画绘于脊顶砖底面的白膏泥地子上。除 1 块砖的画面已漫漶不清外，其余 19 块砖按照内容分，构成女娲月象图、伏羲日象图、白虎图、人首龙身神怪图、云气图，共五组图案。简报推测其制作方法与壁画的制作方法大致相同，即在砖面上先施白膏泥，作为粉地，然后用墨线勾勒轮廓，画出细部线条，再用矿物颜料平涂，或者点画设色。

简报称，这批新获的壁画空心砖虽非科学发掘所得，但从砖的形制、壁画绘制手法、壁画内容等方面推断，这批墓葬年代为西汉中晚期至新莽时期。此次出土的壁画砖线条流畅，色彩鲜艳，内容有新颖之处，为研究洛阳汉代壁画提供了新材料。

769.河南新安出土汉代铜镇

作　者：洛阳市第二文物工作队、新安县文物保护管理所　刘富良、范新生
出　处：《文物》2005 年第 8 期

1996 年，新安县文管所在配合基本建设时抢救性发掘了 1 座古墓。由于此墓已遭严重破坏，墓葬形制已不完整，除了发现 4 件众所周知的铜镇外没有发现其他随

葬器物。简报配以照片、手绘图,介绍了出土的4件铜镇:

A型,1件。高7.5厘米。身前倾,低首,跽坐。左手搭在左膝上,右手撑地于侧。头戴帽,束发于后。面部表情自然,阴线刻出眉毛、胡须。身穿长衣,袒露左肩。

B型,1件。高8.2厘米。身前倾,跽坐,左手撑于地,右小臂平放于右腿上。发束于头顶部,作大笑状,阴线刻出眉毛和胡须。身着长衣,袒露右臂,束腰。

C型,2件。形制、大小相同。高9厘米。头微侧仰,身体左倾,跽坐。左手撑地于前,右臂置于右腿上,小臂上举,手指展开。头着帽,束发于后,作微笑状,阴线刻出眉毛和胡须。身穿深衣,束腰。

简报推断,新安县出土的这4件铜镇应为西汉时期的遗物。

770.洛阳高新技术开发区西汉墓（GM646）

作　者：洛阳市第二文物工作队　周　立、张建文等
出　处：《文物》2005年第9期

2004年5月,考古人员在洛阳高新技术开发区配合河南万基铝箔生活区基础建设,发掘清理了一批汉代墓葬。其中GM646保存完好,出土器物较丰富。简报分为:一、墓葬形制,二、随葬器物,三、结语,共三个部分。有照片、手绘图。

据介绍,GM646位于洛阳市高新技术开发区海滹村东北,距周灵王陵约150米,南临洛河。该墓为长方形小砖券顶砖室墓,由墓道、封门、墓室、耳室、坠室组成。随葬品有陶器33件、铜器19件、铁器3件等。简报推断年代为汉成帝至王莽之间（前32～前9年）。

简报称,该墓出土器物不多,但此墓出土陶壶、陶瓷和陶仓上的文字均为隶书,内容丰富。其文字反映的内容多是当时人们日常食用的各类食品和计量单位。如"大豆百石""黍米百□""□豆百""黍百石""米百石""□米""小米百石"等。而有些陶文,则有特殊含义。如"原锺","原"通作"凉",是一种冷藏的水酒。"盐豉","豉"是用豆配以五味调料腌制而成的食物,"盐豉"应是加了盐的豆酱。"塞禧食","塞"为祭名。《汉书·郊祀志上》:"冬塞祷祠。"颜师古注:"塞为报其所祈也。"塞,同"赛"。《史记·封禅书》索隐:"塞与赛同。赛今报神福也。"《文选·为郑冲劝晋王笺》:"西塞江源。"李善注:"塞为报神恩也。""禧",《尔雅·释沽上》:"禧,福也。""塞禧食"应即报答神福的食品。

简报认为,出土陶器的彩绘色彩鲜艳,布局合理,用笔流畅,生动传神;陶文则内容丰富,其中"原锺""塞禧食"为以往出土的汉代陶文中未见。这些都为我们研究西汉的社会、经济、文化等提供了新的资料。

771.洛阳西汉张就墓发掘简报

作　者：洛阳市第二文物工作队　吴业恒等

出　处：《文物》2005 年第 12 期

2003 年 2 月，考古人员为配合洛阳春都五栋房小区的建设，共发掘清理汉墓、宋墓 4 座，其中西汉张就墓（IM1835）未被盗扰，保存完整。简报分为：一、墓葬形制，二、随葬器物，三、结语，共三个部分。有照片、手绘图。

据介绍，该墓位于洛阳市道北苗南路东春都集团院内，为长方形竖穴墓道砖室墓。由墓道、墓室、耳室、坠室组成。墓室、耳室及坠室内都填满淤土，经清理发现随葬器物大都整齐摆放在东西耳室及坠室内，在墓室棺床等部位亦有少量器物。人骨及葬具均已严重腐朽，葬式不详，葬具不明。随葬器物主要有陶器、铜器和铁器等。简报推断年代为西汉晚期。

墓中出土张就私印 2 方。张就是西汉元帝、成帝时期传习《韩诗》的著名学者。张就《汉书》无传，仅在史籍中有零星记载，生平事迹不详。但结合 IM1835 随葬器物特征与文献中张就所处的年代，其墓葬形制、随葬器物同其"就至大官，徒众盛"的身份相吻合。加之山阳与洛阳隔黄河相望，西汉时洛阳隶属河南郡，张就为官河南郡的可能性也是存在的。因此，简报推测此墓主人就是文献中所记载的张就。

772.洛阳尹屯新莽壁画墓

作　者：洛阳市第二文物工作队　朱　亮、司马俊堂等

出　处：《考古学报》2005 年第 1 期

2003 年 3 月，洛阳市宜阳县丰李镇尹屯村农民在村南台地取土时发现了 1 座砖室古墓，随后当地村民多人进入墓室中试图掘取随葬物品。宜阳县公安局丰李镇派出所获悉后立即保护了现场并报告文物部门。考古人员立即派员到达现场，经勘察发现墓室内保存有较完整的壁画。考古人员于 2003 年 3 月 13 日至 4 月 30 日，对这座墓葬（编号 LYYM1）做了抢救性清理。该墓位于丰李镇尹屯村南一段东西向黄土岭的北麓，北望洛河，东北距洛阳市区约 19 公里。墓道的中部和前室的顶部各有 1 个早期盗洞。墓葬内的淤土被扰动，随葬品遭受破坏并失去原来的位置。墓葬结构复杂，形制颇具特点，中室和后室的四壁与顶部保存有内容丰富的彩绘壁画。简报分为：一、墓葬形制与结构，二、墓室壁画，三、随葬器物，四、结语，共四个部分。有彩照、拓片、手绘图。

据介绍，该墓墓室分为前、中、后、侧 4 室，4 室均为穹窿顶。此种墓室相当罕

见。壁画主要集中在中室、后室的周壁和顶部。该墓曾多次被盗，但仍有随葬器物208件出土。可见该墓规格较高，墓主应有一定身份。该墓的年代，简报推测为新莽时期。

简报称，此墓所存壁画的绘法，是在砖壁上粉刷一层白灰为底，再用红、黑、黄诸彩作画。红彩多为条形的仿木梁柱结构，黑彩则用以勾勒各种画面，如祥云花草、日月星辰、人物禽兽及仿木斗拱等，而且诸多勾勒画面之上又涂以红、蓝、黄、绿多种色彩。中室的周壁及顶部壁画的题材，除了体现当时真实建筑形式的仿木梁柱结构外，更多的则是祥云缭绕中的日月星辰及人格化的星宿神祇。画面中的日月居顶，繁星分布于中室上部的穹窿形坡顶上。这个穹窿顶，自然代表了天空。天空中分布有一个个星座，这些星座计有黄体人周绕8星、青龙周绕21星、一兔周绕7星、人首蛇身者上绕7星、人首周绕6星、连枝的7星与4星、弄舞者周绕6星、白虎3星、踞坐女子手托3星、楼台7星、牵牛人和人首蛇身者所托4星、三首一蛇身者6星、横姿踞坐人周绕8星、着裙者周绕9星、单阙1星、人首蛇身者上悬4星、双龙缠绕5星，等等。从这些漫漶的画面上所辨识的星辰的数目达135颗星辰。总体来看，壁画仍主要表现了古代天象中"四神""二十八宿"的内容。而诸星座中的黄体人、青龙、兔、人首蛇身者、弄舞者、白虎、踞坐女子、牵牛人、楼阙等应为众多星宿的化身。这些被人格化的星宿神祇及众星伴日月的画面，既表现出人们对天文现象的认识，又反映了当时的"天人感应"思想，在一定程度上代表了当时人的宇宙观。关于诸多星座的具体名称及相关画面更深邃的象征意义，可参见冯时先生作《洛阳尹屯西汉壁画墓星象图研究》（载《考古》2005年第1期）。

简报指出，宜阳尹屯壁画墓的中室壁画，既反映现实生活的仿木梁架建筑，又突出表现星宿天宫的神灵世界，而那些骑猪人、骑牛人、弄舞者、踞坐者、着裙者等星宿神祇，也具有浓郁的世俗衣着特征。这是此墓壁画的又一个重要特点，这一特点与洛阳地区以往发现的其他新莽壁画墓是一致的。由此看来，洛阳新莽时期的壁画具有两汉之间承前启后的过渡性，即西汉流行的那种升仙、打鬼、傩戏的内容减少了，而人格化、神圣化的星宿神祇及反映现实生活的画面增多了。它既保留并发展了西汉的因素，又孕育着东汉的成分。宜阳尹屯壁画墓的发现，为讨论新莽时期的绘画特点及当时人的天体观念等提供了新的实物资料。

773.东汉陵墓踏查记

作　者：郑州大学历史文化学院　韩国河
出　处：《考古与文物》2005年第3期

东汉自刘秀建国，到汉献帝禅位于曹魏，建造有12座帝陵。根据文献记载，除汉献帝的禅陵（234 年）在河南焦作（修武县）外，其余 11 座帝陵均在东汉都城洛阳附近。简报据《帝王世纪》等记载，大体上区分出汉魏洛阳城的西北（孟津县境内）有 5 座陵，即原陵、恭陵、宪陵、怀陵和文陵；汉魏洛阳城的东南（偃师市境内）有 6 座陵，即显节陵、敬陵、慎陵、康陵、静陵和宣陵。但是，目前对东汉帝陵的了解也仅仅是停留在文献记载的"北五南六"状态，至于北邙之上和偃师境内哪一个坟冢属于哪一个皇帝，还无法对号入座，更不要说陵园的大小及组成要素如何。针对于此，2002 年 7 月 19～25 日，考古人员对可能和帝陵相关的 20 余座坟冢进行了踏查（2004 年 12 月 11 日又对个别冢墓进行了补查）。一方面是想了解东汉陵墓的建制，对陵冢的墓主归属有一个初步的判断（从踏查结果看，仍然比较困难）；另一方面也想了解一下陵冢的保护现状，为下一步的考古勘探或试掘以及文物保护措施的制定等提供可参考的材料。为了做好这次调查，搜集了正史及杂史里与东汉帝陵相关的文献，又仔细阅读了先辈及同行的研究文章，之后，有针对性地选择 5 个冢墓区进行了踏查。简报分为：一、踏查及问题，二、初步研究，三、今后研究中亟待解决的一些问题，共三个部分。有手绘图。

据介绍，考古人员列表介绍了文献中记载的东汉陵墓大小、高度，并与现场调查进行比对，探讨了东汉陵墓分区的原因，解释了"西陵"的含义。指出东汉陵园是否都是以南向为主以及《后汉书·礼仪志》中记载的一些丧葬制度等，都有待考古材料证实。

774.洛阳汉河南县城陶排水管道发掘简报

作　者：洛阳市文物工作队　马春梅
出　处：《华夏考古》2005 年第 1 期

2001 年 7 月，考古人员在配合六一三研究所 19 号住宅楼的基建工程中，发现 1 段汉代陶水管道。其位于洛阳市凯旋路与芳林路交叉口的东南角，处于汉河南县城南墙外 50 米的位置。简报分为：一、地层堆积，二、陶排水管道的结构，三、结语，共三个部分。有照片、手绘图。

据介绍，陶排水管道呈正南北走向，南高北低，底部距地表深 2.8 米。由于条件所限，揭露长度仅 21 米，其中陶水管 26 节，窨井 3 个。管道的铺设方法是先在当时的地面上挖 1 条宽 0.8～1.2 米、深 1.5 米左右的沟槽，沟壁稍斜不规整，然后平铺陶水管，陶水管在连接上均为对接，无子母口。陶排水管道向北倾斜，之间有 3 个窨井相连，设窨井处，管道以上的沟壁稍宽，管道以下挖一圆坑放置窨井。3 个窨井的结构原理与现代井相同，设计科学。通过井口可以随时清理窨井内的淤土，便于疏通，井口为小口，估计当时还应有1块盖板，但发掘时未见。由此可以认为，这条陶排水管道用于排水。该陶排水管道北端50米处为汉河南县城的南城墙，所以该管道应为汉河南县城南墙处的一处建筑所用。

775.洛阳王城公园东汉墓

作　者：洛阳市文物工作队　邢富华、徐昭峰等
出　处：《文物》2006年第3期

2004年12月，在配合洛阳市王城公园住宅楼的基建工程中，洛阳市文物工作队发掘了1座东汉墓葬，编号为C1M8567。该墓位于洛阳市王城公园内。墓室的西北部有1个盗洞，直径约1.1米，墓内随葬品已遭盗扰和破坏。

简报分为：一、墓葬形制，二、随葬器物，三、结语，共三个部分。有手绘图。

据介绍，该墓为长方形土洞墓，由墓道、前室、后室和3个耳室组成。墓道为长方形竖井式。墓室为长方形土洞，顶部已坍塌。2个耳室分别位于前室的东西两侧，另1个耳室位于后室的西侧，均向内凹入土洞。随葬器物分别置于墓室及耳室内，有陶器、釉陶器、石器、铁器、铜器和铜钱。墓中出土的陶井栏、釉陶博山炉为汉代艺术之精品。

该墓的年代，简报推断当在东汉早期，下限不晚于东汉中期。

776.洛阳春都花园小区西汉墓（IM2354）发掘简报

作　者：洛阳市第二文物工作队　张建文、蔡梦河、李　娟等
出　处：《文物》2006年第11期

2004年11月，考古人员为配合洛阳春都集团花园小区的建设，共发掘清理汉墓11座。其中1座墓葬（IM2354）保存完整，出土器物较丰富。简报分为：一、墓葬形制，二、随葬器物，三、结语，共三个部分。有照片、手绘图。

据介绍，IM2354位于陇海铁路北侧，洛阳市春都路以南、道北路派出所东侧春都集团原办公区院内。墓葬为长方形空心砖券顶砖室墓，由墓道、墓室、耳室3部分组成。IM2354随葬器物颇为丰富，大部分整齐地放在南耳室内，少量在墓室后壁、东壁下及北耳室。主要有陶器、釉陶器、铜器、铁器、石器等，其中釉陶器、带铭文陶仓、铁剑等较有特色。

简报推断年代为西汉晚期。

777.偃师市高崖村东汉墓（陵）冢钻探、试掘简报

作　者：郑州大学历史学院考古系、洛阳市第二文物工作队、偃师市文物管理
　　　　委员会　韩国河、朱思红、刘尊志、朱　亮、严　辉、赵海洲
出　处：《中原文物》2006 年第 3 期

简报分为：一、地层堆积，二、遗迹，三、出土遗物，四、结语，共四个部分，介绍了偃师市高龙镇高崖村东汉墓 M1、M8 的钻探、试掘情况，有拓片、照片、手绘图。

据介绍，经钻探、试掘，发现有建筑夯土遗迹、灰坑等，出土有建材等遗物，证实 M1 的封土底边平面大致是圆形的，墓葬周围有较大的规模和一定等级的地面建筑，其时代大致应当在东汉中晚期，简报推测 M1 可能和汉质帝的静陵有关系。

简报指出，长期以来，人们对东汉诸帝陵的认识仅仅停留在"北五南六"的状态，由于无法确认其归属，也就无法研究其陵园的大小及内涵特征。通过对高崖 M1 的钻探试掘，可以得出四点有重要意义的认识：一是东汉帝陵的封土为圆形，这一点在前几次的踏查当中也得到了确认；二是墓道为一条，并以南向为主；三是陵寝建筑位于封土的附近，主要分布于封土的南向或东向，呈组群存在；四是因为钻探中一直找不到陵墙的遗迹，文献中记载的"行马"（拦阻人马的木制警戒设施），大约因长期朽蚀或破毁而无存。

778.河南宜阳县甘棠寨村汉代窑址清理简报

作　者：郑州大学历史学院考古系、宜阳县文物保护管理所　张应桥、杨　远
出　处：《华夏考古》2006 年第 1 期

2000 年 10 月，考古人员在配合宜阳县运管所基建工程时，清理了 1 座汉代窑址（编号 2000YXGY1）。该窑址位于寻村镇甘棠寨村南，东南距宜阳县城 7 公里，处于洛河北岸的二级台地上、郑卢（郑州—卢氏）公路南侧。窑址被压于耕土层下，揭露面积 10 余平方米，出土了一批遗物。简报分为：一、陶窑结构，二、出土遗物，三、结语，共三个部分。有拓片、手绘图。

据介绍，陶窑坐北面南，为半地穴式结构，系在一较高的生土堆上下挖而建成。顶部已遭破坏，仅留地下穴式部分。它由通道、窑门、火膛、窑室及烟囱五个部分组成。该窑内出土遗物较为丰富，除大多为建筑材料外，还有少量的生活日用陶器、石器和铜钱。该窑内出土的菱形方格纹方砖，体大厚重，制作规整，纹饰精

美，为已发表的汉代考古材料所未见，其用途颇值得研究。该窑的烧制时代，简报推断当属西汉中后期。

779.洛阳发现西汉有铭铜鍪

作　者：中国科学技术大学科技史与科技考古系　赵晓军
出　处：《文物》2007 年第 6 期

近年来，洛阳市第二文物工作队在征集文物时，发现 1 件刻铭铜鍪，据传出土于洛阳北邙山西汉墓。简报配以照片、拓片、手绘图予以说明。

据介绍，铜鍪为侈口，束颈，圆肩，鼓腹，圆底，肩腹间有 1 对绚纹环耳，肩部饰凸弦纹一周。腹中间有垂直范痕。器身多处有垫片痕迹，外器底及下腹部有烟炱痕迹。口径 13.2 厘米、腹径 19.5 厘米、高 16.5 厘米，重 890 克，容水 2560 毫升。在铜鍪右侧肩部弦纹下横向刻有铭文 2 行，共 10 字："今元年长信私官""左厨四"。前 1 行铭文字体较小，笔画较细，后 1 行则字体较大，笔画亦较粗；但两处字体风格一致，笔画均较清晰，具有西汉铜器铭刻的特征，可能为同一人前后两次刻成。器上的烟炱痕迹，则说明它是 1 件实用炊器。从其形制、铭文等特征来看，应属西汉早中期的遗物。

这件铜鍪的铭文可释读为："今元年"，为铜鍪的铸造时间，"长信"，为铜鍪使用场所的官府名称。

这件铜鍪铭文仅刻"元年"而无年号。秦至西汉初年，皇帝均无年号，直到汉武帝即位后始称建元元年。这件铜鍪的形制属西汉早中期，故推测这里的"今元年"应属汉景帝纪年。"今元年"不是指汉景帝即位之初的元年（前 156 年），而是指景帝中元元年（前 149 年），或后元元年（前 143 年）。故这件铜鍪当铸造于汉景帝中元元年至后元元年（前 149～前 143 年）间。"长信私官"应是长信宫中管理皇太后膳食的机构。"四"则为第 4 件之意。

简报指出，铜鍪为炊具，但也常用作量器。以西汉 1 升合 200 毫升折算，1 斗容 2000 毫升。简报认为，这些容 1.25 升的器物可能是为便于使用和换算的一种特殊量器。

简报认为，洛阳发现的这件"长信私官"铜鍪，为我们研究西汉早期皇室后宫的食官，以及西汉时期的量制等，提供了重要的实物资料。

相关研究，可参见吴涛先生《汉代洛阳研究》（科学出版社 2017 年版）一书。

780.偃师白草坡东汉帝陵陵园遗址

作　者：洛阳市第二文物工作队、偃师市文物管理委员会　严　辉、史家珍、
　　　　李继鹏等

出　处：《文物》2007 年第 10 期

2006 年 7 月，为配合国家重点建设工程，考古人员对偃师市境内的东汉帝陵和陪葬墓群进行了调查、钻探和发掘。简报分为：一、洛南东汉陵区的基本情况，二、白草坡帝陵陵园遗址，三、陵园遗址的相关问题，共三个部分。有彩照、手绘图。

据介绍，其中 1 处陵园遗址位于河南省偃师市庞村镇白草坡村东北，遗址外围构建夯土垣墙，内分布有成组的房屋、庭院和粮窖。房屋建筑基址四周有排水设施，个别地段发现了道路遗迹。出土遗物主要有陶器、铜器、铁器和陶建筑材料等。根据建筑基址的遗迹、遗物，可以证明这里应是 1 处东汉时期的帝陵陵园遗址。简报推断其年代为东汉中晚期。简报认为东汉时期有一部分后妃或宫人居住在陵园内，此次发掘的房屋等应该就是她们的住所。简报称，东汉有 12 座帝陵，其中 11 座位于洛阳。这 11 座帝陵又分布在邙山和洛南两大陵区。洛南有明帝显节陵、章帝敬陵、和帝慎陵、殇帝康陵、质帝静陵、桓帝宣陵计 6 座帝陵，陵区内还分布有众多王妃、王公的陪葬墓。此次发掘的遗址，与周边帝陵的关系尚不是十分清楚。

简报称，据调查，东汉洛南陵区位于偃师市李村镇、庞村镇、寇店镇、高龙镇、大口乡、顾县镇及其附近地区。陵区地处万安山北麓。万安山，北临伊洛河，占地 200 余平方公里。核心区域为寇店村、李家村、沙沟、杨裴屯、经周寨、经周、宁村、东干村、郭家岭、姬家桥、新村、白草坡、军屯、武村、九贤村、辛庄、西庞村等 30 余个村庄，面积近 50 平方公里。

781.偃师阁楼东汉陪葬墓园

作　者：洛阳市第二文物工作队　严　辉、李继鹏等

出　处：《文物》2007 年第 10 期

国家重点建设工程郑州—西安客运专线工程路经偃师市，考古人员对沿线的东汉帝陵和陪葬墓群进行了专题考古调查和勘探，在高龙镇阁楼村发现 1 处重要的东汉墓园遗址。简报分为：一、地理位置和发现过程，二、遗址布局和主要遗迹，三、地层堆积和出土遗物，四、墓园遗址与帝陵陪葬墓群，共四个部分。有照片、拓片、手绘图。

据介绍，东汉墓园遗址位于高龙镇阁楼村西 0.5 公里，北距伊河 1.5 公里。附

近区域内分布着众多的东汉时期封土墓冢。2006 年 7 月，考古人员在阎楼村西沿铁路拟建线路进行调查钻探时，发现 2 条沟渠，确认为东汉时期的人工沟渠。应为墓园排水沟。后经发掘，发现墓园平面呈长方形，南北长 455 米，东西宽 340 米。内有 7 座封土墓（1 座封土已被夷平），东南部还发现有建筑遗址。出土有陶器、钱币等。简报认为应为 1 处东汉家族墓地。

简报指出，阎楼墓园遗址周围的彭店寨、高崖、阎楼村、火神凹、逯寨、铺刘、吴家湾，以及大屯、郭屯、大口等地确实分布着众多的东汉墓冢。这些地域位于洛南陵区核心地带的东部、东北部。帝陵的核心区域以寇店村、李家村、东干村、郭家岭、姬家桥、白草坡为代表，地势高，存在着一些独立的大型墓冢。而阎楼等地地势较低，墓冢布局相对集中，封土规模较小。对比邙山、洛南两大陵区的整体布局，这些区域都应属陪葬墓区。

782.洛阳吉利区汉墓（C9M2441）发掘简报

作　者：郑州大学历史学院、洛阳市文物工作队　朱　磊等
出　处：《文物》2008 年第 4 期

1998 年 8 ～ 11 月，为配合河南重点工程洛阳石化总厂的建设，考古人员发掘清理了一批汉代墓葬。该墓区位于洛阳市黄河北岸的吉利区，其中编号为 C9M2441 的墓葬出土器物较为丰富。简报分为：一、墓葬形制，二、随葬器物，三、结语，共三个部分，介绍了该墓的发掘情况。有照片、手绘图。

据介绍，该墓为 1 座平顶双棺室空心砖墓。由墓道、甬道、棺室和耳室组成。出土遗物 88 件，有陶器、铜器、石器、铁器等。简报推断年代为西汉晚期。

简报称，C9M2441 未被盗扰，器物组合及摆放位置比较明确，特别是出土大量的陶耳杯在洛阳地区的西汉墓中极为少见，为研究这一时期的葬俗、葬式增添了新资料。此墓出土的铜灯造型精美，铜壶体大厚重，弩机制作精细，都堪称精品。

783.洛阳新发现一组汉代壁画砖

作　者：中国农业博物馆　曹建强
出　处：《文博》2009 年第 4 期

中国农业博物馆在洛阳新近征集到一组汉代壁画空心砖，主要有西王母、仙女、仙人骑鹿、翼虎、翼鹿、仙人头像、对镜梳妆、猪首怪人、日月神等内容，且保存完好，色彩鲜艳，应为西汉晚期到新莽时期的遗物，为研究汉代丧葬习俗和绘画艺术提供

了新资料。简报分为：一、空心砖形制，二、壁画内容，三、结语，共三个部分。有照片。

据介绍，2008 年 7 月，中国农业博物馆在洛阳征集到一组汉代壁画空心砖，据调查为 1 年前出土于偃师境内的邙山上。依据砖的颜色、质地、纹饰、形制以及壁画内容分析，这组空心砖当出自同 1 座汉墓，但墓葬形制结构和这组砖在墓中的位置已不可详知。壁画计 12 幅，既有仙女图等天上世界内容，也有年轻人对镜梳妆打扮、年老之人六博对局等现实生活内容。

784.河南偃师市吴家湾东汉封土墓

作　者：洛阳市第二文物工作队、偃师市文物局　李继鹏、王文浩、严　辉、朱郑慧等

出　处：《考古》2010 年第 9 期

国家重点建设工程郑州至西安铁路客运专线途经偃师市，穿越洛南东汉陵区（东汉南兆域）。陵区位于万安山北麓和伊洛河谷地带，分布着 6 座东汉帝陵以及众多的陪葬墓。2006 年 7 月，考古人员沿工作拟建线路进行考古调查时，在偃师市顾县镇吴家湾村西发现 1 座东汉时期的封土墓（编号 M3）。同年 7 月 21 日至 9 月 22 日，对这座墓葬进行了钻探和发掘。简报分为：一、封土和墓葬形制，二、随葬器物，三、结语，共三个部分。有照片、手绘图。

据介绍，该墓的原有圆形封土历经破坏，在 20 世纪 80 年代已被完全夷平，地面已无痕迹。有长斜坡墓道，为横列前堂式的小砖券顶多室墓。随葬品包括陶器、铜器、铁器、石器等。此墓位于洛南东汉陵区陪葬墓群的边缘，为东汉晚期封土墓。它的发掘对认识东汉帝陵的布局范围，以及陪葬墓的等级和墓主人身份等，具有重要的学术意义。

785.河南偃师市阎楼汉魏封土墓

作　者：洛阳市第二文物工作队、偃师文物局　严　辉、李继鹏、王文浩等

出　处：《考古》2011 年第 2 期

2006 年初，国家重点建设工程郑州—西安客运专线开工建设，洛阳市第二文物工作队承担了偃师市境内铁路沿线的考古调查和发掘任务，在高龙镇阎楼村西约 400 米处钻探发现了 1 座封土墓（编号 2006ZXYM34，简作 M34）。该墓位于洛南东汉陵区东北陪葬墓群内。2006 年 8 月 29 日至 10 月 20 日，对其进行了考古发掘。

简报分为：一、墓冢封土和墓葬形制，二、随葬器物，三、结语，共三个部分。有照片、手绘图。

据介绍，墓冢上部原筑封土为圆形，最大径 28 米。墓葬为单室土洞墓，由长斜坡墓道、甬道、长方形土洞墓室 3 部分组成。出土器物残存陶器、瓷器、铜器、石器等 28 件。据墓葬形制与出土器物，该墓时代应为东汉晚期到曹魏时期。

简报认为，西汉晚期出现前室穹窿顶石室拱券顶墓；东汉中期，这一墓葬形制至少在中原地区已衰落，取而代之的是横列前堂式墓；到了东汉晚期，这一墓葬形制成为大、中型墓葬乃至一些小型墓葬的主流。然而到了曹魏时期，这一形制又被废弃，至今未见发现。

786.洛阳孟津朱仓东汉帝陵陵园遗址

作　者：洛阳市第二文物工作队　严　辉、张鸿亮、卢青峰、宋云涛、刘俊卿等
出　处：《考古学报》2011 年第 9 期

洛阳孟津朱仓东汉帝陵陵园遗址位于洛阳市孟津县平乐镇朱仓村西，连霍高速公路的南北两侧。该区域位于邙山东汉陵区帝陵区和陪葬墓群的交会地带，位置非常重要。"邙山陵墓群考古调查与勘测"项目第一阶段——古墓冢文物普查时在这里调查发现了 4 座古墓冢，项目第二阶段帝陵的重点调查和钻探开始以后，对这一区域进行了全面调查和钻探。2009 年 3 月至 2010 年 9 月，对发现的曹魏贵族墓进行了发掘。

简报分为：一、朱仓 M722 帝陵陵园，二、朱仓 M707 帝陵陵园，三、小结，共三个部分。有照片、拓片、手绘图。

据介绍，洛阳孟津朱仓东汉帝陵陵园位于邙山东汉陵区帝陵区和陪葬墓群的交会地带。此次发掘的 M722、M707 均为"甲"字形明券大墓，墓冢封土规模庞大，周围有大范围的建筑遗存，出土器物有陶器、铁器、铜器、瓷器、玉器、石器、银器等，可分为建筑材料、生活用具、装饰品、生产工具、兵器等，器物组合、形制均与东汉墓葬、城址出土的器物有所不同。通过考古学对比并结合文献记载，简报推测 M722、M707 为东汉帝陵。参见同期《洛阳孟津朱仓东汉帝陵陵园遗址相关问题的思考》一文。对两座陵园的性质、归属以及陵园建筑的功用进行了推测，初步认为朱仓 M722、M707 分别是东汉顺帝宪陵和冲帝怀陵，朱仓 M722 西组南侧夯土台基为石殿，中组为陵园寝殿，东组西侧院落为园陵，东组东侧院落为园寺吏舍。当然，这只是推测，还有待考古进一步证实。

787.汉魏洛阳城东阳渠、鸿池陂考古勘察简报

作　者：偃师市文物管理局　陈华州、周剑曙、郭　琳

出　处：《华夏考古》2011 年第 1 期

考古人员自 1992 年以来，为配合城乡基本建设工程，陆续发现了多段阳渠（可连接）和鸿池陂的全部遗存。

简报分为：一、地层堆积情况，二、阳渠、鸿池陂遗迹，三、结语，共三个部分。

城东两段阳渠，根据诸多遗迹情况分析，二者原本是一条完整的河渠，最初从鸿池陂北侧由西往东通过，它的建造时间可能较早，在后来沿用过程中，经过多次修凿改造，则形成了现在的东西两段。关于它的始建年代及其当时的作用，还待探讨。鸿池陂东池塘，目前勘探发现的只是一少部分，该池塘的全部遗存及其与鸿池陂的关系，暂未搞清。

简报指出，城东阳渠、鸿池陂及其相关遗迹，现在全部埋没于地下，从现今地表，根本看不到这些遗迹。它们的发现，都是通过配合基建勘探而获得的，逐步还原了阳渠、鸿池陂的原来面目。这些遗迹的发现，为汉魏洛阳故城的城市建设、交通运输、水源流通等方面的考古研究工作增添了新的内容，并提供了可靠的实物资料，也起到了正史补史的作用。

788.洛阳孟津朱仓东汉墓园遗址

作　者：洛阳市文物考古研究院　张鸿亮、严　辉、史家珍、卢青峰

出　处：《文物》2012 年第 12 期

为了配合连霍高速改扩建工程，并且开展邙山陵墓群考古调查与勘测工作，2009 年 5 月至 2010 年 4 月，考古人员发掘了朱仓 M708、M709 两处东汉墓园遗址。

M708、M709 东汉墓园遗址位于洛阳市孟津县平乐镇朱仓村西，在连霍高速公路的南侧、M707 东汉帝陵陵园遗址的东部。考古人员对连霍高速公路涉及的区域进行了考古发掘，发掘面积 2600 平方米。

简报分为：一、M708 墓园遗址，二、朱仓 M709 墓园遗址。

据介绍，M708、M709 为陪葬墓。简报推断，2 墓园的建造、使用年代大致相同，约为东汉中晚期，M708 墓园可能一直沿用至曹魏时期。至西晋时期，2 墓园彻底废弃。

789.河南新安县汉函谷关遗址 2012 ～ 2013 年考古调查与发掘

作　者：洛阳市文物考古研究院、新安县文物管理局　王咸秋、吕劲松、
　　　　严　辉、赵菲菲

出　处：《考古》2014 年第 11 期

汉函谷关遗址位于洛阳市新安县、宜阳县境内，2013 年国务院公布为第七批全国重点文物保护单位。西汉元鼎三年（前 114 年）冬，楼船将军杨朴将位于河南灵宝县的秦函谷关迁移到新安县，史称汉函谷关或函谷新关，简称汉关或新关。

新安汉函谷关不是一个孤立的关口，而是一个纵贯南北长 60 余公里的庞大的防御体系。它跨越地域广，包含遗址数量多、类型比较丰富。根据文献记载和目前的考古发现，整个汉函谷关的文化遗存应包括北线关塞（盐东仓储遗址）、中线关塞（函谷关关城遗址）、南线关塞（散关关城遗址，东汉八关都尉治所）3 个关塞，还包括连接它们的长墙（塞垣、散关障）及烽燧等其他附属设施。它们应该都是整个函谷关的有机组成部分，统称为"新安汉函谷关遗址"。2012 ～ 2013 年，考古人员对此进行了调查、勘探与发掘。简报分为：一、遗址的地理位置和周边环境，二、考古调查与勘探，三、考古发现，四、相关问题的认识，共四个部分。有彩照、手绘图、拓片。

据介绍，勘探发现 14 条夯土墙、4 处夯土区、2 座夯土台、2 条古道路、1 处踩踏面、1 处建筑遗址。其中 7 条夯土墙较为宽大（Q1 ～ Q3、Q6 ～ Q8、Q14），宽 18 ～ 22 米，为城墙。其他 7 条夯土墙较窄，宽 2 ～ 3 米，为院落或房屋的围墙。调查表明，函谷关城很可能有内、外二重城墙。

平顶山市

790.河南临汝夏店发现汉代炼铁遗址一处

作　者：倪自励

出　处：《文物》1960 年第 1 期

1958 年秋季，群众在临汝县城西北夏店村附近大办钢铁运动中发现汉代冶铁遗址 1 处。考古人员前往调查。简报配以手绘图予以介绍。

据介绍，遗址的范围相当大，调查时发现汉代冶炼炉 1 座，炉子直径约 2 米，炉壁系夯土筑成，炉底似锅底形，炉内涂耐火土，但已烧成灰色，质地坚硬而重量较轻。

另在炉南约 10 米处发现 1 个坑，在坑内清出保存较完整的大小铁镶 300 余件，一般保存相当良好，看来全系用套范法铸成的，很多大的铁镶顶部长方形銎眼内套有小型的铁镶，这可能是贮存时置入的。在 1 个坑内堆放着这样多完整的而且是套装的铁器，实为过去所罕见。在炼炉的夯土中包含有汉代陶片，而且在冶铁遗址附近还发现 1 个规模相当大的汉代遗址。

791.河南叶县发现的东汉石兽——兼谈汉晋的陵墓华表

作　者：杨爱玲

出　处：《中原文物》1981 年第 2 期

1979 年 9 月，叶县夏李公社向阳大队在三皇家挖水库时，挖出 1 对小石兽，即将它送交省博物馆收藏。与此同时，他们还在石兽出土地的附近，陆续挖出陶俑、陶壶、规矩纹铜镜等东汉遗物。这证明此处是 1 座东汉墓葬，而这对石兽可能与此墓有关。简报配以照片予以介绍。

据介绍，这对石兽，是各用 1 整块灰白色的粗砂石雕刻而成的。1 个完整，1 个缺头。完整的 1 件通高 40 厘米、身长 43 厘米。昂首挺胸，后腹紧收，作向前行走状。眼、鼻不太明显，张着大嘴，口中涂朱，似在远望和嘶啸。四肢、前腹及弯曲的尾稍与底座连在一起。它形象生动，比例适当，充分表现了此兽雄健、有力、机警的神态和气质。简报推断为东汉遗物。简报推断，这对石兽似应是放在汉代华表上的。

792.河南鲁山望城岗汉代冶铁遗址一号炉发掘简报

作　者：河南省文物考古研究所、鲁山县文物管理委员会　刘海旺、赵志文

出　处：《华夏考古》2002 年第 1 期

河南省鲁山县望城岗汉代冶铁遗址，位于鲁山县城南关与望城岗村之间。鲁山县城按规划要修建的南环路通过该遗址的北部。为配合该路的修建，考古人员于 2000 年 11 月至 2001 年 1 月对道路所经过的遗址部分进行了抢救性考古发掘。简报分为：一、地理位置与历史沿革，二、发掘概况，三、一号炉炉基及其相关遗迹，四、炉侧坑遗迹，五、遗物，六、结语，共六个部分。有拓片、手绘图。

据介绍，鲁山县位于河南省的中部偏西，现存的冶铁遗址东西长约 1500 米、南北最宽处有 500 余米，面积近 100 万平方米。在这一区域内，堆积有极为丰富的与生铁冶铸有关的遗物。此次发现有一号炉遗址，包括炉缸改建、炉后系统、炉侧坑、炉前排渣沟等。以一号炉为中心的遗迹中，出土了大量的炼渣、积铁块、板瓦与筒瓦块，

以及少量的陶器残片、砖块等。经过初步整理、统计，陶器主要有罐、釜、盆、壶、豆等。简报推断一号炉的起始年代应在西汉中期或稍早，沿用至西汉晚期或东汉初。简报认为，这里应是汉南阳郡的1处官营冶铁区。

简报强调，从考古发掘的情况看，当时的生产规模比较大。鲁山望城岗汉代冶铁遗址一号炉及其相关遗迹的发掘，是继20世纪70年代郑州古荥汉代冶铁遗址一号炉与二号炉炉基的发掘之后，汉代冶铁史上又一重大考古发现，为进一步研究汉代冶铁技术提供了极为珍贵的实物资料。

793.河南郏县黑庙 M79 发掘简报

作　者：河南省文物局南水北调办公室、河南省文物考古研究所、平顶山市文物管理局　王红卫等

出　处：《华夏考古》2013 年第 1 期

郏县黑庙墓群位于郊县北4公里处的白庙乡黑庙村西北，该地地势呈西高东低，南水北调干渠自南向北从墓区穿过。2010 年 4 月至 2011 年 1 月，河南省文物考古研究所与平顶山市文物管理局组成考古队对郏县黑庙墓群进行了考古发掘，共清理古墓群 190 座。其中 M79 是 1 座保存较好的汉画像石墓。简报分为：一、墓葬形制，二、画像石，三、随葬器物，四、结语，共四个部分。有手绘图。

据介绍，M79 为砖石结构，由墓道、甬道和前室、后室组成。共发现画像石 15 块，出土 38 件随葬器物。墓葬形制及出土器物具有东汉早期的特征，墓主人身份可能是当地 1 名武将，随葬有 2 位妻妾。此墓是平顶山地区保存比较完整的 1 座画像石墓，为研究平顶山地区画像石墓的墓葬形制提供了重要的实物资料。

焦作市

794.河南焦作东汉墓出土彩绘陶仓楼

作　者：杨焕成

出　处：《文物》1974 年第 2 期

1972 年 1 月，在焦作市西郊发现 1 座东汉时期的砖室墓。此墓已被盗掘，仅残存一些陶器，计有陶壶 5 件、陶耳杯 10 件、陶奁 1 件、陶盒 2 件、陶瓢 2 件、陶井 1 件、小陶勺 1 件、陶猪圈 1 件和陶鸡等，此外还出土 1 件彩绘陶仓楼。简报配以照

片予以介绍。

据介绍，彩绘陶仓楼为灰陶细泥质，前有院落，后为四层可以拆开的仓楼。仓楼通高 134 厘米，自下而上逐层收敛，形似楼阁式砖塔。通体施红、蓝、黄等色彩绘，前有院落，十分精细。该墓年代，简报推断为东汉中期。

795.河南省温县汉代烘范窑发掘简报

作　者：河南省博物馆、新乡地区博物馆、温县文化馆　汤文兴
出　处：《考古》1976 年第 9 期

1974 年 5 月，温县招贤公社安乐寨第五生产队的农民在招贤西北的台地上发现 1 座烘范窑，同年 8、9 月间考古人员进行了钻探发掘。这里是 1 处面积达 1 万平方米的汉代遗址，地面上散布大量的汉代陶片、废范块和铁渣。遗址东部地势较高，地表散布很多红烧土、炉砖、灰渣。这说明这里可能是 1 处汉代铸造铁器的遗址。简报分为四个部分予以介绍，有手绘图等。

据介绍，烘范窑位于遗址北部，窑顶已塌陷，但窑道、窑门、火膛、窑室保存基本完整。窑内出土 500 多套陶范，其中 300 多套基本上是完整的。一次出土这样多的陶范，在河南省还是首次。此处还出土陶盆 2 件、陶甑 1 件、筒瓦 2 件，以及铁渣、铁块、木炭等。在工艺上，烘范窑似乎不仅烘烤泥范，还在浇铸以前对陶范进行"预热"，以便保证铸件质量。

该窑的年代，简报推断为东汉早期或稍晚。

796.温县发现汉代铁暖炉

作　者：张思青
出　处：《中原文物》1982 年第 1 期

1979 年 9 月 12 日，在温县慈胜寺和司马懿祖茔三陵村附近的范庄发现 1 个汉代铁暖炉。造型精致，结构奇特。从形制上看，此炉大概为东汉时期遗物。简报配以照片予以介绍。

据介绍，炉身通高 23.5 厘米，炉腔呈钵形，底略平，直径为 24 厘米，炉壁厚 1.2 厘米。壁上有犬齿相错三角形孔 2 排 24 眼，底部周围有长方孔夹三角孔 3 组 12 眼，中间有对顶人字孔 3 眼。下置承灰盘，与炉腔以三腿一柱相连，灰盘直径为 30 厘米，灰盘下置三腿支撑整个炉身。炉腔外沿有两耳，耳环系以铁链（铁链已断朽为许多段），使用时可以提铁链搬移炉的位置。

797.武陟出土大型汉代陶楼

作　者：不详

出　处：《中原文物》1983年第1期

1981年沁河改道施工至武陟县杨庄至老城地段，发现古墓群。考古人员对古墓群进行了发掘清理，在M94的砖室汉墓中，发现了罕见的大型陶楼。

据介绍，陶楼通高138厘米，宽82厘米，由19块组成，分五节四层，为三重檐歇山式建筑。上部第一层，面阔1间，正面中间有一小方窗口，上下均刻有装饰性的小三角和短线组图案。第二层面阔2间，檐下有斗拱，正面有一偏门和小窗口，并刻有三角形和短线组图案。第三层面阔2间，檐下有斗拱，正面有两个大窗口，窗口下装饰三角形和短线组图案。第四层无檐，正面有4个小窗口，窗下有通体阳台，阳台前有1个流水口。楼两侧各有1个带厕所的猪圈，圈内各有1个陶猪。楼前有大门，并在陶门两扇大门两侧，各有1个阙式建筑。这一整套建筑，设计合理，造型美观，古雅宏壮，为我们提供了汉代楼阁建筑艺术的研究资料。

798.孟县出土汉代太医药罐

作　者：尚振明

出　处：《中原文物》1985年第1期

1979年冬，在孟县城西6公里的韩庄岭上出土了1件汉代太医药罐。简报配以拓片予以介绍。

据介绍，罐为陶质，葫芦形，平底、圆腹，尖嘴略外撇。罐高12.5厘米、底径8厘米、最大腹径11.5厘米、口径5.5厘米、厚0.5厘米。底部由外向内逐渐低平，中心有1个长2.8厘米、宽1.4厘米的框，框内有阳刻"太医"2字，字为汉代篆体，遒劲刚健，潇洒朴实。与太医药罐同出的还有1件陶罐，罐口用平砖盖压，罐内有五铢钱523枚。从字体看，为西汉五铢。简报称，这件太医药罐和西汉五铢钱是研究汉代太医制度和货币的珍贵实物资料。

799.焦作出土汉代窖藏铜钱

作　者：马正元

出　处：《中原文物》1988年第4期

1986年8月22日，焦作矿山机械厂在基本建设施工中，发现汉代窖藏铜钱。考古人员进行了清理。简报分为：一、出土情况，二、铜钱类型，三、几点认识，共三个部分。有图。

据介绍，焦作矿山机械厂位于市区东部焦东路北段，东距省级文物保护单位汉代山阳县城遗址 2 公里，东南距市级文物保护单位焦作古墓群约 1 公里。铜钱埋于距地表深 0.5 米处，无容器装盛，周围也没有发现其他遗迹遗物。铜钱不分大小、类型，混杂在一起，与泥土黏结成团。无穿绳痕迹。清理时无散失，计 937 枚，现存于焦作市文物工作队。出土的铜钱中除去半两、货泉、两汉规整五铢钱外，其余磨郭五铢、剪轮五铢、剪轮无字钱小钱就有 376 枚，占出土铜钱的 40.1%。这些铜钱的铜质差，铸工粗糙，重量不足，私铸又颇多。这种杂品纷出、种类繁多的劣币的出土，反映了东汉末年政治腐败、经济衰落、货币流通恶化的社会现象。简报推断这批铜钱的下限应为东汉末年，入土时间可能为三国时期。铜钱出土时周围无其他遗迹、遗物，又无容器盛装，可能为私人逃避战乱而仓促入土的窖藏。

800.焦作白庄 41 号汉墓发掘简报

作　者：河南省文物研究所、焦作市博物馆　马　全、路百胜
出　处：《华夏考古》1989 年第 1 期

1983 年 3 月，建设新（乡）焦（作）铁路时，在焦作市东 14 公里的白庄西地发现了汉墓地。考古人员在这处墓地东北部，发掘了其中的 1 座（M41）。当时这座墓的冢土已被挖去 2 米左右，前室中部已塌陷，后室券顶也被破坏。关于此墓发掘情况，简报分为：一、墓葬形制，二、葬具，三、随葬物，四、结语，共四个部分。有手绘图、拓片。

据介绍，此墓由墓道、前室、耳室和后室 4 部分组成，随葬品有陶器、铜器和祭祀品，以陶器为主。此墓的年代，简报推断应在新莽至明帝的年代范围内。

简报称，此墓出土的陶仓楼是近年来焦作市汉墓中曾多次出土过的明器，说明东汉时期这些地区土地集中，实物地租剥削也达到相当严重的状况。

801.焦作汉墓出土"山阳"铭文陶器

作　者：焦作市文物工作队
出　处：《中原文物》1992 年第 1 期

1987 年 7 月 10 日至 18 日，考古人员在焦作市区河南轮胎厂扩建锅炉房施工中，发掘清理了 1 座西汉晚期排券小砖墓葬，出土 1 件"山阳"铭文陶罐。简报配以照片予以介绍。

据介绍,墓葬距地表5米,平面呈长方形,斜坡墓道,主室带有耳室,出土器物54件。其中有西汉五铢钱4枚、铁剑1把,其余多为汉代墓葬典型的陪葬陶质明器。在耳室门前,出土1件通高19厘米的陶罐,其肩部一周有八组间距大小不等的"山阳"汉隶铭文。

802.河南焦作市出土西汉铜鏊

作　者: 杨贵金、毋建庄

出　处: 《中原文物》1994年第2期

1989年3月10日,在焦作市郊区林场砖瓦窑发现了1处西汉铜器窖藏。出土铜器40件,其中9号器物是1件铜鏊,实为罕见,是研究古代饮食文化的珍贵实物资料。简报配以照片予以介绍。

据介绍,该鏊为青铜质,完整无损缺。设计精巧,制造精良,造型合理,美观实用,有些地方还保留着金光闪闪的色泽。全器由盖和底两部分组成,和现在我国北方地区流行的烙饼用的带盖铁鏊相似,说明我国的鏊源远流长。该鏊呈圆形,直径24厘米,通高8.1厘米。

简报称,该鏊的年代应定在西汉前期,最迟不能晚于西汉中期。该鏊应是我国最早的也是(汉以前)唯一的青铜鏊了。

803.河南焦作白庄6号东汉墓

作　者: 索金星

出　处: 《考古》1995年第5期

1993年3月,焦作市文物工作队为配合铁路施工,在待王镇白庄村村西发掘汉墓15座,其中6号墓保存较好。简报分为:一、墓葬形制,二、出土器物,三、结语,共三个部分。有照片、手绘图。

据介绍,6号墓位于焦作市东南,东距白庄村1公里,墓葬西距河南省文物保护单位——汉山阳城遗址2公里。《后汉书》记载,山阳县是汉献帝被贬为山阳公的龙潜之地。M6为砖砌多室墓,由墓道、甬道、横前室、双后室组成。墓室通长6.26米,宽6.92米。葬具、人骨已朽。M6早年遭到严重盗掘,遗存陶器12件、铜当卢1件。其中连阁式陶仓楼建筑群模型十分珍贵。该墓的年代,简报推断上限为东汉晚期,下限为三国早期。

804.河南焦作嘉禾屯出土汉代窖藏铜器

作　者：焦作市文物工作队　马正元、张炳师
出　处：《华夏考古》1995 年第 2 期

1989 年 3 月 10 日，焦作矿务局朱村矿干部郭万顺先生在市区嘉禾屯林场砖窑取土时发现一批窖藏铜器。考古人员对窖藏铜器进行了抢救性清理、发掘工作。简报分为：一、出土情况，二、出土器物，三、几点认识，共三个部分。有照片、手绘图。

据介绍，嘉禾屯村位于焦作市区西南隅 3 公里的解放区王褚乡，林场砖窑在该村西南里许。南距周代雍城遗址约 2 公里，东距汉代山阳城遗址约 10 公里。焦枝铁路从砖窑南侧经过，原焦（作）博（爱）公路从北侧通过。嘉禾屯林场出土的窖藏铜器，除汉代常见的器物，如灯、炉、壶、熏炉、钟外，还出土了一些汉代铜器中极为少见的器物，如鏊、瓜棱形权和秤盘等。鏊为实用器，与今日所使用的铁鏊相似。秤盘与今日所用秤盘基本相同，汉代起秤杆多为木质，不易保存，发掘时也未见痕迹。汉代铜权多有出土，但权与秤盘同出于一窖穴者实属少见。简报称，这批窖藏铜器是集实用与观赏为一体的器物，如五凤熏炉、天禄尊、兽形口衔耳杯砚滴和踞祭熊灯等，造型优美奇特，形象生动逼真，构思新颖，器形别致，为汉代铜器上乘之作。它们既是日常实用器，又是观赏价值极高的工艺品，是汉代出土铜器中不可多得的工艺珍品。特别是五凤镂孔熏炉、天禄尊、兽形口衔耳杯砚滴等，设计灵巧，铸造工艺高超。在汉代同类器物中是极为少见的。这些窖藏铜器虽不一定是皇亲国戚所使用之物，但也绝非一般庶民所能使用之器，很可能为当地官吏、地主豪强或富贾之家所有。简报认为这些珍稀铜器很可能出自怀县的官方作坊。

805.河南焦作白庄汉墓 M121、M122 发掘简报

作　者：焦作市文物工作队　韩长松、李小龙、刘　勇、袁爱民
出　处：《中原文物》2010 年第 6 期

2009 年 8 月，考古人员在焦作白庄墓群发掘 M121 和 M122 两座汉墓。M121 和 M122 两耳室相连。简报分为：一、M121，二、M122，三、结语，共三个部分。有照片、拓片、手绘图。

据介绍，2 墓中 1 座是在施工中发现，1 座是在清理过程中发现。M121 和 M122 是并排修筑、形制相同，带耳室的单室券顶砖墓，从埋葬方位讲为同排墓葬，根据我国古代长幼不能同排埋葬的礼制，可以推知这 2 座并排墓葬主人的关系不是长辈和晚辈的关系，而应为兄弟等同辈关系；在墓室的面积上，M121 墓室面积（长 6.55

米，宽 1.94 米）要大于 M122 的墓室面积（长 5.5 米，东西宽 1.9 米）；在随葬器物上，M121 出土的器物数量和种类都稍多于 M122。根据这些情况判断，M121 墓葬的主人在兄弟关系上应长于 M122 的主人；在两座墓葬中，墓主人均随葬了宝剑（铁剑）。据此判断，两兄弟应为习武之人或带兵打仗之士。出土遗物中最引人注目的是四层通体彩绘陶仓楼（M121）、五层彩绘陶仓楼（M122）。据简报推断，M121 和 M122 两座墓葬应为王莽新朝时期的墓葬，墓葬年代的下限应不晚于东汉早期。

806.焦作武陟冯村汉墓 M2 发掘简报

作　者：焦作市文物工作队、焦作市博物馆、武陟县文物局　冯春艳、韩长松、
　　　　刘　勇、皇甫小够、崔有臣
出　处：《中原文物》2011 年第 5 期

2010 年，焦作市文物工作队在武陟县圪垱店乡清理汉墓 2 座，为西汉晚期至东汉早期墓葬。墓葬中出土的陶厨房、羊圈、猪圈等模型明器，造型精美，为研究汉代的社会、经济生活，提供了重要的实物资料。简报分为：一、墓葬形制，二、出土器物，三、结语，共三个部分。有照片、手绘图。

据介绍，M2 为单室券顶砖室墓，由墓道、墓门、墓室组成。墓道位于墓室北部，为长方形竖井式，长 2.2 米，宽 1.7 米，墓道底部距地表深 3.7 米。M2 虽然损坏严重，但出土器物仍比较丰富，经修复，现有器物 24 件，大部分为陶器。其中陶厨房罕见。在以往发现的汉墓中，一般仅发现有单体的陶灶及陶釜、陶甑、陶勺等炊具，M2 中出土的却是 1 个完整的厨房，为房子与灶台的结合体，这种形制在汉墓中比较少见。灶台的台面上以长条纹带、圆圈纹几何图案加以装饰，此外在房子的墙体上、灶台的台面上以长条纹带、X 纹、变形三角纹、圆圈纹几何图案加以装饰，使厨房显得富丽美观。

807.南水北调中线工程焦作苏蔺段汉代窑址发掘简报

作　者：焦作市文物工作队、河南省文物局南水北调办公室　冯春艳、张满堂等
出　处：《中原文物》2013 年第 4 期

2009 年冬至 2010 年春，考古人员在对南水北调中线工程焦作段进行文物保护巡视工作时，在今焦作市区东 3 公里山阳区苏蔺村段挖开的河道内发现了 1 处古代窑址区，并及时对窑址进行了抢救性发掘。简报分为：一、窑址概况及地层堆积，二、遗迹，三、出土遗物，四、结语，共四个部分加以介绍，有手绘图。

据介绍，此次发现为以汉代时期为主的 6 座砖瓦窑（Y1 为战国晚期至西汉早期，Y2 ～ Y6 为东汉时期），其中 Y6 保存极其完整。因出土器物均为建材，简报认为这批窑是用来烧制砖瓦的砖瓦窑。窑址的发现不仅填补了焦作地区未发现有窑址群的空白，同时为我们研究战国至汉代时期窑址形制、结构、烧制技术等提供了十分珍贵的资料。

808.河南焦作店后村汉墓发掘简报

作　者：河南省文物考古研究院、焦作市文物考古研究所　张丽芳、刘静云、冯春艳

出　处：《华夏考古》2014 年第 2 期

为配合焦作市人民路西延工程，考古人员于 2012 年 2 月至 3 月，对该路中站区府城村办事处店后村施工段发现的古墓葬进行了抢救性考古发掘。该处古墓葬位于店后村东北部，北距建设西路约 500 米，南距丰收路约 400 米。经过发掘，共发现汉代墓葬 8 座，其中 M1 保存完好，出土器物组合完整，并出土五层彩绘带院落陶仓楼 1 座。关于 M1 发掘情况，简报分为：一、墓葬形制，二、出土器物，三、结语，共三个部分。有彩照、手绘图。

据介绍，M1 出土器物完整，并出土 1 座五层彩绘带院落陶仓楼，器物主要为陶器，计 39 件，另有五铢钱 12 枚。简报推断该墓的年代相当于洛阳烧沟汉墓第四期，即东汉早期。简报称，店后村汉墓群 M1 的发现为研究焦作地区汉代葬制、葬俗等，提供了重要的实物资料。

809.河南焦作山后墓地汉墓发掘简报

作　者：河南科技大学人文学院、洛阳市文物考古研究院、河南省文物局南水北调文物保护办公室　朱　亮、贺　辉、胡小宝

出　处：《华夏考古》2014 年第 1 期

山后墓地位于河南省焦作市马村区九里山乡山后村西南，北望太行山余脉，东临九里山，为 1 处高于现地面约 1.5 米的台地。墓地面积约 2000 平方米，南水北调中线工程引水渠经此流向东北—西南方向占压墓地。2006 年 8 ～ 9 月，考古人员对山后墓地进行了发掘，共发掘汉代墓葬 7 座（编号为 2006JMSM1 ～ M7，行文中简化为 M1 ～ M7）。简报分为：一、墓葬形制，二、出土遗物，三、结语，共三个部分。有手绘图。

据介绍，发掘的汉代墓葬 7 座，出土器物较少，均为陶器。墓葬年代，简报推断为东汉早中期到东汉晚期。

简报称，值得注意的是，M4 是发掘墓葬中保存最为完好的 1 座，作为东汉时期流行的小砖券顶墓，其在砖券墓顶缝隙间插陶片的做法较为罕见，反映了一种独特的砖室墓券筑工艺，具有一定的地域特点和研究价值。

鹤壁市

810.河南鹤壁市汉代冶铁遗址

作　者：河南省文化局文物工作队
出　处：《考古》1963 年第 10 期

1960 年 6 月间，在鹤壁市东南 5 公里的鹿楼村东地发现有红灰色烧土块和炼铁炉的残壁等遗迹，考古人员于 7 月前往调查，发现此地系 1 处汉代冶铁遗址。遗址南北长 180 米、东西长 150 米，在遗址的中心地带（南北约 40 米、东西约 14 米）发现了大量红烧土块、木炭、炼炉残壁、风管、未经熔炼的矿石、各种铁制生产工具和兵器等遗物。

简报分为：一、炼铁炉遗迹，二、遗物，三、结语，共三个部分。有拓片。

据介绍，可辨认的炼炉有 13 座，发现有耐火砖、铁矿石、炼渣、铁器等遗物。简报推断为汉代冶铁遗址。

811.河南淇县发现一面东汉画像铜镜

作　者：曹桂岑、耿青岩
出　处：《文物》1980 年第 6 期

1977 年春，淇县高村公社二郎庙村的社员平整土地时，发现 1 面铜镜。简报配以照片予以介绍。

简报介绍，铜镜面呈弧形，背面下凹，外饰三角纹、平行线纹、波浪纹，中有铭文："尚方作竟（镜）真大巧，上有仙人不知老。"内有四乳，四乳之间有四幅画像。半圆形镜纽，长方形穿孔，四幅画像是辀车、盘舞、东方朔欺保儒、射覆。

812.河南淇县发现西汉石磨

作　者：耿青岩、蔡学文

出　处：《考古》1983 年第 10 期

1982 年 12 月上旬，淇县土产公司在东院基建工程中，距地表 0.4 米深处发现 1 盘石磨。石磨刚出土时，上下扇东西散放，两扇间相隔约 25 厘米。在填土中，还发现了碎陶片。考古人员在出土石磨周围作了详细的调查。经过实地调查，得知出土地点位于淇县城西北 0.5 公里，为一高台地，地面上和破土的断壁上发现有大量的汉代陶片，可以看出器形的有壶、瓮、盆、罐及瓦等。这说明该地是 1 处汉代文化遗址。据此推断，石磨也应是汉代遗物。简报配以照片予以介绍。

据介绍，石磨为白沙岩质，色白夹紫，光泽晶莹，磨齿清晰。磨体呈圆形，通高 19.5 厘米、直径 55 厘米、盘厚 13.5 厘米。上盘和下盘磨齿为人字形，有使用痕迹，磨脐为铁质圆体。

813.浚县出土东汉陶鞋

作　者：高同根

出　处：《中原文物》1984 年第 4 期

1984 年 3 月，浚县城关镇菜园村 1 名学生在本村南地掘土时，挖出汉代土坑墓 1 座。墓内出土陶鞋 1 双，已由县博物馆收藏。简报配以照片予以介绍。

据介绍，该鞋为泥质磨光灰陶。鞋底微凸，平面呈椭圆状，长 21.5 厘米、厚 0.6 厘米。鞋式为直脚型。鞋口亦为椭圆形，微残，长 15 厘米、宽 5 厘米。鞋面前有包头，鞋帮和包头连接处有沿边条纹。包头出头微翘，下抹角和鞋底相接呈新月状。与陶鞋同出的还有陶耳杯 1 件，陶猪圈 1 件，陶猪 1 头，五铢钱 12 枚。从该墓出土的器物分析，该墓年代当是东汉中晚期。这双东汉陶鞋，通体磨光，制作精细，甚为罕见。不仅是 1 件珍贵的艺术品，也是研究我国古代服饰的实物资料。

814.浚县贾胡庄东汉画像石墓

作　者：鹤壁市文物工作队、浚县文物旅游局　霍宝臣、司玉庆、高同根

出　处：《中原文物》2000 年第 4 期

贾胡庄东汉画像石墓位于浚县善堂镇贾胡庄东北约 200 米处，西南距县城 15 公里。该墓无封土堆，但此处仍比周围地势稍高。1999 年 5 月，贾胡庄汉墓遭严重盗掘，

考古人员于 1999 年 8 月 3 日至 9 月 8 日，对这座墓葬进行了发掘清理。

简报分为：一、墓葬结构，二、随葬器物，三、画像，四、结语，共四个部分。有拓片、照片、手绘图。

据介绍，贾胡庄汉墓坐西朝东，属砖、石混合结构的多室墓。主体用砖砌筑，少部分石砌，以白灰做黏合材料。共有墓室 8 个，即前室、前横室、后横室、后室 4 个主要墓室和 4 个耳室。有 3 条甬道，即前甬道、中甬道和后甬道。整个墓室以各甬道的中心连线为对称轴，南北对称布局。墓室东西总长 20.1 米，南北最宽 9.85 米。墓顶有拱券、穹窿、攒尖 3 种形式。墓顶大部已坍塌，残余甚少。墓内前过厅、前甬道、前室和中甬道尚存相当完整的铺地砖，而墓室其他部位的铺地砖已基本无存。历史上多次遭盗掘，墓内随葬器物被洗劫殆尽。这次发掘仅清理出灰陶碗、勺各 1 件，骨质残梳柄 1 件，铜钱 114 枚，灰陶片、漆片、铜质部件和骨质部件若干。出土画像石 4 块，雕刻画像 5 幅。其中有铺首衔环图、鹤鸟育雏图、伏羲女娲交尾图、羽化升仙图等，艺术表现手法独特。

该墓的时代，简报推断为东汉晚期。

简报指出，画像石墓盛行于两汉，在河南境内以南阳发现最多，但在辽阔的豫北地区，汉画像石墓发现数量很少。贾胡庄汉墓发掘之前，浚县就已发现两座汉画像石墓。浚县地处华北平原腹地，境内却崛起几座石山，其所出之石是优良的建筑用材。因此，浚县具备盛产汉画像石的条件，当是汉画像石的一个重要产地。

新乡市

815.新乡市发现汉代铜印

作　者：新乡市博物馆　齐泰定
出　处：《考古》1965 年第 12 期

1965 年 2 月，新乡市北郊东王村村北发现 2 座小砖墓，2 墓因早年被破坏，已残乱不堪。清理出残留的破碎器物有陶仓、陶灶、陶瓷、陶壶、陶盘、铁剑、环柄刀、铜带钩、铜印和五铢钱等。该 2 墓因残乱，故对墓葬形制和葬式已无法了解。随葬品中仅铜印较为珍贵。简报配以拓片予以介绍。

铜印为正方形，边长 1.7 厘米，上有龟纽，弓背昂首。印文为篆书"王骏之印"。根据同出的残陶器、铁器以及五铢钱，此印亦应为汉代遗物。

816.介绍两方汉印

作　者：新乡市博物馆　杜彤华
出　处：《考古》1983 年第 6 期

1967 年，新乡市西郊唐庄村民在地表上捡到 2 方铜质汉印，其中 1 方为偏将军印章，1 方为别部司马印。简报配以照片、拓片予以介绍。

据介绍，偏将军印章，铜质，方形，龟纽，阴纹篆刻"偏将军印章"五字。印文右下角稍残，印面经磋磨字迹已不清晰，但尚可辨认。"偏将军"始建于王莽地皇元年（20 年），事见《汉书·王莽传下》。王莽时印与西汉时印差异不大，只是雕镂更精，6 字居多。5 字印倒是东汉时印的可能性更大。"别部司马"印，铜质，方形，印文阴刻"别部司马"4 字。"别部司马"为东汉武职，事见《后汉书·百官志》。

817.辉县地方铁路饭店工地汉墓发掘简报

作　者：新乡地区文管会、辉县百泉文管所　张新斌
出　处：《中原文物》1986 年第 2 期

1985 年 8 月底，辉县文化局建筑队在该县地方铁路饭店工地施工过程中发现汉墓 1 座（编号 HTM1）。考古人员进行了清理。简报分为：一、墓葬结构，二、出土器物，共两个部分。有拓片、手绘图。

据介绍，该墓位于辉县城内新开的中心路北段西侧，南距古共城北墙约 100 米，其南濒临地方铁路。该墓四周都有汉墓发现，故知这里应为一处汉墓群。该墓为墓道、墓室开凿于岩土层上的洞室墓。棺木、骨架已朽。该墓共出土陶器、铜器、铁器 73 件，大部分保存完好。该墓的年代，简报推断为西汉后期。

818.河南新乡市唐庄汉墓

作　者：新乡市博物馆　赵宇鸣
出　处：《考古》1987 年第 11 期

唐庄位于新乡市区西南 1 公里处，因新荷铁路要在此通过，考古人员对该地区进行了文物钻探，并对发现的几座古代墓葬进行了抢救性发掘。简报分为四个部分予以介绍，有手绘图。

据介绍，唐庄西部约 0.5 公里处是汉代的冯石城遗址。发现的这几座墓葬位于唐庄东部 0.5 公里处的高台地上。高台地高出地面 1～2 米，面积约 5000 平方米，

因早年烧砖挖土，北部被挖去一部分，一些墓葬也遭到破坏。这次共发掘墓葬6座，多分布在高台地的中西部，编号M1～M6。墓葬形制有2种：1种是竖井墓道洞室墓，另1种是竖穴墓。每1种又可分砖室和土洞墓室2种。葬式为仰身直肢葬，随葬品以陶器为主。简报推断时代为西汉时期。

819.新乡北站区前郭柳村汉代窑址发掘

作　　者：新乡市文管会　贺惠陆
出　　处：《考古》1989年第5期

1986年秋，新乡市综合建筑材料厂在北站区前郭柳村征地起土时，发现汉代墓葬。考古人员进行了钻探和清理，发现汉代墓葬7座、窑址6座。墓葬多被彻底破坏，窑址除两座未被破坏外，其余均遭到不同程度的毁坏。简报分为：一、1、2号窑，二、3号窑，三、遗物，四、结语，共四个部分予以介绍。

据介绍，前郭柳村位于山脚下，地势较高，土质较差，耕土层下便是带料礓石的红色黏土。前郭柳村这些窑址皆为半地穴式，窑的结构除3号窑平面呈漏斗形外，其余都为火膛弧度较大的瓶胆状。从残存现状看，窑壁向内有弧度，估计这些窑都是圆顶。从结构上看，比四川武胜匡家坝汉窑更完善、更合理一些。这几座窑的窑床都较高，这样就使火膛深度加深，增加了燃料容量，提高了烧成温度。从3号窑所出砖坯观察，其烧制程序是相当严格的。首先是选择不带砂礓的较为纯净的土，然后再经过筛选、加工。脱出砖坯后粘上草木灰，最后待砖坯干后装窑。从窑中所出的砖、瓦及陶器残片看，窑中所出砖瓦与当地发掘汉代小砖墓及瓦葬墓之砖、瓦相同。1号窑所出器盖及碗底残片与新乡北站东汉墓所出壶盖及陶碗极相似，其中器盖纹饰与宜昌前坪东汉墓所出器盖纹饰也多有相同之处。因此，简报推断前郭柳村窑址的烧造时代为东汉。

820.河南新乡市东干道发现西汉陶窑

作　　者：贺惠陆
出　　处：《考古与文物》1994年第4期

1988年11月上旬，新乡市文管会为配合基建，在市东干道液化气供应站发掘了1座保存较为完好的西汉对称双火膛烧陶窑。窑内出土遗物较为丰富，有陶豆、盆、罐、碗、甑、瓮、空心陶球以及空心砖等。简报配以拓片予以介绍。

据介绍，陶窑为半地穴式，直接在生土上掏挖窑室和火膛，然后封窑顶而成。

陶窑由窑门、火膛、窑床、烟道、烟囱等部分组成。整个窑长 6.68 米，宽 2.22 米。火膛在窑床的东西两头，从平面上看，是 1 个中间大、两头尖的枣核。烟道及烟囱在窑床的南、北 2 边各建有 3 个。其作法：在窑床的南、北生土壁上直接挖成长龛，然后再向窑床的一面砌上单砖，隔成烟道和烟囱。在砖上抹上一层厚约 5 厘米的黏土，和窑壁面抹齐，经烧烤成砖青色，六个烟道和烟囱的尺寸不尽一致，中间的烟道较大，烟囱较直，两边的烟道较小，由此简报推测，窑顶为圆形。窑内出土遗物 70 余（件）片。根据出土遗物特征，简报推断此窑的烧造年代下限应在西汉中期。

简报称，此窑掏挖两个火膛，这种对称双火膛的陶窑，其形制和结构还是很少见的。

821.1997 年春新乡火电厂汉墓发掘简报

作　者：新乡市文物工作队　王春玲、李慧萍、张春媚、何　林、张必全
出　处：《华夏考古》1998 年第 3 期

新乡火电厂汉墓群位于新乡市北约 10 公里的北站区，该墓地北依太行山余脉凤凰山，南边有卫河，东北距山彪镇战国墓地 1 公里，西北距潞简王墓 2 公里，地理位置优越。近几年文物钻探表明，此处为一大型的汉代墓群，有 1000 余座汉墓。1997 年 4 月，为配合火电厂幼儿园楼和 2 号楼的基本建设，考古人员共清理发掘汉墓 15 座、宋墓 1 座（M1～M16）。简报分为：一、墓葬形制，二、随葬品，三、小结，共三个部分。先行介绍 15 座汉墓，有拓片、手绘图。

据介绍，这次发掘的汉墓均为洞室墓，按墓葬平面形状又可分为刀把形、带耳室形和“甲”字形 3 种类型。洞室墓的构筑方法是先从地表下挖墓道，然后顺着墓道向里边挖洞做墓室。墓室一般高 1 米左右，大都没有封门砖，有的墓封门情况不明。出土的器物主要是陶器，有少量的铜器和铁器。陶器均为泥质灰陶，以轮制为主，俑头为模制。鼎、盒、壶、釜、俑头等，大多施有彩绘，颜色有白、红、黄、蓝等。陶器的器形有鼎、盒、壶、釜、广肩罐、大平底罐、圆腹罐、大口罐、瓮、俑头、仓、灶、井、猪圈、圆盒、长盒、奁、碗、耳杯、器盖等。铜器有盆、带钩、印章和钱币。铁器仅有刀。简报称，刀把形墓 1 座、带耳室墓 12 座，为西汉墓；“甲”字形墓 2 座，为东汉早期墓。

822.1995 年新乡火电厂汉墓发掘简报

作　者：新乡市文物管理委员会　王春玲、贺惠陆、冯秀义
出　处：《华夏考古》1997 年第 4 期

新乡火电厂位于河南省新乡市北站区东北。其北依太行山余脉凤凰山，南临京

广铁路线，属山地与平原交接地带。1995年春、冬两季，在电厂家属楼工地发掘汉墓40座。这些汉墓排列有序，分布集中，显系1处汉代墓葬群。简报分为：一、墓葬形制，二、随葬器物，三、结语，共三个部分。有拓片、手绘图。

据介绍，此次发掘共出土随葬器物232件，其中陶器182件、铜器44件、铁器6件。此批汉墓可分三期，从器物组合及墓形看，一期出土的带钩带有西汉早期的特点，同时一期墓葬出土有武帝时期的五铢钱，因此，一期墓葬的年代不早于西汉武帝时期，应为西汉中期墓葬；二期出土的四乳禽鸟汉镜及连弧纹镜是西汉中期常用镜，因此中期年代应为西汉晚期；三期器物组合与二期有明显的承继关系，年代应为西汉晚期偏晚或东汉早期。

823.河南新乡市王门村汉墓

作　者：新乡市文物工作队、新乡市博物馆　赵争鸣、赵　军、朱　旗
出　处：《考古》2003年第4期

王门村位于新乡市北郊约10公里处，地势较高。这里曾多次发现古代墓葬，1985年文物普查时发现大量墓葬裸露在外。此处被称为王门汉墓群，是新乡一带较大的1处两汉时期的墓葬区。这次发现的2座墓位于王门村村北约0.5公里处，是砖窑在取土时发现的，考古人员闻讯后进行了抢救性发掘。简报分为：一、墓葬形制，二、随葬器物，三、结语，共三个部分。有手绘图。

据介绍，这2座墓均为穹窿顶砖室墓，从墓葬形制上来看，这种穹窿顶的结构在东汉中期已开始流行。简报推断，这2座墓葬的年代应为东汉中、晚期；另外，这两座墓葬相距仅2米，说明这两座墓的墓主人可能有一定的关系，或许属同一家族。

简报称，这2座墓葬的发现，为新乡一带两汉墓葬的断代、分期提供了一定的线索，为以后探索和研究王门村汉墓群提供了可靠的实物资料。

824.新乡火电厂汉墓群出土九件铁制容器

作　者：新乡市文物工作队　张春媚
出　处：《中原文物》2005年第4期

2003年底至2004年初，在新乡火电厂抢救性发掘汉代墓葬200余座，出土9件鼎、壶、釜等铁制容器。墓葬时代应为西汉早、中期。特别是出土的2件大型铁壶属河南省内首次发现。简报分为：一、基本器形，二、铁制容器分期和年代，三、

有关的几个问题，共三个部分。有照片、手绘图。

据介绍，计有铁鼎4件、铁壶3件、铁釜2件。中国古代的冶铁工业，虽然出现得较早，但直到战国时期，铁器的种类仍多为农具、工具和兵器。铁制容器的铸造，特别是两件大型铁壶的出土，属河南省内首次发现，在全国也极为罕见。这为研究中国古代金属铸造史，特别是为中国早期大型铁制容器的铸造研究提供了重要的实物资料。

825.河南卫辉市唐庄东汉墓葬发掘报告

作　者：新乡市文物工作队　张春媚、刘习祥、赵争鸣
出　处：《华夏考古》2005年第1期

2003年3月17日，河南卫辉市唐庄镇东107国道两侧进行绿化带工程建设时，在其南侧发现1座汉代墓葬，考古人员对其进行了发掘。简报分为：一、地理环境与墓葬形制，二、随葬器物，三、结语，共三个部分。有手绘图。

据介绍，该墓葬（编号WTM1）为多室砖墓，由墓道、墓门、前室、侧室和后室组成。该墓曾被盗，但墓葬形制基本完好，随葬器物也有近100件，随葬器物有陶器、铜器、铁器、金器、骨器等。简报推断该墓的时代为东汉末汉献帝时期。简报称，从该墓的规模及随葬品数量、种类分析，墓主人身份应较高，该墓或许为汉代汲县某一县守之墓，至少应为县内一官吏之墓。

826.河南新乡市北站区汉墓

作　者：新乡市文物工作队　赵争鸣、李慧萍等
出　处：《考古》2006年第3期

新乡市北站区距市区10公里，是战国、两汉墓葬聚集地。1956年至今，已发掘墓葬1000余座。2001年3月，为配合火电厂改建工程，新乡市文物工作队在此发掘17座汉墓。这些墓葬分布在火电厂所属的烟囱工地（M1～M12），碎煤机工地（M13），水泵房工地（M14～M16）和排水管工地（M17）范围内。简报分为：一、墓葬形制，二、出土遗物，三、结语，共三个部分，介绍了此次发掘。

据介绍，此次发掘的墓葬有3座为中型砖室墓，其余均为小型土洞墓。墓葬均有墓道，土洞墓为竖井式墓道，砖室墓为斜坡式墓道。简报认定其中14座土洞墓为西汉中期墓葬，且可能为一家族墓葬，3座砖室墓为东汉中晚期墓葬。墓主当均为平民。

简报还介绍说，此次有 3 座出土陶鸮。陶鸮脖后有一半圆形孔，把鸮头向下横拿可吹响。陶鸮在以往发掘的同时期墓葬中也多有出土，均为模制，且多成对出土。陶鸮作为随葬品出现于西汉早期的墓葬中，西汉中期逐渐减少，西汉晚期消失。有人认为这些陶鸮是"玩具"，也有人认为是"乐器"。对其进行音高测试，结果显示每对的音高不同。简报认为这种陶鸮的作用还有待进一步研究。

827.河南辉县发现的"大泉五十"钱范

作　者：郑州大学历史学院考古系　张国硕、魏继印
出　处：《文物》2008 年第 5 期

2007 年 7 ~ 10 月，郑州大学历史学院考古系为配合南水北调中线工程建设，在对辉县孙村遗址进行抢救发掘时采集到 3 件"大泉五十"陶钱范。其中较大的 1 件是在孙村遗址东部 II 区 T0701 东侧采集到的。据当地村民介绍，当时他们取土挖沙时曾发现有很多钱范。在附近水渠考古人员又采集到一些汉代板瓦、布纹筒瓦和 2 件残钱背范。简报配以拓片予以介绍。

据介绍，共发现面范 1 件，残；背范 2 件，均残。简报认为当地在新莽时期应为 1 处铸造钱币的作坊。尽管"大泉五十"钱范在我国已多处出土，但在新乡地区尚属首次发现。

828.河南卫辉市大司马村一号汉墓及墓前建筑

作　者：河南省文物管理局南水北调文物保护办公室、四川大学考古学系
　　　　白　彬、龚扬民、于孟洲、付兵兵、党志豪、王占魁等
出　处：《考古》2008 年第 11 期

大司马墓地位于河南省卫辉市唐庄镇大司马村北面，为市级文物保护单位。规划建设中的南水北调中线干渠从西南至东北穿过墓地。为配合南水北调中线工程建设，2006 年 6 ~ 10 月，考古人员对大司马墓地进行了抢救性的勘探和发掘，清理出汉、晋、唐、宋、明、清等不同时期的墓葬 28 座，出土遗物近 400 件。

简报分为：一、封土及墓葬形制，二、墓前建筑及相关遗迹，三、出土遗物，四、结语，共四个部分。先行介绍其中的一号汉墓及墓前建筑的相关情况，有照片、手绘图等。

据介绍，大司马一号汉墓为 1 座有封土堆的砖室墓，曾多次被盗，损毁严重，墓壁、墓顶等细部结构以及人骨、葬式等都不清楚，随葬器物也残缺不全。简报推断年代

为东汉中期偏晚。墓主人应为有一定身份和地位的官员。不过考虑到东汉中期以后，葬埋时僭越礼制的现象时有发生，也不能排除墓主是当地富豪的可能性。

简报指出，从东汉明帝开始，我国的墓葬制度出现了一个大转变，逐渐盛行在墓前建祠堂以供祭拜。应该就是葬埋结束后，死者家人在附近兴建的供奉、朝拜、祭祀墓主的礼仪性建筑。出土的陶器，既有口径近 1 米的大陶缸，亦有盆、钵、碗、罐、豆等小型盛器和饮食器，其性质也可能与供奉、朝拜、祭祀等活动有关，而非专门的随葬陶器或日常生活用品。

简报指出，汉墓坟前的礼仪性建筑，过去在帝陵和王侯墓发现稍多，而中小型墓葬鲜见报道。此次将一号汉墓的礼仪建筑揭露出来，是本次发掘的一个重要收获，为研究东汉时期的坟前建筑，以及丧与葬、葬与祭的关系等提供了新的实物材料。

829.河南新乡老道井墓地金灯寺墓区汉墓清理简报

作　者：郑州大学历史学院考古系、河南省文物局南水北调文物保护办公室
　　　　韩国河、张贺军

出　处：《考古与文物》2008 年第 5 期

老道井墓地位于新乡市北约 10 公里的凤泉区潞王坟乡，墓地北依太行山余脉凤凰山，系凤凰山向南延伸的岗坡地带，地势略高，南临京广铁路，向北不远处即是明代潞王墓。这里自古就流传着"头枕凤凰山，脚蹬老龙潭"的选墓传说。金灯寺墓区位于老道井墓地最东端的金灯寺村北约 1 公里的南水北调中线干渠 614 ～ 616 公里处。南水北调中线干渠在这里由东西向转为西南—东北向，从墓地中心穿过，占压墓地东西长约 650 米，南北宽约 100 米，面积约 65000 平方米。为配合南水北调中线工程文物保护项目，报请国家文物局批准，考古人员于 2005 年 12 月对其渠线占压部分进行了发掘。此次共清理墓葬 16 座，M6 因其墓室被高压电线塔基所压，只清理了其南端的斜坡墓道，具体情况不明。其中汉墓 10 座，宋墓 5 座。

关于汉墓的相关情况简报分为：一、墓葬形制，二、随葬品，三、结语，共三个部分。有手绘图、拓片。

据介绍，10 座汉墓结构为双室墓、单室墓、单室砖椁墓 3 种。出土器物有陶器、铁器、铜钱等。简报推断第一期 9 座墓葬的年代应在东汉中期之交，第二期 1 座墓葬应在东汉晚期的桓、灵之时或稍后。

830.河南新乡市金灯寺汉墓发掘简报

作　者：郑州大学历史学院考古系、河南省文物管理局南水北调文物保护办公室
靳松安、郑万泉、曹艳朋、曹　晋

出　处：《华夏考古》2009 年第 1 期

2006 年 7 月，为配合南水北调中线工程文物保护项目，考古人员对新乡金灯寺墓群进行了发掘，清理出 15 座汉代墓葬。简报分为：一、墓葬形制，二、随葬品，三、结语，共三个部分。有手绘图。

据介绍，这批汉墓可分为两期。第一期墓葬的年代大致在东汉中晚期之交，第二期墓葬的年代应在东汉灵帝时期。简报称，这批汉墓中的 M31 和 M32 以及 M37 和 M38 墓葬形制相同，方向一致，左右并列，相距仅 2～3 米，1 座略靠前，1 座略靠后，排列十分整齐规律，可能为两组夫妇异穴合葬墓。而且这两组墓葬还有一个共同的特点，即西侧的墓葬位置在前，东侧的墓葬在后，结合墓向皆朝北，由此也印证了在汉代以左为尊的埋葬习俗。

831.河南省新乡市老道井墓地东同古墓区汉墓清理简报

作　者：郑州大学历史学院考古系、河南省文物局南水北调文物保护办公室
赵海洲

出　处：《四川文物》2009 年第 6 期

2005 年 12 月～2006 年 1 月，为配合南水北调中线工程文物保护项目，考古人员对新乡市凤泉区老道井墓地东同古墓区所占干渠墓群进行了发掘，共清理汉代墓葬 9 座，为该地区汉墓的研究增添了新资料。简报分为：一、墓葬形制，二、随葬品，三、结语，共三个部分予以介绍。有手绘图。

据介绍，这 9 座汉墓可分为两期：第一期：墓葬结构为双室墓，以砖室墓居多，个别有壁龛和耳室，包括 M1、M2、M3、M4、M5、M6、M8。除未被盗扰的墓葬器物组合不全外，其他大致相同，多为反映生活用具及所养家禽家畜的模型类器物，简报推断年代为东汉晚期偏早。第二期：墓葬结构为单砖室墓，呈"甲"字形或略呈"甲"字形，包括 M9、M10。M9 被盗严重，仅余几块碎陶片。M10 亦被盗扰，但随葬品丰富，器物组合较一期略有变化。简报推断年代为东汉晚期桓、灵之时或稍后。

法国汉学家谢阁兰有《汉代墓葬艺术》一书，1935 年在巴黎出版，2020 年文物出版社出版了中译本。

832.新乡西环路东汉封土墓发掘简报

作　者：新乡市文物考古研究所　李慧萍、明永华
出　处：《中原文物》2011 年第 4 期

2010 年 3 月，考古人员在新乡市西环路河南全顷线材有限公司新建厂区工地上发掘 1 座大型砖室墓，经现场清理后，出土遗物有陶壶、陶罐、陶猪圈、铜车马饰件、半两钱、五铢钱、剪轮五铢等。根据墓葬形制和出土器物的特征分析，该墓的时代应为东汉晚期。简报分为：一、封土和墓葬形制，二、随葬器物，三、结语，共三个部分予以介绍。有照片、手绘图。

据介绍，该墓尚存封土约 4 米高。为带长斜坡墓道的四角攒尖顶砖室墓，平面呈"中"字形。由墓道、甬道、封门、前室、东侧室、西侧室和后室等部分组成，前室与后室、2 侧室之间各有甬道相连。石材用于前、后室墓门，其他部分均用砖砌筑。M1 南北通长 27 米，东西通长 12.5 米。多次被盗。共出土陶器 46 件、铜器 12 件、铁斧 1 件及铜钱 50 枚。简报认为，应为东汉晚期较高级别官员的墓葬。

833.河南新乡市五陵村汉代墓葬

作　者：新乡市文物工作队　赵争鸣、何　林、赵　昌
出　处：《考古》2012 年第 10 期

2003 年 7 月，为配合新乡水电厂扩建工程，考古人员在新乡市北部 20 公里的凤泉区五陵村西发掘了一批两汉时期墓葬。简报分为：一、墓葬形制，二、随葬器物，三、结语，共三个部分。有手绘图。

据介绍，此次发掘的墓葬共 10 座，除 1 座砖室墓外，其余均为竖井墓道土洞墓，随葬器物 71 件。简报推断土洞墓年代为西汉初、中期，砖室墓为东汉中期的墓葬。

834.河南新乡市王门东汉画像石墓的发掘

作　者：新乡市文物考古研究所　李慧萍
出　处：《华夏考古》2012 年第 3 期

王门墓地位于新乡市凤泉区潞土坟乡土门村西南约 2 公里。2004 年 3 ～ 5 月，为配合新乡王门垃圾处理厂工程建设，在此进行了文物钻探，发现汉代至唐宋时期墓葬 200 余座。在这批墓葬中，首次发现了 1 座结构完整的汉代画像石墓（编号 XWM76，简称 M76）。简报分为：一、墓葬形制，二、随葬遗物，三、结语，共三

个部分先行介绍此墓，有手绘图。

据介绍，M76 为画像石封门的砖结构多室券顶墓，发掘前已被盗扰。该墓由墓道、墓门、甬道、中门、中甬道、前室（附南北耳室）、后甬道和后室构成，各室及甬道平面均呈长方形。其营建方式为先挖出土圹，然后用预制的青砖砌筑而成。

已经不见完整人骨架，只在前后墓室发现极少的零碎骨屑。墓东西通长 15.30 米，南北通宽 6 米，墓底至地表深 3.5 米。出土有劫余的陶器、铜器、铁器等。简报推断时代为东汉晚期。画像石上多有鱼的图案。简报称，在新乡以往的汉墓发掘中，也经常发现在随葬的陶甑的内底及陶灶上彩绘和模印有鱼的形象，可见对鱼是情有独钟。

安阳市

835.安阳梯家口村汉墓的发掘

作　者：安阳市文物工作队　李贵昌、孟宪武
出　处：《华夏考古》1993 年第 1 期

1987 年，为配合安阳坡壳厂在梯家口村西的基建工程，考古人员经钻探发现古墓葬 12 座，其中殷墓 3 座、汉墓 9 座。汉墓编号为 M38 ～ M41、M43 ～ M46、M49。简报分为：一、墓葬形制，二、随葬器物，三、结语，共三个部分介绍 9 座墓的相关情况。有手绘图、拓片。

据介绍，9 座汉墓分为东、西 2 组，排列有序，2 组相距 20 余米，发掘 38 座。6 座完整随葬器物中以陶器为主，另有铜器、铁器、铅器等。简报推断：M44、M46 2 墓的年代为西汉晚期，M41、M43、M45、M49 这 4 座墓的年代为王莽时期或其以后，M38、M39 两墓的年代为东汉中期。简报指出，9 座汉墓均为规模较大的砖室墓，尤其是 M38、M39 为双室墓，且随葬器物又较丰富，表明墓主生前占有相当数量的财富，其身份当为地主阶级成员或中下层官吏。

836.河南汤阴县发现东汉画像石墓门

作　者：司玉叶
出　处：《考古》1994 年第 4 期

汤阴县文保所在城南 12 公里的宜沟乡前李朱村铁路西动土时发现 1 套四神画像石墓门。简报配以拓片予以介绍。

据介绍，这套石墓门共 3 块：1 块门楣和 2 块墓门。左门上雕玄武，其下为铺首衔环，环内 1 对小鱼；右门上雕朱雀，下为铺首衔环套小鱼。简报认为这套石墓门雕凿较粗糙，但四神体态生动，具有东汉画像石的艺术特征。

简报称，这套石墓门当出自 1 座墓葬，考古人员在出土现场又发现 3 枚金指环、1 件陶井和几枚五铢钱。

837.河南内黄县三杨庄汉代庭院遗址

作　者：河南省文物考古研究所、内黄县文物保护管理所　刘海旺、朱汝生、
　　　　宋贵生、乔留旺等
出　处：《考古》2004 年第 7 期

三杨庄汉代庭院遗址位于河南省内黄县梁庄镇三杨庄北，北距内黄县城约 30 公里。内黄县位于河南省东北部、黄河北岸，两汉时期属魏郡。三杨庄汉代庭院遗址地处内黄县南端，这里在两汉时期濒临黄河河道。2003 年 6 月，因当地开挖硝河引黄工程，首先在三杨庄村北约 500 米处的河道内发现第 1 处汉代建筑遗存。从发现情况看，在 1500 米长的河道范围内有至少 4 处较大面积的汉代建筑遗迹。这里应该是 1 处较大范围的汉代聚落遗址，可能由若干小的区域组成，每个小的区域又包含有若干庭院。根据已清理的两组建筑遗存，不妨称之为庭院遗存。考古人员以这 4 处已发现的汉代建筑遗存（按发现的先后顺序暂分别编为 I 区、II 区和 III 区）为中心点，分别进行了小范围的考古勘探。2003 年 7 ~ 12 月，对已发现的第 1 处和第 2 处建筑遗存进行了部分发掘。简报分为：一、地理位置与发掘概况，二、地层堆积，三、出土遗存，四、初步认识，共四个部分。有彩照、手绘图。

据介绍，2003 年在梁庄镇三杨庄村北发现了 4 处汉代建筑遗存，并对两组进行了部分清理。第 I 组由院落基础、房基、瓦屋顶、夯土墙等组成。第 II 组庭院应为 1 座院落的一部分。

简报认为这是 1 处属于西汉晚期的聚落遗址。可能由于新莽时期黄河决堤而整体淹没。也恰恰是因为这里地处当时的黄河左近，各类建筑因黄河的突然大规模洪水泛滥而被淤沙掩埋，而且这里又成了后来河道的一部分，因而整个建筑群的布局及部分瓦屋顶才能够得以原状保存下来，并且不为后人活动所扰乱，这实为目前全国汉代建筑遗址中所仅见。这就为完整地揭示汉代某一特定建筑群（比如一个庄园）的规模、布局、各建筑小区域的功能划分等，以及为各类单体房屋建筑结构与工程技术等的研究提供了弥足珍贵的实物资料。同时，种类众多的当时社会和家庭生活实用品得以在遗址内原地保留，如目前清理出的一些石臼、石磨、轮盘等遗物，也

为复原当时的社会和家庭生活与生产状况等提供了难得的丰富实物。需要指出的是，在第二组建筑内集中出土如此众多的大小石臼和石磨，这在全国同类遗址中实属罕见。另外，该遗址的地层堆积状况等信息，也会为黄河河道变迁等黄河水文史方面的研究提供重要的考古"活化石"。

838.河南内黄三杨庄汉代聚落遗址第二处庭院发掘简报

作　者：河南省文物考古研究所、内黄县文物保护管理所
出　处：《华夏考古》2010 年第 3 期

河南省文物考古研究所对位于河南省内黄县梁庄镇的三杨庄汉代聚落遗址进行了持续的考古发掘工作。目前共发现 10 余处汉代庭院遗存，其中第 2 处庭院坐北朝南，由水井、南大门、西门房、东西厢房、主房、厕所以及院落西侧的池塘等部分组成，同时还在庭院的东、北、西 3 面发现有垄作农田遗迹。这是 1 处保存完整的两汉之际的普通民居遗存。简报分为：一、发现经过与工作概况，二、地理位置与历史沿革，三、第 2 处庭院的地层堆积，四、第 2 处庭院遗迹，五、出土遗物，六、结语，共六个部分。有照片、手绘图。

据介绍，此遗址系于 2003 年 6 月 3 日水利工地施工时发现。第 2 处庭院的发掘面积达 1700 余平方米，遗物有砖瓦等建材及陶器、铁器等。简报认为，第 2 处庭院可能被黄河洪水淹没于新莽后期或东汉初年，聚落的始建年代当在西汉晚期，最迟不晚于新莽前期。应为 1 处民居。

濮阳市

839.南乐宋耿洛一号汉墓发掘简报

作　者：安阳地区文管会、南乐县文化馆　赵连生、史国强
出　处：《中原文物》1981 年第 2 期

1978 年春，南乐县福坎公社宋耿洛大队在平整土地时发现古墓 1 座。同年 11 月 27 日至 12 月 31 日，考古人员在配合该大队农田基本建设中对该墓进行了发掘清理工作。因其处于 1 处古墓群，故将此墓定名为一号墓。这座墓构造讲究，出土器物丰富，为豫北地区已发现的古墓中所少见。简报分为：一、墓葬的环境及墓葬形制，二、出土器物，三、结语，共三个部分。有照片、手绘图。

据介绍，宋耿洛村西南距南乐县城23公里，一号墓位于宋耿洛村南约300米处。墓南约30米处为一大型土冢，墓西约10米处又有1座南北向墓冢，3冢鼎立如"品"字形。一号汉墓为1座东西向砖结构多室墓，由墓道（未发掘）、墓门、甬道、前室、中室、主室和南侧东、西耳室与北侧东、西耳室10个部分组成。整个墓葬除墓道外，长22.5米，最大宽度19米，最大高度5.25米。一号汉墓因早期被多次盗掘，器物位置严重扰乱，而且大部分已残破。经整理能辨出器形的共148件，其中以陶器（包括釉陶器）居多，石器、铜器和铁器皆次之。该墓的墓主人应位居公侯。查《后汉书·单超传》所载的情况，此人为具瑗，魏郡元城人，汉桓帝刘志时为中常侍。延熹二年（159年）与单超等人帮助汉桓帝杀外戚梁冀，夺取政权，被封为东武阳侯。延熹八年（165年）被贬为都乡侯，卒于家。宋耿洛一号墓所在地为东汉时元城地，与当时东武阳地接壤。据此简报推测，一号墓及墓群可能是具瑗与其族人墓。

840.河南南乐县发现一件铜铁合铸的东汉博山炉

作　者：史国强

出　处：《考古》1986年第7期

1984年初，南乐县城关镇政府退休干部仇文远同志将自己珍藏多年的1件博山炉捐献给国家。按其提供的线索，对县东25公里处的一个俗称"康王坟"的大土冢进行调查，发现该土冢系1座东汉大墓，曾于1958年被破坏，这件博山炉就是当时在这座大墓中出土的。简报配以照片予以介绍。

据介绍，博山炉通高22厘米、底座盘直径23.5厘米，可拆卸为四部分。值得注意的是，博山炉非通体铜铸，炉足外铜内铁，二次合铸。先用生铁铸成铁芯，填入范内，然后再铸上一层铜壳。这样既减少了用铜量，降低了成本，又使炉足比重加大，整个炉体稳重坚固。从博山炉的形制看，简报推断当属东汉遗物。

许昌市

841.河南禹县白沙汉墓发掘报告

作　者：河南省文化局文物工作队　安金槐、贺宫保等

出　处：《考古学报》1959年第1期

白沙镇位于禹县西北约30公里，附近地势为起伏的山地，镇北紧靠逍遥岭。颍

河从西北流来，经过黑龙潭以后，直向南流，绕过白沙镇折转东去。陇海铁路未修筑前，白沙镇为由洛阳东出的必经之地。颖河为淮河的主要支流之一。1949 年后为了要根治淮河下游的水涝灾害，1951 年春，在白沙镇以东的河谷中，开始修建白沙水库。在大规模的起土培堤工程中，曾发现有古代文化遗址及成群的古墓葬。1951 年开始考古发掘，在白沙水库范围内，共发掘古代墓葬500 余座。其中以汉墓最多。简报分为：一、前言，二、墓葬形制，三、随葬品，四、结论，共四个部分，配以照片、手绘图，先行介绍发掘的汉墓。本简报中所述及的墓葬，分布在逍遥岭、颖东和沙东3 处，也就是3 个墓葬群。

据介绍，这批汉墓可分为空心砖椁墓、空心砖壁小砖券顶墓、大方砖壁小砖券顶墓、小砖券墓和土坑墓等几种。其中以空心砖椁墓和小砖墓最多。空心砖椁墓又可分垂方形空心砖椁墓和空心砖椁带耳室墓两种，计 59 座。这批汉墓的年代，简报推测空心砖墓和部分土洞墓应属于西汉中、早期，小砖墓中，用空心砖作门的较石门的要早些，其时代大约由西汉晚期到东汉中期。同时，也说明石门墓是代替了空心砖作门而出现的。

842.河南襄城茨沟汉画像石墓

作　者： 河南省文化局文物工作队　贾　峨、赵世纲等
出　处： 《考古学报》1964 年第 1 期

茨沟在襄城县东南约9 公里处。汝河由西北注入，经此地折而南流。茨沟东北1.5 公里处有1 个土冈，俗名"尧城"，土冈顶上有东周至汉代的遗址1 处，散布着绳纹筒瓦、板瓦、细把豆、瓮、罐、盆、鬲和米字纹空心砖的残片等。在附近的断崖上还可以见到东周至汉代的文化层和一些陶窑遗迹。据文献记载，这里可能是春秋时代的西不羹城址。此次发掘的这座墓，就位于尧城冈下的乾勒河（今名文化河）边上。这座墓的西面约20 米处，还有1 座较小的墓，墓顶已露出，尚未发掘。这是1 座封土较高的墓，由于风雨侵蚀，土冢已流失不少。1963 年3 月间，土冢突然坍陷，露出墓顶，发现是1 座较大的汉代画像石墓。1963 年4 月9 日，开始发掘，发掘工作自4 月13 日起至5 月20 日止，断续历时38 天。在发掘工作中，由于墓室穹窿顶残存部分有倒塌危险，测绘人员工作时全依室内积土支托，因此中室与后室之间的门道积土未敢全部清除，所测绘的中室顶部剖面图恐与实际情况稍有误差。简报分为：一、墓葬形制，二、随葬品，三、建筑材料，四、结语。共四个部分。有照片、手绘图。

据介绍，这座汉墓通高6.6 米（由土冢顶点至后室铺地砖的高度），通长23.04 米。墓室结构是由墓道、甬道和7 个砖室组成的。该墓曾被盗，劫余遗物有陶器、铜器等。

画像石 5 块及花纹小砖尚保存完好。据墓室中室北壁所书纪年铭，该墓为东汉顺帝永建七年三月改元阳嘉（132 年）之前所建。

此墓中有工匠姓氏，此前罕见。

843.河南禹县出土一批汉代文物

作　者：河南省文化局文物工作队　孙传贤
出　处：《考古》1965 年第 12 期

1964 年 12 月初，禹县朱坡村村民修砖瓦窑时，发现一批汉代文物。据说起土时首先发现 2 平方米的硬土面，再向下挖 1 米深，发现有叠放整齐的铜釜、铁炉和铁三足器各 1 件。铁火盆内置有铜印 1 方，铁镢 1 枚。器物周围并以残砖圈砌。在其一侧，下挖 1 米又发现铜钱一堆。在现场调查时，发现其附近地面散布有不少汉代砖瓦残片，但未发现其他遗迹。因此，这些文物可能属于窖藏。简报配以拓片、照片予以介绍。

据介绍，此批窖藏包括铜釜、铁炉、铁三足器、铜钱 30 余斤。"部曲将印"铜印 1 枚。简报推断年代为东汉晚期。

844.襄城县出土新莽天凤四年铜钲

作　者：襄城县文化馆　姚　垒
出　处：《中原文物》1981 年第 2 期

1980 年 11 月 28 日，河南襄城县范湖公社尧城宋大队农民代衣丰，在该大队盛庄村西起土积肥时，发现古代铜乐器 1 件。经县文化馆脱锈鉴定，认为此物是新莽时期所铸铜钲。简报配以照片予以介绍。

据介绍，器重 11.35 公斤，呈甬钟形，素面无纹饰，器身高 40 厘米，肩宽 26 厘米，口宽 31 厘米。其上有柄，柄高 24 厘米，柄之直径上小下大，为 5~6 厘米，柄上有等距离之弦纹两条，柄背面两杆之间有一半环形耳。器身正面居中有铭文，文曰："颖川县司盾发弩令正重三十三斤始建国天凤三年缮"。字形为汉隶。此器实测 22.7 市斤，汉制 1 斤约 260 克，今 1 市斤 500 克。铭文中"天凤三年缮"的"三"应为古之"四"字。天凤四年为公元 17 年。出土地点适在昆阳大战战场范围内。简报认为，此钲当是王莽军队在昆阳大战前后所遗弃。

简报称，天凤四年铜钲的发现，为研究王莽新政权时期各种制度之兴革，如官制、兵制、乐器乃至地名之更改等，提供了实物资料。

845.河南长葛汉墓出土的铁器

作　者：河南省文物研究所　李京华

出　处：《考古》1982 年第 3 期

1973 年河南省长葛县石固公社在农田建设中，从岗河挖出 1 座汉代墓葬。该墓出土器物有：铁臿、铁铲、铁斧、铁镰、铁锤、铁锯、五铢钱和陶器等，其中 2 件铁器有铭文。简报配以照片、拓片、手绘图予以介绍。

据介绍，铁器上铭文为"川"字。当地曾发现过铁作坊遗址（《文物》1977 年第 12 期）。长葛县在汉代是颍川郡所辖的长社县，本郡内出本郡产品，应是理所当然的事。2 件"川"字铁器的再次发现，证明以前考释咸阳"川"字铧为颍川铁官作坊产品的结论不误。此墓的年代，简报推断至晚也应在东汉中期以前。

简报后附李仲达先生《长葛出土东汉铁器金相分析》一文，可参阅。

846.禹县东十里村东汉画像石墓发掘简报

作　者：河南省文物研究所　孙新民

出　处：《中原文物》1985 年第 3 期

1984 年 3 月，禹县梁北乡东十里村第一生产队在村东约 400 米建设砖窑时，发现此墓，考古人员进行了发掘。简报分为：一、墓葬形制，二、画像石题材和雕刻技法，三、随葬，四、结语，共四个部分。有照片、拓片、手绘图。

据介绍，该墓为砖券洞室墓，由墓道、甬道、墓门、墓室组成。未见葬具，但有棺钉，成年男性尸骨 1 具已被扰乱。随葬品因被盗，仅见陶器 15 件、铜刀 1 件、铜饰 3 件、石灯 1 件、铁镜 1 件、木梳 1 件、瓷罐 1 件、筒瓦 2 件、铜钱 50 枚。画像石 2 块，皆为动物图案。该墓的时代，简报推断为东汉晚期。

847.许昌古城出土"四神"柱础

作　者：黄留春

出　处：《中原文物》1986 年第 4 期

1984 年冬，许昌县张潘乡盆李村农民在村西 100 多米的"古城岭"上植树时，在距地表 1 米左右的土层内，挖出了 1 块 62.5 厘米 ×63.5 厘米 ×15.5 厘米的"四神"青石柱础。简报配以拓片予以介绍。

据介绍，该础底面呈正方形，顶端为 28 厘米的圆形平面。柱础制作采用凸地高浮雕的精湛工艺，以洗练有力的刀功，在柱础的腰间，按照四方定位之说，刻下了栩栩如生的"四神"图像。曹操迎汉献帝于许的许昌城，其方位与今许昌县张潘乡古城遗址的地望完全吻合。近年来，在张潘乡古城址出土了大量的各种建筑构件，证明此处可能是东汉末年的1个古都遗址。"四神"柱础的发现，对于探讨东汉末年"许都"的位置和曹魏的建筑艺术，提供了宝贵的实物资料。

848.河南襄城县出土五铢钱纹铜镜

作　者：姚军英

出　处：《考古》1987 年第 10 期

1980 年，襄城县十里铺乡水牛耿村村民拉土时发现铜镜 1 面。现存襄城县文化馆。简报配以拓片予以介绍。

据介绍，此镜背面为大圆形纽，纽高 1 厘米。内区花纹为浮雕一虎开口对峙，中间配一五铢钱，外区花纹为栉齿纹、锯齿纹、波纹各一周。纹饰雕琢细腻，动物形象逼真。镜质坚细，表面黑亮光声。直径 8.6 厘米、缘厚 0.8 厘米。简报推断此镜应为东汉晚期制作。

849.河南襄城县出土西汉晚期四神规矩镜

作　者：姚军英

出　处：《文物》1992 年第 1 期

1984 年 8 月，河南省襄城县湛北乡七里店村农民在村东头拉土时，发现铜镜 1 件。现藏襄城县文化馆。简报配以拓片予以介绍。

据介绍，此镜正面微凸，覆盖一层绿锈。半球形纽，柿蒂纹纽座。座外方框，内有相间排列的乳钉纹和十二地支铭。框外饰乳钉、规矩纹和四神图像。外有铭文一周，计 49 字，笔力刚劲。其外饰辐射纹、锯齿纹各一周，外缘为波浪式云纹带。简报推断年代应属西汉晚期。

简报称，此镜形体厚大，工艺精湛，画像内容丰富，层次清晰。

850.河南长葛出土的汉代画像砖

作　者：河南省文物研究所　宋国定、曾晓敏

出　处：《华夏考古》1992 年第 1 期

1990 年 3 月，河南省郑州市管城回族区公安局破获了一起盗掘古墓、贩卖出土

文物的重大文物案件，截获了25块汉代画像空心砖和一批珍贵的出土文物。经了解，这批文物均出自河南省长葛县老城乡打绳赵村的古代墓葬中。该村位于长葛县城东北12公里处，从目前掌握的资料看，这一带应是两汉时期的一个家族墓地。简报分为：一、前言，二、画像砖的种类、形制及用途，三、画像砖的位置、作法与排列布局，四、画像题材与花纹内容，五、结语，共五个部分。有照片、拓片。

据介绍，从画像砖造型及用途看，这批画像砖可分为6大种类：门楣砖、门框砖、门柱砖、门扉砖、擎天柱和楔形砖。长葛出土的空心砖上的画像和纹饰，有浓厚的地域性特征。其中有许多画像题材似属首次发现。如将鸟纹经过艺术手法变形后，利用鸟的身体和鸟羽部分再刻画出一个人物面部形象；位于门柱砖和擎天柱上部栌斗四面的四兽图，形象逼真地刻画出了大自然的美丽景色和动物在其间奔走如飞的各种形态。龙腾鱼翔图中龙的形象以前也比较少见，升腾前的龙的形象栩栩如生，活灵活现，画面布局严谨，表现细腻，是其他龙纹画像所不能比拟的；凤鸣图和雏凤斗蛇的题材也不多见。简报推测：这批画像砖的年代应在西汉晚期前后，下限应在东汉初年。

851.河南襄城县发现一件汉代铜印

作　者：姚军英

出　处：《考古》1993年第3期

该铜印1986年初于襄城县乐祠堂乡被人捡到，现收藏于襄城县文化馆。

据介绍，该印文为"别部司马"，据《后汉书·百官志》，此为东汉武职。

852.襄城县出土一面汉代铜镜

作　者：姚军英

出　处：《华夏考古》1993年第3期

1984年7月，河南省襄城县湛北乡七里店村农民在村西起土时发现铜镜1面，现收藏于襄城县文物管理办公室。简报配以拓片予以介绍。

据介绍，铜镜直径为23.5厘米，厚0.5厘米，重2540克。镜面微弧，有铜绿锈，镜背稍凹，呈银白色，略有锈斑。纹饰分内、外两区，内区：中心为半球形纽，柿叶纹纽座，12个乳钉和12地支铭相间排列，外界以方框。方框外的双线规矩和8个较大乳钉均匀分布，中空被四神、雏鸡、飞鸟、鹿、鼠、蛙、麒麟和骑兽羽人所填充。乳座均为内向连弧纹。外区饰铭文带一圈，简报录有全文。此镜为汉代铸造，制作精致，工艺考究，是1件难得的艺术珍品。

853.河南禹州市新峰墓地 M10、M16 发掘简报

作　者：许昌市文物工作队　张广东、苏　辉、陈军锋、段志强等
出　处：《考古》2010 年第 9 期

新峰墓地位于河南省禹州市梁北镇南，地跨郭村和苏王口村，北距禹州市区约 5公里，属于南水北调中线总干渠工程范围内。自 2007 年 6 月开始，考古人员对新峰墓地进行了大规模的抢救性发掘。现已清理战国、汉、唐等各时期的墓葬 378 座。其中，编号为 M10、M16 的两座汉墓形制较为特别，先行介绍。简报分为：一、M10，二、M16，三、结语，共三个部分。有彩照、手绘图。

据介绍，两座墓均为带斜坡墓的洞室墓，形制较为特别，墓道和墓室不在一条直线上。简报推测"可能具有选择风水之类的特殊原因"。残存的随葬品包括陶器、铜器、铁器、玉器、石器及铜钱等。墓葬年代属西汉末期，应在王莽改制之后。这两座墓葬的发掘，为研究中原汉代社会风俗、埋葬制度等提供了重要资料。

854.河南禹州杨庄墓地汉墓 M100 发掘简报

作　者：许昌市文物工作队　陈军锋、姚军英等
出　处：《中原文物》2013 年第 2 期

杨庄墓地位于河南省禹州市张得乡杨庄村东北，东北距禹州市区约 5.4 公里。杨庄墓地坐落于三峰山之东峰南麓的梯级台地上，墓地东南距省道 231（禹神公路）0.34 公里，东北距崔张墓地约 0.4 公里，西南距杨庄村约 0.2 公里。

为配合南水北调中线工程建设，考古人员于 2010 年 11 月 21 日至 12 月 30 日对杨庄墓地进行了大规模抢救性发掘。共清理墓葬 128 座，主要以汉代墓葬为主。其中，编号为 M100 的汉墓在这批墓葬中形制比较特别。简报分为：一、墓葬形制，二、随葬品，三、结语。共三个部分。有拓片和手绘图。

据介绍，该墓为斜坡墓道土洞墓，平面呈蝎子形，墓室宽于墓道。由墓道、墓门、墓室和壁龛 4 部分组成。墓道转弯处有一堵夯土墙，宽 0.5 米，高 1 米。盗洞 1 处，位于墓道北端及墓室南端，平面近长方形，长 1.94 米，宽 0.8 米。由于被盗严重，该墓葬式、葬具不详。也未见随葬器物，仅出土铜钱 13 枚。

简报认为，年代上限应不早于新莽时期。M100 与禹州市新峰墓地 M10（发掘简报见《考古》2010 年第 9 期）的墓葬形制极为相似，平面形状均呈蝎子形，为带弧形斜坡墓道的洞室墓。简报认为，这种特殊的墓葬形制在西汉晚期至王莽时期这一较短的时间段内存在。

简报指出，M100 所属的杨庄墓地与 M10 所属的新峰墓地，均位于三峰山之东峰山。汉代堪舆术盛行，而这与当时的地形地貌有着密切联系。可以大体勾勒出两个墓地所在当时都应是较为理想的依山傍水的地理环境。至于墓道与墓室不在一条直线上，而墓室坐北、墓道转弯后朝向东南的设计方法，既是为了使墓葬保持坐北朝南，又能使其背山面水，可能具有选择风水之类的特殊原因。另外，M100 墓道转弯处的夯土墙也不多见，简报推测其用途类似于我国古代建筑中的"影壁"，汉代厚葬之风盛行，人们事死如事生，但在这里似乎又赋予了辟邪的意味。

855.河南禹州新峰墓地两座汉代画像砖墓

作　者：许昌市文物工作队　姚军英、陈军锋等
出　处：《中原文物》2013 年第 2 期

新峰墓地隶属于河南省禹州市梁北镇苏王口村和郭村两个行政村，北距禹州市区约 3.5 公里。2004 年 6 ～ 9 月，禹州市文物队在进行南水北调中线工程沿线文物调查时发现该墓地。2006 年 11 月至 2009 年 1 月，许昌市文物工作队受河南省文物管理局的委托，对墓地进行勘探，进一步确认了这一墓地的规模和性质，分三次先后勘探出不同时期的古代墓葬 583 座。2007 年 6 月至 2011 年 5 月，许昌市文物工作队受河南省文物考古研究所委托，对新峰墓地先后进行了 7 次发掘，清理出战国至明、清各时期墓葬 551 座。本简报是对其中 2 座画像砖墓的介绍，计分：一、2007YLXM3，二、2008YLXM355，三、结语，共三个部分。配有彩照、拓片和手绘图。

据介绍，2 墓都曾被盗，但好在门楣和门柱上的画像还在。M355 的年代应为王莽时代，M3 的时代应属东汉早期。简报认为，禹州地区经科学发掘的汉代画像砖材料很少，而以往报道的资料几乎没有，而新峰墓地出土的这批时代明确。内容较为丰富的画像空心砖，为我们提供了不可多得的研究汉代社会历史、风俗思想的图像资料。

856.河南禹州新峰墓地东汉画像石墓发掘简报

作　者：河南省文物考古研究所、许昌市文物工作队　姚军英、陈军锋等
出　处：《华夏考古》2013 年第 3 期

新峰墓地隶属于河南省禹州市梁北镇苏王口村和郭村两个行政村，北距禹州市区约 3.5 公里。墓地处于东峰山东坡的梯级台地上，地势西高东低。该墓地东距省

道 231 线（禹神公路）约 210 米，北止于郭村原砖窑厂，西邻平禹煤电公司（原新峰矿务局），南距陈口村约 400 米。2004 年 6 ~ 9 月，禹州市文物工作队在进行南水北调中线工程沿线文物调查时，发现该墓地。2006 年 11 月至 2009 年 1 月，许昌市文物工作队受河南省文物管理局的委托，对墓地进行勘探，进一步确认了这一墓地的规模和性质，分 3 次先后勘探出不同时期古代墓葬 583 座。2007 年 6 月至 2011 年 5 月，许昌市文物工作队受河南省文物考古研究所委托，经河南省文物局批准，对新峰墓地先后进行了 7 次发掘，清理出战国至明、清各时期墓葬 551 座。本简报分为：一，123 号墓，二、127 号墓，三、结语。共三个部分，介绍了其中 2 座东汉画像石墓（M123 和 M127），配有手绘图。

据介绍，禹州新峰墓地 M123 和 M127 两墓所出陶器、釉陶器的器类、器形多相近，说明 2 墓的年代较为接近，M123 稍早，M127 偏晚。2 墓均伴出有大量东汉五铢钱，说明 2 墓葬的年代当在东汉以后。简报判断，M123 的年代大致可定在东汉早中期之际，M127 的年代应属东汉中期。

简报指出，禹州地区经科学发掘的汉代画像石材料不多。此次禹州新峰墓地发掘出土了以 M123 和 M127 为代表的一批东汉画像石墓，出土的画像石资料时代要早于禹州东十里村发现的东汉画像石墓，数量也更多，内容也更为丰富，为深入研究禹州地区汉代考古学文化提供了新的资料。

漯河市

857.河南舞阳发现东汉乐舞百戏铜镜

作　者：朱　帜

出　处：《考古》1985 年第 11 期

1984 年 3 月舞阳电机厂工人在城墙附近拾到 1 面铜镜，随即交付舞阳县博物馆保存。简报配以拓片予以介绍。

据介绍，铜镜直径 10 厘米，球形，半圆纽，圆座。内区饰乳丁 4 枚，每 2 乳间有 1 组高肉雕画像，共 4 组 7 人。外区饰箆纹、锯齿纹、连续云藻纹各一周，素缘。有 4 组画像。

画像镜与南阳出土的画像石人物形象十分相像，从形制特征看，简报推断铜镜年代当为东汉晚期。

858.河南舞阳发现汉代画像石

作　者：朱　帜、朱振甫

出　处：《考古》1993 年第 5 期

　　舞阳县位于河南西南部，接近南阳地区。近几十年来，出土了一批画像石。这些艺术瑰宝除 1949 年前发现一些以外，20 世纪六七十年代也发现不少，其中有城北 20 公里的马村乡姚庄汉墓，该村共有画像石墓 3 座。墓葬毁于 60 年代，为石室墓，石质为石灰岩，当时曾出土数百石，多为素面，少量为画像石。3 个墓室皆向东，均有门楣、石门，上有铺首衔环图案，随葬品及墓室结构情况已不详。此外，在城东 6 公里的辛安乡潘园村西部也发现汉墓，墓亦在 20 世纪 60 年代遭破坏，为几何纹砖与画像石混砌墓。据现场调查，墓葬共有 6 个墓室，呈“晶”字形，墓室内均铺设小砖，每砖上各放 1 枚五铢钱，每个墓室门口各有人骨 1 堆、铁链 1 条、钢刀 1 把，说明墓主人具有很大权势。在城西 9 公里的保和乡马岗村，其西北 0.5 公里的所谓“霸王冢”也出有墓葬，其附近相传为霸王跑马场，墓东南为霸王城。该墓于 1969 年被朱徐村村民挖掉，将上部砖石拉走，下部尚存一部分，其中画像石亦大部分为生产队所用。简报配以拓片，逐石介绍了出土及收集的 30 块画像石。

　　简报称，舞阳汉画像的题材以四神、奇兽瑞禽、树木、门吏为主，时间稍晚的画像则以四神、仙人、神兽瑞禽、门吏、铺首衔环、斗兽辟邪等为主，天象星宿、建筑、宴乐、百戏图案不多，有纪年者更未发现。

　　根据这些特点，简报认为，第 1 石至第 9 石的时代应为西汉晚期；第 10 石至第 23 石为东汉早、中期；第 29 石和第 30 石的铺首衔环部分已显露很少，为象征性图案，时代当为东汉晚期至三国时期。

859.汉魏许都故城遗址出土的四方铜印

作　者：许昌市春秋楼文物管理所　黄留春、黄晓丽

出　处：《文物》2004 年第 4 期

　　1978 年，临颖县文化馆在全县进行文物普查时，在汉魏许都故城遗址西南角的董村征集到 4 方铜印。这些铜印的造型基本相同，均为扁正方体。印背面有龟纽，龟昂首站立，四足张开呈鱼鳍状，龟背满布龟甲纹，印面均无格无栏，阴刻篆书。简报配以照片予以介绍。

　　据介绍，这 4 方印为同时、同地出土，而且除印文外，形制相同，时代也接近。简报推断年代为东汉末年至魏晋时期。

三门峡市

860.河南陕县刘家渠汉墓

作　　者：黄河水库考古工作队　　叶小燕等
出　　处：《考古学报》1965 年第 1 期

1955 年秋，考古人员在河南陕县调查时，发现在陕县以东，从后川直至三里桥、梁家渠、刘家渠、上村岭连绵 3～4 公里地区，断断续续散布不少汉墓。考虑到这些汉墓或许与汉代"陕"城有关，便选择刘家渠墓地进行发掘。简报分为：一、墓葬形制，二、随葬器物，三、结束语，共三个部分。有手绘图（包括折页图）等。

据介绍，墓地坐落在今陕县城东约 3 公里平原上。西面是梁家渠村，东面是刘家渠村，南边 1～2 公里处青龙涧横流而过，北边高处是上村岭。凡发现的古代墓葬无论大小都予以发掘，计有：汉墓 45 座，隋唐墓 118 座，宋金墓 38 座。此外，在上村岭发掘了东汉墓 1 座（H.S.M1037）。这里发表的只是汉墓部分。46 座汉墓中有 2 座西汉墓，余为东汉墓。计斜坡墓道洞室墓 43 座，竖井墓道土洞墓 2 座，竖井土坑墓 1 座。这批墓葬保存情况并不太好，墓室多数塌毁，其中尤以土洞墓为甚。除 5 座较小的墓外，其余都遭到不同程度的盗掘。室内淤泥充塞，很多器物发现于淤土中，改动了原来位置。随葬器物有陶器 1135 件、铜器 124 件以及钱币等。刘家渠墓地位于汉陕城东郊，因此墓主人很可能就是住在陕城里的人。从墓葬规模、随葬品的丰富程度来看，大多数属于中小地主阶级的墓，其中某些可能还是地方官僚的墓。该墓地有可能是几个家族的墓地。

简报指出，陕城地处洛阳和长安之间，近洛阳而远长安。但这批墓葬，在风格上是近西安远洛阳的。陕县、潼关在汉时同属弘农郡，或许可称之为弘农风格。这种弘农风格却是接近长安而不同于洛阳，尤其是在西汉和东汉前期，东汉后期才逐渐与洛阳风格接近，这是耐人寻味的现象，或许从西安、洛阳两地交迭兴衰的历史中才能找到答案。

简报认为，西安在东汉以前曾是周、秦、西汉的国都。几百年来，关中地区的经济是很繁荣发达的。长安是当时的全国政治、文化中心，各地人们向往和慕尚长安是可理解的。西汉有童谣云"城中（长安城）好高髻，四方高一尺。城中好大眉，四方且半额。城中好广袖，四方全匹帛"（见《后汉书·马廖传》），反映了这种思想。弘农毗邻畿辅，这种思想一定很深。这种思想意识当然也可能折射到丧葬方面来。

到了东汉，首都虽东移洛阳，但思想意识上的转变比较缓慢，致使这一风尚在弘农还延续了一个相当长的时期，直至东汉后期以后才逐渐有所转变。

861.灵宝张湾汉墓

作　者：河南省博物馆　杨育彬、张长森、赵青云
出　处：《文物》1975年第11期

1972年，博物馆为配合基本建设工程，在河南省灵宝县张湾发掘了一批古代墓葬。其中有4座汉墓（编号为墓2～墓5），当是东汉后期弘农杨姓豪强地主的墓葬，出土了一批精致的绿釉陶明器，如楼阁、仓房等建筑模型，制作出色，特别是陶桌和箸、棋完整的六博俑，均属罕见。陶桌当是我国目前发现最早的桌的明器。关于这4座汉墓的具体情况，简报分为三个部分予以介绍，有手绘图、照片。

据介绍，这4座汉墓均系小砖砌券的多室墓，方向大致相同，都是坐西向东。墓的结构分墓道、墓门、甬道、前室、耳室和后室。墓5还多1个中室。这4座墓虽经盗掘，但仍出土不少随葬品（见附表），只是它们位置多被扰乱。随葬品多为绿釉陶明器，此外还有一批铜器、铁器、银器、铅器等。简报推断这4座墓的时代相近，都为东汉后期。从这4座墓葬的规模和随葬品的数量来看，墓主均属封建地主阶级是无疑的。

简报称，墓5陶楼前平台上的舞乐俑，是东汉考古的重要发现，为研究东汉的舞乐杂技提供了一些资料。

862.河南省卢氏县出土一件东汉彩绘骨尺

作　者：卢氏县文管会　牛树森、牛爱国
出　处：《文物》1992年第7期

1976年9月，河南省卢氏县城关镇西北街村村民在虢台庙台地劳动时，发现1座因雨水浸泡而塌陷的古代砖室墓，从墓内取出几件灰色陶器和一件有彩绘图案与刻度的骨尺。文物现存卢氏县文管会。简报配以手绘图予以介绍。

据介绍，骨尺长23.2厘米、宽1.7厘米、厚0.3～0.4厘米，重25克。略显弯曲，一端有1个直径0.25厘米的穿孔。骨质牙白色，用墨色画出寸、分度数，并加饰彩绘。尺面的两边画出10寸度数，每寸平均2.32厘米。两端各1寸处饰网纹，中间饰3组云纹，纹饰均用墨色勾线，填染红、绿色。正、背两面度数和纹饰相同。两个侧面也用墨色画出10寸，每隔1寸还画出分的度数，但每寸只有8分，不画分的每寸中间饰一菱形符号。

简报称，根据墓葬形制和出土陶器判断，古墓属于东汉时期。骨尺经国家计量总局度量衡史研究室丘光明先生鉴定，为东汉实用尺子。

863.三门峡市华余包装公司 16 号汉墓发掘简报

作　者：三门峡市文物工作队　李　栋
出　处：《华夏考古》1993 年第 4 期

1993 年 4 月，为配合三门峡市华余包装公司基建工程，考古人员对一批古墓葬进行了发掘工作。简报分为：一、墓葬形制，二、随葬器物，三、结语，共三个部分。配以照片、拓片、手绘图，先行介绍了其中的 16 号墓。

据介绍，该墓为长方形单室砖券墓，由墓道、墓门、墓室和耳室组成。随葬品有陶器、石砚、铜器、铁器、铜钱等 30 件。16 号墓的年代，简报推断不早于西汉晚期。

864.三门峡市刘家渠汉墓的发掘

作　者：三门峡市文物工作队　宁会振、史智敏
出　处：《华夏考古》1994 年第 1 期

1986 ～ 1987 年，考古人员在三门峡市刘家渠村以东、市零售公司工地清理了 2 座古墓（M3、M4）。简报分为：一、三号墓，二、四号墓，三、结语，共三个部分。有拓片、手绘图。

据介绍，三号墓系用 34 厘米 ×17 厘米 ×6 厘米的小砖券筑，方向 2180 度，由墓道、墓门、前室、后室组成。该墓随葬品较为丰富，计有釉陶器、铁器、铜器、漆器及铅器等，釉陶器多集中于前室，只有人形灯等少数器物被置于耳室或后室。其中陶水榭 1 件，分三层，底层高 32 厘米，坐落于直径 45 厘米的圆形水池中，池内有鱼、鳖等动物，十分精巧。四号墓的形制结构与 M3 相近，亦由墓道、前室、耳室及后室组成，所不同的是该墓只有东边单耳室。出土有铜剑、铜钱、陶器等。2 墓的年代，简报推断不早于东汉中晚期。

865.义马新市区 5 号西汉墓发掘简报

作　者：洛阳市第二文物工作队　李　虹等
出　处：《文物》1995 年第 11 期

1984 年 7 月，在配合义马新市区的基本建设中，考古人员发掘清理了 1 座西汉

墓（编号 84 义新 M5）。简报分为：一、墓葬形制，二、随葬器物，三、结语，共三个部分并配以彩照予以介绍。

据介绍，墓葬为长方形土坑竖井式平底，墓室为长方形土洞，底部西高东低，棺内 1 骨架，头向西，面向南，仰身直肢，除下肢保存较好外，其上部已成粉状。出土器物包括陶罐 14 件、铁刀 1 件、铜带钩 1 件、铜俳优俑 4 件、铜钱 43 枚。简报推断 5 号墓为西汉初期的墓葬。

简报称，义新 M5 随葬的 4 件铜俳优俑，时代较早，为研究西汉俳优表演提供了珍贵的实物资料。

866.河南三门峡市火电厂西汉墓

作　者：三门峡市文物工作队　胡小龙
出　处：《考古》1996 年第 6 期

1991 年下半年，为了配合三门峡火电厂的工程建设，在其厂区钻探发现有大批墓葬。三门峡市文物工作队对这批古墓葬分批进行了抢救性发掘。简报分为：一、M21，二、M25，三、结语，共三个部分。配以手绘图，先行介绍了第三次（"C"表示）第十五探区内规模较大的 CM15021、CM15025（简称 M21、M25）的发掘情况。

据介绍，M21、M25 均为带长方形竖穴墓道的土洞墓。出土有铜器、银器、陶器、玉器等。2 墓年代，简报推断为西汉初期。2 墓主人应均为贵族。

867.三门峡大岭粮库围墓沟墓发掘简报

作　者：三门峡市文物考古研究所
出　处：《中原文物》2004 年第 6 期

2001 年 8 月至 10 月，为配合大岭路国家粮食储备库的建设工程，考古人员发掘了一批古代墓葬，这批墓葬以秦汉的居多。简报分为：一、地理位置，二、围墓沟形制，三、墓葬形制，四、结语，共四个部分。有拓片、照片、手绘图。

据介绍，大岭国家粮食储备库位于三门峡市西北部，北临黄河，南为三门峡市第二粮库和第二面粉厂，东临某部队通信站，西为某部队驻地。围墓沟内有墓葬 2 座，分别是 M197（西）和 M198（东），二者相距较近，均为洞室墓，方向一致，西男东女，东西并列，简报称围墓沟墓是秦人墓的一种新形式，全国也不多见。简报认为该墓是西汉初期的夫妇并穴合葬墓。

868.河南三门峡南交口汉墓（M17）发掘简报

作　者：河南省文物考古研究所　魏兴涛、赵　宏、史智民等
出　处：《文物》2009 年第 3 期

南交口遗址位于河南省三门峡市东约 7 公里，在湖滨区交口乡南交口村西，地处青龙涧河与其支流山口河交汇处的二级阶地及黄土台塬的边坡上。该遗址于 1984 年调查时发现，1997 年 9 月至 1998 年 12 月，考古人员对南交口遗址进行了抢救性发掘。除发现有仰韶文化、二里头文化等遗存外，还发掘清理了一批东周、汉代墓葬。其中汉墓 M17 形制较大，出土器物较丰富。简报分为：一、墓葬形制，二、随葬器物，三、刻纹砖与刻字砖，四、结语，共四个部分。配以彩照、手绘图，先行介绍 M17 的发掘情况。

据介绍，M17 是一座尚存有封土冢、四周环绕以围墓沟的大型洞室砖券墓，地面以上部分由长条形斜坡墓道、砖券甬道、前室、后室、侧室 5 个部分组成。年代属于东汉后期。随葬器物较丰富，主要有陶器、铜器、玉石器、刻字砖与刻纹砖 6 块等。尤为引人注目的是，在墓室底部的铺砖下清理出 5 个陶质镇墓瓶，按南、中、西、北"五行"方位埋置，保存完好，瓶内装有五种矿石，瓶腹有朱书陶文，这在以往发现的汉代墓葬中尚不多见。简报推测墓主人应为当地大族。

869.河南义马市张马岭村九十号墓的发掘

作　者：河南省文物考古研究所三门峡市文物考古研究所、义马市文物管理委员会　胡小龙、景润刚
出　处：《华夏考古》2012 年第 3 期

1996 年 7～11 月，为配合河南省重点工程——义马煤气化项目建设，经钻探在义马市张马岭村南发现有大批古代墓葬。考古人员对这批古代墓葬进行了抢救性发掘。简报分为：一、地理位置，二、墓葬形制，三、葬具及墓主，四、随葬器物，五、结语，共五个部分。先行介绍了其中的 M90 的发掘情况，有照片、手绘图。

据介绍，义马煤气化工地位于义马市西工区张马岭村南约 300 米的丘岭上。该墓为由长方形竖井墓道和长方形墓室组成的土洞墓，棺木已朽，墓主人应为男性。出土有陶器、铜器、铁器计 18 件。其中有 1 大 1 小 2 件铜撮、铁臼、铁杵、铜刀、铜推等，均为中草药用具或医疗用具，墓主人生前应为郎中。简报推断时代为西汉早期。此次发掘，为我们进一步研究中国古代医药医疗技术的发明与发展提供了十分宝贵的资料。

南阳市

870.南阳东汉小砖券墓的发掘

作　者：河南省文物局文物工作队　裴明相等
出　处：《文物》1959 年第 2 期

1958 年 4 月中旬，南阳市西北隔玄庙观西发现砖墓 1 座，保存较完整。简报分墓室结构及随葬品位置、出土文物，共两个部分予以介绍，有照片。

据介绍，这座墓为 1 座竖井土坑小砖券墓，室内骨架腐朽，只存朱色漆片。随葬品 30 余件，分东、西 2 组放置。除镜和钱为铜质外，其余都是陶质的，其中以灰陶最多，红陶只有陶壶 4 件和猪圈 1 件。根据器物的形制和纹饰，简报推断都系南阳地区汉代的风格。

简报称，这座墓葬的随葬器物相当丰富，其中尤以鼎盖和碗盖上的狩猎纹饰最为精致，是过去发掘中所少见的。从出土器物之多及陶质器物的形制来看，简报推断此墓的时代应定为东汉。

871.南阳汉代铁工厂发掘简报

作　者：河南省文化局文物工作队　裴明相
出　处：《文物》1960 年第 1 期

1959 年，考古人员在南阳市发掘了 1 座汉代铁工厂遗址。简报配以照片予以介绍。

据介绍，遗址位于北关外500 米的瓦房庄附近，东西长600 米、南北宽200 米。在这12 万平方米的范围内，散布着很多绳纹筒瓦片、板瓦片、耐火砖、磨石、烧土块、烧结铁块、铁渣以及烧土面，等等。紧靠遗址的东南部，是 1 处范围广大的汉代人活动地区。仅从地面调查就有烧陶窑、瓮棺葬、水道（筒瓦砌成）、券井、窖穴等，以券井的分布最为稠密，不到20 米，即有瓦券井 4 座，井的附近又有水管道遗迹。遗址东北面2000 余米处，为汉宛县故城东北隅，夯土城垣高出地面约10米、宽15 米，夯打的层次尚清楚可辨。东墙北段长2000 余米，北墙东段长约1000米。城外并有护城河的痕迹。墙两侧经常拣到战国铜镞和汉代绳纹瓦片等。新修《南阳县志》说：“汉南阳郡故城，在县城（指南阳市）东北二里许，秦建，汉曰南郡，周围三十六里，今仅存废墟一面。"可以证实它为汉代宛县城址，同时更可说明考古人员所发掘的地点，正处于古宛城的中部。发掘发现疑为宛城城内大道的夯打地面2处、炼炉17座（较完整的3座）及陶范、铁器等遗物。该遗址的年代，简报推断为西汉。

872.南阳新出土的东汉张景造土牛碑

作　者：郑杰祥
出　处：《文物》1963年第11期

1958年春天，河南省南阳市在整修街道时，于南城门里路东挖出1通东汉时代的石碑。碑文所记，主要是有关"男子张景"的事迹。碑文隶书，且刻有"延熹二年"（159年）字样。该碑被发现后，即移至市文化馆保存，现存卧龙岗汉碑亭内。简报录有碑文并加以解读。

据介绍，碑文内容大约分为三个部分：第一段为郡太守丞"告宛"人的公文，即同意张景"愿以家钱"作为举行立春仪式所需一切用具的要求，并为此免除他世世代代的劳役。第二段为宛令右丞指使追鼓贼曹掾写移文件，遣张景作治"五驾瓦屋二间，周栏楯拾尺"等什物的公文。第三段文字残缺过多，从现存文字看，大概是掾赵述"告宛"人文告。

简报指出，张景碑的发现，为我们研究汉代历史提供了重要资料。碑文反映出东汉徭役的苛重，仅为举行立春仪式就需"调发十四乡正"进行准备，结果弄得"吏正患苦"，其他劳作就可想而知了。西汉人批评统治者对人民"急政暴赋，赋敛不时"，直到东汉，这种情况应该说是有增无减的。其次，碑文所记右丞官名及官名的统称"列长"一词，汉书皆不见记载，因此就可补史书之不足。另外，张景碑在研究我国书法艺术方面也有着重要价值。碑文书体为汉隶，不仅完全摆脱了篆书的意味，而且和无点、画、波、尾的秦隶也大为不同。

873.河南邓县发现一处汉代铸钱遗址

作　者：金　槐
出　处：《文物》1963年第12期

1963年春，邓县城内居民在城内偏西部挖土时，发现一部分汉代"大泉五十"钱范。经调查证明在出土钱范的地方，是1处范围相当大的汉代遗址。文化层内除包含有大量的汉代砖、瓦和陶片外，还有不少与铸钱有关的遗物。

钱范出土的仅"大泉五十"一种，数量比较多，但多是残范块，完整的极少。范作接近方形的平板状，中间有一圆孔。由于范板正背两面的榫卯吻合，而中间的圆孔和钱范的正背两面也就上下相套，看来在铸钱时是用很多的范板重叠放在一起使用，铜液由中间圆孔内灌入，经过孔周的弧形凹槽，注入钱范内，这样一次就能铸出许多钱来。铸范都是用细泥做成的，板面相当光滑。铸口杯只发现1件，呈立方体，器的中部有1个上大下小的喇叭口形通孔，可能是向钱范内灌注铜液时使用的。另外还发现1件器周呈弧形、器内呈平底方角形的泥质残器，器底有一圆孔，孔径与钱范中间的圆孔大小略同，可能是作为铸钱时放置钱范的范池。同处出土的还有不少带有铜斑点的炼渣、铜锈块、红烧土碎块、木炭屑和附着"大泉五十"铜钱的炼渣等。根据这些材料，简报推断此处应是汉代铸造"大泉五十"钱的1处遗址。

874.河南桐柏平氏镇发现汉代铜器

作　者：赵世纲

出　处：《考古》1963年第12期

1963年4月下旬雨后，桐柏县平氏镇群众在镇南街路旁发现被雨水冲刷露出的铜器6件。简报配以照片予以介绍。

据介绍，计有：铜壶1件，铜洗4件，铜釜1件。据说有3个铜洗重叠放在一起，铜壶倒放于洗内，壶上又盖1洗，铜釜放在壶口的那一边。

简报称，该铜器发现后，河南省文化局文物工作队曾派考古人员到出土地点进行了调查，原坑已经破坏，其附近的地层上部为汉代层，发现有汉代的瓦片等，下层为流沙层。据挖掘者说，铜器就发现在这层流沙内。流沙层内没有其他文化遗物发现。据简报推断，这几件铜器不是汉墓的随葬品，可能是当时人们窖藏在这里的。

875.河南南阳杨官寺汉画像石墓发掘报告

作　者：河南省文化局文物工作队　安金槐

出　处：《考古学报》1963年第1期

该画像石墓位于河南省南阳县西南杨官寺，1962年发现并发掘。简报分为：一、墓室结构，二、画像石刻划内容，三、石刻上的文字和记号，四、随葬器物，五、结语，共五个部分。

据介绍，此墓被盗掘过，但仍出土有陶器、铁器、铜器等199件，画像石14块。该墓的年代，简报推断为东汉早期或中期。

876.河南新野出土的汉代画像砖

作　者：王褒祥

出　处：《考古》1964 年第 2 期

1962 年 10 月初，农民在新野县城东 17.5 公里的张楼村北发现已坍塌的砖墓 1 座，出土了一批画像砖和 5 件陶器，即由县文化馆派人将所有画像砖妥善保管。这批画像砖几乎全部残缺，皆带有凸凹接榫，可知原来是利用榫卯套扣的。简报配以拓片、手绘图予以介绍。

据介绍，画像砖的内容有"蹴张砖""鼓舞砖""六博砖""烧炼砖""西王母砖""兽斗砖""青龙白虎砖""羽人砖"等。简报推断年代为东汉末年。

877.河南南阳市发现半两钱范

作　者：王儒林

出　处：《考古》1964 年第 6 期

1963 年秋，南阳县茶庵公社付原村村民在南阳市东关外小庄村后挖土制坯中，发现半两钱范 4 块，现存完整者 3 块。与钱范同时出土的还有汉代绳纹陶片及部分炼渣。钱范出土地点就在古宛城遗址东城墙外的汉代遗址。简报配以照片予以介绍。

据介绍，3 块钱范均用细腻而光滑的青色石板制成，分正面范和背面范两种。正面范和背面范无榫衔接，显然不是 1 对，但两范相对在一起后上端弧形凹槽吻合成喇叭形圆孔，以便注入铜液。铸出方孔元廓的半两钱，属于西汉中期的四铢半两。

878.河南桐柏万岗汉墓的发掘

作　者：河南省文化局文物工作队　裴明相、曹桂岑、武志远

出　处：《考古》1964 年第 8 期

万岗（村）位于河南省桐柏县西北约 40 公里处，南距平氏镇 5 公里。1963 年 4 月，考古人员在史庄至木沟长约 4 公里的范围内，清理了汉代墓葬 9 座。简报分为：一、西汉墓，二、东汉墓，三、结语，共三个部分。有手绘图等。

据介绍，这 9 座墓葬计西汉墓 7 座，东汉墓 2 座。可分为三种类型：第一类为带壁龛的长方土坑单人葬墓（M1、M3）。主要随葬器物有鼎、敦、壶、罐、瓮等。这些器物，一部分是战国时常见的器物（如 M1 的陶壶、陶鼎等），少数为实用器，具有西汉早期的特征。第二类为长方土坑墓（M2、M4）和长方小砖单人葬墓

（M6 ～ M8）。墓内随葬器物有陶仓、陶鼎、陶瓮、陶灶、小陶壶和五铢钱等。这些器物除五铢钱外，全为汉代习见的明器。墓葬的时代约在汉武帝后至西汉末年。第三类为小砖券墓（M5、M9）。墓的结构趋向复杂。随葬器物数量增多，楔形砖开始使用。有的为双棺室墓，有的分为前后两部，常见的器物除第二类墓中所具有者外，还出现有案、耳杯以及鸡、鸭、狗等家畜陶模型。这类墓葬的年代应在新莽或东汉早期。

879.河南南阳西关一座古墓中的汉画像石

作　者：王儒林

出　处：《考古》1964 年第 8 期

1964 年 3 月 4 日，南阳市新华公社西关居民高金有在院墙外发现 1 座古墓。次日考古人员前往调查，并对残存的部分进行了清理。简报配以拓片、手绘图予以介绍。

据介绍，该墓平面呈长方形，分甬道和墓室两部分。该墓早经盗掘，又遭破坏，只发现残棺钉两枚和货泉 1 枚。盖顶石中有 3 块画像石，2 块附在墓室上，另 1 块在甬道上。画像内容有舞乐图、兽斗图等。该墓的年代，简报推断为东汉末，甚至可能晚至西晋初年。

880.河南南阳发现汉代钱范

作　者：王儒林

出　处：《考古》1964 年第 11 期

1964 年春，南阳市环城公社小北关生产队在北关外财贸干校院墙外的断崖上，距地面 1.8 米深的灰土中发现堆积有 0.1 米厚的 1 层汉代钱范。经调查，钱范出土的地方，正在古宛城内北半部的汉代遗址上。均发现有零星破碎的大泉五十、契刀五百钱范。此外，还有汉代绳纹陶片，较完整的地下水管道、陶井圈，并发现残陶窑址以及与钱范有关的遗物。简报配以拓片予以介绍。

据介绍，这次出土的钱范，计有契刀五百、大泉五十 2 种，其中以契刀五百数量最多，但绝大部分破碎，完整者极少。陶范系泥质红陶，内含少量细砂，分圆形、方形和长方板状 3 种。3 种钱范均分为正背两面。此外与钱范同时出土的还有炼渣、铜锈、铜块、红烧土、木炭屑及小半两钱等。简报认为该处是汉代 1 处铸造契刀五百和大泉五十钱的遗址。

881.河南南阳市发现汉墓

作　者：南阳市文物管理委员会　王儒林
出　处：《考古》1966年第2期

1963年10月，南阳市环城公社西关大队发现古墓1座，考古人员前往清理。简报配以照片、手绘图予以介绍。

据介绍，该墓为长方形，用小砖和石条砌成。墓门向东，分前、后两室。据发现人反映，墓内积满泥土，棺及骨架腐朽无存。在主室的淤土中仅发现残骨片及牙齿两枚，在主室底部铺成人字形的砖上发现云母1层，铁剑1把，五铢钱15枚。在耳室内发现陶俑、陶马、陶狗、陶猪圈、铜兽炉等随葬器物。根据残存的碎片及较完整的器形看，有鼎、灶、仓、壶、勺、案、方盒、敦、奁、灯、盘、俑和马等60余件。该墓有石雕画像两幅，简单粗糙。该墓年代，简报推断为东汉中期或晚期。

882.唐河针织厂汉画像石墓的发掘

作　者：周　到、李京华
出　处：《文物》1973年第6期

1971年秋，河南省唐河县南关外针织厂在扩建工程中发现1座画像石墓。1972年6、7月间，进行了发掘。由于此墓早年被盗，随葬遗物保存甚少，出土的大批画像石十分珍贵，运往南阳市"汉画馆"，并进行复原。简报分为：一、墓葬形制和画像位置，二、画像石内容，三、墓葬的时代，共三个部分。有拓片、照片，附有表格，列举画像石编号、名称、高宽尺寸、位置。

据介绍，墓室为纯石结构，用特制的石料130块，在距地表深1.6米的方形土圹里砌成立方体的墓室，平面呈"回"字形。墓室四周及顶上均用土填封夯实，地面封土为冢。画像题材多为历史故事和斗兽之类，舞乐百戏少见。该墓的年代，简报推断为东汉早期。

883.南阳发现东汉许阿瞿墓志画像石

作　者：南阳市博物馆
出　处：《文物》1974年第8期

1973年3月，河南省南阳市东郊半公里李相公庄农民在村北（汉宛城旧址东南部）平整土地时，发现1方刻有墓志的汉画像石，当即报告市博物馆。市博物馆立即派考古人员前往察看，并对这座墓葬进行了清理。简报配以照片予以介绍。

据介绍，墓平面呈长方形，葬具和骨架已腐朽无存。出土有陶器、铜器、铜钱。出土的其中1块画像石，石面左方有志文，共136字，除末2行有16字漫漶，简报均录以全文。墓中画像石有明确年代——汉灵帝建宁三年（170年），墓葬比画像石要晚些，简报推断墓的年代下限不会晚于三国时期。

简报称，许阿瞿画像石，志文书法挥笔自如，人物形象生动，充分说明了汉代石工有着高度的创造才能和丰富的生活实践。

884.唐河县新店发现一座有纪年的汉画像石墓

作　者：南阳地区文化局考古队、南阳市博物馆
出　处：《河南文博通讯》1978年第3期

1978年初，在唐河新店发现1座西汉晚期王莽天凤五年（18年）的画像石墓，简报配以手绘图予以介绍。

据介绍，墓内有35幅画像，多为减地浅浮雕，内容有神话故事、舞乐杂技、驯兽斗兽、社会生活等，有相当丰富的资料价值。

885.唐河汉郁平大尹冯君孺人画像石墓

作　者：南阳地区文物队、南阳博物馆　黄运甫、闪修山等
出　处：《考古学报》1980年第2期

河南省唐河县湖阳公社新店村东依桐柏山的余脉狮子山，西紧临唐（河）、枣（阳）公路，南与湖北枣阳毗邻。汉郁平大尹冯君孺人画像石墓坐落在新店村西约300米处的"楸树坟"高地上。封土堆早已不存。1997年冬季，新店大队农田基本建设时发现了这座墓的砖券顶部和部分墓壁砖石结构。1978年3月2日至22日，南阳地区文物队、南阳博物馆协同唐河县文化馆对这座墓进行了清理。简报分为：一、墓葬形制和画像的位置，二、随葬器物，三、画像石，四、题记，五、结语。共五个部分予以介绍，有照片、手绘图。

据介绍，这座墓的墓道早被四周小型画像石墓和近代墓所打破，详情不明。墓室为砖石结构。平面呈长方形。墓室建筑分前室、中室和后室3个部分，结构严密。砖室四周及顶部均用土填封，层层夯实。中室顶西北隅有1个盗洞，靠后方盖顶石板被砸烂1块。因此，封土从两盗洞口斜坡状流入墓室，室内几乎全被淤塞。墓室前部被严重破坏，墓前大门的门楣、门柱和门扉脱离原位，门下槛石尚存。前大门

至中大门的砖拱券顶全部塌陷。南北耳室的门楣、两门侧柱，以及中大门的门楣、两侧柱被弃置墓外。葬具和骨架已腐朽无存。因该墓曾被盗，仅剩劫余随葬品40余件，所幸35幅画像石尚保存了下来。此墓年代，简报定为新莽时期。

简报指出，汉郁平大尹冯君孺人画像石墓的发掘，为探讨西汉末年的历史尤其是南阳汉代画像石的综合研究，提供了极其宝贵的资料。

886.河南南阳县英庄汉画像石墓

作　者：南阳地区文物工作队、南阳县文化馆　赵成甫
出　处：《文物》1984年第3期

南阳县辛店公社英庄村，是画像石墓较集中的1个地点。以前曾陆续发现过7座。1982年底，村民在用土时又发现1座。1983年4月进行了清理。简报分为：一、墓葬形制和画像位置，二、随葬器物，三、画像石内容，四、结语，共四个部分。有拓片、手绘图。

据介绍，这座墓墓底距地表3.3米，由墓门、前室、东西两主室组成。此墓早年被盗，劫余器物共65件，大部分集中于前室西部、距墓底约50厘米的淤土上，少量在前室东部。其中1件为铜质，其他为陶质。出土画像石刻有53幅画像，有庖厨图、奴婢、侍从、武士图等。该墓的时代，据简报推断，不早于王莽时期，不晚于东汉初年。

887.河南方城东关汉画像石墓

作　者：南阳市博物馆、方城县文化馆　魏仁华、刘玉生
出　处：《文物》1980年第3期

1976年春，在方城县城关公社东关大队发现1座古墓的门楣石，当即妥为封存。次年10月下旬，考古人员进行了清理发掘。此墓早年被盗掘，随葬器物均成碎片，不能复原，但出土的画像石内容新颖，十分珍贵。简报配以照片、拓片、手绘图予以介绍。

据介绍，这座墓葬在方城东0.5公里许的潘河东岸，原有封土堆，《方城县志》记载为"岳家冢"，俗称"岳王冢"。墓室为砖石结构，石结构用于墓门部分，其余部分全用砖砌，券顶已塌。由墓门、2前室、2主室、2侧室和后室8部分组成，互相通连，平面呈"四"字形，但遭破坏不严重。主要收获就是画像石92块，上刻画面13幅。主要内容为舞乐和"升仙"场面。简报推断年代为东汉中期。

888.淅川馆藏一件东汉陶水榭

作　者：淅川文管会

出　处：《中原文物》1981 年第 1 期

1972 年冬，距县城约 35 公里的宋湾公社河扒大队林场西 20 米左右，发现 1 件东汉陶水榭，保存较完整，造型美观，是 1 件重要文物。简报配以照片予以介绍。

据介绍，水榭为青黄釉陶质，通高 0.52 米，下盘水池圆周为 1.37 米，陶楼屹立在水池的中央，池沿架着 1 座小桥连接陶楼。池内有鱼、龟、船各 3 件。它的周围沿上站有双双相伴的鸳鸯和鸟兽。池沿周围还有骑着战马、手持大刀的武俑，后边紧跟猎狗和猴子。三层楼正中各坐 1 人。楼顶有 1 只鸳鸯。

889.罕见的汉代戏车画像砖

作　者：魏忠策

出　处：《中原文物》1981 年第 3 期

河南省新野县北 6.5 公里的李湖大队任营村南，发现 1 块反映汉代杂技艺术的戏车高浮雕画像砖。简报配以拓片予以介绍。

据介绍，这块画像砖，砖质细腻，色青灰，长方空心。画像为横幅，上边饰二方连续变形云气纹，左、右、下 3 边饰二方连续串菱纹。砖右端裂失约三分之一，现存残长 62 厘米、宽 32 厘米。就在这块残存的画像砖上，看到了一场绝妙非凡的杂技表演。简报称，据文献记载，我国杂技源于春秋时期。新野发现的这块汉代戏车画像砖，从一个方面反映了我国古代文化艺术的高度成就，为我国杂技艺术史的研究增添了珍贵的资料。

890.河南唐河县石灰窑村画像石墓

作　者：南阳地区文物队、唐河县文化馆　赵成甫、张逢酉、平春照

出　处：《文物》1982 年第 5 期

唐河县黑龙镇公社石灰窑村北距县城 26 公里，唐枣公路由村西经过。村西南的耕地中夹有大量的汉代砖、瓦残片，原系 1 处汉代遗址。村北有一小山，群众称"北山"。经调查，在北山南坡和山脚村落北部有汉墓多座。1960 年以来，群众在此曾先后发现过 7 座画像石墓。1979 年 12 月，在村西北又发现画像石墓 1 座。1980 年 5 月，南阳地区文物队与唐河县文化馆共同作了清理。简报分四个部分予以介绍，有照片、

拓片、手绘图。

据介绍，清理前，这座墓已遭到严重破坏。室内中间有一道墙，把墓室分成东、西两部分。在清理残留封土中，发现一些泥质红陶、红褐色釉的陶片。西室的1块盖顶石早年被盗墓者砸碎，室内填满淤土，东室淤土较少。西室出土了20多件随葬器物及破碎的五铢钱和陶片，东室被盗殆尽。墓内的葬具和骨架也都已腐朽无存。此墓出土画像石5块，全作为东墓室墓门，东室仅出土8枚五铢钱和一些碎陶片。简报推断此墓的时代不会晚于西汉晚期，即其上限不超过昭帝、宣帝时期，其下限应在新莽之前。

简报称，此墓的清理，说明画像石墓最迟在西汉晚期已经存在。同时，画面雕刻较为细致、逼真，使人感到它们虽是早期的作品，但并不是原始的形态。所以，如果把南阳画像石墓起源的时代再往前推溯，估计是不会有什么问题的。

891.河南邓县发现汉空心画像砖

作　　者：南阳地区文物工作队、邓县文化馆　王建中
出　　处：《考古》1982年第3期

1981年3月，考古人员在邓县腰店公社土楼大队祁营村收集了6块大型空心画像砖。据了解该画像砖发现于1979年春，出土于1座单室墓圹里。墓顶已毁，墓室里积满了淤土，墓室四壁用12块形制、纹饰相同的空心画像砖筑成。简报配以照片、拓片予以介绍。

据介绍，砖长0.98米、宽0.40米、厚0.14米。泥制，模印，中空。正面饰"人物龙凤钳蝎壁虎"图，四边饰菱形二方连续图案。背面饰十字穿壁及菱形图案。封门砖采用（37厘米 ×17厘米 ×6.5厘米）长方形花纹砖，墓底铺砖不清。随葬品有五铢钱、陶壶等，但已破碎。画像砖内容有人物图、穿壁图等。该墓的年代，简报推断为西汉晚期至东汉早期。

892.河南南阳石桥汉画像石墓

作　　者：南阳博物馆　魏仁华、陈长山
出　　处：《考古与文物》1982年第1期

1972年3月，南阳县北25公里的石桥公社农民在平整土地时，发现了1座汉画像石墓，南阳博物馆闻讯后，即派人同南阳县文化馆同志进行了清理。简报分为：一、墓室结构，二、画像石，三、随葬器物，四、结束语，共四个部分。有手绘图、照片、拓片。

据介绍，墓地位于石桥镇东南半公里的台地上。墓的结构分前室、2 主室和 2 耳室等部分。墓室结构基本完整，画像石刻内容比较丰富。特别是这座墓的墓门画像石上，绘有朱红、紫红、粉红、土黄和墨等各种颜色，使画像内容更显得生动逼真。这种在画像石上彩绘的做法，在南阳画像石刻中是少见的。简报认为，它为研究南阳地区汉代画像石墓的雕刻和彩绘艺术，又增加了新的资料。

简报指出，这座画像石墓的形制结构和画像内容，基本上与南阳草店汉画像石墓和南阳七里园汉画像石墓类同。再者，根据墓内出土的陶仓、陶灶、陶磨、铜饰和五铢钱等随葬品，简报推断其时代属于东汉早期。

893. 河南南阳军帐营汉画像石墓

作　者：南阳博物馆　王儒林
出　处：《考古与文物》1982 年第 1 期

1966 年 3 月，南阳市东北 17 公里军帐营村生产队在平整土地时，发现 1 座画像石墓。考古人员进行了清理。据当地群众谈：该墓之上原有高冢，因墓在村北，故称为"后冢"。简报配以手绘图、照片予以介绍。

据介绍，墓门向北，分前、后两室，前室平面作横长方形。这座墓过去曾受到严重盗掘，部分墓室结构损坏，墓内的随葬品只剩了一些残破的陶器和几枚钱币。从上述墓葬形制和出土遗物看，简报推断这座墓的时代应属于东汉早期。简报认为，这个时期正是南阳汉画像石的兴盛期，雕刻技法比较成熟，内容多属于反映道家"升仙"思想的图像和舞乐百戏的场面，这为研究汉代社会的历史、继承民族艺术传统提供了重要资料。

894. 南阳县赵寨砖瓦厂汉画像石墓

作　者：南阳市博物馆　闪修山、刘玉生
出　处：《中原文物》1982 年第 1 期

赵寨砖瓦厂位于南阳市东郊潴儿河西岸，东临白河，西距汉宛城遗址约 2 公里；许（昌）南（阳）公路从厂北侧穿过，南与下关帝庙、陈棚村毗邻。砖瓦厂周围是汉墓较集中的地方。1976 年 2 月 4 日，南阳市赵寨砖瓦厂在厂区东侧取土施工中发现画像石墓 1 座，考古人员进行了清理。简报分为：一、墓葬形制与画像位置，二、随葬器物，三、画像石，四、墓葬时代，共四个部分。有手绘图等。

据介绍，该墓的墓道早已破坏殆尽。墓室为砖、石混合结构。方向正东。东西长 5.8 米、南北宽 5.3 米，平面近似正方形。墓顶距离地表约 2 米深。内室西南角砖券顶被盗墓人打破，淤土流入墓室，厚 1 米左右。内室铺地砖，为"人"字形铺法，大部被盗墓人揭掉，堆积在盗洞口下面，供其上下蹬踏。葬具和骨架已腐朽无存，仅能看出杂乱的棺漆和金箔碎片。墓室建筑由 1 前堂、1 内室、2 侧室组成，结构严密。前堂（包括前大门、前堂左右 2 壁）与南北 2 侧室盖顶为纯石结构，内室、侧室墙壁及内室券顶为砖结构，有少量画像石。出土遗物有铁斧 1 把（可能是盗墓人所遗）、铜车饰、五铢钱、陶明器等。简报推断此墓年代应定为昭帝时期，其下限不会晚于宣帝以后。这是南阳迄今发现的最早的 1 座汉画像石墓。它的发掘，对探讨南阳汉画像石的渊源具有重要的价值。

895.唐河县电厂汉画像石墓

作　者：《南阳汉画像石》编委会　吕　品、周　到
出　处：《中原文物》1982 年第 1 期

1973 年 6 月 14 日，唐河县南关发电厂在扩建厂房工程中发现汉墓 1 座。这座汉墓位于该电厂院内，南距针织厂汉画像石墓约 300 米，西距唐河 500 余米，地势平坦，过去常有古墓发现，可能是古代的 1 个墓葬区。简报分为：一、墓葬形制和画像位置，二、随葬器物，三、画像石内容，四、墓葬的时代，共四个部分。有手绘图。

据介绍，该墓为 1 座平面呈"回"字形的砖石混合墓，有斜坡形墓道。墓室南北长 7 米，东西宽 6.55 米，高 2.82 米。由前室、东西 2 主室、东西 2 侧室和后室组成。2 侧室后端与后室两端相通，除前大门安装有门框、门楣、门扉外，主室及侧室前门仅有门框、门楣而无门扉。因被盗，仅出土陶器、铜饰件、石猪、钱币等共计 27 件。有画像石 35 幅，内容有车骑出行、舞乐百戏、门吏、虎、鹿、伏羲、女娲等。时代简报推断为西汉晚期。

896.南阳县王寨汉画像石墓

作　者：南阳市博物馆　仁　华、长　山
出　处：《中原文物》1982 年第 1 期

王寨村位于河南省南阳县石桥镇西 2 公里。村东 1 公里许是张衡墓，东北距汉鄂城遗址 1.5 公里，泗水河自西向东绕村而过。1973 年 3 月，王寨村社员在村东100 米处平整土地时，发现古墓 1 座。考古人员进行了清理。简报分为：一、墓葬形制，二、画像位置及内容，三、随葬器物，四、墓葬时代，共四个部分。有手绘图、照片。

据介绍，这座墓葬早年曾遭破坏，封土不存，墓顶残陷。墓为砖石结构，石材主要用于墓门及主室部分，其余全用小砖砌筑。墓室东西长4.76米、南北宽2.26米、通高2.36米。平面呈"T"字形。墓由墓门、前室、2主室和2侧室组成。该墓虽遭破坏，但画像的位置没有移动，墓室各部保存尚好。该墓共有画像石20块，刻画像32幅。其中墓门正面9幅，背面9幅，主室门7幅，隔壁门楣2幅，前室石梁3幅，侧室门槛2幅。画像中有张口欲噬食怪兽的"腾根"，有臂生双翼的羽人，有两兕相斗等。此墓早年被盗，破坏严重，遗物碎片均混在泥土中，器物破碎较甚，多数无法复原。仅有2件铜器和8件陶器尚能看出原来形状。该墓的年代，简报推断为东汉早期。

897.淅川县下寺汉画像砖墓

作　者：淅川县文管会　李　松

出　处：《中原文物》1982年第1期

下寺汉墓是1974年秋发现的。汉墓位于丹江水库淹没区内，考古人员于1980年7月10日在水位上涨之前进行了抢救发掘。下寺位于淅川县城西南约70公里的仓房公社陈庄大队东沟生产队南面，汉墓就在下寺北面500米的黄土岗上。简报分为：一、墓室结构，二、出土文物，三、结语，共三个部分。有拓片等。

据介绍，该墓为长方形砖室墓，早年被盗，墓室遭严重破坏。出土遗物计有陶器11件、货币54枚、画像砖6种。画像砖内容有饮宴图、狩猎图、持节门吏、门阙图、双龙穿双壁图、双龙穿一壁图。简报推断该墓的时代应为东汉早期。

898.河南镇平出土的汉代窖藏铁范和铁器

作　者：河南省文物研究所、镇平县文化馆　李京华

出　处：《考古》1983年第3期

镇平县城郊公社尧庄大队于1975年11月，在汉代安国城东南约250米的地方，修筑大路时发现了1窖铁器。铁器装在1个陶瓮内，周围散布着春秋、战国到汉代的瓦片和陶片，这里没有发现铁炼渣，可知这一地方应是居住区，但估计作坊不会过远。简报配以照片予以介绍。

据介绍，铁器装在瓮内并用铁錾封盖，因为密封较好，有的不生锈，有的锈蚀轻微。其中锤范61件，铁锤6件，六角形钉9件，圆形钉3件，齿轮3件，铁权1件，錾子1件，共计84件。铁锤范可配成4套完整的。锤范为数最多，占铁器的73%，依锤形不同可分为两类：一是圆形锤范56件；其余是长方形榫范，4套。除铁范以外

的其他铁器为数较少，即是锤、六角形釭、圆形釭、齿轮、权和錾子六种。该窖藏的年代，简报推断为汉代。

899.河南南阳英庄汉画像石墓

作　　者：南阳博物馆
出　　处：《中原文物》1983 年第 3 期

英庄，位于河南省南阳县新店镇南 1.5 公里。这里地势平坦，土地肥沃，过去常有汉画像石墓出土。1965 年 11 月，英庄村民在村北 300 米处掘土时发现了此画像石墓，考古人员进行了清理。墓为砖、石混作结构，编号为 M4。简报分为：一、墓葬结构与随葬品，二、画像位置及内容，三、墓葬时代及其他，共三个部分。有照片。

据介绍，这座墓葬早年曾遭破坏，封土堆早已不存。墓顶距地表 0.65 米。墓门向东，墓道位于墓室之东，未作清理。墓室东西长 3.75 米、南北宽 3.07 米、高 2.34 米，平面呈长方形，由墓门、前室、南北 2 主室组成。墓室的建筑材料，除墓门、顶盖、2 主室门及隔墙为纯石结构外，其余各壁和铺地皆用长 36 厘米、宽 14 厘米、厚 5 厘米的灰色小砖砌筑。该墓多次被盗，墓门被砸烂，墓顶也遗有盗洞。墓中的随葬器物仅留有灰陶狗 1 件和少量陶器残片。此墓共有画像石 15 块，画像 20 幅。其中墓门正面 9 幅，背面 7 幅，前室顶部 4 幅。画像内容有驱魔辟邪图、神兽图、嫦娥奔月图、虎车雷公图、应龙图、阳鸟图等。该画像和石墓应为东汉中期墓。

900.河南方城县城关镇汉画像石墓

作　　者：南阳地区文物工作队　柴中庆
出　　处：《文物》1984 年第 3 期

1982 年 4 月底，方城县城关发现 1 座古墓。6 月上旬至中旬进行了清理发掘。墓地距方城潘河东岸约 500 米，此墓早年被盗，墓内淤土中发现春秋、战国时期的陶豆等器物残片，估计此墓所在原是 1 个春秋战国遗址。简报分为：一、墓葬形制和画像石位置，二、随葬器物，三、结语，共三个部分。有照片、手绘图。

据介绍，墓室为砖石结构。石结构仅限于墓门和西主室前门，共用石 20 块，其余部分均为砖砌。清理时，中前室顶部发现 1 个南北长约 1.6 米的盗洞。葬具和骨架已腐朽，仅在 3 个主室及 2 个前室的淤土中发现零星碎骨。此墓由墓门、前室、主室 3 部分组成。随葬品仅有 1 件完整陶壶及可修复的陶片等。简报推断此墓的时代为新莽时期或东汉初期。

901.新野县前高庙村汉画像石墓

作　者：南阳地区文物工作队、新野县文化馆　赵成甫
出　处：《中原文物》1985 年第 3 期

1980 年，南阳地区进行文物复查时，发现了新野县前高庙村汉画像石墓。该墓位于村中，有高约 2 米的封土。封土上种有树木，并有储存红薯的窖藏。在窑内，可看到砖和石材。1983 年 5 月 19 日至 5 月 29 日，考古人员对此墓进行了清理。简报分为"墓葬结构和画像石位置""出土器物""结语"，共三个部分予以介绍，有照片、手绘图。

据介绍，此墓墓底与地表相平，明显是在地上建墓，然后积土为冢。这大概与当地水位较高有关。封土下有两墓（暂编号为 M1、M2），两墓均因被盗等受到较严重破坏。两座墓出土的完整器物较少，主要为陶俑、陶器，陶瓮除为灰或红褐色外，其他全是红陶。施釉的器物中，绿釉很少，大多数是红黄釉。陶片中以陶马的碎片较多。另外还出土有铁灯、铜钱等。两墓年代，简报推断为东汉晚期。

902.唐河县湖阳镇汉画像石墓清理简报

作　者：南阳地区文物工作队、唐河县文化馆　赵成甫
出　处：《中原文物》1985 年第 3 期

唐河县湖阳镇西北 1 公里许，有 2 个较大的汉墓，俗称双冢。两墓相距 50 米，呈东南、西北向排列。1983 年 2 月底，当地人盖房取土，使东南一冢受到破坏，除东室未经扰动外，中、西室被彻底翻动，大部分随葬器物被取出。同年 6 月 18 日至 7 月 5 日，考古人员对此墓进行了清理。简报分为：一、墓葬形制与画像石位置，二、随葬器物，三、结语，共三个部分。有照片、手绘图。

据介绍，此墓用砖石砌造。墓室、墓底和封门用砖，墓门和过道的门楣用石。墓室由 3 个并列的券洞构成，中室前部有通往东、西 2 室的过道。该墓随葬品有陶器、金银饰物、铜器、铁器、玉石器等。其中陶器分红陶、灰陶 2 种。红陶皆施红黄釉，灰陶施绿釉或无釉。

简报推断，此墓的建造年代可能是昭帝年间或稍后。此次发掘，为研究南阳画像石墓的起源提供了很有价值的材料。

903.唐河县针织厂二号汉画像石墓

作　者：南阳地区文物工作队、唐河县文化馆　柴中庆

出　处：《中原文物》1985 年第 3 期

1983 年 3 月，唐河针织厂准备扩建厂房，在厂南面钻探时发现 1 座古墓。考古人员于同年 3 月底至 4 月上旬，对该墓进行了清理发掘。该墓位于唐河县城南针织厂南墙外。据当地人讲，此处在 1949 年前是个大土堆，后来拉土渐平。说明此处原是 1 个有较大封土的墓冢。1971 年，曾在该墓西北约 30 米的针织厂院内发掘 1 座汉画像石墓。1973 年又在该墓北约 70 米处唐河电厂内发掘 1 座汉画像石墓，另据当地人讲，在该墓东约 20 米处曾挖出画像石门，现存唐河县文化馆。说明此处可能是汉代的 1 个墓区。简报分为三个部分予以介绍，有手绘图。

墓室为砖、石结构。石结构仅限于墓门及前室之梁、柱，共用石 30 块。其余部分均用长方小砖、楔形砖砌券。主室、侧室券顶及隔墙绝大部分已倒塌。东墙和南墙各发现 1 个盗洞，说明该墓曾多次被盗，上部被宋墓扰乱，碎砖、淤土充满其间。未见任何葬具及人骨。墓门向北。整个墓室南北长 5.2 米、东西宽 4.02 米，由墓门、前室、2 个主室、1 个侧室、1 个后室组成。画像石保存不好，计有画像石 132 块，刻画像 20 幅。内容有材官蹶张图、逐疫升仙图、重明鸟、升仙图等。随葬器物因被盗几不存，仅有陶仓、陶盒、陶罐等陶器及陶鸡、陶鸭等明器。该墓的时代，简报推断为新莽晚期或东汉初期。

904.南阳市建材试验厂汉画像石墓

作　者：南阳市博物馆

出　处：《中原文物》1985 年第 3 期

1984 年 12 月上旬，南阳地区建材试验厂在建设厂房工程中发现 1 座古墓。这座古墓位于该厂院内，过去这里不断发现古墓，可能是古代 1 个墓葬区。简报分为：一、墓葬形制，二、画像石位置及内容试析，三、随葬器物，四、结束语，共四个部分。有手绘图等。

据介绍，墓葬早年曾遭严重破坏，封土堆已不存在，墓室顶部全部塌陷，墓壁人部分被拆除，后室铺地砖也被揭去人半，但甬道保存尚好，画像石的位置基本上没有移动。从清理情况看，墓为砖石结构，石材主要用于墓门及侧耳室门部分，其余部分全用小砖砌筑。墓东西全长 6.64 米、南北宽 3.4 米、高 1.86 米。平面呈"中"字形，由甬道、墓门、前室和后室组成。该墓共有画像石 11 块，刻画像 13 幅。内

容有门吏、侍者、神兽食鬼魅等。因被盗，劫余随葬品仅有少量陶器、铁箭头、货币等。该墓应为二次利用汉画像石的魏晋墓。

905.南阳市王庄汉画像石墓

作　者：南阳市博物馆　陈长山
出　处：《中原文物》1985 年第 3 期

1983 年 2 月，河南省南阳市郊王庄村村民在窑场挖土做土坯时，发现古画像石墓 1 座。考古人员前往发掘。简报分为：一、墓道结构与随葬品，二、画像位置及内容，三、墓葬时代及其他，共三个部分。有照片、手绘图。

据介绍，该墓为砖石混作结构，采用28 块条石和大量小砖及花纹砖混合砌筑而成，分墓门、前室和主室3 个部分。墓室平面呈长方形，墓室内全长4.84 米、宽1.5 米、高1.63 米。画像内容有伏羲图、女娲图、二兕相斗图、门吏图、拥彗图、车骑出行图等。该墓为二次利用东汉画像石修建的魏晋墓。

906.南阳市独山西坡汉画像石墓

作　者：南阳市博物馆　李陈广
出　处：《中原文物》1985 年第 3 期

独山位于南阳市北约10 公里，东临白河，北与蒲山相峙，海拔367.9 米。1983 年冬，南阳市独山园艺场平整土地时，在独山西坡发现 1 座画像石墓，考古人员对这座墓葬进行了清理。简报分为：一、墓葬结构，二、随葬器物，三、画像石和题字，四、结语，共四个部分。有照片、手绘图。

据介绍，墓葬位于独山西坡的缓平地带，封土和墓顶早已无存。砖石结构。南北总长 16.52 米，东西最宽11.1 米，由墓道、甬道、耳室、墓门、前室、侧室和后室等 11 个部分组成。各室部分如门柱、门楣、角柱等处均为石质，共用大小石料44 块，约为 20 立方米。室壁及地面用砖砌筑。葬具、尸骨已不存。随葬品仅存陶器、瓷器、金片 5 枚、铜钱 4 枚等。画像石内容有驱魔逐疫图、乘龙升仙图、门吏图等。此墓应是利用汉墓材料所建魏晋墓。

今有蒋宏杰先生《南阳汉代画像石墓分期研究》（河南美术出版社 2019 年版）一书，可参阅。

907.南阳市西郊刘洼汉墓发掘简报

作　者：南阳市博物馆　李陈广、刘玉生、崔庆明
出　处：《中原文物》1985 年第 3 期

1984 年 8 月，南阳市博物馆在配合基建工程中清理了 2 座土圹墓。距这 2 座墓北约 200 米处，曾经清理过 20 余座类似的墓葬。简报分为：一、墓葬形制，二、随葬器物，三、墓葬时代，共三个部分。有照片、手绘图。

据介绍，2 墓均为长方形竖穴土圹墓，二者南北向并列，墓口均已破坏。依发掘顺序，位于西边的为 M1，东边的为 M2。M1 出土器物主要是陶器，计有陶鼎、陶盒、陶壶、小陶壶、陶车轮和玉器等共 11 件。陶器皆成碎片，经修复成型。M2 出土器物为陶器 10 件、铁器 2 件及铜钱。简报推断此两墓为西汉早期墓葬，因保存尚完整，对我们认识西汉时期墓葬制度有一定帮助。

908.南阳市散存汉画像石选汇

作　者：李陈广、王儒林、崔庆明、刘玉生
出　处：《中原文物》1985 年第 3 期

南阳是汉代画像石刻的主要产地之一，画像石墓星罗棋布。除经过科学发掘的几十座墓葬外，因各种原因而拆除的画像石墓还有很多，虽然经过多次收集，仍有零星画像石块散布在民间。为保护这些画像石，南阳市于 1984 年 11 月在全市范围内进行了一次普查。在街旁井沿、水坑边、桥下等地发现了近百块汉画像石。这些画像石的内容广泛，有的画面尚属首次发现，还有一些是曾经被鲁迅先生收藏过的。简报配以拓片予以介绍。

简报以表格形式，介绍了这批汉画像石的内容、尺寸、原石现存地点。其中车骑拜会、二桃杀三士、熊犀相斗等内容少见。

909.淅川县程凹西汉墓发掘简报

作　者：淅川县文管会　马新常
出　处：《中原文物》1987 年第 1 期

程凹西汉墓群，位于淅川县县城西北约 1.5 公里的上集乡程凹村西的黄土梁上。1975 年春发现，同年 8 月进行了钻探。1976 年元月，考古人员对这批墓葬进行了清理发掘。共发掘墓葬 14 座，出土 100 余件珍贵的汉代器物。简报分为：一、墓葬形制，

二、随葬器物，三、结语，共三个部分。有手绘图、照片。

据介绍，这批墓葬结构简单，均为中小型土坑竖穴墓。从这批墓葬底部的迹象和形制大小可以看出这14座墓均属单棺葬。M2、M5、M6、M11、M12、M14这6座墓头向东，仰身直肢葬。其余8座骨架没存任何痕迹。墓内填五花土。这14座墓葬共出土器物123件，种类有陶器、铜器、铁器、玉器。简报推断这批墓葬的年代不会早于汉文帝武帝以前。M11铜印章铭文"谢恢之印"，确定了墓主人的姓名。特别是M4"析鼎"铭文的发现，记载了这件鼎的容量及盛物重量。简报称，这为研究西汉早期的度量衡制及"析"地所在增添了新的内容。大量生活用具及兵器的发现，则为研究西汉早期的政治、经济、文化、军事等方面提供了一批有价值的实物参考资料。

910.新野樊集汉画像砖墓

作　者：河南省南阳地区文物研究所　赵成甫等
出　处：《考古学报》1990年第4期

1985年，新野县文化局进行文物普查时，在县城北约12公里的樊集征集到10多方颇有价值的画像砖。经详细调查，发现北起安乐寨，南至潦口，绵亘3～4公里的地区，散布有许多战国至宋代的古墓葬。樊集吊窑位于墓区中心，东为潦河故道，地势高亢。相邻的樊集二中，建校时曾出土汉画像砖墓多座。几年来，共清理古墓51座，其中战国墓2座、汉墓47座、宋墓2座。47座汉墓中有10座属于一般砖室墓。简报分为：一、墓葬形制，二、随葬器物，三、画像题材，四、墓葬的相对年代与墓主身份，共四个部分先行介绍。

据介绍，这批墓封土已不存，多遭破坏。随葬器物不多，最有价值的是出土的完整或大部分完整的画像砖块。画像题材涉及车骑出行、胡汉战争、历史故事、神话传说、舞乐百戏等。其中描写骑、步兵交战的画像，以及戏车的画像，对研究中国军事史、中国杂技史颇有价值。这批画像砖墓的年代，简报推断为上限不早于汉武帝时期，下限不晚于新莽时期。樊集吊窑画像砖墓的墓主人的身份，简报认为即使个别身份较高，也不会高出太守、县令的官阶，一般应是中小地主这一阶层的人物，其中不排除有的是平民，但不会是衣食无着的穷人。

刘尊志先生有《汉代墓外设施研究：以王侯墓葬与中小型墓葬为参考》（科学出版社2021年版）一书，可参阅。

911.许阿瞿画像石墓志

作　　者：汤淑君

出　　处：《中原文物》1991 年第 2 期

许阿瞿画像石墓志是 1973 年 3 月，在河南省南阳市东郊半公里的李相公社发现的。简报配以照片予以介绍。

据介绍，许阿瞿画像石墓志是此墓出土的画像石之一，保存完整。石面右方为画像部分，画面分上、下 2 组，上组有"年甫五岁"的许阿瞿和 3 个头梳双髻、赤身着护阴的儿童；下组为 5 人演奏的场面。石面左方为志文，隶书，共 136 字。末两行有 16 字漫漶，不能尽识，简报录有全文。

简报称，记述了东汉灵帝时（170 年）三月十八日"年甫五岁"的许阿瞿死亡的情况以及家人对死者的悼念。从画面和悼词中，可以看出汉代封建统治阶级恋于"楚歌郑舞"的生活方式。像许阿瞿这个年仅 5 岁的儿童，竟有如此众多的奴仆、技人供他使唤，为他表演，无疑是富贵之子孙。其次，从"瞿不识之，啼泣东西，久乃随逐（逝），当时复迁"的志文看，许阿瞿啼哭四野，又追逐行人，是怪此地风水不好，"小灵魂"得不到安息，所以二次迁移坟墓。它充分反映了东汉时期尊崇鬼神的观念。

912.南阳市刘洼村汉画像石墓

作　　者：南阳市文物队　徐俊英、张　方

出　　处：《中原文物》1991 年第 3 期

1986 年 7 月，南阳市卧龙乡刘洼村村民盖房时发现 1 座画像石墓，考古人员对该墓进行了清理。刘洼村位于市老城区西约 5 公里的黄土岗上，其西 500 米是十二里河，北 300 米是百里溪墓，南镇公路、焦枝铁路在村东交叉而过。简报分为：一、墓葬结构，二、随葬器物，三、画像位置及内容，四、墓葬时代，共四个部分。有照片、手绘图。

据介绍，该墓为砖石混作结构，地表的封土早已无存，墓顶距地表约 0.4 米，前室部分券顶砖已坍塌于墓底，主室的券顶砖尚好。石材主要用于墓门及主室，其余全用小灰砖砌筑。由墓室、2 墓门、前室、2 主室门和 2 主室组成，半面呈"T"字形。墓门向东，墓道因故未能清理。该墓曾两次被盗，劫后的随葬品仅有陶制明器及钱币等。现存的 12 幅画像内容，主要为古代圣贤、贤臣孝子、驱魔逐疫等。该墓的时代，简报推断为西汉晚期。

913.南阳北关瓦房庄汉代冶铁遗址发掘报告

作　者：河南省文物研究所　李京华

出　处：《华夏考古》1991 年第 1 期

南阳位于河南省西南部。到目前为止，已发现冶铁遗址 10 余处，可见汉代南阳冶铁的盛况了。冶铁遗址位于南阳北关瓦房庄西北边，其东紧接铸铜遗址，东北和北边是 1 处面积较大的制陶作坊遗址。遗址面积达 2.8 万平方米。简报分为：一、前言，二、遗址地层关系，三、周代遗迹和遗物，四、汉代遗迹和遗物，五、结论，共五个部分。有手绘图、照片。

据介绍，南阳瓦房庄遗址大体从周代延续到东汉，尤以两汉的铁器制造作坊最为重要。南阳瓦房庄遗址周代层未见冶铁遗存，所以简报推断冶铁可能始于西汉初期，下限已到东汉晚期。

914.河南方城县出土汉代银印

作　者：李迎年

出　处：《考古》1993 年第 4 期

1987 年 11 月，方城县券桥乡十二里河村农民王金龙在生产劳动中掘得古印 1 方，旋即交县文化馆收藏。简报配以照片、拓片予以介绍。

据介绍，该印为正方形，银质龟纽，2.3 厘米见方，通高 2.1 厘米。印面白文篆书"裨将军印"4 字，应为汉代遗物。方城地处要冲，历代为兵家必争必经之地，地皇三四年（22～23 年）间，汉军、新市军、平林军、下江军与莽军转战于方城附近，这枚印章可能是在战争中失落的。

915.南阳市第二化工厂 21 号画像石墓发掘简报

作　者：南阳市文物工作队　张卓远

出　处：《中原文物》1993 年第 1 期

1991 年 10 月，南阳市第二化工厂在扩建厂区时，经文物钻探发现画像石墓 2 座，考古人员进行了清理。简报分为：一、墓葬位置及地理概况，二、墓葬平面形制及结构，三、出土器物，四、画像石位置及画像内容，五、墓葬时代及有关问题，共五个部分并配以照片、拓片，先行介绍了 21 号画像石墓的发掘情况。

据介绍，南阳市第二化工厂位于建设路东端南侧。墓葬东距东环路约 250 米，北距建设路约 100 米。白河从其东面约 2 公里处自北向南再折向西流过。2 座墓葬相距约 2.5 米,均坐东向西,分别编号为 M21、M30。M21 位于 M30 的南侧。M21 平面呈"凸"字形,由墓道、甬道和墓室 3 部分组成。在用材上为砖石混合砌筑,石材主要用作墓门和墓室门的门楣、立柱、门扉及墓室四角并墓壁中间的立柱、立柱以上承托券顶的横梁。该墓早年曾被盗,出土器物主要有虎头、龙头等石刻 4 件,陶瓷、陶罐等陶器,铜弩机 1 件、铜钱 16 枚等。该墓共出土画像石 10 块,所刻画像 13 幅。墓门正面南立柱 1 幅,墓室门门扉 4 幅、门楣 2 幅,墓室东壁横梁 2 幅,墓室北壁和南壁的中立柱和东立柱各 2 幅。这些画像的内容有持盾门吏图、捧奁奴婢图、逐疫升仙图、鼓乐百戏图等。简报认为该墓的时代以东汉末年至魏晋时期为宜,其下限不晚于晋初。简报指出,南阳市第二化工厂 21 号画像石墓的时代较晚,结构独特,为这一时期画像石墓的研究提供了重要的新材料。

916.南阳市 508 厂汉墓发掘简报

作　者:刘　新、周　林
出　处:《考古与文物》1994 年第 4 期

1992 年 3 月,南阳市文物钻探分阶段在 508 厂集资楼工地探得汉墓 2 座,市文物队在基建单位的配合下,对这 2 座汉墓进行了清理。简报分为:一、墓葬形制,二、随葬器物,三、结语,共三个部分。有手绘图、拓片。

据介绍,这 2 座汉墓均为小砖券墓,形制大小基本一致。分别编号为 M1、M2。M1、M2 随葬器物除 M2 有 1 件铜镜外,其余均为陶器,为泥质灰陶,均为模制和轮制。这 2 座汉墓无论从墓葬的形制、大小还是从出土器物的形制、大小上看都基本一致,且 2 墓相距不远,墓向一致,可见这 2 座墓应属于同一时代。这 2 座墓的时代,简报推断在西汉中期。简报称,这 2 座墓葬的发掘为南阳西汉墓葬的研究无疑又提供了新的资料。

917.南阳市环卫处汉墓发掘简报

作　者:南阳市文物工作队　刘　新
出　处:《中原文物》1994 年第 1 期

1990 年 3 月,南阳市文物钻探队在市区工业路中段市环卫处工地发现 4 座汉代墓葬。市文物队对这 4 座墓葬进行了发掘。编号分别为 M1、M2、M3、M4,其中 M1 为砖室墓,其余 3 座为竖穴土坑墓。简报分为:一、墓葬形制,二、随葬器物,三、结语，共三个部分。有照片。

据介绍，M1 为砖室墓，随葬器物除陶壶、陶鼎、陶盒外，同时出有明器仓、灶、井、磨等，西前室还出土 1 件铜镜。简报推断此墓年代应在西汉中晚期。M2、M3、M4 为竖穴土坑墓，基本器物组合为鼎、壶、盒、瓮。M2、M3 的时代应定在西汉中期。M4 也具有西汉中期的特点，而且 M2、M3、M4 的墓向基本一致，相距不远。因此，这三座墓应属于同一个时代，均为西汉中期。

918.南阳瓦房庄汉代制陶、铸铜遗址的发掘

作　者：河南省文物研究所
出　处：《华夏考古》1994 年第 1 期

南阳市北关汉代宛城内的瓦房庄附近是 1 座规模宏大、内容丰富的汉代手工业作坊遗址，曾于 1959～1960 年进行了考古发掘。该遗址分为冶铁、制陶和铸铜 3 部分。冶铁遗址位于遗址的西半部，是 1 处集熔炼、铸铁为一体的作坊；制陶遗址位于遗址的东北部，是烧制砖瓦和日用陶器的地方；铸铜遗址则位居东南部，是铸造车马饰物和日常用器的处所。这 3 处作坊相邻，其间没有明显的界线。其中冶铁遗址部分已整理发表。简报分为：一、制陶遗址，二、铸铜遗址，共两个部分，配以手绘图，介绍了制陶、铸铜两个遗址的情况。

据介绍，计发现陶窑 4 座（Y13、Y22、Y24、Y29），以及陶范、铜渣等。遗址的时代，简报推断为西汉时期。

919.河南淅川汉画像砖墓发掘报告

作　者：南阳地区文物研究所、淅川县博物馆　柴中庆、李玉山
出　处：《华夏考古》1994 年第 4 期

淅川县位于河南省西南部，西邻陕西省，南接湖北省，是通往江汉的重要途径。1986、1988 年，考古人员对过去发现已封存及新出土的画像砖墓进行了清理发掘。2 次共清理 3 座画像砖墓，其中 2 座位于县城西北约 60 公里的丹江北岸寺湾乡夏湾村北的古墓岭上，1 座位于县城南约 60 公里的丹江东岸香花乡高庄村西北约 100 米处的黄土岗上。简报分为：一、夏湾墓，二、高庄墓，三、结语，共三个部分。有拓片、手绘图。

据介绍，1986 年在夏湾村北共清理了 2 座画像砖墓，分别编为 1 号墓（XXM1，简称 M1）、5 号墓（XXM5，简称 M5）。高庄墓于 1987 年发现，1988 年清理（XGM1）。

由墓道、前室、主室 3 部分组成。有 5 块画像砖。3 墓的年代，简报推断为东汉初（M1），西汉晚期成帝、哀帝时期（M5），西汉晚期（XGM1）。夏湾 M1 墓主人或为县令级别（不超过太守）的官员，M5 为中等地主或富贾。

920.南阳第二胶片厂汉墓发掘简报

作　者：南阳市文物工作队　徐俊英
出　处：《华夏考古》1994 年第 4 期

化工部南阳第二胶片厂，位于南阳市西郊车站路中段西侧。东距老城区约 3 公里，南距白河约 1.5 公里，北 1 公里为南阳火车站，西南与武侯祠毗邻相望，同处在卧龙岗的土岗上。1986 年 10 月，考古人员为配合该厂的新扩建工程，对其所征地进行了文物钻探，共发现古代墓葬 10 余座，同年 12 月开始发掘清理工作，次年 2 月结束，历时两月余。发掘结构表明，除其中有三座墓葬完好未盗外，其余均遭到不同程度的破坏。简报分为：一、墓葬结构，二、随葬器物，三、墓葬时代，共三部分，并配以照片、手绘图，先行介绍其中的 M6 汉代砖室墓。

据介绍，M6 位于建筑工地的东端，地表封土早已无存。墓葬结构用长方形小灰砖砌筑。墓顶距地表深 0.5 米。前后分三进，由墓门、甬道、前室、主室 4 部分组成。结构平面布局呈"中"字形，坐北向南。该墓因早年被盗和破坏，随葬器物的位置比较零乱，棺木及墓主人尸骨已腐朽无存。在东室内发现有铜镜、银顶针及少数几枚铜钱。西主室有铁削、陶壶。其余随葬器物被分别散放在前室的东端和甬道口处，西端无发现一物。发现遗物中可修复成型的有陶器 17 件、铜器 2 件、瓷器 1 件、铁器 1 件、银器 1 件，共计 22 件。该墓的时代，简报推断为东汉前期。

921.河南南阳市出土一件卧姿牛形铜灯

作　者：包明军
出　处：《文物》1996 年第 3 期

1994 年 3 月，南阳市化学制药厂在施工时，发现卧姿牛形铜灯 1 件。南阳市考古队得知情况后，即派人到现场调查，发现该器物出土于 1 座残破砖室墓内，从周围的零碎陶片看，其时代应属东汉时期。简报配以彩照予以介绍。

据介绍，卧姿牛形灯，牛呈正面卧姿，头昂起，两角，小耳，鼓眼，鼻二孔。牛背上 1 盖，在脊峰部高出 1 组，与盖上 1 组以铁轴相连，使盖开后即为灯盘，盘内铸有1杅。在盖的后部另设1环。尾自然下垂。牛鼻、眼上部均饰细条纹,颈部饰皱纹数道,腿、蹄部刻画准确,使牛的形象栩栩如生。

简报称,两汉时期,地处中原的南阳地区,农业比较发达,铜灯牛的造型具备了南阳黄牛的主要特点,应为当地铸造。

922.河南南阳市麒麟岗8号西汉木椁墓

作　者:南阳市文物工作队　包明军、王　伟等
出　处:《考古》1996年第3期

1989年7月,为配合南阳地区邮电四分局基建工程,考古人员在南阳市西郊的麒麟岗进行文物钻探时,发现古墓葬10座。经报批后,考古人员于12月对这10座古墓进行了发掘清理。其中8号墓的发掘收获情况简报分为:一、地理位置及墓葬结构,二、随葬器物,三、结语,共三个部分。有手绘图、照片。

据介绍,南阳市坐落在古宛城遗址上,发现大批两汉墓葬。距市区2.5公里的西郊麒麟岗,就是两汉墓葬分布比较集中的地方之一。这次发掘的地点位于麒麟岗中段的顶部,东距汉宛城遗址约3公里,西距十二里河1公里,南邻312国道,北与中原电梯厂生活区相接。M8位于整个墓地的西北角。M8为1座长方形竖穴土坑木椁墓,葬具为1棺1椁。随葬品共33件,按其质地可分为铜器、漆木器、陶器、玉器4类。该墓年代,简报推断为西汉早期。

简报称,南阳地区40多年来发现的汉墓不少,但西汉初期像该墓这样规模较大而且保存较好的墓还是首次发现。因此,该墓的发掘,为今后认识该地区的西汉早期墓提供了依据。同时,该墓出土器物中有不少是比较珍贵的,都是我们以往在考古发掘中很少见到的。它们的出土,为研究西汉历史尤其是汉宛城早期的政治、经济、文化提供了可靠的实物资料。

923.河南省邓州市梁寨汉画像石墓

作　者:南阳市文物研究所　杨晓平
出　处:《中原文物》1996年第3期

1989年夏天,邓州市元庄乡梁寨村农民在该村取土时,发现1座画像石墓。同年10月,考古人员对该墓进行了发掘清理。简报分为:一、墓葬结构及随葬品,二、画像石位置及内容,三、结语,共三个部分。有照片。

据介绍,该墓位于梁寨村东南角的一处高地上,坐东朝西。墓葬由墓道、墓

门以及南北主室组成。墓室全长 3.65 米，最大宽度 3.24 米，墓室平面呈"曰"字形。该墓为砖石结构，共用 19 块石材和大量的小青砖混砌筑成。该墓由于多次被盗，随葬器物已被盗一空，仅剩下部分陶器残片、1 件残管状铁器及 99 枚五铢铜钱。通过这些陶片可以看出，其器形主要有灶、仓、井、猪圈、甑、壶、鼎、磨、器盖以及鸡、猪等，大部分为红陶或红釉陶，也有少量灰陶。该墓共有画像石 11 块，雕刻画像 21 幅。画像石主要用于南北室门楣、墓门的 3 个门柱、南北室间的 3 段过梁以及支撑过梁的 3 个立柱。21 幅画面多为南阳地区汉画中所常见内容，如舞乐百戏、鼓舞、斗兽、执棒门吏、执盾门吏、捧奁侍女等，但如鹳鱼图、执扇奴牌、兽斗图及马、牛等为南阳汉画中所少见。该墓的时代，简报推断为东汉晚期。

924.河南省南阳县辛店乡熊营画像石墓

作　者：南阳市文物研究所　陈　峰
出　处：《中原文物》1996 年第 3 期

南阳县辛店乡是画像石墓比较集中的一个地方，以前曾陆续发现和发掘过几座画像石墓。1988 年秋，农民在辛店乡北 1 公里处的熊营村东头制砖取土时又发现 1 座画像石墓。1989 年 4 月，考古人员对该墓进行了清理。简报分为：一、墓葬形制和画像位置，二、随葬器物，三、画像内容，四、结语，共四个部分。有照片。

据介绍，这座墓长 4.54 米，宽 3.24 米，墓底距地表 3.15 米。由墓门、前室、东西 2 主室组成。墓系砖石结构：墓门、主室门楣、门柱、前室大梁、主室隔墙、门槛石等主要部位共使用 22 块石料。其他部分系砖砌。此墓早年被盗，所余器物大小 60 余件，除 1 件残奁盒、17 枚五铢出于东主室，1 件铁剑出于西主室外，其余器物均在前室。陶器以轮制为主，少量为模制。除 1 只陶鸡、1 碗为泥质红陶外，其余均为泥质灰陶。该墓出土器物较多，尤其是大多数器物成对出现。这在南阳已经清理的汉画像石墓中从未有过。另外，该墓的多幅画面都发现有朱红色，画像石也有彩绘痕迹。由此推断，南阳汉画像石墓绝大多数都施有彩绘。熊营画像石墓中的画像，除了一些常见图案外，写实也占有一定的数量，如过梁两侧的鼓舞、舞乐，门扉上的耍猴，尤其是门扉上的 3 只犬与随葬器物中的 3 只陶狗相吻合，这说明墓主人生前特别爱养犬。简报推断该墓的时代上限应为西汉宣帝时期，下限应为东汉早期。

925.河南省南阳市十里铺二号画像石墓

作　者：南阳市文物研究所

出　处：《中原文物》1996年第3期

1995年11月，南阳市宛城区溧河乡十里铺村第一砖厂在取土时发现1座画像石墓。该墓位于南阳市文物保护单位王营汉代墓群保护区（俗称九女坟）北中部，西距白河（古清水）约1000米。1984年，南阳文物研究所在此西约300米处曾发掘清理1座画像石墓，暂编号为十里铺一号画像石墓，本次清理的编为二号墓。简报分为：一、墓葬的形制及随葬品，二、画像石位置及内容，三、墓葬时代及其他，共三个部分。有拓片、手绘图。

据介绍，该墓早年破坏严重，墓顶已被毁坏，一部分被拆除，但画像石没有移动。该墓为砖石混合结构，平面略呈长方形，由墓道、前室、中室、后室4部分组成。随葬品已全部被盗，最大收获为7块画像石，上刻有熊、虎、鹿、龙及执盾门吏等8幅画像。该墓的时代，简报推断为东汉晚期偏后。

926.桐柏县安棚画像石墓

作　者：南阳市文物研究所　曹新洲、梁玉波、张新强

出　处：《中原文物》1996年第3期

安棚画像石墓位于河南省桐柏县安棚乡西北1.75公里、杨庙村东北约0.5公里的土岗上。1993年1月该墓被盗，考古人员于3月10日至4月10日对该墓进行了清理发掘。简报分为：一、墓葬形制，二、画像石位置及内容，三、随葬器物，四、结语，共四个部分。有照片、手绘图。

据介绍，这座墓早年曾遭严重破坏，封土不存，墓顶残陷。墓葬坐北向南，砖石结构。平面布局呈"十"字形。南北长12.61米（不含墓道），东西宽13.81米，由墓道、甬道、墓门、前室、后室、左右侧室等12部分组成。葬具和骨架已不存在，随葬遗物也所剩无几，只有2件石羊和1件陶猪。经过对混杂在泥土碎砖中陶片的整理，可以看出有灰陶圆形猪圈、灰陶罐、红陶灶、红釉陶楼、红釉陶羊等器形。其中陶羊和陶楼是连体的，位于陶楼门前两侧。这座墓共用画像石7块，雕刻画像及其他纹饰图案11幅，主要分布于前室、后室的门楣和门柱及墓顶石。该墓的时代，简报推断为东汉晚期。

简报称，从前室所使用莲子图墓顶石、石羊和陶羊以及墓室穹窿顶等情况看，这座墓葬带有明显的佛教色彩，说明东汉晚期佛教在中原地区已较普遍，这

对研究佛教在中国的传播历史具有重要的意义。另外，后室门柱上设置的栌斗，在南阳汉代画像石墓中是首次出现，为研究汉代及魏晋时期的建筑特点提供了宝贵的材料。

今有朱浒先生《东汉佛教入华的图像学研究》（科学出版社2020年版）一书，可参阅。

927.河南南阳出土一件汉代铁镜

作　者：南阳市古代建筑保护研究所　张　方、卓　远
出　处：《文物》1997年第7期

1991年来，原南阳市文物工作队在南阳市东郊汉代宛城遗址东约1公里的市第二化工厂发掘了一批汉代墓葬。这些墓葬多被盗扰，其中1座编号为M10的单室砖墓中出土了1件具有鎏错金纹饰的铁镜。简报配以彩照予以介绍。

据介绍，M10为东西向，平面呈"甲"字形，随葬品除1件铁镜外，还有5枚五铢铜钱和少量陶器残片。

简报称，墓葬中出土的铁镜一般锈蚀较重，鎏金纹饰在铁器上存留更属少见，南阳市第二化工厂出土的这件铁镜，保存较为完好，与甘肃武威雷台汉墓出土的东汉晚期错金银纹铁镜的形制、纹饰相近。另外，与铁镜同出的五铢钱，铸造均较粗糙，其中1枚带有较多的气孔，两枚字迹模糊不清，并有磨廓现象。因此，简报推断这件铁镜应是东汉晚期的遗物。

928.南阳市教师新村10号汉墓

作　者：南阳市文物研究所　范　海
出　处：《中原文物》1997年第4期

南阳市宛城区教委在南阳市东关兴建教师新村时，发现古代墓葬27座，其中10号汉墓规模较大。考古人员于1996年间对该墓进行了清理发掘，墓葬编号为WJM10。墓中出土文物数十件，发现汉代的"铜缕玉衣"片441片。简报分为：一、地理位置与地貌，二、墓葬形制，三、随葬品，四、墓葬时代，五、墓主人身份的推测，共五个部分。有照片、手绘图。

据介绍，WJM10位于南阳市建设东路的东苑小区内。东去白河约1500米，南濒白河2000米，西距东环路约300米，距汉宛城遗址不足2000米，北临建设东路。从历年发掘情况看，这里应是汉代1处重要墓葬区。WJM10是1座规模较大、结构复

杂的汉代墓葬，由墓道、甬道、前室、后室组成。平面呈"凸"字形。WJM10已经多次被盗、破坏，虽然出土遗物非常丰富，但大多数已残，经修复后所见器物分铜器、玉器、石器、铁器、陶器等。还发现有小片金箔。随葬品一般放置前室、后室和甬道内。这些不同的随葬品按用途又可分为实用器和明器。简报称，WJM10虽为砖室结构，但规模较大，总面积近100平方米，这在南阳汉代墓葬中并不多见。说明该墓的主人在汉代的南阳社会中处于上层社会，其身份绝不是一般的官僚和地主。简报推测该墓主人应为皇亲国戚或高等贵族。

929.河南唐河白庄汉画像石墓

作　者：南阳市文物研究所、唐河县文化馆　崔本信、王凤剑
出　处：《中原文物》1997年第4期

1995年底，唐河县张店镇白庄村群众搞农田基本建设时发现1座画像石墓，考古人员于1996年1月对该墓进行了发掘。简报分为：一、墓葬形制，二、随葬器物，三、画像石，四、结语，共四个部分。有照片、手绘图。

据介绍，该墓位于唐河县张店镇白庄村西约150米。墓为砖石混合结构，共用17块石材和大量的青砖与模型砖混筑而成。墓室平面近正方形，由墓道、墓门、前室、主室门、耳室、侧室六部分组成。该墓因遭破坏，出土完整器物不多，能修复的陶器有10多件，泥钱80余枚，铜钱5枚，铜镜1残片及珠子30多粒。画像石内容有执盾门吏、拥彗门吏及龙、虎等图案。该墓的时代，简报推断为新莽时期或稍晚。

930.南阳中建七局机械厂汉画像石墓

作　者：南阳市文物研究所　张新强、曹新洲、乔保同
出　处：《中原文物》1997年第4期

1995年3月，南阳市文物研究所在对南阳中建七局机械厂住宿楼进行文物钻探时，发现汉代画像石墓1座。考古人员于3月30日至4月11日对该墓进行了清理发掘。简报分为：一、墓葬形制，二、随葬器物，三、画像石，四、墓葬时代及其他，共四个部分。有照片、手绘图。

据介绍，墓地位于中建七局机械厂院内东部。墓平面呈长方形，东西长3.87米（不含墓道），最大宽度4.16米。该墓为砖石混合结构，由墓道、墓门、前室、北主室、南侧室和中主室六部分组成。石料主要用于门楣、门柱、过梁、梁柱等部位。该墓曾被盗，盗洞中有盗墓者遗留的1件长柄铁器。各室内均遭到严重扰乱，随葬

器物大部分被扰动或破坏。这次发掘共清理出陶器 60 余件、铜钱 60 余枚、陶钱 72 枚、铁器 3 件、料珠 100 余粒。其中陶器除部分仓、盒为红陶外，其余皆为灰陶。这些器物大部分集中在前室和南侧室，钱币主要集中在中、北主室和墓道近墓门部分。画像石内容有执笏吏、执彗侍女、执灯侍女、龙首等。该墓应为王莽时期 1 座夫妻合葬墓。该墓中出土的商周时流行的大口尊，可视为王莽复古思想的曲折反映。

931.河南南阳蒲山二号汉画像石墓

作　者：南阳市文物研究所　王凤剑、乔保同、赫玉建
出　处：《中原文物》1997 年第 4 期

1992 年 12 月，南阳市卧龙区蒲山镇姚亮村在拓宽南阳至南召公路工程中，发现 1 座画像石墓。考古人员前往调查并发掘清理，编号为蒲山 M2。简报分为：一、墓葬形制与结构，二、画像位置与内容，三、随葬器物，四、墓葬时代及其他，共四个部分。有照片、手绘图。

据介绍，M2 位于蒲山村北约 100 米公路西侧。村民在挖路基时已将墓顶拆毁，但仍可看出拱形券墓顶。据调查，该墓顶部为南北两个并列的通券，东主室中部有一洞口，可能为盗洞。从清理结果来看，该墓和 1986 年 6 月在此东北约 250 米的周圪垱村发现的一座画像石墓（编号为燕山 M1）较为相似。该墓为砖石结构，平面呈长方形，由墓道、墓门、前室、主室 4 部分组成。墓门朝南。墓室总长 4.06 米（含封门墙）、宽 2.8 米。劫余随葬品有陶器、铜洗、铜钱。该墓共用石材 24 块。其中有 17 块雕刻各类画像和题字 32 幅。画像内容有侍者、侍女、熊、舞乐等。简报认为，该墓的时代上限为新莽时期，下限为东汉初期。

932.南阳汽车制造厂东汉墓发掘简报

作　者：南阳市文物工作队　徐俊英
出　处：《华夏考古》1998 年第 1 期

1986 年 11 月间，为配合南阳汽车厂新扩建项目，考古人员在征地约 4000 平方米的范围内进行文物钻探，共发现砖室墓 4 座，并于同年 11 月 15 日进行清理，12 月 13 日结束，历时 28 天。

该工地的 4 座砖室墓按清理顺序编号为 M1、M2、M3、M4。发掘结果除 M2 较完整并留有部分遗物外，其余 3 座墓皆因早年破坏，一无所获。M1 仅留有残墙遗迹及部分碎砖块，连铺地砖也荡然无存，其结构已面目全非，仅在碎砖中清理出少量

红陶片及铜镜 1 面。M3 仅发现一段两主室之间的残墙，无发现有其他遗物。M4 为单室墓，所剩只有少量的铺地砖，更未见随葬遗物。M2 位于征地范围内的西北角，与 M1 呈斜对角，相距约 20 米，该墓虽也于早年被盗扰，但墓葬结构尚未被破坏，且留有大部分随葬遗物。简报分为：一、墓葬结构，二、随葬器物及埋葬时代，三、结论，共三个部分。有手绘图、拓片。

据介绍，南阳汽车制造厂 M2 的结构、布局均与考古人员在第二胶片厂清理的东汉小灰砖墓有相似之处。随葬器物中，陶瓷的组合及其他器物是洛阳烧沟东汉墓内常见器形。该墓出土的陶罐虽与二胶厂汉墓的瓷罐器形相同，但做工粗糙，此类器形的罐应是南阳地区所流行的，在中原的洛阳一带较为少见。该墓的绝对年代，简报推断也应在东汉中期偏前。

933.河南南阳市东苑小区古代墓葬清理简报

作　者：南阳市古代建筑保护研究所
出　处：《华夏考古》1999 年第 2 期

1992 年 4 月，为配合南阳市东苑小区的基本建设工程，南阳市古代建筑保护研究所（原南阳市文物工作队）在东苑住宅小区的南区集中清理、发掘了一批两汉时期墓葬。其中 M14、M31、M85 这 3 座墓葬的清理结果，简报分为：一、地理位置及环境，二、墓葬结构，三、出土器物，四、结语，共四个部分。有手绘图、照片、拓片。

据介绍，这 3 座墓葬中 M85 出土铜钱 29 枚，纪年特征较为明显。M31、M14 随葬品几乎全部为陶器，基本组合以鼎、盒、壶为主，且全部以偶数形式出现，在组合形态上与南阳市烟草专卖局西汉墓有相似之处。简报推断 M31、M14 这 2 座墓的年代为西汉中期，M85 为 1 座新莽时期的墓葬。

934.南阳市人民北路汉墓发掘简报

作　者：南阳市文物研究所　蒋宏吉、鞠　辉
出　处：《华夏考古》1999 年第 3 期

1997 年，为配合南阳市高新区宏大建安公司的基本建设，考古人员清理了 1 座汉墓，墓葬编号为 97NGHM1（简为 M1）。简报分为：一、墓葬概况及墓室结构，二、随葬器物，三、结语，共三个部分。有照片、手绘图。

据介绍，墓葬位于南阳市人民北路路西高新区宏大建安公司新征地院内，周

围原是农田。老百姓称此墓为"公主坟"，原有很大的封土堆，但该墓早年曾被盗掘，墓顶、墓壁部分现已倒塌。这座墓为砖室墓，平面略呈"十"字形。墓门朝西，由墓道、2个甬道、前室、2个侧室和3个后室等部分组成。墓室东西长5.9米，宽3.65~5.5米不等。中间主室未见人骨、葬具痕迹。此墓因遭盗扰，破损比较严重，只有少数能复原，有的位置已混乱。器物以陶器为主，另有铜器15件、铁器1件、玉器1件，计138件。简报称，此墓墓室结构较复杂，规模也较大，为前穹窿顶、后券顶，前室横列、后室竖长、前后室之间不用甬道来连接的形制。而前室横列墓出现于东汉中期，流行于东汉晚期。简报推断此墓的时代为东汉中期或略早。

935.南阳市新发现东汉胡奴陶俑

作　者：李伟男、李东黎
出　处：《华夏考古》1999年第3期

1994年夏，考古人员在南阳市东苑私营工业开发区基建工地发掘清理了古墓100余座。其中M132是唯一1座画像石墓，从其特征看，应为东汉墓葬。该墓坐北朝南，大部分券顶尚存，系砖石混作构筑，平面呈长方形，由前室和东、西2主室组成，长4.85米，宽2.92米，6块画像石上刻画像16幅，多集中于前室，包括过梁、2立柱及主室门下槛石上。由于M132曾遭盗掘，随葬品大多不存。在清理过程中，时见残陶俑出土，当时并未重视。最近，考古人员在整理以往的发掘资料时，才修复起这2件出自M132的东汉陶俑。简报配图予以介绍。

据介绍，此两件胡奴俑，均为泥质灰陶，中空，大小、形制、作风相同，形体高大剽悍。人物圆首光头，深目高鼻，蓬胡，下颌上翘，着短衣紧身裤尖头靴，双手握拳，拳孔相对，原似持握有一长柄状物。参照胡人汉画图像资料，其手中所执应为钺或戟，有守卫死者之意。2件陶俑通高78厘米。简报称，汉代大型胡奴俑较为少见。就目前所知最大的汉代陶俑要数1963年四川郫县宋家林东汉砖墓出土的高66.5厘米的说唱俑，而汉景帝阳陵出土的兵马俑则一般身高62厘米。因此，这两件胡奴俑可能是目前考古发现的形体最大的汉代陶俑。

936.河南南阳市桑园路3号东汉墓

作　者：张卓远、李韦男
出　处：《考古》2001年第8期

3号东汉墓位于南阳市东北隅桑园路。1994年4月，经钻探发现残汉墓5座，考古人员进行发掘和清理。简报仅将 M3 的清理情况分为：一、墓葬结构，二、随葬器物，三、结语，共三个部分。有手绘图、拓片。

据介绍，3 号砖室墓是南阳市附近发现的东汉晚期较典型的墓葬之一。该墓虽遭严重破坏，但在墓内填土中及墓底仍出土数十件陶器、铜器等随葬器物，简报认为陶器形制和制作趋于简单化，表现出一种衰败的趋势。简报称，值得提出的是，出土的铜带钩主体为小龙的造型，钩为鸟首状，形象逼真；石砚制作工整，雕刻的三熊形足，形态各异，这在已发现的南阳东汉砖墓中是不多见的。

937.河南南阳桑园路东汉画像石墓

作　者：南阳市古代建筑保护研究所　李伟男
出　处：《文物》2003 年第 4 期

1994 年夏，南阳市文物工作队在市区东部桑园路汉墓区发掘了 1 座东汉早期画像石墓，编号为 M132。简报分为：一、墓葬形制，二、随葬器物，三、画像石，四、结语，共四个部分。有照片、拓片。

据介绍，该墓封土堆不存，墓顶距现地表仅 0.84 米。长方形券顶砖室墓，坐北朝南。砖石混砌结构，由前室和东、西 2 个主室构成，墓门前还筑 1 道封门墙。画像石计 6 块，刻画像 10 幅，集中在前室，为过梁石、立柱以及 2 个主室的门槛。另有 1 块斜竖在前室，原来位置不详。随葬品已被盗扰，仅余陶器，包括俑、模型和生活用具。按陶质分为泥质铅釉红陶和泥质灰陶，其中釉陶约占陶片总数的 70%。其中 2 件胡俑形体高大，执耜农夫俑较为罕见。简报推断该墓时代为东汉早期。从该墓简单的形制及出土的多达 10 件农夫俑群来看，墓主可能是豪强地主。

938.河南邓州市穰东汉墓发掘简报

作　者：河南省文物考古研究所　樊温泉
出　处：《华夏考古》2003 年第 3 期

1989 年 8 月，为配合焦枝铁路的复线建设工程，考古人员对邓州市（原邓县）穰东镇火车站附近的二里头文化遗址进行了抢救性发掘（遗址部分的发掘报告已另文发表）。在发掘遗址的时候发现了这座汉墓，遂及时进行了清理。简报分为：一、地理位置及概况，二、墓葬形制，三、随葬器物，四、结语，共四个部分。有手绘图。

据介绍，穰东二里头文化遗址位于河南省邓州市穰东镇东北约 1 公里处，西南距邓州市约 26 公里。此墓（M1）为 1 座竖穴土坑墓，未见葬具，人骨为仰身直肢葬。随葬品有陶器、石器、铜器、银器四类，共计 21 件。简报认为，穰东汉墓的年代应定在西汉中期或稍偏后为妥，该墓的墓主人应是 1 位中年女性。清出骨架后，发现墓主人的脚骨不复存在，只能推测在下葬墓主人的时代，双脚就已经没有了，其中的原因已无法得知。

939.河南南阳市一中新校址汉墓发掘简报

作　者：南阳市文物考古研究所　蒋宏洁、刘海洋、孙金会、鞠　辉
出　处：《华夏考古》2004 年第 2 期

2001 年 2 ~ 10 月，南阳市文物考古研究所在市一中新校址发掘古墓葬 447 座，出土了大量随葬器物。其中在 M36 中出土 2 件泥质灰陶虎座钫壶，为古代陶塑艺术佳作，系豫西南地区首次发现。简报分为：一、墓葬形制，二、随葬器物，三、结语，共三个部分。有照片、拓片、手绘图。

简报重点介绍了 M36 一墓，该墓为土坑竖穴墓，未见人骨，棺木已朽。随葬器物主要分布在墓室底部的西南角西部和东北角，以陶器为主，有鼎、盒、虎座钫壶、小壶、陶狗及饰件，其次还出土有铜镜、铜饰、铜带钩、铁钩等共计 19 件。该墓的时代，简报推断为西汉早期。

940.河南南阳市发现巴蜀式铜剑

作　者：南阳市古代建筑研究所　包明军、李华冰
出　处：《华夏考古》2004 年第 2 期

1994 年 11 月，文物工作者在南阳市西郊西汉古墓群中，发掘了 1 座规模较大的木椁墓，出土 1 件巴蜀式铜剑。该剑是南阳地区首次发现的巴蜀文物，为研究巴蜀历史及古代巴蜀与南阳的关系提供了实物资料。简报配图予以介绍。

1994 年 11 月，考古人员在对市区西郊麒麟岗南阳地区保险公司工地西汉古墓群的发掘中，在 1 座规模较大的木椁墓 M14 中发掘 1 件铜剑。此剑出土时带有髹紫褐色漆衣的木质剑鞘，剑鞘已朽，仅残留有漆皮包裹在剑身上。剑为常见的巴蜀式柳叶剑，刻有巴蜀文字及符号，通长 37.7 厘米，最宽处 3.5 厘米。两面各铸刻有文字符号 5 个，共计 10 个。含义不详。简报称，这次出土的巴蜀式短剑是巴蜀文物在南阳的首次发现，它的出土为研究巴蜀历史及古代巴蜀与南阳的关系提供了重要的实物资料。

941.河南南阳牛王庙村 1 号汉墓

作　者：南阳市文物考古研究所　蒋宏杰、赫玉建、鞠　辉等
出　处：《文物》2005 年第 12 期

2000 年 8 月，南阳市文物考古研究所对南阳市内建设东路牛王庙村的农贸市场进行了钻探和发掘。发现汉墓 1 座（M1）。简报分为：一、墓葬形制，二、随葬器物，三、结语，共三个部分。有照片、拓片、手绘图。

据介绍，M1 墓口距地表 1.3 米。墓室为长方形双室砖墓，墓顶已被毁坏，仅存前室南部的券顶。该墓由 2 个前室和 2 个后室组成，墓室内因破坏严重，未见葬具和人骨痕迹。M1 历经盗掘，扰乱严重，但仍出土了铜镜、铜钱和玛瑙瑱。除铜镜在东前室底部出土外，铜钱和玛瑙瑱均出土于后室扰土中。其中铜镜较为罕见。四神博局镜 1 件。圆形，圆纽，圆纽座，座外有弦纹方框。铭文分为内外两圈。内圈饰 12 乳钉，间有篆字"子、丑、寅、卯、辰、巳、午、未、申、酉、戌、亥"。中圈铭文中有"博局"2 字，简报认为这也是"祛除不祥"之意。该墓的年代，简报推断为新莽时期。

942.河南淅川县阎杆岭 38 号汉墓的发掘

作　者：河南省文物考古研究所　胡永庆、蒋中华
出　处：《华夏考古》2006 年第 2 期

阎杆岭墓群位于淅川县滔水镇水田营村西南的阎杆岭上。1974 年发现，1983 年公布为县级文保单位。1994、2003、2004 年，考古人员均做过调查、复查。2005 年为配合南水北调工程进行了发掘。截至 2005 年 12 月，已发掘了 97 座墓葬，出土陶器等文物 400 余件，取得了初步的发掘成果。在已发掘的汉墓中，有 3 座积石积炭墓，而 2005 年 9 月发掘的位于 II 区的 38 号墓就是其中保存较好的 1 座（简称 M38）。简报分为：一、墓葬形制，二、随葬器物，三、墓葬的年代，四、余论，共四个部分。有手绘图。

据介绍，M38 为"甲"字形积石积炭墓，由墓道和墓室 2 部分组成，发现有盗洞，葬具不存，人骨散乱。墓室内有积石、积炭。墓内随葬品较为丰富，计 51 件（铜钱按 4 件计，铜棺钉出于盗洞内），几乎分布于整个墓室。随葬品主要为陶器，计有鼎、壶、罐、瓮、仓、灶、釜、甑、井、磨、坛、盆、器盖以及筒瓦，另外还有铜五铢钱、铜弩机、铁剑和石片。随葬品的放置已无规律可寻。该墓的时代，简报推断为西汉晚期。

943.河南南阳陈棚汉代彩绘画像石墓

作　者：河南南阳市文物考古研究所　蒋宏杰、赫玉建、刘小兵、鞠　辉等

出　处：《考古学报》2007年第2期

陈棚彩绘画像石墓M1位于南阳市宛城区环城乡陈棚村村东，地处滨河东路路西约10米，东靠白河，西临市碘盐监测中心。2001年，陈棚村村民在拓宽滨河路绿化带施工时发现了该墓葬，考古人员随即进行了清理，其间因雨雪天气过于恶劣，曾停工一段时间，致使发掘工作历时2个月。简报分为：一、墓葬形制，二、随葬器物，三、画像石的位置及内容，四、结语，共四个部分。有彩照、手绘图。

据介绍，该墓为南阳地区迄今科学发掘的规模较大、保存较好的1座彩绘画像石墓。该墓室建筑于近方形的土坑内，设3个大门、3个内门。从墓葬的平面布局和建筑规模看，应属于较为豪华复杂、墓主人身份较为尊贵的类型。此墓画像石已走向"雕梁画栋"的豪华类型。随葬品共280件。该墓曾几次被盗。

简报推测该墓年代为王莽时期，甚至晚至东汉初年。简报认为墓主人应相当于太守级别的2000石官吏。画像题材中神仙世俗化倾向值得注意。俳优耍灯等画像为研究古代杂技史提供了宝贵资料。

简报指出，画像石最初作品施彩单一，仅见朱红与黑色两种，而此墓的画像设色颜料有朱红、紫红、粉红、土黄、黑色、白色和粉绿，达7种之多。该墓共有36幅彩绘画像，除在门楣、门柱、门扉、门槛和过梁处配置彩绘画像石之外，还对墓室里的局部画像也施以彩绘，使之成为名符其实的彩绘画像石墓。在施彩上既采用了平涂，也使用了勾边或点染的方法，这种直接在雕刻的石灰岩的壁面上运用多种矿物质颜料的做法，实属罕见。陈棚彩绘画像石墓从施彩部位、使用颜料、绘画技法、色泽保存诸方面，都为汉代彩绘画像石墓和汉代美术史的研究提供了难得的直观资料。

944.河南方城县平高台遗址汉墓发掘简报

作　者：河南省文物考古研究所、南阳市文物考古研究所　韩朝会、赵新平、
　　　　王　歌

出　处：《华夏考古》2007年第4期

平高台遗址位于河南省南阳市方城县赵河镇平高台村北，距县城西南约20公里，许（昌）南（阳）公路从遗址南部穿过。遗址地处南阳盆地东北角，西部边缘有赵河的一条支流流经，属汉水流域。1961年河南省第一次文物普查时发现该处遗址，为河南省文物保护单位。遗址面积91万平方米,位于平高台村及其以北的井吴村之间。

文化内涵丰富，包含有新石器、东周、汉代文化遗存。为配合南水北调工程，2005年进行了发掘，遗存以龙山文化、汉代文化为主。简报分为：一、墓葬形制结构，二、随葬器物，三、结语，共三个部分。先行介绍6座汉代墓，有照片、手绘图。

据介绍，计有土坑墓5座（M2、M3、M4、M5、M6），砖室墓1座（M1）。均未见葬具，均为仰身直肢葬。6座墓出土随葬器物34件（套），主要是陶器和铜钱。每座墓葬均有陶器随葬，多寡不一；铜钱仅见于M1、M5这2座墓葬。此6墓为未被盗过的西汉中后期至新莽时期的小型墓，它们的发现为研究汉代经济、文化较为发达的南阳郡地区中小型墓提供了实物资料。

945.河南南阳市辛店熊营汉画像石墓

作　者：南阳市文物考古研究所　赫玉建、蒋宏杰等
出　处：《考古》2008年第2期

2001年9月，南阳市宛城区辛店乡熊营村村民在迁坟时，发现1座古墓葬，经主管部门的批准，南阳市文物考古研究所于9月9日对该墓葬进行了抢救性发掘。简报分为：一、墓葬形制，二、随葬器物，三、画像石，四、结语，共四个部分。有拓片、手绘图等。

据介绍，辛店乡熊营村位于南阳市宛城区东北部，此墓位于熊营村村委会北约800米处。此处为高地，是1处画像石墓较集中的区域，以前曾陆续发现和发掘过一批汉代画像墓。此墓坐西向东，为平顶砖石混合结构。墓葬先在地表开挖近方形的竖穴土坑，在其东部又挖出斜坡墓道。坑底用8块石板平铺，然后在石板周边用砖石修筑墓室，墓室与土坑之间的空隙回填夯实，墓室顶部填土已被扰乱，情况不明。该墓由墓道、封门、墓门和两个并列的墓室构成。两墓室以过梁和梁柱间隔。石料主要用于墓顶、门楣、门扉、门柱、过梁、梁柱、垫石和铺地等，而小砖则用于墓室西、南、北三面墙壁和封门。此墓共用石料34块，其中画像石22块，包括门楣1块、门柱3块、门扉4块、过梁2块、梁柱2块、盖顶石6块、铺地石4块。共刻有29幅画像。简报推断年代为西汉晚期或略早一些。

946.河南南阳市陈棚村68号汉墓

作　者：河南南阳市文物考古研究所　蒋宏杰、赫玉建、张海滨等
出　处：《考古》2008年第10期

南阳市宛城区陈棚村是古代墓葬较集中的区域之一。近几年为配合基本建设，

考古人员在该区域发掘一大批战国至明清时期的墓葬。2002 年 1 ~ 2 月，南阳市文物考古研究所对位于宛城区陈棚村的市审计局新征地进行考古钻探和发掘。发掘 109 座墓葬，出土大量陶器、铜器、铁器、瓷器和随葬器物。其中简称为 M68 的汉墓出土 40 余件随葬品，包括 1 件玻璃杯。简报分为：一、墓葬形制，二、出土遗物，三、结语，共三个部分。有彩照、手绘图。

据介绍，M68 为带墓道的竖穴土坑墓，墓道呈斜坡状，前端窄，至墓室渐宽。在南北二层台东部各竖立 1 块青砖，砖长 30 厘米、宽 15 厘米、厚 6 厘米，用途不明。在墓底北部存留大量黑色漆皮，从尚存的灰痕看为 1 椁 1 棺，人骨腐朽无存，葬式不明。简报推断年代为西汉晚期，从墓葬规模和随葬品看，墓主人应有一定地位。

简报称，该墓规模不大，但出土的玻璃杯却"极为罕见"。此杯应为中国南方生产，不知如何流入南阳。

947.南阳市防爆厂住宅小区汉墓 M62、M84 发掘简报

作　者：南阳市文物考古研究所　赫玉建
出　处：《中原文物》2008 年第 4 期

南阳市防爆厂住宅小区位于建设东路南侧，此处是古代墓葬较集中区域之一。2002 年，考古人员对该处 387 座墓葬进行了发掘。其中 M62、M84 是此次发掘最大的 2 座墓葬，随葬品种类较丰富，特别是出土的原始瓷罐经元素分析应是我国南方生产制造的。简报分为：一、墓葬形制，二、随葬器物，三、结语，共三个部分。有照片、拓片、手绘图。

据介绍，2 座墓结构规整，墓室高大宽敞，面积分别为 55 平方米、63 平方米，系大型汉墓，随葬品种类也较丰富，墓主当为豪强地主或地方官吏。虽经多次盗扰，但仍出土了 409 件随葬器物，包括陶器、瓷器、铁器、铜器、石器、铜钱和漆器等。漆器全部腐烂，墓中尚见残迹。原始瓷器由北京大学使用激光剥蚀电感耦合等离子发射光谱仪（LA-ICP-AES）对该器进行了元素分析，应是我国南方生产制造的。

948.南阳市嘉丰汽修厂汉墓清理简报

作　者：南阳知府衙门博物馆、南阳市文物考古研究所
出　处：《中原文物》2008 年第 4 期

2001 年 9 月，考古人员在南阳市嘉丰汽修厂清理出一批汉代墓葬，其中 M1 出

土陶、铜、瓷等质地的随葬遗物51件和铜钱4枚。随葬遗物中的瓷壶首次经科学鉴定，拥有典型的高温原始瓷釉层，是我国南方烧制的原始瓷。依据墓葬形制和出土器物的特征，该墓的时代应在西汉晚期。简报分为：一、墓葬形制，二、出土器物，三、结束语，共三个部分。有照片、手绘图。

据介绍，M1为1座长方形土坑竖穴墓，葬具、葬式不详，出土有随葬品51件，其中陶器21件。此墓虽然规模不大，却随葬了成套的礼器、鎏金的车马饰件和原始瓷壶等，简报推测墓主人是西汉晚期南阳的富贾。

949.河南镇平县程庄墓地汉代墓葬发掘简报

作　者：郑州大学历史学院考古系、河南省文物管理局南水北调文物保护办公室、南阳市文物考古研究所　郜向平、李　锋、魏青利、程国锋、司红伟、张随芳、许俊平、郝玉建、崔本信

出　处：《华夏考古》2009年第4期

2006年7～12月，为配合南水北调文物保护工作，考古人员对镇平县程庄墓地进行了钻探和发掘，清理汉墓43座。简报分为：一、39号墓，二、104号墓，三、132号墓，四、结语，共四个部分，先行介绍其中3座墓，有拓片、照片、手绘图。

据介绍，39号墓、104号墓均为带斜坡墓道的长方形竖穴土坑墓。132号墓为带竖井墓道的砖室墓。出土遗物有陶器、铜镜、铁刀、铜钱等。39号墓的时代不早于新莽时期，其他两墓的时代或略早。

950.河南省南阳市万家园汉画像石墓

作　者：南阳市文物考古研究所　蒋宏杰、王丽黎、潘　杰

出　处：《中原文物》2010年第5期

南阳市万家园画像石墓位于南阳市独山大道与光武路交叉口东北角，2005～2006年为配合城市建设，考古人员对该处进行了文物钻探和考古发掘，清理古墓葬247座，出土了大量随葬品。简报分为：一、墓葬形制，二、随葬品，三、画像石，四、结语，共四个部分。有手绘图，先行介绍其中的M244。

据介绍，该墓为砖石混合结构，由墓道、封门、墓门、2前室和2后室组成，共用石料11块，画像石9块。由于该墓被盗扰，仅存环首铁刀、铜镜、铜钫壶、金银饰件等极少随葬品。从该墓的形制、画像题材、雕刻方法等看，简报推断其时代为西汉晚期偏早。该画像石墓共存画像13幅，既保留了汉代画像石墓的初期

特征，又体现了兴盛时期的早期特点，反映了南阳画像石墓由初期向兴盛时期过渡的情况。

今有《中国南阳汉画像石大全》（全10册，大象出版社2015年版），可参阅。

951.南阳市拆迁办 M3 东汉墓发掘简报

作　　者：南阳市文物考古研究所　王明景、李　翼
出　　处：《中原文物》2010年第6期

2000年2月，考古人员对位于南阳市建设东路的市拆迁办住宅楼工地进行了文物钻探及考古发掘，共发掘281座古墓葬，出土器物丰富多样。简报分为：一、墓葬形制，二、随葬器物，三、结语，共三个部分并配以拓片、手绘图，先行介绍其中的M3的清理结果。

据介绍，此墓形制为长方形砖室墓。墓室长3.66米，宽1.46米，由前后室组成。该墓早年曾被盗，但仍出土有陶器、铜器、铅器18件。从出土器物看，该墓墓主可能为1位士官或封建小地主。该墓葬出土的陶仓有3个仓孔，并不多见。猪圈前壁的"拱形窗"也很少见。该墓的时代，简报推断为东汉早期。

952.河南南阳市永泰小区汉画像石墓

作　　者：南阳市文物考古研究所　蒋宏杰、强　华、吕明刚
出　　处：《华夏考古》2010年第3期

2000年，考古人员在南阳市永泰小区发掘清理了281座古墓葬，其中M194为砖石混合结构，存画像4幅，并出土178件随葬器物。墓葬形制及出土器物具有西汉晚期的特征。此墓是南阳地区保存较好的1座画像石墓。简报分为：一、墓葬形制，二、随葬器物，三、画像，四、结语，共四个部分。有拓片、手绘图。

据介绍，该墓大致呈长方形，坐西向东，为砖石混合结构。墓室长4.16米，宽2米，墓底距地表3.34米。由墓门、前室、后室和耳室组成。共用石料6块，其中画像石4块。画像内容有伏羲、女娲等。随葬器物摆放及序列组合清楚，共随葬有1789件器物，有陶器、铜钱、铜带钩、铁剑、玉璏以及泥钱。简报认为画像石墓的年代应为西汉晚期。该墓主人应为1名男性，其身份应是中小地主这一阶层的人物或是平民。

953.南阳市三杰房地产开发公司 M49 发掘简报

作　者：南阳市文物考古研究所　雷金玉、郭照川
出　处：《中原文物》2011 年第 3 期

位于南阳市三杰房地产公司住宅小区的 M49 墓为西汉晚期墓，形制为双凸字形竖穴土坑墓，由双墓道和东西两室组成。墓中出土大量的青铜器和原始瓷器，为研究南阳汉墓提供了丰富的资料。简报分为：一、墓葬形制，二、随葬器物，三、结语，共三个部分。有照片、手绘图。

据介绍，该墓是 2003 年为配合房地产建设钻探时发现，有盗洞 4 个。该墓共出土随葬品 93 件，另有铜钱 4 枚。器物按质地分为陶器、铜器、瓷器、玉器、木器、银器、麻织品、铁器等。

该墓墓主人应为官吏或富甲一方的豪绅，时代为西汉晚期。

954.南阳市审计局汉墓发掘简报

作　者：南阳张仲景博物馆、南阳市文物考古研究所　杨　磊、雷金玉、
　　　　李　翼
出　处：《中原文物》2011 年第 4 期

2001 年 1 月，考古人员在南阳市审计局清理出一批汉代墓葬，其中 3 座墓葬为木板盖顶的平顶砖室墓，这类墓葬在南阳地区内极少发现。M69 出土的瓷壶碎片经鉴定为原始瓷，而这种原始瓷器生产于我国南方江西、浙江等地。简报分为：一、墓葬形制，二、随葬品，三、结语，共三个部分。有照片、拓片、手绘图。

据介绍，此批墓葬中形制较独特的是 2 座墓顶用木板横排平铺封顶的长方形平顶单室砖墓。3 座墓共出土 97 件随葬品，另有铜钱 33 枚。器物按质地分为陶器、铜器、瓷器、铅器等，其中原始瓷器为碎片。

此批墓葬的时代，简报推断为西汉晚期。

955.河南淅川县杨岗码头汉墓群发掘简报

作　者：山西省考古研究所　郭智勇、王晓毅
出　处：《华夏考古》2011 年第 2 期

杨岗码头汉墓群位于南阳市淅川县香花镇杜寨村南，该墓群于 1994 年发现。为配合国家重点工程南水北调中线工程建设，2008 年 9 月至 2009 年 1 月进行了勘探、

发掘。简报分为：一、地理位置，二、发掘概况，三、墓葬形制，四、随葬器物，五、结语，共五个部分。有手绘图。

据介绍，共清理东汉墓葬45座。因雨水冲刷及百姓取土，墓葬普遍保存得不好，随葬品几乎被破坏殆尽，仅有部分陶器、铁器等。

这批墓葬的时代，简报推断为东汉早中期。应为一处贫民家族墓地。

956.河南南阳市八一路汉代画像石墓

作　者：南阳市文物考古研究所　乔保同、王明景、郭照川、马　骥等
出　处：《考古》2012年第6期

2008年6月至2009年1月，为配合南阳市八一路与工业路交叉口西北部的原重工化工物资总公司改造工程，考古人员在此发掘了东周、汉代墓葬50座。简报分为：一、墓葬形制，二、画像石，三、随葬器物，四、结语，共四个部分，先行介绍其中1座汉代画像石墓。有彩照、拓片、手绘图。

据介绍，该墓为砖石混合砌筑，由墓道、墓门、前室和后室组成。前室两侧各有1耳室，后室为3室并列。画像石可辨画面的有33幅，图案有鼓舞、青龙、白虎及执盾、拥彗人物等。墓内出土陶器、铜器和钱币等。简报推断，该墓为王莽时期夫妇合葬墓，墓主应为地方官吏。

957.南阳市防爆厂M208汉墓发掘简报

作　者：南阳市文物考古研究所　乔保同、王丽黎、高　旋、蒋宏杰
出　处：《中原文物》2012年第3期

南阳市防爆厂住宅小区M208是1座东汉晚期的大型多室墓，3个墓室平面呈"品"字形，穹窿顶。前室、后室至少放置了8具棺。该墓的发掘为研究汉代埋葬习俗，尤其是为了解东汉时期豫西南地区家族合葬墓的葬俗提供了丰富的实物资料，具有重要的参考价值。简报分为：一、墓葬形制，二、随葬品，三、结语，共三个部分。有拓片、手绘图。

据介绍，该墓位于南阳市建设东路南侧，为1座典型的东汉家族合葬墓，系同茔合葬，而且有可能是迁葬墓，是一次完成而非多次下葬。因历史上多次被盗，仅发现随葬品38件和一些陶片（可辨器形有壶、仓、耳杯、奁等），另有铜钱154枚。质地有陶器、铜器、石器、银器、木器。

958.南阳市一中 M195、M256 汉墓发掘简报

作　者：南阳市文物考古研究所　李　翼、王明景、傅增刚
出　处：《中原文物》2012 年第 4 期

2001 年，考古人员在南阳市一中新校址清理古代墓葬 448 座，其中 M195、M256 这 2 座墓属续建墓葬，这在南阳汉墓中极为少见。从墓室的砌筑方法看，墓室的筑造到续建墓室的时间应相差不远，2 墓是同穴不同室的合葬墓，这为研究东汉时期的埋葬风俗提供了重要的实物例证。简报分为：一、墓葬形制，二、随葬器物，三、结语，共三个部分。有拓片、手绘图。

据介绍，M195 为券顶砖室墓，由东室、东侧室、西室、连接东西室的过道组成，平面呈"干"字形。该墓系两次筑造而成，先修东室，后修西室。M256 为双穹窿顶砖室墓，由 2 甬道、2 主室和连接 2 主室的小过道组成。平面呈双"凸"字横连形。墓顶大部分已毁，但墓室四壁保存较好。此墓也为两次筑造而成，从连接 2 主室的过道接口处看，南部墓室时代早于北部墓室。这 2 座墓葬虽都经多次盗扰，但仍出土了随葬器物 78 件，钱币 29 枚。其中陶器 69 件，铜器 9 件，泥质陶钱 15 枚，铜钱 14 枚。据简报推断，M195 的年代应为王莽至东汉早期早段，而 M256 的年代应为东汉早期后段至东汉中期。

959.河南淅川县阎杆岭 83 号墓发掘简报

作　者：河南省文物考古研究所、河南省文物局南水北调文物保护办公室　胡永庆、杨晓红、马安义
出　处：《华夏考古》2012 年第 1 期

该墓位于淅川县滔河镇水田营村南阎杆岭上，1974 年发现，2005 年发掘。整个墓群发掘了 209 座墓，83 号墓是其中保存最好的 1 座墓。简报分为四个部分予以介绍，有手绘图、照片、拓片。

据介绍，该墓为"甲"字形积石炭墓，出土铜器、陶器等 99 件，年代为西汉晚期。

960.南阳市仲景花鸟市场 M2 发掘简报

作　者：南阳市文物考古研究所　郭照川、傅建刚等
出　处：《中原文物》2013 年第 4 期

南阳市仲景花鸟市场位于南阳市滨河东路北侧，西临华龙中学，东临南阳电视

台家属院，北临孔明路。2007 年 4 月，为配合南阳市仲景花鸟市场的基本建设，对该项目进行了文物钻探及考古发掘工作。共发掘清理了 9 座古墓葬，出土了一批珍贵的文物。简报分为：一、墓葬形制，二、随葬器物，三、结语，共三个部分。介绍了东汉中期砖室墓 M2 的发掘情况，配有手绘图。

据介绍，虽然该墓扰乱较严重，但仍然在墓室底部和扰土中出土有铜镜 1 面，陶瓷 1 件，硬陶罐 4 件，瓷碗 1 件，陶灶 1 件，陶狗 1 件，陶猪圈 1 件，陶鸡 1 件，陶井 1 件，陶盆 1 件，陶饼 10 件，陶钱 26 枚，铜刀 1 把，铜弩机 2 件，四叶形泡钉 1 件，铜钱数枚，等等。其中东汉瓷器在南阳市东汉墓中以往出土极少，因此该墓瓷器的出土为东汉中期的瓷器研究提供了新的实物资料。

961.河南唐河县湖阳镇罐山 10 号汉墓发掘简报

作　者：河南省文物考古研究所、南阳市文物考古研究所　翟京襄、王凤建、刘国敏等

出　处：《华夏考古》2013 年第 2 期

罐山 10 号汉墓位于唐河县湖阳镇南约 0.5 公里处的罐山。湖阳镇地势东高西低。东部系桐柏山余脉，为浅山区，西部为平原。方城至枣阳公路穿越该镇，罐山位于镇南，为一座小山丘，在山的北麓和西麓分布着大量密集的汉代墓葬。据文献记载，秦朝曾在湖阳镇设胡阳县，西汉时改"胡"为"湖"，以城南临徽子湖而得名。秦汉湖阳县地跨今唐河县南部和枣阳市北部，属南阳郡，故城址在今湖阳镇。东汉曾为公主邑，光武帝刘秀封其姊刘黄为湖阳公主。

2005 年冬，当地农民在罐山北麓采石时发现了该墓葬，经报批后，河南省文物考古研究所、南阳市文物考古研究所组织考古人员对该墓葬进行抢救性考古发掘。此墓为 10 号汉墓。发掘自 2005 年 12 月 6 日至 12 日结束，历时 7 天。清理出土一批重要的遗物。简报分为：一、概况，二、墓葬形制，三、随葬器物，四、结语，共四个部分。有手绘图。

据介绍，该墓位于罐山北坡的陡崖地带，是在石灰岩山体上开山凿洞室而成。墓葬的建筑顺序是：先在山坡开凿出墓道和竖穴岩坑，再在岩坑内用砖石构筑出前室和后室，然后在前室左右两侧挖出岩洞作为耳室。发现该墓时，墓的前部已遭破坏，后室顶部发现有 1 个早期盗洞。墓葬由墓道、前室、后室、西耳室和东耳室组成。因曾被盗，该墓仅出土随葬品 40 余件，除陶狗和 2 枚铜钱出于后室外，其余随葬品均出于 2 个耳室。随葬品可分为陶器、瓷器和铜器 3 类。

简报指出，罐山 M10 开凿在山体中，又用砖石修建墓室，可以说是岩墓与砖石

混作画像石墓的结合体。西汉景帝、武帝时期，在部分王侯显贵中，出现一股凿山为墓之风。最为典型的就是河北满城中山靖王刘胜夫妇墓了。岩墓的兴起，最初都是诸侯王一级所采用的，罐山 M10 虽然远不如刘胜墓的规模大，但能够采用这样的葬制，应该也是身份不低的。因为开凿岩墓不但需要自然地理条件的便利，更需要相当的财力和一定的身份地位。

从该墓的形制构造、画像石风格及随葬器物组合等方面综合分析，简报推断 M10 的时代上限应为西汉晚期，下限到新莽时期或东汉初期。它的发掘，对研究两汉时期南阳地区画像石墓及岩墓的产生、发展和衰落具有重要的意义。

962.河南淅川马川墓地汉代积石积炭墓的发掘

作　者：河南省文物局南水北调文物保护办公室、河南省文物考古研究院、驻马店市文物考古管理所　齐雪义、刘文阁、程宇鹏、张　华

出　处：《考古学报》2014 年第 2 期

马川墓地位于河南省南阳市淅川县城西南约 21 公里的盛湾镇西北，南距盛湾镇政府约 3 公里。2007 ～ 2011 年，驻马店市文物考古管理所对墓地进行了大规模的考古勘探和边疆发掘。简报分为：一、墓葬概况，二、积炭墓，三、积石墓，四、积石和积炭墓，五、结语，共五个部分。有彩照、拓片、手绘图。

据介绍，这次发掘发现东周、两汉、晋、唐、宋等不同时期的墓葬 460 多座，其中两汉时期墓葬近 200 座，尤其是 21 座不同形制的汉代积石积炭墓，保存较为完整。从墓葬形制、随葬器物的组合及器物特征来看，这批墓葬有着很多的相似性，年代比较接近，简报推断均具有西汉中晚期至东汉早期墓葬的特征。

简报称，这批墓葬的发掘，为进一步了解汉代时期的埋葬制度和习俗提供了新的资料。

963.河南淅川泉眼沟汉代墓葬发掘报告

作　者：四川大学历史文化学院考古系、上海大学艺术研究院美术考古研究中心、河南省文物局、南阳市文物局、淅川县文物局　罗二虎、吕千云、陈亚军、刘　芳

出　处：《考古学报》2014 年第 3 期

为配合国家重点工程南水北调中线水渠的建设，考古人员在淅川县的南部发现 1 处古代墓地。于 2010 年 10 月至 2011 年 1 月对墓地进行了勘探和抢救性发掘。简报

分为：一、概况，二、墓葬形制，三、随葬器物，四、结语，共四个部分。有彩照、拓片、手绘图。

据介绍，墓葬相互之间无打破关系，依据墓葬形制、陶器组合与形制变化、铜钱类型、墓砖类型等，简报将这批墓葬分为六期。简报推断：第一期年代约为西汉早期；第二期年代为西汉中期前后；第三期年代在西汉晚期至新莽时期，下限到东汉光武帝建武十六年（40年）；第四期年代为东汉早期；第五期年代约为东汉中期；第六期年代为东汉末年至曹魏时期。

简报称，该墓地的入葬者财力十分有限，身份较低，为普通平民，仅有少量的可能为中小地主；墓葬的年代从西汉早期至东汉晚期，从一个侧面反映了丹江中下游地区两汉时期普通平民阶层墓制和葬俗及其发展演变过程，并确认此墓地为一处公共墓地。

964.南阳市永泰小区画像石墓 M35 发掘简报

作　者：河南南阳市文物考古研究所
出　处：《中原文物》2014 年第 6 期

南阳市永泰住宅小区，位于建设东路路南，西与南阳市税务局住宅小区、北与宛城区法院、东与罗庄变电站相邻。此处为一处古代墓葬区，近几年来，在该区已发掘了千余座墓葬。2000 年，为配合永泰住宅小区的基本建设，考古人员对该处进行了文物钻探和考古发掘。此次工作共发掘古代墓葬 281 座，其中 M35 为一座汉代画像石墓。关于该墓发掘情况，简报分为：一、墓葬形制，二、随葬器物，三、画像，四、结语，共四个部分。有彩照、手绘图、拓片。

据介绍，M35 为砖石混合结构画像石墓，画像4幅，出土了12件随葬器物及8枚铜钱。该画像石墓平面呈长方形，由前后室组成，为西汉晚期以后较常见的一种砖室墓墓型，简报认为这种墓形在南阳地区以往已发掘的汉画像石墓中却极为罕见；它的发掘为研究这一时期、这一类型的墓葬提供了完整的墓葬形制和器物组合，同时也为研究南阳地区画像石墓的墓葬形制提供了重要的新资料，具有较高的研究价值。

根据墓葬形制和出土器物，简报推断：该墓墓主人的身份应是中小地主这一阶层的人物或是平民；该墓的时代应为新莽至东汉初期。

965.河南淅川县赵杰娃山头汉墓发掘简报

作　　者：河南省文物局南水北调文物保护办公室、南阳市文物考古研究所
出　　处：《华夏考古》2014年第2期

赵杰娃山头汉墓群位于河南省南阳市淅川县的仓房镇挡子口村新四队组西南约200米处，属南水北调中线工程丹江口水库淹没区的文物保护发掘项目。2008年9月至2009年3月，考古人员对该墓群进行了文物勘探和抢救性考古发掘。清理西汉、东汉时期墓葬56座，有土坑墓、积炭墓和砖室墓三种。其中编号为2008XCZⅢM42（以下简称M42）的墓葬为一座砖室墓，虽被严重盗掘，但仍出土了一部分遗物。关于该墓发掘清理，简报分为：一、墓葬形制，二、出土遗物，三、画像砖，四、结语，共四个部分。有手绘图、拓片。

据介绍，赵杰娃山头的汉墓群Ⅲ区42号墓为单室墓，出土遗物以陶器为主，墓室采用大量花纹砖和画像砖构筑，并出土有八角形陶制空心画像立柱和"山"字形空心画像建筑构件。简报推断该墓年代为西汉晚期，墓主身份应该较高，有一定社会地位。

商丘市

966.虞城王集西汉墓

作　　者：商丘地区文管会、虞城县图书馆　阎根齐、翟建军
出　　处：《中原文物》1984年第1期

王集西汉墓，位于虞城县城西南10公里处。1983年3月，考古人员进行了清理。简报配以照片等予以介绍。

据介绍，该墓为竖穴土圹墓，墓内有石棺，出土遗物有陶鼎、陶壶、陶盒、陶小盒、陶饰品、陶勺等。简报认为该墓是西汉早期的墓葬。类似这样的石棺墓过去在商丘地区的虞城、永城、夏邑、商丘等县都曾有发现，这与西汉时期普遍流行的空心砖墓有显著区别。该墓随葬器物是以成对的陶鼎、陶盒、陶壶及小壶为基本器物组合，且都是一大一小，一个素面一个施以彩绘。这种形式的墓葬是否代表了豫东地区西汉时期墓葬的特点，尚待进一步研究。

967.永城太丘一号汉画像石墓

作　者：李俊山

出　处：《中原文物》1990 年第 1 期

太丘汉画像石墓位于县城西北 23 公里的太丘中学院内。1978 年百姓在此取土时发现，共有 2 座，南北并列，相距 1.5 米。考古人员于 1979 年 4 月下旬清理了北边的 1 座，暂编为太丘一号墓。当时，该墓右中室顶部盖石已揭开，墓室内积满泥水、碎石等杂物。左中室北壁有盗洞 1 处。简报分为：一、墓葬结构及画像石位置，二、随葬器物，三、画像石，四、结束语，共四个部分予以介绍，有照片、拓片、手绘图。

据介绍，太丘一号墓为夫妇合葬墓，石结构，多室。墓门朝西，内总长 7.41 米、宽 5.67 米。由前室和对称的左右中室、左右耳室、左右后室组成。各室均用经过细致加工的条石，由大逐小叠砌成覆斗式顶。此墓早已被盗，加上泥水冲积，随葬品位置散乱，且多已破碎。陶器、瓷器、石器等多放置在左右中室和左右耳室。右后室发现锈蚀严重的铁刀、铁剑。左后室出土有铁镜 4 面、银钗 1 枚，当为女主人墓穴。一号墓共出土陶器、瓷器、石器、铜器、铁器类 63 件，铜钱 80 枚。其中陶器 29 件，瓷器 17 件，石器 6 件，铜铁器 11 件。墓内有画像石多幅。简报推断此墓为东汉早期当地豪强地主之墓。

968.永城僖山汉画像石墓

作　者：李俊山

出　处：《中原文物》1990 年第 1 期

僖山汉画像石墓位于永城县城东北 33 公里的僖山南麓。1978 年群众采石时发现，县文化馆立即派人进行了清理。当时，前室顶部盖石已揭去，墓内空无一物。简报分为：一、墓葬结构及画像石，二、结语，共两个部分。有手绘图。

据介绍，此墓为石结构多室墓，单人葬，墓门西向。由前室、左耳室、后室（主室）及 2 侧室组成。总长 5.45 米，最宽处 3.58 米。墓顶用由大逐小的斜面条石叠砌为覆斗形，地面铺以石板。此墓在当地众多汉墓中并不显高大，应为东汉早期墓。

969.河南永城前窑汉代石室墓

作　　者：商丘地区文化局、永城文化馆　刘兆云
出　　处：《中原文物》1990 年第 1 期

1989 年 8 月，永城县前窑农民在追捕野獾时，于村西南侧黄土山发现 1 洞，考古人员前往察看，确认为 1 座古代墓葬（编为前窑一号墓），对此墓进行了抢救性清理发掘。简报分为：一、墓葬结构及刻划文字，二、随葬器物，三、结语，共三个部分。有拓片、手绘图。

据介绍，黄土山是芒砀群山的余脉，位于永城县芒山镇西北约 3 公里。该墓在山北侧，依山而建，早年被盗，墓后部有 1 盗洞，可通墓室，墓道内填满夯土和塞石，工程巨大，因此，墓道暂未清理。一号墓由墓道和墓室组成，从墓室可以观察到，墓道出口向东，为长方形，宽 2.3 米，其上部覆以夯土，下部用数道封门石充填，这些石块都加工成长方形，轻者数百斤，重者上千斤。墓道两侧没有存在耳室的迹象。墓室为竖穴岩坑石室，平面呈长方形，东西长 7.2 米、南北宽 4.1 米。劫余的随葬品有玉衣片、陶器等。简报推断此墓墓主人为西汉晚期有封地的皇戚或郡国豪族。

970.永城太丘二号汉画像石墓

作　　者：永城县文管会、商丘博物馆　寿新民
出　　处：《中原文物》1990 年第 1 期

太丘二号汉画像石墓，位于永城县西北 23 公里的太丘中学（老君堂旧址）院内。该墓与一号墓南北并列，早年被盗。1987 年 9 月，考古人员对 M2 进行了清理发掘。简报分为：一、墓葬形制，二、出土器物，三、画像石位置与画像内容，四、结语，共四个部分。有拓片、手绘图。

据介绍，该墓为纯石结构，坐东向西，墓室距地表 4.17 米。由墓门、前室、中室、南侧室和后室组成，整个墓室长 6.51 米。其结构是先在地表挖长方形墓圹，墓室底部用青石板铺地。前、中室采用方形覆斗式墓顶，方法是用青石条打出斜角自下而上、由大逐小四层叠压扣合而成。上部则用长、宽、高均为 48 厘米的石板盖板。该墓曾经被盗，清理时，前、中、后室已无封顶盖石，墓室内积满水和淤泥。后室除 5 块汉画像石保存完好外，残存随葬器物很少。仅在淤泥中清理出铁刀 1 把，钱币 37 枚，车軎 1 件，汉白玉石猪 2 件，陶狗、陶鸭、陶鸡、陶鸽、彩陶盘、陶猪圈、陶灶、陶圆底桶、陶壶、浅黄釉瓷罐、青瓷罐等 54 件器物。共出土画像石 6 幅，内容有舞蹈、兽戏、虎戏等。该墓的时代，简报推断为东汉中期偏早。

971.永城芒山柿园发现梁国国王壁画墓

作　者：阎道衡

出　处：《中原文物》1990年第1期

永城芒砀山群是豫东千里大平原上唯一的山脉，由大小10多个山头组成，根据考古调查表明，这里是汉代梁国国王及大臣陪葬的墓区，几乎每1座山头都有1座或数座国王或王室墓。继1978年清理西汉梁孝王墓、1986年发掘僖山金缕玉衣墓之后，1987年，又1座西汉国王壁画墓被发现。1987～1988年，对之进行了两次抢救性发掘。

据介绍，永城芒山柿园汉墓位于芒山保安山东麓的一座山脚下，西北与梁孝王墓相对，仅距150米，墓道西北向，长约30米、宽5.5米、深约10米，在如此长的墓道内全用长1.1～1.8米、宽0.8～1.1米、厚0.2～0.4米的条石封填，总数1000余块。许多石板上刻有文字，主要记载石头的大小、刻工、位置等内容。少者3～5字，多者10～20字，其中1块石条正面刻有"贞王"2字。该墓先前被盗，目前出土有陶器、玉衣片、残玉璧、陶俑和半两钱等。简报推断应为西汉初某1位梁王的墓葬。

972.河南夏邑吴庄石椁墓

作　者：商丘地区文化局　刘兆云

出　处：《中原文物》1990年第1期

吴庄墓群位于河南省夏邑县桑堌乡吴庄村东侧，西北距桑堌乡政府约1华里。墓群南北长105米、东西宽70米。此处原为高出地表约6米的土丘，当地群众很早即不断在此取土，现在反而成了低于地表1～2米的火坑，仅在墓群东南部和东北部保留有几个土疙瘩。由于受到自然力及人为的破坏，坑底已暴露出数座古代墓葬，为了使其不遭到更严重的破坏，商丘地区文化局于1988年4月对吴庄墓群进行了抢救性清理发掘，共清理墓葬38座（编号XWM1～M38），其中6座石椁墓的概况单独整理。简报分为：一、墓葬形制，二、随葬器物，三、画像石内容及位置，共三个部分。有手绘图、照片。

据介绍，这6座墓葬均为长方形竖穴土坑石椁墓，其形制结构、规模、石椁板之加工方法以及画像石内容的大同小异，表明它们是同一时期的墓葬。简报推断：这批石墓的时代为西汉后期偏早阶段，墓主人身份应为地主或下级官吏。简报称，吴庄墓发现的画像石刻有显著的地方特点。这次夏邑吴庄画像石墓的清理，为研究本地区画像石的起源和发展提供了重要的实物资料。

973.河南永城芒山西汉梁国王陵的调查

作　者：河南省文物研究所、永城县文物管理委员会　张志清、李俊山
出　处：《华夏考古》1992年第3期

1986年，河南省人民政府将陈胜墓及西汉梁国陵墓群公布为省级文物保护单位。1990年，考古人员对西汉梁国王陵进行了调查。简报分为：一、梁孝王墓，二、保安山墓，三、柿园墓，四、僖山墓，五、夫子山墓，六、南山墓，七、铁角山墓，八、黄土山墓，九、西黄土山墓，十、前窑一号墓，共十个部分。介绍了调查结果，有照片、手绘图。

据介绍，得到确证的梁王室陵墓12座，加之1975年在保安山北麓建石灰厂时炸毁1座（曾炸出玉衣片数百枚），共13座。目前发掘的几座均为西汉时期墓。梁国自汉高祖五年（前202年）始建，至梁孝王徙为梁王之前，30余年有三姓四王，可见更换频繁。加上连年战乱，都城离芒山较远（前都定陶，后都开封）。他们都不可能葬在这里。东汉梁国虽时断时续，但已非梁孝王家族，且封地屡有变化，也不可能葬在这里。因此，可以确认，芒山应为梁孝王家族的王室及大臣的陵墓区。

简报称，梁孝王墓宏大的规模表明了他的富有及强大的国力。从墓葬的形制看，他开创了诸侯王一级用大型崖墓的先河，其后的部分梁王（如柿园墓，夫子山一号墓、二号墓，铁角山一号墓、二号墓等均为大型崖墓）。其他的诸侯王，有的也仿照此形制，如河北满城中山靖王刘胜夫妻墓、山东曲阜九龙山鲁王墓，形制均与梁孝王墓相近。梁孝王死后，封地分为五国，其子五人为王，国力已大大削弱。其子五人有四人一代而终，只有长子刘买一支相沿，但也屡被削地。到西汉中期以后，已一蹶不振。如僖山墓，不论规模和形制，都远不如梁孝王墓了。因此，研究各个墓葬的发展变化，可以看出西汉郡国从强盛到衰弱的过程以及西汉中央集权由弱到强的过程。

974.河南永城黄土山三号汉墓发掘简报

作　者：河南商丘地区文物工作队　王良田
出　处：《考古与文物》1998年第2期

黄土山，又称皇姑山、皇姑坟。位于永城县芒山镇黄土山村后，东距芒山镇约1200米，西北距夫子山约1000米。传说有位村姑被一场大风刮到御花园，皇帝收之为干女儿，自然便成了皇姑，死后葬于此。因坟墓像小山一样，皇姑山由此得名。相传山顶原有皇姑庙。目前在黄土山共发现汉墓3座，编号分别为黄土山一、二、

三号墓。一、二号墓位于山顶南北两端，三号墓位于山东南半坡。1990 年 10 月发现三号墓，同年 11 月对该墓进行了抢救性清理。

简报分为：一、墓葬的形制结，二、石条刻字，三、随葬器物，四、结语，共四个部分。有拓片、手绘图。

据介绍，该墓依石崖坑而建，由墓道和墓室两部分组成。筑墓时，先于山坡上凿成长方形石坑，坑长 8.5 米、宽 4.1 米、深（西端）4 米。尔后用长方形或方石条在坑西端砌筑墓室。石条上有的有刻字，多为人名。该墓多次被盗，仅有劫余车马器及铜饰、陶片、金箔、银箔等遗物出土。有编织物 2 片。

简报推断三号墓的年代应在西汉中晚期。因一、二号墓已确定为汉代梁王墓地，三号墓的墓主人应是二千石或更高一级的官吏，或梁王的宗室近亲。该墓的性质应是一、二号墓的陪葬墓。

975.河南永城夫子山三号汉墓发掘简报

作　者：商丘地区文物工作队　王良田
出　处：《华夏考古》1998 年第 4 期

夫子山是河南永城县北约 30 公里的芒砀群山中的 1 座小山，位于芒山主峰西南侧。南北狭长。山南麓有夫子崖，即孔夫子避雨处。史载孔子由鲁之宋，路遇大雨，在山崖下避雨，故称夫子崖，夫子山亦由此得名。目前在夫子山共发现较大型汉墓 3 座，其中，位于山顶南北并列的两座石崖墓编号为夫子一、二号汉墓。三号墓位于二号墓西约 200 米的夫子山西坡。据老乡讲，20 世纪 50 年代夏邑县水泥厂在此修石灰窑时，曾发现该墓墓道。1993 年 12 月，在废弃的石灰窑坑底部发现 1 个直径约 50 厘米的盗洞由墓道通向墓室。1994 年元月，考古人员对该墓进行了抢救性清理。简报分为：一、墓葬的形制结构，二、墓室文字，三、随葬器物，四、结语，共四个部分。有手绘图。

据介绍，该墓为"甲"字形土坑石室墓，即筑墓时先于平地挖成长方形土坑，在坑内用长方形或方形石条砌筑墓道及墓室，墓上封土形成高台。现存封土最厚处约 10 米。该墓由墓道和墓室两部分组成，墓中四壁上有"乙一""丙一"一类朱书文字，当是记录石条的层次与序数的。该墓因遭多次盗掘，清理所见随葬器物均为残片，只有 1 件陶壶和 1 件陶盒可复原。这次清理共得随葬器物 13 件，收缴从该墓盗出的陶壶 2 件，共计 15 件。其中陶器 14 件，铁器 1 件。陶器有壶、盒、鼎耳、钫 4 种，铁器有铁环 1 种，均为实用器物。陶器为泥质灰陶，质地细腻，烧结成色好，器表经磨光，又饰红色彩绘，器内满涂朱砂，出土时朱砂色泽鲜艳。该墓的时代，简报推断为西汉中期偏晚，墓主人应是仅次于梁王及王后的王室成员或大臣。该墓应是一、二号墓的陪葬墓。

976.商丘市出土的西汉梁国农具

作　者：河南省商丘博物馆　王良田
出　处：《农业考古》2002 年第 3 期

商丘市位于河南省东部的黄淮冲积平原，全市辖 6 县、2 区、1 市，是西汉梁国的主要统辖区域，西汉梁国的第 2 个都城（梁国初都定陶，今山东定陶）睢阳即现在商丘市睢阳区。西汉梁国王陵墓地位于商丘东部永城市北 30 公里的芒砀山，1998年被国务院公布为第四批全国重点文物保护单位。20 世纪 80 年代以来，随着基本建设的开展，西汉梁国的文物考古工作有了较大进展，取得了辉煌成果。西汉梁王陵的发掘，发现了大量珍贵文物，其中出土农具 20 余件。这批农具的出土，为研究西汉梁国的农业生产情况提供了珍贵的实物资料。简报分为：一、农具的出土情况，二、西汉梁国农具的特征，三、几点认识，共三个部分。有手绘图。

据介绍，商丘市因其特殊的地理位置，历史上屡遭黄河水患，自宋代以来更为严重。现在地面上能见到的明清以前的人类活动遗迹均是一些堌堆遗存，汉代遗存主要发现于夏邑县以东至永城一带受黄河淤积影响较小的地段。西汉梁国文物则集中出土于芒砀山西汉梁王墓地。目前出土农具类文物 20 余件，其中梁孝王寝园 16件（另有铁镰两种，数量不详），保安山二号墓 2 件，保安山二号墓一号陪葬坑 1 件、柿园汉墓 1 件。此外，在窑山二号墓、磨山汉墓群 M45 各出土陶仓 1 件。除陶纺轮外，其余农具均为铁制。简报反映了铁农具在西汉梁国前期正得到广泛推广使用，反映了梁国农业生产的情况，为研究西汉梁国农业生产提供了实物资料。

977.河南永城市磨山西汉至新莽时期墓群的调查与发掘

作　者：河南省商丘市文物工作队、河南省永城市文物管理委员会　王良田等
出　处：《考古》2004 年第 11 期

1994 年 1 月，考古人员对永城磨山汉墓群进行了全面调查和局部抢救性发掘。简报分为：一、地理环境，二、墓葬形制，三、出土遗物，四、结语，共四个部分。有手绘图。

据介绍，磨山墓群位于河南省永城市北约 30 公里处的芒山镇磨山村西南角，东南距芒山镇约 2 公里。该墓群坐落于芒山主峰北坡的山脚坡地上。这一带红土发育

良好，当地农民在挖红土时发现墓葬。考古人员接到报告后立即组织工作人员对墓地进行了全面的地面勘察与钻探调查。

简报称，墓地东西两端遭破坏比较严重，东端有两处被大范围盗掘，在两处之间100米地段钻探，没有发现墓葬，这说明二者应是各自独立的分群，为叙述方便，编号为A群和B群，A群在西，B群在东。磨山墓地连续使用时间较长，其中既有汉初的墓葬，又有西汉中、晚期及新莽时期的墓葬。没有发现东汉时期墓葬。出土遗物58件，公安人员追回了部分随葬器物。

简报指出，磨山汉墓群所在的芒砀山是西汉梁国的王陵区，1996年12月被国务院公布为第四批全国重点文物保护单位。目前在芒砀山主峰以外的大部分山头都发现有两座并列埋葬的大型石崖墓或石室墓（梁王及王后的墓葬）。在山坡四周发现有中小型陪葬墓或陪葬坑。迄今为止，已抢救性清理了一批大型石崖墓、中型石室墓或陪葬坑，小型陪葬墓虽然清理了几座，但还没有引起足够的重视。磨山汉墓群的发现与发掘，正填补了这一空白。简报称，该墓群至少有数百座小型汉墓，这无疑为了解和研究西汉梁国一般平民、低级官吏的丧葬习俗、葬制以及梁王陵陪葬制度等提供了较为珍贵的资料。

978.河南永城市西汉梁王陵陪葬器物坑的清理

作　者：永城市文物工作队　徐雷钧等
出　处：《考古》2004年第12期

西汉梁王陵位于河南省永城市区北约30公里的芒砀山，陵区面积约10平方公里。目前在陵区共发现大中型汉墓21座，陵园址2处，陪葬器物坑6座，以及护陵陶俑3个。梁王陵、陪葬墓、陪葬器物坑分布于环芒砀山镇的诸山中。梁王和王后的墓葬位于山峰主体位置，王墓有斩山作廓、穿石为藏的大型崖洞墓和竖穴岩坑石室墓两种形制。陪葬器物坑和陪葬墓则位于半山坡或山脚下。简报分为：一、夫子山一号墓一号陪葬器物坑（夫M1K1），二、南山一号墓一号陪葬器物坑（南M1K1），三、铁角山二号墓一号陪葬器物坑（铁M2K1），四、结语，共四个部分。有照片、手绘图。

据介绍，这3个陪葬器物坑均位于主墓（梁王或王后墓）附近，这些陪葬器物坑的年代应与其主墓相同或稍晚。芒砀山梁王陵是梁孝王的家族墓地，西汉梁国灭亡于王莽始建国二年（10年），所以夫子山一号墓、南山一号墓、铁角山二号墓的时代应在西汉，其陪葬器物坑亦应属于西汉时期。具体而言，夫子山一号墓一号陪葬器物坑出土的14件铜器，是迄今为止芒砀山梁王陵区集中出土青铜容器最多的一个地点。简报推断，夫子山一号墓一号陪葬器物坑的时代应在西汉中期。南山一号墓一号陪葬器物坑的时代应在西汉中期或稍晚。铁角山二号墓一号陪葬器物坑出土的1000余件车马器，具有西汉车马器的明显特征。铁角山二号墓一号陪葬器物坑的时代应在西汉中期或稍晚。

简报指出，上述3坑出土的器物大部分与河北满城汉墓，广州南越王墓出土的同类器相同或接近，这说明3坑的时代比较接近，应当在西汉中期或稍晚。西汉中期前后在位的梁王有四位，分别是共王刘买（前144～前136年）、平王刘襄（前136～前97年）、贞王刘无份（前96～前86年）和敬王刘定国（前86～前46年）。依山势而言，夫子山一、二号墓，铁角山一、二号墓，南山一、二号墓，黄土山一、二号墓很可能是刘买、刘襄、刘无份和刘定国四位梁王及其王后的墓葬，但目前资料尚无法将他们和墓葬一一对应，这种推测还有待于将来4处王陵的考古发掘来验证。

979.河南永城市芒砀山汉代礼制建筑基址

作　者：河南省文物考古研究所　张志清等
出　处：《考古》2007年第7期

2006年7月，河南永城市政府在芒砀山主峰上修建汉高祖刘邦的塑像时发现1处汉代大型礼制建筑基址。基址残存有平面近方形的石台基，东西长31.5米、南北长33.5米，面积为1055平方米，其东北部已遭到破坏。台基四边用凿制规整的条石垒砌成石墙，中间为原始岩体，顶部为夯土。由于此建筑基址是在工程建设的过程中被发现的，发现时顶部夯土已被推掉，裸露出岩体，台基四周的遗迹也受到较为严重的破坏，对其原貌已无法复原。岩体四周皆有石墙围护，东、西两侧保存较好，尚有石墙存在。台基东侧的石墙残存25米，北部被一采石坑破坏，南端长4.15米的石墙也被破坏，仅存用碎石子夯筑而成的基槽，有的则直接将岩体凿平后作为基槽。中部是用打制规整的条石砌作石墙。简报分为：一、发掘的基本情况，二、建筑结构及其年代和性质，三、梁国陵寝建筑的概况，四、结语，共四个部分。有彩照、手绘图。

据介绍，此建筑基址位于芒砀山主峰上，中间由岩体和夯土形成墩台，四周砌有石墙，墙外有柱，柱上有檐，是1处以石、木结构为主的建筑。简报推测此基址可能是文帝时修建的高祖庙，或为西汉早期梁王修建的中心祭祀场所。

简报指出，梁孝王寝园修建的时代，正值"文景之治"，当时社会相对稳定，经济得以恢复。反映到文化、建筑等方面，一方面既承袭了战国、秦代的礼制，另一方面也出现一些变革。到武帝时期，西汉的军事、经济实力达到空前强盛，建筑形式也随之出现变化。梁孝王寝园建筑正是处在汉代的国势强盛时期,具有鲜明时代特征。

简报认为,此次在永城芒砀山发现西汉大型礼制建筑,此前在这一区域已发现了陵墓、陵园、寝园,此次又发现了中心礼制建筑,对研究汉代的陵寝制度、祭祀制度等也具有重要意义。

980.河南永城保安山汉画像石墓

作　者：永城市文物局、永城市博物馆　李俊山等
出　处：《文物》2008 年第 7 期

2005 年 9 月,永城市芒砀山区的保安山东坡,因修建梁孝王李王后墓的登山台阶,在挖掘机取土的过程中发现 1 座汉画像石墓,编号简称 M1。考古人员进行了抢救性清理。虽然该墓顶部已遭到破坏,但墓室保存完好。简报分为:一、墓葬形制,二、出土器物,三、画像石,四、结语,共四个部分。有照片、拓片、手绘图。

据介绍,该墓西距李王后墓约 500 米,由前室和 2 后室组成,全部用凿制规整的石板、石条砌筑。在清理前,2 块门楣及墓顶盖石已被挪动位置,散落一旁。该墓早年被盗,墓室内淤满了泥土,极为密实。墓内残存铁刀 1 件、刀鞘末端铜饰 1 件、残玉蝉 1 件、五铢钱及货泉 51 枚,以及一些残铁块、鸡腿骨骼。墓室共使用画像石15 块,也是这次工作的主要收获。简报推断年代为东汉早期。

981.河南永城市芒砀山新莽墓地清理简报

作　者：永城市文物局、永城市博物馆　李俊山、余　振
出　处：《华夏考古》2008 年第 2 期

2005 年 12 月中旬,为配合商丘汽车运输公司在永城芒砀山建造新汽车站的工程,考古人员抢救性清理了 7 座新莽时期的墓葬。其中一座(编号为 YMM1,简称 M1)未经盗扰,保存完整。简报分为:一、墓葬形制,二、随葬器物,三、结语,共三个部分。有照片、手绘图。

据介绍,此墓位于永城市北 34 公里的芒砀山主峰东端,为长方形石椁双室墓。由于用机械取土,墓圹已被破坏,前墓室顶部封土已全部运走,墓顶封石也被挪动,但墓室未被扰动,仍可看出整个墓葬结构的原貌。为男女合葬墓,但与汉代一般男右女左的埋葬方式相反。M1 因未经盗扰,出土时器物都应在原来摆放的位置。其中陶器、釉陶器、铜盆放在南室西端堵石的外边墓圹中。铁剑、铜镜、铜带钩、铜钱

等均位于墓主身侧或身下。玉蝉及耳环在墓主头部的位置。钱币用丝绸穿系并包裹。另外木棺中原或有草木灰、白灰槽，因棺木已朽，坠落于地。该墓的时代，简报推断为新莽时期，墓主人身份、姓名不详。

982.河南永城僖山二号汉墓清理简报

作　者：永城市博物馆　李俊山等
出　处：《文物》2011 年第 2 期

僖山二号墓位于河南省永城市北 33 公里的芒砀群山东端的僖山顶上，属汉梁王墓群。二号墓东侧 50 米处是僖山一号墓。因早年被盗，商丘地区文化局和永城县文物管理委员会于 1986 年春对一号墓进行了清理，出土有金缕玉衣和玉器 100 余件等。僖山二号墓亦多次被盗，公安部门追缴被盗文物 300 余件。1995 年 8 ~ 10 月，考古人员对二号墓进行了抢救性清理。简报分为：一、随葬器物，二、结语，共两个部分。有照片。

据介绍，2000 年 5 月，永城市公安局将破获僖山二号墓盗掘案收缴文物移交给当地文物主管部门，其中有玉璧 19 件、玉猪 2 件、玉衣片，此外还有玉佩、玉环、水晶环、玛瑙珠、石朱、石砚、铜箍和铁矛等。加上抢救性发掘，出土遗物仍很可观。

简报指出，僖山一号墓出土器物多为兵器和礼器。而二号墓中出土玉璧有凤鸟蒲纹璧以及玉佩、玉珠、玛瑙珠、石珠等女性佩饰。特别是金缕玉衣的制作上，一号墓出土的金缕玉衣全为素面玉片，玉衣片小而精致。二号墓中出土的金缕玉衣片多为玉璧改制而成，玉片大而且厚薄不均匀，较为粗糙。一号墓的墓门朝向东，二号墓的墓门朝西，也是王与王后的等级差别。简报推断，信山二号墓当是西汉晚期梁国某代王后的墓穴。僖山一、二号汉墓应是梁国后期梁王及王后的墓葬。

信阳市

983.固始出土两件西汉瓦件

作　者：詹汉清
出　处：《河南文博通讯》1978 年第 2 期

简报配以照片，介绍了 1974 年冬在河南省固始城郊大棚村的 1 座古墓填土内，发现汉代"长乐未央"瓦当和兽面纹瓦各 1 件。后者在淮河流域较少见。

984.固始县发现东汉画像镜

作　者：詹汉清
出　处：《文物》1986 年第 5 期

1985 年 5 月，河南省固始县往流乡唐庄村司大庄农民取土时发现 1 件东汉画像镜。现由固始县文管会收藏。

简报称，镜呈青灰色，中间有一道微裂痕迹。镜面微凸，光滑闪亮。直径 16.1 厘米、边厚 1 厘米，圆纽，花叶纹纽座。座外饰六组浮雕人物画像，分别为东王父、西王母、男侍、女侍、二女侍、鸟首人身羽人。各组人物画像间饰乳钉纹，空隙处均饰云气纹。人物画像外有铭文一周，铭文为："尚方作镜真大巧，上有东王父、西王母，□天□□不知老。"铭文包饰一周划线纹。镜边外撇，饰两周齿纹，间饰双线波纹。

985.信阳毛集古矿冶遗址调查简报

作　者：河南省文物研究所、信阳地区文物科
出　处：《华夏考古》1988 年第 4 期

1975 年 1 月下旬，信阳钢厂（桐柏）毛集铁山矿在三采区西北部采掘矿石时，在地下 30 米的深处发现了古代矿洞，洞内发现古代采矿工具——铁斧 1 件。考古人员发现这里是汉代采矿遗迹。简报分为：一、古矿井，二、冶炼遗址，三、遗物，四、小结，共四个部分。有拓片、手绘图。

简报称，这个采矿区和冶炼遗址的时代跨度似在战国到汉代之间。其主要开采和冶炼阶段应在汉代。桐柏县境内共发现采矿和炼铁遗址约 4 处，仅在毛集就有 2 处，可见桐柏是汉代南阳郡重要的冶铁基地之一。

986.息县发现一枚汉代官印

作　者：张泽松
出　处：《中原文物》1989 年第 1 期

1985 年 4 月，河南省息县陈棚乡张塘村贾庄 1 个农民在其村后的周代遗址上锄麦地时，发现 1 枚汉代官印，不久上交国家，现藏于息县文物管理委员会。简报配以拓片予以介绍。

据介绍，该印为铜质，桥形纽。印面略呈方形，长 2.5 厘米、宽 2.45 厘米、通高 2.3

厘米，重 77.7 克。印文为阴刻篆书"后将军军司马"6 字。后将军，系汉代的高级武官，秩禄万石，待遇同三公，后来地位有所下降。此印的发现，为研究汉代的官制提供了实物资料。

今有郭俊然先生《汉代官僚制度研究：以出土资料为中心》（郑州大学出版社 2018 年版）一书，可参阅。

周口市

987.记淮阳出土的几件石刻

作　者：周　到

出　处：《河南文博通讯》1979 年第 3 期

在《淮阳县历史文物陈列》中，有几件石刻艺术品非常引人注意，简报配以照片予以介绍。

简报首先介绍了汉画像石。河南是汉画像石的重要产区之一。以南阳最为著名，积石 1000 余块；登封、滑县、浚县和永城等地，近几年来也有不少发现。从淮阳县文化馆收集到的两块门楣画像石看，石质为黄砂岩，雕刻技法为浅浮雕兼施阴线，题材为神兽，与南阳汉画像石完全一样。简报还介绍了 1975 年淮阳县林才公社七里棚 1 座汉茧墓中出土的汉代熊足石砚、汉代廉驾神龟石雕，应是道家升仙和图谶迷信的产物；1977 年淮阳刘振屯公社曹集出土的汉白玉质北朝石狮子等。

又，据《考古》1965 年第 5 期，1964 年 3 月，考古人员在郸城县文化馆内见到一件汉代坐榻。此榻为青色石灰岩质，平面呈长方形，四角有足。长 87.5 厘米、宽 72 厘米、高 19 厘米。榻面刻有隶字 1 行，文曰："汉故博士常山大（太）傅王君生坐榻。"

据介绍，此榻是 1958 年春，郸城县竹凯店的百姓在村南 0.5 公里多的小砖券古墓（相传为竹凯将军墓）内发现的，与坐榻同时出土的还有 1 件绿釉陶鸡。据铭文，此榻是汉博士常山太傅王君的坐榻。西汉制，诸侯王国由中央任命太傅，其位尊显，往往以博士充任。此王君当是以博士任常山国的太傅的。又"榻"字，《说文》无，据《广韵》《释名》，应就是"榻"字。此坐榻形制和山东武梁祠画像墓左石室第二级第九石所绘大体相似。榻名具有墓铭的作用。石榻有铭者甚为少见，此石榻为研究古代室内家具的形制、名称提供了新资料。

988.淮阳于庄汉墓发掘简报

作　者：周口地区文化局文物科、淮阳太昊陵文物保管所　骆崇礼、骆　明
出　处：《中原文物》1983 年第 1 期

于庄位于淮阳县城东南 3 公里，属大连公社堌堆李大队。墓葬发现在县城至冯塘公路的西沟内，紧靠于庄。1981 年 11 月 6 日上午，于庄生产队农民在沟内取土时发现了 1 座陶庄园。他们发现后，一边清理，一边报告。考古人员赶到现场时，发现陶庄园已原地清出，保留完好，遂进行了发掘（M1）。简报配以照片、手绘图予以介绍。

据介绍，M1 为长方形土坑竖穴墓。葬具为棺木，人骨曾被扰乱。出土器物有铅车马饰、陶器、铜钱。随葬品中最重要的是陶庄园。陶庄园是淮阳于庄汉墓出土的重要文物，是新出土的西汉前期规模最大的建筑模型。由重檐庑殿、厕所、后院、猪圈、厨房、田园等组成。这座建筑模型结构严谨，形象逼真，是西汉地主庄园经济发展的真实写照，它为研究西汉前期地主阶级生活和建筑提供了新的资料。

989.扶沟吴桥村发现汉代画像砖

作　者：郝万章
出　处：《中原文物》1984 年第 3 期

1914 年元月初，在扶沟县城西北 15 公里的吴桥村，发现 1 座西汉晚期的空心画像砖墓。考古人员进行了清理。墓已破坏，访问得知，该墓室为南北向，东西长 3 米多，南北宽约 5 米。墓门朝南，墓圹全为空心砖所砌。上部砖已塌在底部，仅在墓室南端有 1 个猴抱砖柱和墓室偏南靠近墓门的地方，有两个执戟亭长的砖立在那里，其余的砖都堆在下边。简报配以照片予以介绍。

据介绍，该墓中随葬品极少，除发现 4 件陶罐（已烂）外，仅在墓的底部发现王莽时的"大泉五十"铜钱 9 枚。该墓的空心砖有作为门柱、角柱、横额、墙壁用的多种型号，有竖式、横式和方形等。每块砖上均有画像或图案，为一个个小印模（木质）在未干的砖坯上压印的，组成砖面的整体图案。画像为阳线刻，线条洗练，形象粗犷，朴实古拙。画像和图案有 10 余种，有车马围猎图、亭长图、建筑图、铺首图等。简报称，这些空心砖的画像构图精练，形象生动，为研究汉代工艺美术史提供了珍贵的资料。

990.项城县老城汉墓出土陶楼

作　者：周口地区文化局文物科　邓同德、张金云、张志华
出　处：《中原文物》1984 年第 3 期

1977 年 8 月，在河南省项城县老城邮电所院内发现 1 座东汉墓，考古人员进行了发掘清理。该墓早年被盗掘，墓室遭到破坏，随葬器物有的被掠走，有的被砸坏。简报配以照片予以介绍。

据介绍，墓为砖筑，多室，有长方形墓道。墓底为砖铺"人"字形地面，墓壁砖砌，墓顶为砖券。墓室由前室、甬道、侧室组成，即走进墓门至后壁是 1 条长 9.6 米、宽 1.4 米的长甬道，各室分别在甬道的两边，两两相对，计五对十室。左边各室较大，均为主室，右边各室较小，均为侧室。主室内发现有人骨遗骸，侧室多有残存随葬品。墓室顶部用楔形砖拱券，有的砖上印五铢钱纹、半重圆纹、菱形纹等。这种较复杂、较规则、较庞大的砖室墓，在已发掘的汉墓中是不多见的。该墓因被盗仅出土陶明器 29 件、铜钱 170 余枚。其中 3 件外施釉陶楼十分少见。此类陶楼，除豫南一带曾有出土之外，其他地方很少见到，具有明显的地方特点。此 3 件陶楼的中层均为敞门（无前墙），有的分作内、外 2 间，具有后世舞台的特点，有的还在里面表演乐舞百戏，可谓汉代之舞楼，这为研究中国舞台的起源提供了重要资料。陶楼里的伎乐俑有跳丸、讴歌、吹埙、吹排箫和摇鼗鼓，其人物形象和所表演的杂技、歌舞和乐器，与以往河南出土的东汉伎乐俑相似。

991.河南西华发现一枚汉代金印

作　者：张志华、王富安
出　处：《文物》1987 年第 4 期

1984 年，西华县文物普查队在县城西 5 公里的前石羊村进行文物普查时，发现 1 座因县窑场烧砖取土而被破坏的汉代墓葬。墓为竖穴土坑，南北向，长约 3.48 米、宽约 1.98 米。所出文物共计 21 件，其中有 1 枚金印。简报配以照片予以介绍。据介绍，金印为正方形，重 100 克。龟纽。边长 2.4 厘米、通高 2.1 厘米。印面篆刻阴文"富寿侯印"四字。据银行鉴定含金量 97%。另还有铜洗 1 件、铜奁 1 件、木奁 1 件、铜钱 14 枚、陶鸟 2 件，均属汉代遗物。简报确认金印为新莽时期遗物。

简报称，这颗金印体积之大，含金量之高，为我国出土文物中所罕见。

992.西华东斧柯村发现汉代画像砖

作　者：张志华、王富安

出　处：《中原文物》1987 年第 1 期

1985 年 5 月，西华县文物普查队在城西 4 公里的东斧柯村进行文物普查时，发现了数以千计的汉代画像砖。经调查，东斧柯村是 1 处面积颇大的汉墓群，自 1958 年以来，该村农民因烧砖取土，墓葬大部分被破坏，村西、村北已挖成大坑。所出文物多为汉代的鼎、豆、壶、瓮、罐等，墓葬的建筑用材多是长短空心砖、柱形空心砖、楔形砖、小弧形砖。经拣选，考古人员征集了一批价值较大的、具有不同图案的画像砖，简报配以拓片予以介绍。

据介绍，画像砖有围猎、迎拜、亭长、铺首、挂壁、羽人朱雀、车马行军等内容的画像砖。根据西华东斧柯村出土的画像砖的形制、画像的题材以及制印技法的不同，简报推断这批画像砖的时代亦不尽相同，早者可到西汉晚期，晚者可达东汉晚期。简报称，这批画像砖的出土，为研究汉代工艺美术史提供了珍贵的实物资料。

今有萧湄燕编《中国汉代画像石画像砖文献目录》（文物出版社 1995 年版）一书，可参考。

993.河南西华县发现汉画像砖墓

作　者：周口地区文化局、周口地区文物工作队　张志华、王富安、齐凤梧、
　　　　孙秀英

出　处：《考古》1988 年第 1 期

1981 年冬，西华县窑场职工在前石羊村烧砖取土时，挖掘出 1 座汉代空心砖墓。待考古人员前往清理时，该墓已惨遭破坏。墓内未发现随葬品（早年被盗）。据挖掘者说，该墓中间有一隔墙，东西各有一券门，内有人骨架。根据墓葬规模以及所出大量的画像砖，此墓应为双室墓，即夫妇合葬墓。由于该墓上部惨遭破坏，券筑情况难以确定。该墓墓砖种类较多，用途各异。比较完整的墓砖共计 187 块，每块砖上均有画像或图案。这些画像图案共计 14 种。画像多为高浮雕，其次为浅浮雕，图案均为模印烘制。重要画像砖的画像内容，简报配以照片予以介绍。

据介绍，西华县出土的汉代画像砖，以瑞祥、辟邪等反映道家思想和谶纬迷信思想为特点，同时在雕刻技法上也具有其个性，即以剔地高浮雕为主，画像细部多用线条表现，同时模印画像占相当的位置。整体看来，画像构图明快，组合均衡，动态很有节奏。

根据墓的形制、画像题材以及制印技法分析，简报推断该墓当为东汉墓群。

994.河南扶沟发现汉代画像砖

作　者：韩维龙、秦永军、贺万章
出　处：《考古》1988 年第 5 期

1985 年 5 月，扶沟县博物馆在白潭乡西孙家村征集到汉代画像砖 9 块。据调查，这是 1 座画像砖墓，随葬铁剑、陶罐等器物。

以砖之形制和画像内容，可分为神怪画像砖、双蛇形画像砖和楣阙画像砖。简报配以照片予以介绍。

据介绍，画像砖有：神怪画像砖共 4 块，皆为长方形空心高浮雕画像砖。其制法是分别模制出空心砖和神怪俑，然后将神怪俑粘贴在空心砖上，并在俑身上刻划出各种细线纹。

双蛇画像砖共 2 块。大小、形制相同，皆为一长方形薄砖，制法与神怪画像砖相同。

门楣砖 1 块。画像的制法是用印模在未干的空心砖坯上压印出阳线图案。上为单面檐，瓦垄清晰。下施树叶纹和菱形乳钉纹图案。

门阙画像砖 2 块，大小、形制相同。

扶沟出土的汉代神怪画像砖，简报推断其时代应属东汉时期。

995.商水县新安故城发现"货泉"铜范母

作　者：杨凤翔
出　处：《中原文物》1989 年第 1 期

河南商水县西南 29 公里的程刘村的新安故城，发现新莽时期盘式铜"货泉"范母 1 件。简报配以拓片予以介绍。

据介绍，铜范母为八边形，有边栏。边栏高 0.3 厘米、宽 0.3 厘米。八边形边栏长、短不一，长边 5 厘米，短边 3 厘米，相对两边长度相同。短边中间向里 0.3 厘米处，有阴阳间错铆钉各 1 对，整个范母内有钱形 8 枚，钱径 1.85 厘米，有内外廓。其中 2 对，1 对全为面，面文为小篆悬针体"货泉"2 字，1 对全为光背，方穿。另外 2 对，面、背各一，钱形同上。据考证，铜铸范母的使用，始于西汉文、景时期，用范母翻印成子范，再用合片叠叠的"壳型铸造"，使铸造钱币的工艺改进一大步。据《汉书·王莽传》记载，地皇元年（20 年），王莽进行第 4 次改革币制，废大泉、小泉，改行"货布""货泉"2 种钱币。所以，此铜范母应是新莽末期的遗物。范母的钱形规整、精致，为研究新莽时期的货币制度又提供了一个重要的实物资料。

996.河南淮阳北关一号汉墓发掘简报

作　者：周口地区文物工作队、淮阳县博物馆　韩维龙、李全立、史　磊等
出　处：《文物》1991 年第 3 期

淮阳北关一号汉墓位于县城北关纱厂附近，早年被盗。1988 年 8 ～ 11 月，为配合淮阳县纱厂扩建工程，考古人员对此墓进行了发掘。简报分为"墓葬形制""随葬器物""结语"，共三个部分予以介绍，有照片。

据介绍，此墓为砖石多室结构，墓顶原有封土堆，以后逐渐被削平。由墓道、墓门、甬道、左右耳室、前室、后室和四周回廊组成，回廊内另设 7 室。各室均作长方形，有甬道、券门相连通。整个砖石建筑面积达 500 多平方米。出土有铜器 60 件，大都为车马器及棺饰，有石俑 3 件，虎形座、双兽座、狮形座各 1 件以及重达 2 吨的石仓楼等。简报推断该墓的年代当在桓帝、灵帝以前的东汉中期偏晚。简报怀疑墓主人为永宁元年（301 年）封王的刘崇。此人封王 5 年后死，约在延光二年（123 年）。简报又指出，经勘探，在北关一号墓北侧还有 1 座墓葬，与一号墓同茔异穴，可能是刘崇之妻的墓室。

简报指出，此墓中出土的画像石刻，内容有宴饮、花草、常青树、瑞鸟、神兽等。雕刻技法有高浮雕、减地阴线刻、平铲阴线刻以及阴线刻四种。淮阳地处鲁南、苏北与南阳两大画像石中心区之间。由于这里的石材较缺，很少发现画像石。淮阳北关汉墓的发掘，有填补空白的意义。此墓的画像石兼融了鲁南、苏北与南阳两地区画像石的风格。

驻马店市

997.河南泌阳板桥古墓葬及古井的发掘

作　者：河南省文化局文物工作队　安金槐、贺宫保
出　处：《考古学报》1958 年第 4 期

板桥村位于泌阳县东约 62.5 公里，东距牛蹄镇约 2.5 公里。村南紧临沙河（即古溁河）。沙河由西向东至板桥出桐柏山脉，在板桥村附近形成小盆地。为古代由南阳向平原东去的必经之地。村西沙河的北岸有三所楼村和荆树坟村，所发掘的古文化遗址及古代墓葬就集中在板桥村西、荆树坟村以北和三所楼村以南的地区内。简报配以照片予以介绍。简报目次为：一、前言，二、墓形形制及随葬品，三、古井，四、下水道，五、结语。

据介绍，这次所发掘的墓葬，除墓 31 的顶部有 1 个大土冢并清楚地看出墓的建造是大揭顶券筑外，其余墓葬因残破较甚，已看不出它们的建筑方法了。这次所发掘的几座六朝墓，形制一般都较小，其随葬品主要为小口瓶和陶碗，其中又以小口瓶最多。有古井 11 个，种类多而券法简单坚固。下水道清理两条，清理时，瓦筒内的下半部都积有很多薄层的淤泥。这部分汉墓的时代，简报推断应属于东汉晚期；井和下水道的时代，简报推断属于东汉晚期或六朝时期。

简报称，通过对板桥水库地区的发掘，证明板桥一带不仅有许多古墓葬，特别是汉代墓葬和古井，而且还埋藏有丰富的新石器时代的文化遗址。

998.正阳县汉代石阙调查

作　者：王润杰

出　处：《文物》1962 年第 1 期

在河南省的东南部，正阳县城的东关外，有 1 处古代石建筑，当地人称作"望像台"。正阳县文化部门鉴于此"台"建筑形式古老，同时在当地人中又有许多古代的传说故事，就把它列入县级文物保护单位予以保护。1961 年 5 月，在全省文物调查登记中，对此"望像台"进行了调查研究，才知是 1 座汉代石阙。

据介绍，此石阙位于县城东关外公路北侧，仅存东阙。西阙可能出于某种迷信原因拆除了。石阙高 4.75 米，上原有石刻图等，已模糊不清。此阙与登封高山 3 阙极为相似，故推断为东汉时遗物。

999.泌阳县出土一方关内侯金印

作　者：李芳芝

出　处：《河南文博通讯》1980 年第 4 期

1979 年夏季，泌阳县板桥公社关刘庄大队盆窑生产队农民在田间锄地时，拣到 1 方关内侯金质印章，现保存在泌阳县文化馆。简报配以照片予以介绍。

据调查，这方印章不是墓中随葬文物，而是在田间耕土层中发现的。此印制作精工，造型古雅。龟背竖铸七行龟甲纹，并在龟背的边缘，亦铸镶有一周龟甲纹。在每个龟甲纹的中间，都铸有一个圆圈纹，并且在腹、腿、足、颈亦铸有排列有序的圆圈纹。纽座均为黄金铸成，经银行测定含金成分在 90% 以上，重 103 克，印高 0.9 厘米、通高 2.1 厘米、长 2.35 厘米、宽 2.39 厘米，印面阳文篆刻"关内侯印"四字，简报认为当是东汉时期遗物。

1000.河南遂平县小寨汉代村落遗址水井群

作　者：河南省文物研究所
出　处：《考古与文物》1986年第5期

1975年8月，河南南部发生特大洪水，遂平县城西南约13公里的小寨村西，1处汉代村落遗址暴露了出来。考古人员进行了清理。简报分为：一、村落道路遗存，二、遗迹与遗物，三、结语，共三个部分予以介绍。

据介绍，此村落东西长400米，南北宽300米，总面积12万平方米。在村落遗址的范围内，排列着7条道路，东西方向6条，南北方向1条，和不等距离的六行水井。井行与道路并行，布局十分密集，形成了1个完整的村落整体。简报称，这次发现的水井数量之多，分布又十分集中，这在以前是很少发现的。从水井的陶井圈、弧形子母榫砖和井内出土物等分析，水井的修建时代应从战国末或西汉初到东汉，井的使用年代可能很久，最晚可能延续到唐宋。唐宋以后遗物渐少，可能已因水患村落迁移。这批井，简报认为有两种用途：一是吃水，二是作储藏物品的地窖。从遗址中出土的大量筒瓦和板瓦看，这处村落遗址是汉代时封建豪强的居住村落。

1001.河南榷山汉代朗陵古城冶铁遗址的新发现

作　者：钟华邦
出　处：《考古与文物》1987年第5期

朗陵古城位于榷山县南部的任店盆地南缘，冶铁遗址沿郑武公路边排水沟的断面暴露宽达30余米，有木炭、铁渣、铁器碎片、炉渣、炉壁碎块及陶片、瓦片等。

据介绍，冶铁用的矿石碎块，原来是由含钛铁矿石英脉、钛铁矿硅质岩及褐铁矿等矿石组成。木炭多为麻栗木烧成。显然，当时炼铁时的燃料主要是木炭无疑。经试验，这些木炭至今仍然可以点燃，不过很快就风化成粉末。砖红色的炼铁炉壁系用黏土掺麦秸制成，局部仍保存有黄色平行纵纹的麦秸碎片。大量的陶片、瓦片、炉渣及铁器残片的出现，说明这里可能是古代冶铁及加工的场所。简报称，铁器表现有一层能防锈的钛铁合金。在汉代，我国冶铁技术能达到如此水平，"实在令人赞叹不已"！

1002.河南新蔡葛陵汉墓出土的铜器

作　者：杨焕成

出　处：《文物》1989 年第 9 期

1971 年 4 月，新蔡县李桥乡葛陵村农民在洪河北岸的耕地内发现 1 座砖室墓。主室与耳室皆为长方形，用长 29 厘米、宽 14 厘米、厚 4 厘米的绳纹小砖砌筑。墓中出土 14 件铜器。简报配以照片予以介绍。

据介绍，铜器具体为：铜钟 2 件、铜鼎 2 件、铜区 2 件、铜镶壶 1 件、铜长颈壶 1 件、铜洗 2 件、铜甑 2 件、铜釜 2 件，另外还出土铜衔镳、铜盖弓帽、铜镜残片、蒂形铜饰、木漆器残片、陶瓮、陶壶和其他陶器残片等。此墓年代，简报推断为西汉晚期。

1003.河南平舆发现新莽时期的钱币及铸范

作　者：程景洲

出　处：《考古》1990 年第 2 期

文物普查中，平舆相继发现新莽时期的两个货泉窖藏。简报配以照片、拓片予以介绍。

据介绍，在 1 串锈蚀货泉中，洗刷除锈后，发现其中夹着 1 枚完整无损的皮制货泉，钱面压有边沿，和铜铸货泉一样。不仅发现数量较多的货泉窖藏，而且发现货泉铜范。还有大布黄干、货布和 1 枚"大泉五十"，以及铸钱陶范。

1004.河南省泌阳新客站汉墓群发掘简报

作　者：河南省文物考古研究所、泌阳县文物保管所　陈彦堂、潘伟斌等

出　处：《华夏考古》1994 年第 3 期

为配合泌阳县基建工程，考古人员于 1992 年 10 月至 1993 年 1 月对泌阳县新客站汉墓群进行了考古发掘。发掘工作历时 3 个月有余，共清理发掘汉代墓葬 21 座、灰坑 1 个、水井 1 眼，出土了一批较有学术价值的文物。这次发掘，为研究该地区两汉时期的丧葬习俗和文化面貌提供了较为系统翔实的资料。简报分为：I 型墓——单室拱券顶洞室墓，II 型墓——前后室拱券洞室墓，III 型墓——多室券顶墓，IV 型墓——回廊式券顶墓，V 型墓——单室穹窿顶洞室墓，共五个部分。有照片、手绘图、拓片。

据介绍，I 型墓有 M5、M8 两座。M5 应为西汉中晚期墓，M8 为东汉末期墓。II 型墓有 M7、M9、M10、M13、M18、M19、M20、M21 共 8 座。其中 M21 为新

莽时墓，其他为东汉中期墓。III 型墓有 M3、M11，为东汉末期墓。IV 型墓仅 M1 这 1 座，时代不早于东汉中期。V 型墓仅 M6 这 1 座，为东汉晚期墓。

1005.河南正阳李冢汉墓发掘简报

作　者：驻马店市文物工作队、正阳县文物管理所　余新宏、刘　群、齐雪义
出　处：《中原文物》2002 年第 5 期

李冢汉墓群位于正阳县城南 15 公里的李冢、姚庄 2 个自然村之间，共 7 座，原均有高大的封土堆。《正阳县志》称其为"七星台"，又云"慎子将军墓"。姚庄村附近的 1 座墓早年已推平，现存李冢附近 6 座，由村西北 120 米的大冢（M1）往西依次为 M2、M3、M4，M4 南为 M5，M3 南为 M6。1983 年，该墓群被公布为县级文物保护单位。为配合开龚公路正阳段工程施工，考古人员于 2001 年 3 月 24 日对汉墓群的 5 号、6 号墓进行了抢救性清理发掘。简报分为：一、五号墓（M5），二、六号墓（M6），三、结语，共三个部分。有照片、手绘图。

据介绍，M5 墓室平面呈"中"字形。总长 13.5 米，坐西向东，方向 86°。由墓道、墓门、甬道、前室、南北耳室、后室组成。墓室墙体均为平砖错缝砌成。由于 M5 早年被盗，墓内随葬器物扰动严重，出土器物 25 件和大量五铢钱，多集中于甬道、前室及南耳室内，后室出土大量五铢钱及数枚棺钉。出土器物按质地可分为铜器、铅器、铁器、石器和陶器五类。M6 为同冢异穴合葬墓，分东西两座墓，东部墓室坐西向东，西部墓室坐北向南，两墓呈"T"字形，相距 0.6 米。此种同冢异穴墓很少见。上部封土遭严重破坏，有 1 个直径 3.15 米的盗洞直达墓底。M6 早年被盗，近现代又受严重破坏，墓内随葬器物扰动严重，所剩无几。多数器物集中在前室及后室内，共出土 36 件器物及百余枚铜钱。按质地可分为铜器、铅器、铁器、银器、瓷器、陶器、石器 7 大类。简报推测，M5、M6 均为东汉中期社会中上层人士墓葬，M6 应早于 M5。

济源市

1006.济源泗涧沟三座汉墓的发掘

作　者：河南省博物馆　李京华
出　处：《文物》1973 年第 2 期

1969 年，考古人员在济源县轵城南约 2 公里的泗涧沟和西约 1 公里的柿花沟，

共发掘了周、汉、唐、宋等时代的墓葬 52 座，其中泗涧沟的 3 座汉墓有几件比较重要的陶器出土。例如，墓 16 出有鸱鸮壶、龟座博山炉；墓 24 出有陶碓和风车，特别是墓 8 出土了 1 件桃都树（陶制明器）。简报分为：一、墓的形制和随葬品，二、墓的年代，三、几件主要随葬品，共三个部分。有照片、手绘图。

据介绍，这 3 座墓的时代，墓 16 较早，墓 8 次之，墓 24 较晚。总的看来，应是属于西汉晚期至王莽时期的墓葬。简报重点介绍了陶米碓与陶风车、舞乐杂技俑、桃都树、陶灯与博山炉等几件出土遗物。其中桃都树曾引起郭沫若先生的兴趣，写有专文，发表于 1973 年第 1 期的《文物》。

1007.河南济源出土汉代大型陶连枝灯

作　者：张新斌

出　处：《文物》1991 年第 4 期

1985 年春，河南济源县城西南 12 公里的承留乡承留村西清理了 1 座汉墓，出土器物中有 1 件罕见的大型陶连枝灯。

陶连枝灯通体饰白衣，涂朱砂。发现时已破碎，复原后知系由座、盘、柱、盏配套而成。自下而上共分 8 节。与陶连枝灯同时出土的器物还有陶壶、罐、盘、勺、碗、耳杯、魁、盆、樽、盒、瓮、碓房、磨、井、灶、案、仓楼，以及陶俑及陶塑动物等，还有铜车马器、五铢钱及铁刀、铁削，共 90 余件。简报推断此墓年代应为东汉中期或稍晚。

简报称，陶连枝灯在河南、山东、江苏等地东汉墓中多有发现，但这次发现的陶连枝灯灯盏多达 29 支，灯高 1.42 米，极为罕见。灯座上造型生动的百戏和栩栩如生的飞禽走兽，也具有较高的艺术价值。

1008.河南济源县承留汉墓的发掘

作　者：张新斌、卫平复

出　处：《考古》1991 年第 12 期

济源承留汉墓（JCM1），位于县城西南 12 公里的承留乡承留村西约 100 米村西公路南侧的高地上。1985 年初，该墓由省司法厅新济建材厂在当地施工时发现。同年 3 月，考古人员对该墓进行了发掘。简报分为：一、墓葬形制，二、出土遗物，三、结语，共三个部分。有手绘图。

据介绍，该墓是 1 座砖室墓。墓向 0 度。由墓道、前甬道、前室、西耳室、后甬道和后室组成。因时间关系，墓道未予发掘；前室顶部因已破坏而无从了解；后室则破坏无存。从清理情况看，前甬道发现有数枚铁钉，还有小动物碎骨。器物集中放置于前室，东部有陶罐、陶瓮、陶鸭、陶人俑、陶灶、陶磨、陶井、陶鸡、陶盘、陶耳杯、陶盒和铁刀等；西部有陶连枝灯、陶狗、陶鸡、陶鸭、陶樽、陶罐、陶壶、陶耳杯、陶仓楼、陶案等。西耳室放有罐、瓮、铜车马饰等。后甬道放有陶魁、勺、耳杯和五铢铜钱等92件。其中，连枝灯灯盏多达29支，实属罕见。该墓的年代，简报推断为东汉中期或稍晚。

1009.河南济源市赵庄汉墓发掘简报

作　者：河南省文物考古研究所　陈彦堂
出　处：《华夏考古》1996年第2期

1993年7月，济源市赵庄村村民在宅院内打井时发现了1座砖室墓，经清理得知，该墓除甬道口被水井破坏少许外，余部保存完好。墓内为淤土充塞，虽然随葬品的位置因水浸略有移动，但组合关系与配置方式仍基本清楚。该墓历史上未经盗掘，结构完好，随葬品数量较多且器类丰富，因此应予注意。简报分为：一、墓葬形制，二、遗物，三、结语，共三个部分。有手绘图、照片、拓片。

据介绍，该墓编号为HJZM1（简称M1），位于济源市轵城镇东南5公里的赵庄村，为东西向的长方形小砖券洞室墓，由墓道、甬道、前室、耳室、后室等部分组成。出土陶器、铜镜、玉饰、五铢钱等共计71件随葬品。简报推断时代为东汉中期。

简报称，赵庄汉墓随葬品的摆放，很清楚地表明墓葬各部分的功能。北耳室随葬灶、磨，南耳室则随葬仓、壶，表示炊厨与仓储的区别，即汉人左厨右仓的习俗；前室多陈案、盘、杯、勺与樽、壶类饮食器，后室则仅有铜镜、铜钱，明显地反映了前堂后寝的区分。这种以仓、厨、堂、寝区分的墓室结构，虽是汉墓习见的作法，但赵庄汉墓能将多种习俗与做法集中体现于1座墓室中，可以说是较为典型的。

1010.河南省济源市桐花沟汉墓发掘简报

作　者：河南省文物考古研究所　陈彦堂等
出　处：《文物》1999年第12期

桐花沟墓地位于河南省济源市轵城镇南1公里的桐花沟村东，北距轵国故城西南角约500米，向南则有1969年发现的泗涧沟墓。自20世纪90年代初开始，河南省文物考古研究所对轵国故城外围的泗涧沟墓地再次进行发掘，并首次发掘了邻近的桐花沟墓地，两地共清理战国至秦汉墓葬200余座，出土文物2000余件。泗涧沟墓地已有另文刊布。简报分为：一、M37，二、M63，三、结语，共三个部分，配以彩照、手绘图，先行介绍桐花沟墓地发掘的 M37、M63 两墓。

据介绍，M37 为土圹洞室墓，葬具为 1 棺 1 椁，骨架 1 具已朽，仰身直肢，棺椁底有朱砂铺底。有 2 个圆形盗洞直达墓底。M63 为有窄竖井墓道的土洞墓，墓中随葬大量彩绘陶器，下葬年代当在西汉中期。

简报称，在桐花沟墓地共发掘清理古代墓葬 108 座，其时代可分为战国、秦、西汉、东汉 4 个时期。其中，战国时期仅有竖穴土坑墓与宽竖井墓道土洞墓两类，随葬品多为 1 套鼎、盒、壶、盘的陶器组合，还有铜带钩等小件实用器。秦墓数量较少，多是宽竖井墓道土洞墓。墓中出土鼎、钫、扁壶、带钩等铜器，扁壶为此期最具特色的随葬品。西汉中期以后，上述两种形制的墓葬均不复存在，代之而起的是窄竖井墓道土洞墓和砖券洞室墓。砖券洞室墓又分为小砖券与空心大砖券两种。小砖券洞室墓是西汉中期到东汉末年的主要墓形，并发展出斜坡式阶梯墓道。空心大砖券洞室墓兴盛于西汉中晚期。西汉早中期尚随葬成套的鼎、盒、壶、盘、钫等陶器，中期以后则日益鲜见，以反映日常生活的陶器为主。此外，桐花沟墓地西汉中期以后的墓随葬大量彩绘陶器，有些墓葬甚至每器必彩绘，这与同时期的泗涧沟墓地以铅釉陶器随葬的习俗迥然有异。

简报认为，桐花沟墓地距轵国故城南垣不远，其时代又与轵国的兴衰相始终，因此，与轵国当有密切关系。

1011.河南济源市桐花沟十号汉墓

作　者：河南省文物考古研究所　陈彦堂
出　处：《考古》2000 年第 2 期

桐花沟墓地位于济源市轵城镇桐花沟村南，地处轵国故城西南隅外而与泗涧沟墓地毗邻。20 世纪 70 年代初，为配合焦枝铁路的修复工程，曾发掘了泗涧沟墓地。1991 年，为配合焦枝铁路复线电气化改造工程，考古人员对桐花沟墓地进行大规模发掘，共清理 108 座战国、秦汉墓。简报报道的 10 号汉墓是其中最大的 1 座。

简报分为：一、墓葬形制；二、葬具与葬式；三、随葬品；四、结语，共四个部分予以介绍，有手绘图、照片。

据介绍，10 号墓（JM10）是 1 座东西向的长方形洞室墓，分为墓道、甬道、墓室 3 个部分。随葬器物有陶器、铁器、铜器等共 47 件；通过墓葬形制、随葬品组合与器物形态的排比分析，简报推断桐花沟 10 号墓的下葬年代约在东汉中期偏早阶段，也可能早至东汉早期晚段。

1012.河南济源市蓼坞汉墓

作　者：河南省文物考古研究所　魏兴涛
出　处：《华夏考古》2000 年第 3 期

1994 年 7 月，河南省公安厅接黄河小浪底水利枢纽建设管理局公安处汇报，该局在驻地施工中发现古代墓葬 1 座，出土数十件文物。省公安厅将这一汇报转致省文物局，受省文物局委托，省文物考古研究所派人前去接收了这批文物。由于出土器物数量较多，器类较全，因此该墓虽未经正式发掘，然仍不失为重要的考古发现。简报分为：一、概况，二、出土器物，三、结语，共三个部分。有手绘图、拓片。

据介绍，该墓随葬陶器分属风格迥然的 2 大类，即釉陶和泥陶。不同风格的器物，当为不同墓主的随葬品，每大类陶器可独成 1 套，又因有 2 件陶灶随葬，墓主应为 2 人。简报推测该墓很可能为双棺空心砖洞室墓，简报推断为西汉中期偏晚阶段。

1013.济源新出土一件斗犬俑

作　者：济源市博物馆　李彩霞、陈良军
出　处：《中原文物》2004 年第 3 期

2003 年 5 月 5 日，考古人员在位于济源市区北 20 公里的西窑头村国家重点工程沁北电厂工地，发掘了约 20 座古墓葬。其中的 10 号墓，根据墓葬规模、结构及随葬器物断定为汉代墓葬，墓主人生前应是豪门贵族，出土文物最为丰富，有铜器、铁器、陶器等 100 余件。精品也非常多，有红绿釉多枝灯、褐绿釉陶风车、烤炉、宰羊俑、鱼鸭池、斗犬俑等。尤其是斗犬俑，姿态生动，造型逼真，是一件难得的珍品。简报配以照片予以介绍。

据介绍，两犬俑皆泥质红陶，上面的一只通长 19 厘米，通高 15 厘米，通身施绿釉。被压在下面的一只通长 20.5 厘米，通高 12.5 厘米，头部和前臂施绿釉，后半身施褐釉。犬四肢粗壮，四爪肥大，形态雄健威猛。一只犬前腿和头部压在另一只犬的脖子上，犬齿龇露，作进攻撕咬状。另一只犬则将头扭向一侧，意欲躲闪。从外形上看，和现存的良种"斗犬"外形相似。在汉代，上至帝王，下至平民百姓，养狗、玩狗之风盛行，并且世俗崇尚厚葬，在汉代墓葬的随葬俑群中，经常可以看到陶犬的身影。在 10 号墓中，随斗犬俑出土的还有几件人俑，有立姿，有踞坐者。其中一立俑脚前蹲卧一犬，从他们的手势来看，好像在助威喝彩。由于出土时相互叠压，人俑的位置无法确定。这些俑是否为围观斗犬的人群，还有待进一步考证。

1014.河南济源出土的几件釉陶俑

作　者：河南济源市博物馆　胡成芳
出　处：《考古与文物》2007年第1期

2003年5月，为配合济源市沁北电厂西窑头工地的施工，河南省文物考古研究所和济源市文物工作队联合对该工地进行了发掘，其中M10出土了一批精美的汉代釉陶俑。简报配以照片择要介绍。

据介绍，这些陶俑有斗狗、烧烤、宰兽、下棋等，表现了我国汉代丰富多彩的陶塑艺术和我国汉代人民的社会生活状况，为研究古代陶瓷器的发展及造型工艺提供了实物资料。

莽时墓，其他为东汉中期墓。III 型墓有 M3、M11，为东汉末期墓。IV 型墓仅 M1 这 1 座，时代不早于东汉中期。V 型墓仅 M6 这 1 座，为东汉晚期墓。

1005.河南正阳李冢汉墓发掘简报

作　者：驻马店市文物工作队、正阳县文物管理所　余新宏、刘　群、齐雪义
出　处：《中原文物》2002 年第 5 期

李冢汉墓群位于正阳县城南 15 公里的李冢、姚庄 2 个自然村之间，共 7 座，原均有高大的封土堆。《正阳县志》称其为"七星台"，又云"慎子将军墓"。姚庄村附近的 1 座墓早年已推平，现存李冢附近 6 座，由村西北 120 米的大冢（M1）往西依次为 M2、M3、M4，M4 南为 M5，M3 南为 M6。1983 年，该墓群被公布为县级文物保护单位。为配合开龚公路正阳段工程施工，考古人员于 2001 年 3 月 24 日对汉墓群的 5 号、6 号墓进行了抢救性清理发掘。简报分为：一、五号墓（M5），二、六号墓（M6），三、结语，共三个部分。有照片、手绘图。

据介绍，M5 墓室平面呈"中"字形。总长 13.5 米，坐西向东，方向 86°。由墓道、墓门、甬道、前室、南北耳室、后室组成。墓室墙体均为平砖错缝砌成。由于 M5 早年被盗，墓内随葬器物扰动严重，出土器物 25 件和大量五铢钱，多集中于甬道、前室及南耳室内，后室出土大量五铢钱及数枚棺钉。出土器物按质地可分为铜器、铅器、铁器、石器和陶器五类。M6 为同冢异穴合葬墓，分东西两座墓，东部墓室坐西向东，西部墓室坐北向南，两墓呈"T"字形，相距 0.6 米。此种同冢异穴墓很少见。上部封土遭严重破坏，有 1 个直径 3.15 米的盗洞直达墓底。M6 早年被盗，近现代又受严重破坏，墓内随葬器物扰动严重，所剩无几。多数器物集中在前室及后室内，共出土 36 件器物及百余枚铜钱。按质地可分为铜器、铅器、铁器、银器、瓷器、陶器、石器 7 大类。简报推测，M5、M6 均为东汉中期社会中上层人士墓葬，M6 应早于 M5。

济源市

1006.济源泗涧沟三座汉墓的发掘

作　者：河南省博物馆　李京华
出　处：《文物》1973 年第 2 期

1969 年，考古人员在济源县轵城南约 2 公里的泗涧沟和西约 1 公里的柿花沟，

共发掘了周、汉、唐、宋等时代的墓葬52座，其中泗涧沟的3座汉墓有几件比较重要的陶器出土。例如，墓16出有鸱鸮壶、龟座博山炉；墓24出有陶碓和风车，特别是墓8出土了1件桃都树（陶制明器）。简报分为：一、墓的形制和随葬品，二、墓的年代，三、几件主要随葬品，共三个部分。有照片、手绘图。

据介绍，这3座墓的时代，墓16较早，墓8次之，墓24较晚。总的看来，应是属于西汉晚期至王莽时期的墓葬。简报重点介绍了陶米碓与陶风车、舞乐杂技俑、桃都树、陶灯与博山炉等几件出土遗物。其中桃都树曾引起郭沫若先生的兴趣，写有专文，发表于1973年第1期的《文物》。

1007.河南济源出土汉代大型陶连枝灯

作　者：张新斌

出　处：《文物》1991年第4期

1985年春，河南济源县城西南12公里的承留乡承留村西清理了1座汉墓，出土器物中有1件罕见的大型陶连枝灯。

陶连枝灯通体饰白衣，涂朱砂。发现时已破碎，复原后知系由座、盘、柱、盏配套而成。自下而上共分8节。与陶连枝灯同时出土的器物还有陶壶、罐、盘、勺、碗、耳杯、魁、盆、樽、盒、瓮、碓房、磨、井、灶、案、仓楼，以及陶俑及陶塑动物等，还有铜车马器、五铢钱及铁刀、铁削，共90余件。简报推断此墓年代应为东汉中期或稍晚。

简报称，陶连枝灯在河南、山东、江苏等地东汉墓中多有发现，但这次发现的陶连枝灯灯盏多达29支，灯高1.42米，极为罕见。灯座上造型生动的百戏和栩栩如生的飞禽走兽，也具有较高的艺术价值。

1008.河南济源县承留汉墓的发掘

作　者：张新斌、卫平复

出　处：《考古》1991年第12期

济源承留汉墓（JCM1），位于县城西南12公里的承留乡承留村西约100米村西公路南侧的高地上。1985年初，该墓由省司法厅新济建材厂在当地施工时发现。同年3月，考古人员对该墓进行了发掘。简报分为：一、墓葬形制，二、出土遗物，三、结语，共三个部分。有手绘图。

据介绍，该墓是1座砖室墓。墓向0度。由墓道、前甬道、前室、西耳室、后甬道和后室组成。因时间关系，墓道未予发掘；前室顶部因已破坏而无从了解；后室则破坏无存。从清理情况看，前甬道发现有数枚铁钉，还有小动物碎骨。器物集中放置于前室，东部有陶罐、陶瓮、陶鸭、陶人俑、陶灶、陶磨、陶井、陶鸡、陶盘、陶耳杯、陶盒和铁刀等；西部有陶连枝灯、陶狗、陶鸡、陶鸭、陶樽、陶罐、陶壶、陶耳杯、陶仓楼、陶案等。西耳室放有罐、瓮、铜车马饰等。后甬道放有陶魁、勺、耳杯和五铢铜钱等 92 件。其中，连枝灯灯盏多达 29 支，实属罕见。该墓的年代，简报推断为东汉中期或稍晚。

1009.河南济源市赵庄汉墓发掘简报

作　者：河南省文物考古研究所　陈彦堂
出　处：《华夏考古》1996 年第 2 期

1993 年 7 月，济源市赵庄村村民在宅院内打井时发现了 1 座砖室墓，经清理得知，该墓除甬道口被水井破坏少许外，余部保存完好。墓内为淤土充塞，虽然随葬品的位置因水浸略有移动，但组合关系与配置方式仍基本清楚。该墓历史上未经盗掘，结构完好，随葬品数量较多且器类丰富，因此应予注意。简报分为：一、墓葬形制，二、遗物，三、结语，共三个部分。有手绘图、照片、拓片。

据介绍，该墓编号为 HJZM1（简称 M1），位于济源市轵城镇东南 5 公里的赵庄村，为东西向的长方形小砖券洞室墓，由墓道、甬道、前室、耳室、后室等部分组成。出土陶器、铜镜、玉饰、五铢钱等共计 71 件随葬品。简报推断时代为东汉中期。

简报称，赵庄汉墓随葬品的摆放，很清楚地表明墓葬各部分的功能。北耳室随葬灶、磨，南耳室则随葬仓、壶，表示炊厨与仓储的区别，即汉人左厨右仓的习俗；前室多陈案、盘、杯、勺与樽、壶类饮食器，后室则仅有铜镜、铜钱，明显地反映了前堂后寝的区分。这种以仓、厨、堂、寝区分的墓室结构，虽是汉墓习见的作法，但赵庄汉墓能将多种习俗与做法集中体现于 1 座墓室中，可以说是较为典型的。

1010.河南省济源市桐花沟汉墓发掘简报

作　者：河南省文物考古研究所　陈彦堂等
出　处：《文物》1999 年第 12 期

桐花沟墓地位于河南省济源市轵城镇南 1 公里的桐花沟村东，北距轵国故城西南角约 500 米，向南则有 1969 年发现的泗涧沟墓。自 20 世纪 90 年代初开始，河南省文物考古研究所对轵国故城外围的泗涧沟墓地再次进行发掘，并首次发掘了邻近的桐花沟墓地，两地共清理战国至秦汉墓葬 200 余座，出土文物 2000 余件。泗涧沟墓地已有另文刊布。简报分为：一、M37，二、M63，三、结语，共三个部分，配以彩照、手绘图，先行介绍桐花沟墓地发掘的 M37、M63 两墓。

据介绍，M37 为土圹洞室墓，葬具为 1 棺 1 椁，骨架 1 具已朽，仰身直肢，棺椁底有朱砂铺底。有 2 个圆形盗洞直达墓底。M63 为有窄竖井墓道的土洞墓，墓中随葬大量彩绘陶器，下葬年代当在西汉中期。

简报称，在桐花沟墓地共发掘清理古代墓葬 108 座，其时代可分为战国、秦、西汉、东汉 4 个时期。其中，战国时期仅有竖穴土坑墓与宽竖井墓道土洞墓两类，随葬品多为 1 套鼎、盒、壶、盘的陶器组合，还有铜带钩等小件实用器。秦墓数量较少，多是宽竖井墓道土洞墓。墓中出土鼎、钫、扁壶、带钩等铜器，扁壶为此期最具特色的随葬品。西汉中期以后，上述两种形制的墓葬均不复存在，代之而起的是窄竖井墓道土洞墓和砖券洞室墓。砖券洞室墓又分为小砖券与空心大砖券两种。小砖券洞室墓是西汉中期到东汉末年的主要墓形，并发展出斜坡式阶梯墓道。空心大砖券洞室墓兴盛于西汉中晚期。西汉早中期尚随葬成套的鼎、盒、壶、盘、钫等陶器，中期以后则日益鲜见，以反映日常生活的陶器为主。此外，桐花沟墓地西汉中期以后的墓随葬大量彩绘陶器，有些墓葬甚至每器必彩绘，这与同时期的泗涧沟墓地以铅釉陶器随葬的习俗迥然有异。

简报认为，桐花沟墓地距轵国故城南垣不远，其时代又与轵国的兴衰相始终，因此，与轵国当有密切关系。

1011.河南济源市桐花沟十号汉墓

作　者：河南省文物考古研究所　陈彦堂
出　处：《考古》2000 年第 2 期

桐花沟墓地位于济源市轵城镇桐花沟村南，地处轵国故城西南隅外而与泗涧沟墓地毗邻。20 世纪70 年代初，为配合焦枝铁路的修复工程，曾发掘了泗涧沟墓地。1991 年，为配合焦枝铁路复线电气化改造工程，考古人员对桐花沟墓地进行大规模发掘，共清理108 座战国、秦汉墓。简报报道的10 号汉墓是其中最大的1 座。

简报分为：一、墓葬形制；二、葬具与葬式；三、随葬品；四、结语，共四个部分予以介绍，有手绘图、照片。

据介绍，10 号墓（JM10）是 1 座东西向的长方形洞室墓，分为墓道、甬道、墓室 3 个部分。随葬器物有陶器、铁器、铜器等共 47 件；通过墓葬形制、随葬品组合与器物形态的排比分析，简报推断桐花沟 10 号墓的下葬年代约在东汉中期偏早阶段，也可能早至东汉早期晚段。